S0-BNC-063

Mit der »Atom«-Bombe leben, daran hat man sich gewöhnt, wie es scheint. Im Vordergrund der Diskussion steht die friedliche Nutzung der Kernenergie, die Frage nach Fluch oder Segen der »Atom«-Kraft: Wird sie unsere Umwelt zerstören und damit uns – oder wird sie die Energieprobleme der Welt lösen und die Menschheit vor dem Untergang retten? Beide Meinungen werden heftig vertreten. Aber wer weiß schon, was das ist, ein »Atom« ...? Außer daß es keins ist, kein »Unteilbares«.

Der ›dtv-Atlas Atomphysik‹ versucht in Texten und auf mehrfarbigen Tafeln, einen Überblick über die Vorstellungen zu bringen, die man sich heute vom Aufbau des Atoms, von der Atomhülle, vom Kern und von den Elementarteilchen macht. Es wird also nicht nur die eigentliche Atomphysik (worunter man nur die Physik der Atomhülle versteht) behandelt, sondern auch die Kernphysik und die Elementarteilchenphysik. Die Erscheinungen der beiden letzteren Teilgebiete konnten noch nicht aus einer umfassenden Theorie abgeleitet werden; daher werden besonders die Meßmethoden beschrieben, die zu den Ergebnissen geführt haben. Ein eigenes Kapitel ist den Reaktoren und der Fusionsforschung gewidmet.

Nuklidkarte, Kerntabelle und Register sollen die Brauchbarkeit als Nachschlagewerk erhöhen.

PS zur 3. Auflage: Inzwischen (seit der 1. Auflage 1976) ist auch die Bedrohung durch »Atom«-Waffen ins Bewußtsein der Öffentlichkeit zurückgekehrt – ein Grund mehr, sich über das gefährliche »Atom« zu informieren, was dieser Band nicht zuletzt durch die klare Sprache der Texte auch dem naturwissenschaftlich interessierten Laien erlaubt.

Und zur 4. Auflage: Nach Tschernobyl scheint die Angst vor den Folgen der friedlichen Nutzung der Kernenergie wieder stärker als die Furcht vor Kernwaffen zu sein.

Zur 5. Auflage: Da die Belastung der Umwelt durch die Verbrennung fossiler Brennstoffe immer deutlicher geworden ist, nimmt das Interesse an mit Kernenergie betriebenen Kraftwerken wieder zu.

In der Reihe ›dtv-Atlas‹ sind bisher erschienen:

Akupunktur, 3232
Anatomie, 3 Bände, 3017, 3018, 3019
Astronomie, 3006
Atomphysik, 3009
Baukunst, 2 Bände, 3020, 3021
Biologie, 3 Bände, 3221, 3222, 3223
Chemie, 2 Bände, 3217, 3218
Deutsche Literatur, 3219
Deutsche Sprache, 3025
Informatik, 3230
Mathematik, 2 Bände, 3007, 3008
Musik, 2 Bände, 3022, 3023
Ökologie, 3228
Philosophie, 3229
Physik, 2 Bände, 3226, 3227
Physiologie, 3182
Psychologie, 2 Bände, 3224, 3225
Stadt, 3231
Weltgeschichte, 2 Bände, 3001, 3002

Weitere dtv-Atlanten sind in Vorbereitung

Bernhard Bröcker

dtv-Atlas Atomphysik

Mit 116 Abbildungsseiten in Farbe

Graphiker Christa Gebhardt, John Henry Wegener

Deutscher Taschenbuch Verlag

Übersetzungen
Spanien: Alianza Editorial, Madrid
Ungarn: Springer Hungarica, Budapest

Originalausgabe
1. Auflage 1976
6. Auflage Juli 1997
© 1976 Deutscher Taschenbuch Verlag GmbH & Co. KG, München
Umschlagkonzept: Balk & Brumshagen
Gesamtherstellung: Brühlsche Universitätsdruckerei, Gießen
Offsetreproduktionen: Lorenz Schönberger, Garching
Printed in Germany · ISBN 3-423-03009-7

Vorwort

Seit dem Ende des Zweiten Weltkriegs und den Explosionen von Hiroshima und Nagasaki verbindet man mit dem Wort Atomphysik die Vorstellung einer für den Laien unverständlichen Wissenschaft, die die Menschheit in die Lage versetzt, sich selbst zu zerstören, aber auch durch die Erschließung neuer Energiequellen die Voraussetzung schafft für ihr Überleben.

Im ›dtv-Atlas zur Atomphysik‹ wird versucht, dem Leser die Vorstellungen nahezubringen, die man sich heute über den Aufbau des Atoms, des Kerns und der Elementarteilchen macht, ohne dabei die komplizierte Mathematik vorauszusetzen, die man zur Beschreibung dieser Vorstellungen braucht. Das Gebiet wird unterteilt in die drei Teilgebiete Atomphysik (worunter der Fachmann nur die Physik der Atomhülle versteht), Kernphysik und Elementarteilchenphysik. Die beiden letzteren sind noch nicht in der Weise abgeschlossen, daß man alle Erscheinungen aus einer umfassenden Theorie ableiten kann. Es wurde daher besonderer Wert darauf gelegt, die Meßmethoden zu beschreiben, die zu den Erkenntnissen geführt haben, so daß der Leser unterscheiden kann, was gesicherte Erkenntnis und was Hypothese oder Modellvorstellung ist. Wegen ihrer besonderen wirtschaftlichen Bedeutung ist den Reaktoren und der Fusionsforschung ein eigenes Kapitel gewidmet.

Besonderer Dank gebührt den Graphikern Christa Gebhardt und John Henry Wegener, die die Kartenseiten nach den Entwürfen des Verfassers gestalteten und dabei durch Phantasie und viel sachliches Verständnis eine anschauliche Darstellung der komplizierten Materie ermöglichten. Mein Dank gilt auch den Mitarbeitern des dtv für die verständnisvolle und geduldige Zusammenarbeit.

Hamburg, im Herbst 1975   Der Verfasser

Zur 4. Auflage:

Nach dem Reaktor-Unfall von Tschernobyl im April 1986 wurden die Risiken der Atomenergie in der Öffentlichkeit ausführlicher als je zuvor diskutiert. Das Wort »Becquerel« avancierte sogar zum »Wort des Jahres 1986«. Dennoch hat diese Diskussion kaum jemandem eine neue oder bessere Kenntnis der eigentlichen naturwissenschaftlichen Tatsachen vermittelt. Ihr Inhalt war nicht die sachliche Klärung, sondern die Durchsetzung von vornherein angenommener Standpunkte. Eine Lösung des durch die Atomenergie ausgelösten Konfliktes in der Gesellschaft kann dieses Buch nicht bieten. Es kann jedoch vielleicht dazu beitragen, daß der Leser das besser aus eigener Kenntnis beurteilen kann, worüber die politischen Kräfte in der Zukunft zu entscheiden haben.

April 1989   Der Verfasser

Inhalt

Vorwort 5

Symbol- und Abkürzungsverzeichnis 8

Erste Entdeckungen
Atome und Moleküle als Bausteine der Materie 10
Elektrische Elementarladung, Elektronen
und Ionen 12
Elektromagnetische Strahlung 14

Quantentheorie
Wellen und Teilchen 16
Quantenmechanik I 18
Quantenmechanik II 20
Lösungen der Schrödinger-Gleichung 22
Pauli-Prinzip 24
Statistik 26
Quantenelektrodynamik 28

Atomhülle und Molekül
Bohrsches Modell des Wasserstoffatoms 30
Strahlungsabsorption und Emission 32
Periodensystem der Elemente 34
Aufbauprinzip des Periodensystems 36
Spektren der Alkali-Atome 38
Mehrelektronenatome 40
Röntgenspektren 42
Magnetische Eigenschaften des Atoms 44
Moleküle 46
Molekülspektren 48
Kristalle 50
Elektronenzustände in Kristallen 52
Laser und Maser 54

Meßmethoden
Messung von Anregungsenergien 56
Optische Spektrometer 58
Interferometer 60
Röntgenspektroskopie 62
Hochfrequenz- und Mikrowellen-
spektroskopie 64
Kristallstrukturuntersuchung mit Röntgen-
strahlen; Raman-Effekt 66

Kernphysik
Eigenschaften des Atomkerns 68
Spin und magnetisches Moment 70
Bindungsenergie 72
Kernkräfte 74
Radioaktivität 76
Alphazerfall 78
Betazerfall I 80
Betazerfall II 82
Parität 84

Experimente zur Paritätsverletzung 86
Gammazerfall I 88
Gammazerfall II 90
Kernreaktionen I 92
Kernreaktionen II 94
Kernspaltung 96

Kernmodelle
Schalenmodell I 98
Schalenmodell II 100
Kollektivmodell 102
Optisches Kernmodell 104
Statistisches Gasmodell 106
Deuteron 108

Elementarteilchen
Arten und Eigenschaften I 110
Arten und Eigenschaften II 112
Erhaltungssätze und Invarianzen I 114
Erhaltungssätze und Invarianzen II 116
Erhaltungssätze und Invarianzen III 118
Resonanzen und Quark-Theorie 120
Antiteilchen 122

Wechselwirkung
Geladene Teilchen mit Materie 124
Elektronen mit Materie 126
Geladene Teilchen bei hoher Energie 128
Elektromagnetische Strahlung mit
Materie I 130
Elektromagnetische Strahlung mit
Materie II 132
Neutronen mit Materie 134
Kohärente Neutronenstreuung 136

Detektoren
Strahlungsdetektoren 138
Ionisationskammern 140
Proportionalzähler 142
Auslösezähler 144
Szintillationszähler I 146
Szintillationszähler II 148
Halbleiterzähler 150
Cherenkov-Zähler 152
Elektrische Bahndetektoren 154
Koinzidenztechnik 156
Gammadetektoren 158
Mössbauer-Effekt 160
Neutronendetektoren I 162
Neutronendetektoren II 164
Neutronenspektroskopie 166
Magnetische Spektrometer 168
Massenspektrometer 170
Teilchenspurdetektoren I 172

Teilchenspurdetektoren II   174
Teilchenspurdetektoren III   176

Quellen
Natürliche Strahlenquellen; Prinzip eines
  Beschleunigers   178
Elektronen- und Ionenquellen   180
Gleichspannungsbeschleuniger   182
Linearbeschleuniger I   184
Linearbeschleuniger II   186
Kreisbeschleuniger; Betatron   188
Zyklotron I   190
Zyklotron II   192
Synchrozyklotron   194
Synchrotron I   196
Synchrotron II   198
Neue Entwicklungen von Beschleunigern   200

Reaktoren
Eigenschaften und Bestandteile   202
Vier-Faktor-Formel   204
Bremsung und Diffusion von Neutronen I   206
Bremsung und Diffusion von Neutronen II   208

Bremsung und Diffusion von Neutronen III   210
Das kritische Volumen   212
Heterogene Reaktoren   214
Reaktordynamik   216
Reaktorsteuerung   218
Forschungsreaktoren   220
Leistungsreaktoren   222
Brutreaktoren   224

Thermonukleare Reaktionen I   226
Thermonukleare Reaktionen II   228

Atombomben   230

Strahlenschutz   232

Nuklidkarte   234

Kerntabelle   238

Konstanten   250

Register   251

Symbol- und Abkürzungsverzeichnis

Nachstehend sind die im Buch verwendeten Symbole und Abkürzungen zusammengestellt, soweit sie in der Literatur allgemein gebräuchlich sind. Dabei läßt es sich nicht vermeiden, daß einige Buchstaben für mehrere verschiedene physikalische Größen benutzt werden. Die spezielle Bedeutung muß dann aus dem Zusammenhang entnommen werden. Spezielle Abkürzungen, die nur für einzelne Formeln verwendet werden, sind hier nicht aufgeführt und werden an Ort und Stelle erläutert.

Elektrische Symbole

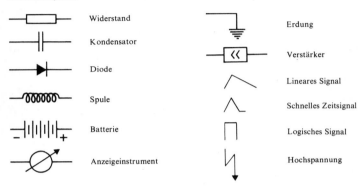

Widerstand	Erdung
Kondensator	Verstärker
Diode	Lineares Signal
Spule	Schnelles Zeitsignal
Batterie	Logisches Signal
Anzeigeinstrument	Hochspannung

Abkürzungen für Maße

a	Jahr	J	Joule
A	Ampere	K	(Grad) Kelvin
Å	Ångström	m	Meter
b	Barn	m, min	Minute
bq	Becquerel	mol	Mol
C	Coulomb	N	Newton
Ci	Curie	R	Röntgen
d	Tag	rad	Strahlungsdosiseinheit
eV	Elektronenvolt	s, sec	Sekunde
F	Farad	Sv	Sievert
g	Gramm	T	Tesla
grd	Grad	V	Volt
Gy	Gray	W	Watt
Hz	Hertz	Ω	Ohm
h	Stunde		

Vorsätze zur Angabe der Zehnerpotenz, mit der die Maßeinheit zu multiplizieren ist

T	Tera	$= 10^{12}$	d	Dezi	$= 10^{-1}$
G	Giga	$= 10^{9}$	c	Zenti	$= 10^{-2}$
M	Mega	$= 10^{6}$	m	Milli	$= 10^{-3}$
k	Kilo	$= 10^{3}$	μ	Mikro	$= 10^{-6}$
h	Hekto	$= 10^{2}$	n	Nano	$= 10^{-9}$
D	Deka	$= 10$	p	Piko	$= 10^{-12}$

Häufig benutzte Formelzeichen

A	Massenzahl	S	Entropie
a	Atomabstand im Kristallgitter	S	Spin
a	Streulänge	S	Quellstärke
B	magnetische Kraftflußdichte	s	Spinquantenzahl
B	Bindungsenergie	s	Strangeness
B	Buckling	T	Temperatur
b	MOSELEYsche Konstante	T	kinetische Energie
b	Atomabstand im Kristallgitter	T	Isospin
C	Kapazität	T_3	Isospin in z-Richtung
c	Lichtgeschwindigkeit	U	Potential
c	Atomabstand im Kristallgitter	u	ortsabhängige Wellenfunktion
d	Abstand der Gitterebenen	V	Spannung
d	Dicke	V	Volumen
E	Energie	v	Geschwindigkeit
$\mathfrak{E}$	elektrische Feldstärke	W	Wahrscheinlichkeit
e	elektrische Elementarladung	W	imaginäres Potential
e	Basis der natürlichen Logarithmen	x	Ortskoordinate
F	FARADAY-Konstante	y	Ortskoordinate
F	FERMI-Funktion	Z	Ordnungszahl, Protonenzahl
f	thermische Nutzung	z	Ortskoordinate
g	gyromagnetisches Verhältnis		
H	HAMILTON-Funktion, HAMILTON-Operator		
H	Magnetfeld		
h	PLANCKsches Wirkungsquantum		
h	MILLERscher Index		
I	Kernspin		
J	Trägheitsmoment		
J	Drehimpuls		
k	BOLTZMANNsche Konstante		
k	MILLERscher Index		
k	Vermehrungsfaktor	β	Verhältnis von Teilchengeschwindigkeit zu
k	Wellenzahl		Lichtgeschwindigkeit
L	LOSCHMIDT-Zahl	Γ	Kernniveaubreite
L	LAGRANGE-Funktion	ε	Schnellspaltfaktor
L	Bahndrehimpuls	η	Regenerationsfaktor
l	MILLERscher Index	ϑ	Streuwinkel
l	Drehimpulsquantenzahl	λ	Wellenlänge
M	Magnetisierung	λ_{tr}	Transportweglänge
m	Magnetquantenzahl	μ	magnetisches Moment
m	Masse	v	Frequenz
m_e	Elektronenmasse	$\bar{v}$	Wellenzahl
m_p	Protonenmasse	v_L	LARMOR-Frequenz
m_0	Ruhmasse	ξ	mittlerer Lethargieverlust
N	Neutronenzahl	π	Parität
n	Brechungsindex	ϱ	Dichte
n	Anzahl	ϱ	Radius
P	Entweichwahrscheinlichkeit	Σ	makroskopischer Wirkungsquerschnitt
P	Austrittsarbeit	σ	Wirkungsquerschnitt
p	Impuls	τ	Lebensdauer
p	Druck	τ	FERMI-Alter
p	Resonanzentkommwahrscheinlichkeit	Φ	magnetischer Kraftfluß
Q-Wert Reaktionsenergie		Φ	Neutronenfluß
q	Bremsdichte	φ	Winkel
q	Ladung	χ	Suszeptibilität
R	Widerstand	ψ	Wellenfunktion
R	RYDBERG-Konstante	Ω	Raumwinkel
r	Radius, Abstand	ω	Kreisfrequenz

A	$2g\,H_2 + 16g\,O_2 \Rightarrow 18g\,H_2O$ $2g\,H_2 + 32g\,O_2 \Rightarrow 34g\,H_2O_2$ $2\ \ H_2 + \ \ \ \ O_2 \Rightarrow 2\ \ H_2O$ $2\ \ H_2 + 2\ \ O_2 \Rightarrow 2\ \ H_2O_2$

Gesetz der multiplen Proportionen

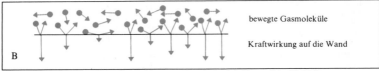

B

bewegte Gasmoleküle

Kraftwirkung auf die Wand

Erklärung des Gasdrucks durch Übertragung von Impuls durch frei bewegliche Moleküle

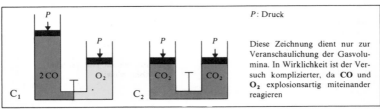

P: Druck

Diese Zeichnung dient nur zur Veranschaulichung der Gasvolumina. In Wirklichkeit ist der Versuch komplizierter, da **CO** und O_2 explosionsartig miteinander reagieren

Prüfung des AVOGADROschen Gesetzes

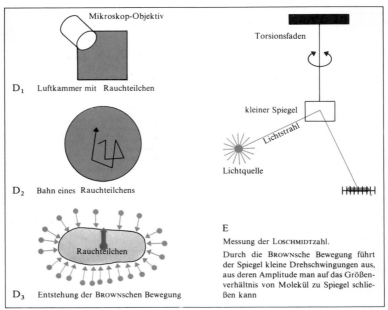

D_1 Luftkammer mit Rauchteilchen

Torsionsfaden

kleiner Spiegel

Lichtstrahl

Lichtquelle

D_2 Bahn eines Rauchteilchens

Rauchteilchen

E

Messung der LOSCHMIDTzahl.

Durch die BROWNsche Bewegung führt der Spiegel kleine Drehschwingungen aus, aus deren Amplitude man auf das Größenverhältnis von Molekül zu Spiegel schließen kann

D_3 Entstehung der BROWNschen Bewegung

BROWNsche Molekularbewegung

Die uns bekannte Materie ist aus **Atomen** zusammengesetzt. Das Atom ist der kleinste Baustein eines **chemischen Elements**, der noch die Eigenschaften dieses Elements besitzt. Teile eines Atoms, die man heute mit physikalischen Methoden herstellen kann, unterscheiden sich vollkommen vom Atom selbst; andererseits sind die verschiedenen Atome aus den gleichen Bausteinen zusammengesetzt.

Gesetz der multiplen Proportionen

Ein erster Hinweis auf die Existenz der Atome wurde um 1800 von DALTON gefunden: In einer chemischen Verbindung sind die Gewichtsverhältnisse der Elemente, aus denen sie besteht, immer konstant. Es setzen sich z. B. Wasserstoff und Sauerstoff immer im konstanten Gewichtsverhältnis 1 : 8 zu Wasser zusammen. Können zwei Elemente in verschiedenen Gewichtsverhältnissen Verbindungen bilden, so sind die möglichen Gewichtsverhältnisse immer ganzzahlige Vielfache des geringsten Gewichtsverhältnisses. Wasserstoff und Sauerstoff können sich außer zu Wasser auch zu Wasserstoffsuperoxyd zusammensetzen im Gewichtsverhältnis 1 : 16. Man nennt diesen Sachverhalt das »Gesetz der multiplen Proportionen«. Man kann dieses Gesetz dadurch zwanglos erklären, daß die Elemente aus Atomen zusammengesetzt sind und daß sich ein Atom des einen Elements mit einem oder mehreren Atomen des anderen zu einem **Molekül**, dem kleinsten Teil einer chemischen Verbindung, zusammensetzt.

Atommasse

Aus den im Experiment gefundenen Gewichtsverhältnissen kann man die Massen der Atome relativ zueinander angeben.
Ursprünglich setzte man als Definition die Masse des Sauerstoffatoms zu 16 atomaren Masse-Einheiten fest, heute dient als Grundeinheit die Masse des Atoms des Kohlenstoff-Isotops C 12 mit 12 Masse-Einheiten. Die dimensionslose Zahl, die angibt, um wieviel schwerer ein Atom ist als 1/12 Atom des Kohlenstoff-12-Isotops, nennt man **Atommasse**.
In gleicher Weise definiert man als **Molekularmasse** das Massenverhältnis eines Moleküls einer chemischen Verbindung zu der Masse von 1/12 Kohlenstoff-12-Atom.
Die Menge einer chemischen Verbindung, die genau so viele Moleküle enthält wie Atome in 12 g Kohlenstoff 12 enthalten sind, nennt man 1 Mol. Die Anzahl der Moleküle in einem Mol heißt **LOSCHMIDT-Zahl** oder **AVOGADRO-Zahl**

$$L = 6,022045 \cdot 10^{23} .$$

Ein Mol einer Verbindung wiegt so viel Gramm, wie ihre Molekularmasse beträgt.

Kinetische Gastheorie

Einen weiteren Beweis für die Existenz der Moleküle oder Atome als einzelne Teilchen lieferte die **kinetische Gastheorie**. Nach dem AVOGADROschen Gesetz sind bei einem idealen Gas in gleichen Volumina bei gleichem Druck und gleicher Temperatur immer gleich viele Moleküle enthalten, unabhängig davon, um was für eine chemische Verbindung es sich handelt; ein Mol eines idealen Gases nimmt also immer das gleiche Volumen von 22,4 l ein. Diese Tatsache kann man dadurch beweisen, daß zwei Gase dann und nur dann vollständig ohne Rest miteinander verbinden, wenn ihre Volumina vor der Reaktion in einem einfachen Zahlenverhältnis zueinander standen, das durch die Anzahl der Ausgangsmoleküle im Molekül der neuen Verbindung bestimmt wird.
Die kinetische Gastheorie erklärt den Druck als die Übertragung von Impuls durch die Moleküle auf die Gefäßwand. Hat man in einem Gefäß vom Volumen V N Teilchen, die sich mit der Geschwindigkeit c ganz unregelmäßig bewegen, so üben diese auf die Wand eine Kraft pro Fläche aus, die gegeben ist durch

$$P = \frac{N}{V} \frac{mc^2}{3}$$

P ist der Druck, m die Masse der Teilchen. Nach der Zustandsgleichung des idealen Gases gilt für ein Mol irgendeines Gases:

$$P \cdot V = R \cdot T .$$

Das Produkt aus Druck und Volumen ist gleich einer Konstanten mal der absoluten Temperatur. R nennt man die allgemeine Gaskonstante

$$R = 8,314 \, \text{J K}^{-1} \text{mol}^{-1} .$$

Nach der kinetischen Gastheorie läßt sich dieses Gesetz erklären, wenn jedes Molekül bei der Wärmebewegung die Energie

$$\frac{mc^2}{2} = \frac{3}{2} kT \qquad \text{hat}$$

und $R = k \cdot L$ ist, da in einem Mol gerade L Moleküle sind. k ist die **BOLTZMANNsche Konstante** $k = 1,38 \cdot 10^{-23}$ J K^{-1}.

BROWNsche Molekularbewegung

Die BROWNsche Molekularbewegung zeigt direkt, daß sich in einem Gas Teilchen bewegen. Läßt man leichte Rauchteilchen, die man im Mikroskop gerade noch gut verfolgen kann, die aber nicht so groß sind, daß sich die vollkommen unregelmäßigen Stöße der Moleküle ganz ausgleichen, in einem Gas schweben, so bewegen sich diese unregelmäßig im Gas hin und her. Die Bewegung wird bei Erwärmung des Gases stärker.
Durch geringe Schwankungen der Häufigkeit der Stöße aus den verschiedenen Richtungen wird das Teilchen hin- und hergeworfen, ähnlich wie etwa ein Mensch auf einer überfüllten Tanzfläche.
Aus der Größe dieser Bewegung kann man im Prinzip die LOSCHMIDTzahl messen, allerdings ist das Verfahren sehr ungenau.
Wesentlich genauer ist der Wert an Messungen der **Atomabstände in Kristallen** durch RÖNTGENstrahlen oder aus **elektrolytischen** Messungen bestimmt worden.

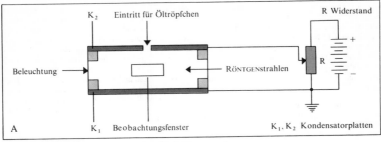

Schematischer Aufbau des MILLIKANschen Öltröpfchenversuchs

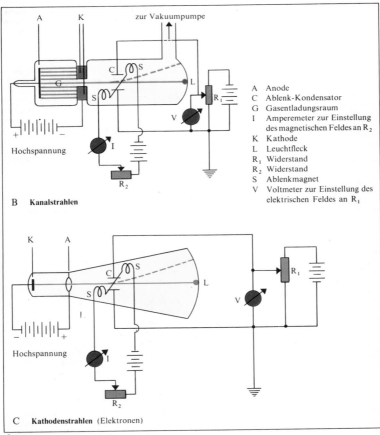

A   Anode
C   Ablenk-Kondensator
G   Gasentladungsraum
I   Amperemeter zur Einstellung des magnetischen Feldes an R_2
K   Kathode
L   Leuchtfleck
R_1 Widerstand
R_2 Widerstand
S   Ablenkmagnet
V   Voltmeter zur Einstellung des elektrischen Feldes an R_1

B   Kanalstrahlen

C   Kathodenstrahlen (Elektronen)

$\dfrac{e}{m}$-Messung

Elektrolyse: Legt man an zwei in eine Salzlösung getauchte Elektroden eine Spannung an, so trennt sich das gelöste Salz, und es scheiden sich an der **Anode** (positiver Pol) die **Anionen** und an der **Kathode** (negativer Pol) die **Kationen** ab (Beispiel: Bei Kochsalz, NaCl, geht das Chlor zur Anode und das Natrium zur Kathode). Beim Durchgang derselben elektr. Ladung durch versch. Salzlösungen mit einwertigen **Ionen** beobachtet man, daß die ausgeschiedenen Gewichtsmengen dem Atomgewicht proportional sind. Bei mehrwertigen Ionen sind die Mengen um den Faktor der **Wertigkeit** geringer. Da die elektr. Ladung nur von den Ionen getragen werden kann, muß man schließen, daß ein Mol eines Stoffes genau W mal eine konstante Ladung F tragen kann, wenn W die Wertigkeit ist. Die Konstante ist

$$F = 96486,7 \text{ Coulomb} \cdot \text{mol}^{-1}.$$

Da ein Mol immer genau L Ionen enthält, ist die von einem einwertigen Ion getragene Elektrizitätsmenge

$$e = \frac{F}{L} = 1,602 \cdot 10^{-19} \text{ Coulomb}.$$

Diese Ladung nennt man die **elektrische Elementarladung**; sie ist nach allem, was man bisher weiß, die kleinste mögliche elektr. Ladung.

Der MILLIKAN-Versuch

Ein Nachweis, daß e nicht etwa nur ein Mittelwert ist, gelang MILLIKAN durch den berühmten **Öltröpfchenversuch:** zwischen zwei gut ebene und genau parallel gestellte Kondensatorplatten wurden durch einen Zerstäuber winzige Öltröpfchen gebracht, die sich bei nicht angelegter Spannung am Kondensator durch ihr eigenes Gewicht in der Luft gleichmäßig nach unten bewegen. Die Geschwindigkeit ist dadurch bestimmt, daß sich Schwerkraft und Luftreibung die Waage halten; aus ihr kann man die Größe des Tröpfchens berechnen. Legt man jetzt an den Kondensator eine Spannung an, so wirkt auf die Tröpfchen, die beim Zerstäuben aufgeladen wurden, eine elektr. Kraft der Größe $\mathfrak{E} \cdot q$ ($\mathfrak{E}$ elektr. Feldstärke, q Aufladung). Durch Variieren der Spannung kann man erreichen, daß sich elektr. Kraft und Schwerkraft aufheben und das Teilchen ruht oder auch steigt. Sorgt man jetzt noch (z. B. durch RÖNTGENstrahlung) dafür, daß sich das Teilchen umlädt, so kann man an den angelegten Spannungen die versch. Ladungen ein und desselben Teilchens ablesen. MILLIKAN fand, daß sich diese Ladungen jeweils um die Größe e oder ganzzahlige Vielfache von e unterscheiden. Damit ist der Beweis erbracht, daß die elektr. Ladung nur in diskreten Schritten der Größe e verändert werden kann.

Kanalstrahlen

Freie Ionen kann man als sog. **Kanalstrahlen** erzeugen: In einem Raum zwischen Anode und Kathode einer Röhre befindet sich ein stark verdünntes Gas. Die Kathode ist durchbohrt, so daß durch sie hindurch positive Teilchen, die zwischen den Elektroden gebildet werden, hindurchtreten können in den anschließenden Raum, der auf Hochvakuum gebracht wird. Auf dem Glas am Ende der Röhre kann man das Auftreffen der Ionen als Leuchten beobachten. An diesen einzelnen Ionen kann man durch **Ablenkung im elektr. und magnet. Feld** das Verhältnis von **Ladung** zu **Masse** der Teilchen bestimmen.

Bei Kenntnis der Elementarladung kann man so die Masse der Teilchen messen; es zeigte sich, daß es sich bei Kanalstrahlen um ein- oder mehrfach geladene positive Ionen handelt. Man findet z. B. bei Wasserstoff

$$m_H = 1,6733 \cdot 10^{-24} \text{ Gramm}.$$

Freie Elektronen

Ein völlig anderes Ergebnis erhält man bei einem ähnl. Versuch: Man verwendet als Kathode einen **erhitzten Metalldraht** und durchbohrt die Anode. Dahinter ordnet man wieder dieselben elektr. und magnet. Felder an. Die gesamte Röhre wird hierbei auf Hochvakuum gebracht. Der gefundene Wert ist

$$\frac{e}{m} = 1,7589 \cdot 10^{8} \frac{\text{Coulomb}}{g} \quad \text{oder}$$

$$m = 9,108 \cdot 10^{-28} \text{ g}.$$

Das bei diesem Versuch untersuchte Teilchen ist also 1836 mal leichter als das Wasserstoffatom und negativ geladen (es fliegt zur Anode). Dieses Teilchen ist das **Elektron**, das so auf einfache Weise frei hergestellt werden kann.

Daß alle Atome aus Elektronen und einem positiven Kern bestehen, der fast die gesamte Masse des Atoms enthält, fand zuerst RUTHERFORD. Er ließ **Alphateilchen**, das sind zweifach geladene **Helium-Ionen**, durch dünne Materieschichten treten und maß die dabei auftretenden **Streuwinkel**. Er fand, daß die Alphateilchen Tausende von Atomen durchdringen, ohne überhaupt eine Ablenkung zu erfahren, dann aber sofort um einen großen Winkel gestreut werden. Er schloß daraus, daß die schwere positive Masse auf einen ganz engen Raum konzentriert ist vom Durchmesser von etwa 10^{-12} cm, während der mittlere Abstand der Atome etwa 10^{-8} cm beträgt. In dem großen Raum zwischen den Atomkernen bewegen sich die Elektronen, und zwar genau so viele, daß die positive Ladung des Ions ausgeglichen wird. Ein positives Ion, wie es beim Kanalstrahl erzeugt wird, entsteht also dadurch, daß dem Atom ein Elektron fehlt. Dieser Schluß von RUTHERFORD konnte durch die moderne Atomphysik auf der Grundlage der **Quantenmechanik** vollständig erklärt werden.

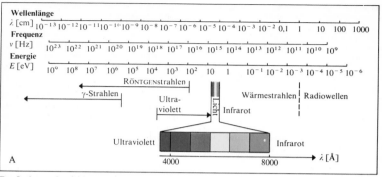

A

Das Spektrum der elektromagnetischen Strahlung

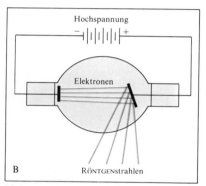

B

Die Erzeugung von RÖNTGENstrahlen

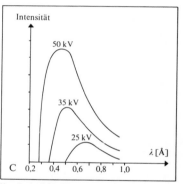

C

Kontinuierliche RÖNTGENspektren mit kurzwelliger Grenze

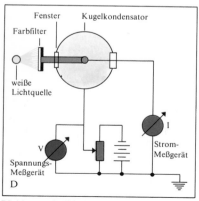

D

Die Messung des lichtelektrischen Effekts

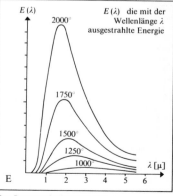

E

Das PLANCKsche Strahlungsgesetz

Unter **elektromagnetischer Strahlung** versteht man die Gesamtheit der Erscheinungen von den langen **Radiowellen** bis zu den kürzesten bekannten Wellen, der γ-**Strahlung**. Elektromagnet. Wellen entstehen immer, wenn elektr. Ladungen bewegt werden; sie geben Aufschluß über die Vorgänge im Inneren des Atoms, da seine Bauteile, die Elektronen und der schwere Atomkern, elektr. geladene Teilchen sind, die von den elektromagnet. Feldern im Atom zusammengehalten werden.

Licht

Zu den Erscheinungen der elektromagnet. Wellen gehört auch das Licht. Das sichtbare Licht hat Wellenlängen zwischen $4 \cdot 10^{-5}$ cm und etwa $8 \cdot 10^{-5}$ cm bzw. zwischen 4000 Å und etwa 8000 Å (für Lichtwellenlängen verwendet man i.a. die Längeneinheit Ångström: 1 Å $= 10^{-8}$ cm).

Kurzwelliges Licht wird als blaue Farbe wahrgenommen, langwelliges als rote, die anderen Farben reihen sich dazwischen ein. Weißes Licht ist eine Mischung aus allen sichtbaren Wellenlängen. Im langwelligen Bereich schließen sich an das Licht die Infrarot- und Wärmestrahlen an, die z. B. vom Menschen als Erwärmung auf der Hand gefühlt werden können, im kurzwelligen Bereich die ultraviolette Strahlung, die zwar nicht mehr gesehen wird, aber mit speziellen opt. Geräten nachgewiesen werden kann und z. B. auch photograph. Filme schwärzt.

Röntgenstrahlung

Röntgenstrahlung entsteht durch Beschuß von Metall durch schnelle Elektronen. In Röntgenröhren ist gegenüber der Kathode eine metall. Scheibe angebracht, die Antikathode, in der die Elektronen, durch eine elektr. Spannung von etwa 100 kV beschleunigt, abgebremst werden. Röntgenstrahlen schwärzen ebenfalls photograph. Filme und erzeugen in einigen kristallinen Materialien (wie z. B. Zinksulfid) deutlich sichtbare Leuchterscheinungen, wodurch sie leicht nachgewiesen werden können.

Gammastrahlung

Gammastrahlen entstehen beim radioaktiven Zerfall und bei Reaktionen zwischen Atomkernen; ihre Messung stellt daher eines der wichtigsten Hilfsmittel des Kernphysikers dar.

Lichtquanten

Ebenso wie die Materie aus kleinsten nicht mehr teilbaren Einheiten besteht, kann auch die elektromagn. Strahlung nur in diskontinuierl. Lichtquanten auftreten. Das zeigte zuerst Planck bei der Erklärung des Spektrums eines **Hohlraumstrahlers**: Gemessen wurde, daß das Emissionsspektrum eines Hohlraumstrahlers ein Maximum besitzt, welches sich mit steigender Temperatur zu kürzeren Wellenlängen verschiebt. Planck konnte diesen Sachverhalt nur dadurch erklären, daß er annahm, daß eine elektromagnet. Schwingung der Frequenz v, die angeregt wird, immer die Energie $E = h \cdot v$ trägt. h ist eine universelle Konstante, die eine zentrale Rolle in der Quantenmechanik spielt:

$$h = 6{,}626\,196 \cdot 10^{-34} \text{ Js}.$$

Sie hat die Dimension einer Wirkung (Energie mal Zeit) und wird deshalb als Plancksches Wirkungsquantum bezeichnet.

Mit dieser Annahme folgt aus dem Gleichverteilungssatz der Thermodynamik das Plancksche Strahlungsgesetz

$$E_v(T) = \frac{2 h v^3}{c^2} \cdot \left(\frac{1}{e^{\frac{h v}{k \cdot T}} - 1} \right).$$

E_v ist die bei der Frequenz v abgestrahlte Energie. Man spricht also anstatt von kurzwelliger Strahlung auch von energiereicher Strahlung und meint damit, daß die Energie des einzelnen Lichtquants bei kurzwelliger Strahlung hoch ist. Lichtquanten können auch als Teilchen angesehen werden und heißen **Photonen**. Die Energie der Photonen wird meistens in **Elektronenvolt (eV)** gemessen, das ist die Energie, die ein Elektron, oder besser gesagt, jedes Teilchen, das mit einer Elementarladung geladen ist, beim Durchlaufen einer Spannungsdifferenz von 1 Volt gewinnt (1 eV $= 1{,}60 \cdot 10^{-19}$ J).

Röntgenspektren

Das Spektrum der Röntgenstrahlen, die von einer Antikathode ausgesandt werden, gibt eine gute Möglichkeit, den Zusammenhang zwischen Energie und Wellenlänge von Photonen zu prüfen: Da die Elektronen beim Auftreffen auf die Antikathode nicht mehr Energie in ein Photon der Röntgenstrahlung verwandeln können, als sie vorher beim Durchlaufen der sehr genau bekannten Spannungsdifferenz gewonnen haben, erstreckt sich das gemessene Röntgenspektrum nur bis zu einer kleinsten Wellenlänge

$$\lambda_{gr} = \frac{12{,}345}{V} \text{ Å} \qquad (V \text{ in kV}).$$

Diese Eigenschaft der kontinuierlichen Röntgenspektren ist unabhängig vom Material der Antikathode und nur durch die Quantennatur des Lichts gegeben.

Photoeffekt

Einen anschaulichen Beweis der Quantennatur des sichtbaren Lichts gibt der zuerst von Einstein richtig gedeutete Photoeffekt: Bestrahlt man Metalloberflächen mit kurzwelligem Licht, so treten aus ihnen Elektronen aus, deren maximale Energie von der Farbe, also von der Wellenlänge des Lichts, abhängt, während die Anzahl der Elektronen, und damit der Strom, von der Lichtintensität abhängt. Die Elektronenenergie mißt man, indem man sie gegen ein bremsendes elektr. Feld anlaufen läßt. Ist die an den Kugelkondensator angelegte Spannung V größer als die Energie der Elektronen geteilt durch die Elementarladung, $V > \dfrac{E[\text{eV}]}{e}$, so können keine Elektronen mehr auf die äußere Kugel gelangen, und der Strom fließt nicht mehr. Man findet so

$$e \cdot V = h \cdot v + P.$$

P ist die Energie, die das Elektron aufbringen muß, um das Metall zu verlassen.

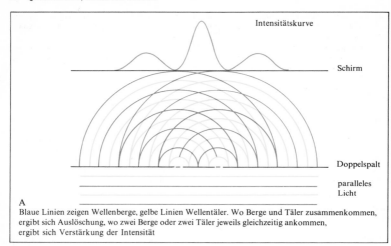

Intensitätskurve

Schirm

Doppelspalt

paralleles
Licht

A
Blaue Linien zeigen Wellenberge, gelbe Linien Wellentäler. Wo Berge und Täler zusammenkommen,
ergibt sich Auslöschung, wo zwei Berge oder zwei Täler jeweils gleichzeitig ankommen,
ergibt sich Verstärkung der Intensität

Die Beugung am Doppelspalt

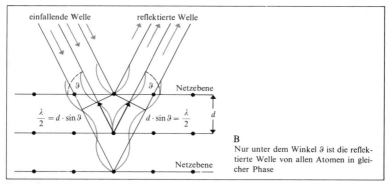

einfallende Welle   reflektierte Welle

ϑ ϑ Netzebene

$\dfrac{\lambda}{2} = d \cdot \sin \vartheta$ $d \cdot \sin \vartheta = \dfrac{\lambda}{2}$ d

Netzebene

B
Nur unter dem Winkel ϑ ist die reflektierte Welle von allen Atomen in gleicher Phase

Zur Ableitung des BRAGGschen Prinzips

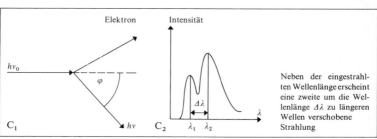

Elektron   Intensität

$h\nu_0$

φ

C_1 $h\nu$ C_2 $\Delta\lambda$ λ_1 λ_2 λ

Neben der eingestrahl-
ten Wellenlänge erscheint
eine zweite um die Wel-
lenlänge $\Delta\lambda$ zu längeren
Wellen verschobene
Strahlung

Der COMPTON-Effekt

Beugung

Die Wellennatur der elektromagnet. Strahlung kann durch zahlreiche Versuche belegt werden. Der eindeutigste und anschaulichste ist die Beugung des Lichts an einem Gitter, die in Abb. A an zwei Spalten verdeutlicht wird. Das beobachtete Bild der Intensitätsverteilung auf dem Schirm hinter den Spalten ist nur dadurch zu erklären, daß sich die *Amplituden* der elektr. bzw. magnet. Komponenten des Lichts aus den beiden Spalten auf dem Schirm addieren, nicht aber die *Intensität*, die dem Quadrat der Amplitude proportional ist.

Auf diese Weise gelang es auch v. LAUE, die Wellennatur der RÖNTGENstrahlung nachzuweisen: Die Atome in einem Kristall sind in der Form eines äußerst regelmäßigen räuml. Gitters angeordnet. Da jedes Atom des Kristalls, der mit RÖNTGENstrahlen bestrahlt wird, ein Streuzentrum bildet, von dem nach allen Richtungen Wellen abgehen, gibt es nur wenige Richtungen, bei denen sich die Amplituden der gestreuten Wellen gleichphasig addieren. Die dafür von BRAGG gefundene Beziehung lautet: $2 d \cdot \sin \vartheta = n \cdot \lambda$.

Dabei ist d der Abstand zweier Netzebenen (Ebenen, auf denen im Kristall die Atome angeordnet sind), ϑ ist der Winkel zwischen der einfallenden Strahlung und der Netzebene und λ ist die Wellenlänge. n ist irgend eine ganze Zahl. So gelingt es, mit Hilfe von Kristallen, deren Gitterabstände d man kennt, die Wellenlängen von RÖNTGENstrahlen genau zu messen oder umgekehrt mit Hilfe genau bekannter RÖNTGENwellenlängen den Gitteraufbau von Kristallen zu analysieren.

COMPTON-Effekt

Es gibt aber auch Effekte, bei denen die elektromagnet. Strahlung sich wie ein Teilchen verhält. Der eindeutigste Effekt dieser Art ist der COMPTON-Effekt: Läßt man kurzwellige RÖNTGENstrahlen bekannter Wellenlänge auf einen festen Körper fallen und mißt die Wellenlänge der gestreuten Strahlung in Abhängigkeit vom Streuwinkel, so beobachtet man neben der ursprüngl. eingestrahlten Wellenlänge λ_1 noch eine weitere, größere Wellenlänge λ_2. Der Unterschied der Wellenlängen $\Delta \lambda = \lambda_2 - \lambda_1$ wächst mit dem Streuwinkel.

Dieses Ergebnis kann man ganz zwanglos erklären, wenn man annimmt, RÖNTGENstrahlen seien Teilchen mit der Energie $E = h \cdot \nu$ und dem Impuls $p = \frac{h}{\lambda}$. h ist dabei das PLANCKsche Wirkungsquantum und ν die Frequenz der RÖNTGENstrahlung. Frequenz und Wellenlänge sind durch die Beziehung

$\nu = \frac{c}{\lambda}$ verbunden (c = Lichtgeschwindigkeit).

Aus den bekannten Erhaltungssätzen für Energie und Impuls von Elektron und RÖNTGENquant zusammen kann man die Wellenlängenverschiebung berechnen und findet: $\Delta \lambda = \frac{2h}{m_e c} \cdot \sin^2 \frac{\vartheta}{2}$.

m_e ist die Masse des Elektrons und ϑ der Streuwinkel. Die Wellenlängenverschiebung ist unabhängig von der Wellenlänge des eingestrahlten Lichts und nur vom Streuwinkel und von der Masse des streuenden Teilchens abhängig. Die Länge $\frac{h}{m_e c}$ bezeichnet man daher als COMPTON-Wellenlänge des Elektrons. Da sie sehr kurz ist, kann man den COMPTON-Effekt nur bei RÖNTGEN- oder Gammastrahlen beobachten.

Aus den beiden genannten Versuchen muß man schließen, daß die elektromagnet. Strahlung, je nach der Art, welche Versuchsbedingungen man wählt, als Teilchen oder als Welle erscheinen kann. Sie ist also weder Teilchen noch Welle, sondern ist zu beiden Erscheinungsformen fähig.

Elektronenbeugung

Dasselbe, was für das Licht gilt, gilt auch für Elektronen: Macht man mit ihnen Beugungsversuche an dünnen Kristallschichten, so beobachtet man unter gewissen Winkeln scharfe Maxima. Das Bild, das man bekommt, entspricht genau dem bei der RÖNTGENbeugung erhaltenen, wenn man dem Elektron von der Energie $E = \frac{m}{2} v^2$ (v ist die Geschwindigkeit) eine Wellenlänge $\lambda = \frac{h}{m_e v} = \frac{h}{p}$ zuordnet. Man kann also Gitterabstände in Kristallen auch mit Elektronen ausmessen, wobei genau dieselbe BRAGGsche Beziehung zwischen Wellenlänge, Streuwinkel und Netzebenenabstand besteht wie bei der RÖNTGENstrahlung und die Wellenlänge der Elektronen mit der Beschleunigungsspannung U durch

$$\lambda_e = \sqrt{\frac{150 \text{ Volt}}{U}} \cdot 10^{-8} \text{ cm}$$

zusammenhängt.

Seitdem Reaktoren mit hohen Neutronenstrahlintensitäten zur Verfügung stehen, kann man den gleichen Versuch auch mit Neutronen machen und findet, daß die Beziehung zwischen Impuls und Wellenlänge offenbar für jedes Teilchen gilt. Diese den Teilchen zugeordneten Wellen werden DE-BROGLIE-Wellen genannt.

Die Welleneigenschaft ist immer um so stärker ausgeprägt, je länger die Wellen sind, die Teilcheneigenschaft um so stärker, je kürzer die Wellenlänge.

Es muß jedoch auf einen Unterschied hingewiesen werden: Während beim Photon die Amplitude der Welle eine direkte physikal. Bedeutung hat, nämlich das elektr. oder magnet. Feld am betrachteten Ort, fehlt diese Bedeutung bei den DE-BROGLIE-Wellen, die bei den Teilchen mit endlicher Masse auftreten. Bei diesen kann man nach den beschriebenen Versuchen sagen, daß die Intensität, d.h. die Anzahl der beobachteten Teilchen, wenn man viele Teilchen betrachtet, dem Quadrat der Amplitude proportional ist.

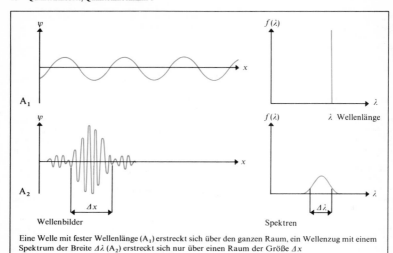

Eine Welle mit fester Wellenlänge (A_1) erstreckt sich über den ganzen Raum, ein Wellenzug mit einem Spektrum der Breite $\Delta\lambda$ (A_2) erstreckt sich nur über einen Raum der Größe Δx

Unbestimmtheitsrelation und DE-BROGLIE-Wellen

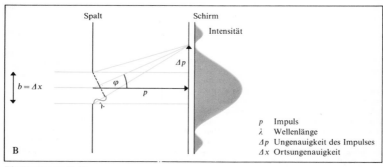

p Impuls
λ Wellenlänge
Δp Ungenauigkeit des Impulses
Δx Ortsungenauigkeit

Die Beugung am Spalt

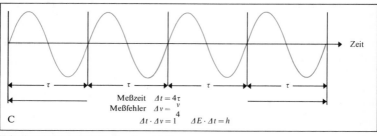

Meßzeit $\Delta t = 4\tau$

Meßfehler $\Delta v = \dfrac{v}{4}$

$\Delta t \cdot \Delta v = 1$ $\Delta E \cdot \Delta t = h$

Unbestimmtheitsbeziehung für Energie und Zeit

Die Unbestimmtheitsbeziehung
In der Quantenmechanik ist es nicht möglich, den Ort und den Impuls eines Teilchens gleichzeitig beliebig genau zu bestimmen. Für das Produkt aus der Ungenauigkeit des Ortes Δx und der Ungenauigkeit des Impulses Δp gilt immer $\Delta x \cdot \Delta p = h$, das Produkt kann also nur auf einen minimalen Betrag von der Größe h genau bestimmt werden. Diese Ungenauigkeit hat nichts zu tun mit der Unvollkommenheit der verwendeten Meßgeräte, sondern ist von der Natur vorgegeben. Sie hängt eng zusammen mit den Eigenschaften der DE-BROGLIE-Wellen: Ist nämlich der Impuls eines Teilchens genau bekannt, so ist damit auch eine bestimmte Wellenlänge $\lambda = \dfrac{h}{p}$ festgelegt.

Eine Welle mit einer genau definierten Wellenlänge erstreckt sich jedoch über den ganzen Raum, ihre Amplitude ist überall gleich groß, und daher ist der Ort des Teilchens völlig unbestimmt. Die DE-BROGLIE-Welle eines Teilchens, dessen Ort in gewissen Grenzen bekannt ist, muß durch einen Wellenzug beschrieben werden, der nur in diesen Grenzen eine von 0 verschiedene Amplitude hat. Dieser ergibt sich aus der Überlagerung eines Wellenlängenspektrums mit einer Breite $\Delta \lambda$. Die FOURIER-Analyse solcher Wellenzüge zeigt, daß ihre Breite um so größer ist, je schärfer die Wellenlänge definiert ist, und um so schmaler, je breiter das Wellenlängenspektrum ist. Es ergibt sich

$$\Delta x = \frac{1}{\Delta \left(\dfrac{1}{\lambda} \right)} = \frac{h}{\Delta p}.$$

Ebenso wie für das Produkt von Impuls und Ort gilt die Unbestimmtheitsbeziehung auch für die Eigenschaften Energie und Zeit eines Teilchens. Um die Frequenz eines Teilchens auf die Genauigkeit Δv zu messen, braucht man eine Zeit $\Delta t = 1/\Delta v$; man hat also diese Zeit als Ungenauigkeit der Bestimmung, wann diese Frequenz vorgelegen hat. Durch die PLANCKsche Gleichung $E = h \cdot v$ ist die Frequenz mit der Energie verbunden. Daher gilt immer:

$$\Delta E \cdot \Delta t = h.$$

Man nennt diese Größen, deren Produkt nur bis auf einen Faktor h genau bestimmt werden kann, **kanonisch konjugierte Variable**. Das Produkt zweier kanon. konjug. Variablen hat immer die Dimension einer Wirkung [J·sec].
Die **Beugung von Licht an einem Spalt** läßt sich aus der Unbestimmtheitsbeziehung erklären. Nach der Wellentheorie der Optik ist der Ablenkungswinkel φ vom Licht der Wellenlänge λ gegeben durch

$$\sin \varphi = \frac{\lambda}{b}$$

(b = Breite des Spaltes). Faßt man das Licht als einen Strom von Photonen auf, so ist die Ortsungenauigkeit gegeben durch die Spaltbreite $\Delta x = b$ und die Impulsungenauigkeit in x-Richtung durch den Impuls mal dem Tangens des Ablenkungswinkels, der

bei kleinen Winkeln gleich dem Sinus des Ablenkungswinkels ist:

$$\Delta p = p \cdot \sin \varphi = \frac{h}{\lambda} \cdot \sin \varphi.$$

Nach der Unbestimmtheitsrelation ist $\Delta p \cdot \Delta x = h$, also

$$\frac{h}{\lambda} \cdot \sin \varphi \cdot b = h \quad \text{oder} \quad \sin \varphi = \frac{\lambda}{b}.$$

Man kommt also mit beiden Auffassungen zum selben Ergebnis.
Daß die **Unbestimmtheitsbeziehung** in der normalen Mechanik keine Rolle spielt, liegt an der Kleinheit der Größe h. Bestimmt man etwa den Ort eines Gegenstandes von der Masse 1 Gramm auf 10^{-9} cm genau, so kann man trotzdem seine Geschwindigkeit nach der Unbestimmtheitsbeziehung noch auf 10^{-17} cm/sec genau angeben. Die Unbestimmtheitsbeziehung wird daher erst wirksam bei der Beschreibung des Verhaltens von Teilchen in der Größe einzelner Atome.
Im Gegensatz zu den Gleichungen der klass. Mechanik, die für ein mechan. System, etwa ein an einer Feder schwingendes Gewicht (*harmonischer Oszillator*) zu jedem Zeitpunkt den Ort und den Impuls angeben, müssen die Gleichungen der Quantenmechanik so aufgebaut sein, daß sie die Unbestimmtheitsrelation berücksichtigen, für makroskop. Systeme jedoch in die klass. Gleichungen übergehen. In der klass. HAMILTONschen Mechanik geht man zur Beschreibung eines mechan. Systems folgendermaßen vor:
1. Man beschreibt die Freiheitsgrade der Bewegung durch geeignete Ortsvariable q_k im (Beispiel S. 20 die Abweichung x von der Ruhelage als einzige Bewegungsmöglichkeit).
2. Man drückt die kinet. Energie T und die potentielle Energie V durch die gewählten Variablen q_k und ihre Zeitableitungen $\dot{q}_k$ aus (im Beispiel $\frac{m}{2} \dot{x}^2 = T, \quad k \cdot x^2 = V$).
3. Man bildet die LAGRANGE-Funktion $L = T - V$.
4. Man berechnet zu jeder Variablen q_k die kanonisch konjugierte Größe
$$p_k = \frac{\partial L}{\partial \dot{q}_k} \text{ (im Beispiel } p = m \cdot \dot{x}).$$
5. Man ersetzt in der Gleichung für T die Zeitableitungen der Ortsvariablen durch die kanon. konjug. Impulse p_k $\left(\text{im Beispiel } T = \dfrac{p^2}{2m}\right)$ und bildet die HAMILTON-Funktion $H = T + V$ $\left(\text{im Beispiel } H = \dfrac{p^2}{2m} + k \cdot x^2\right)$.
6. In der klass. Mechanik lauten dann die Gleichungen der Bewegung
$$\dot{q}_k = \frac{\partial H}{\partial p_k}, \quad \dot{p}_k = \frac{\partial H}{\partial q_k}$$
$$\left(\text{im Beispiel } \dot{x} = \frac{p}{m}, \quad \dot{p} = -k \cdot x\right).$$

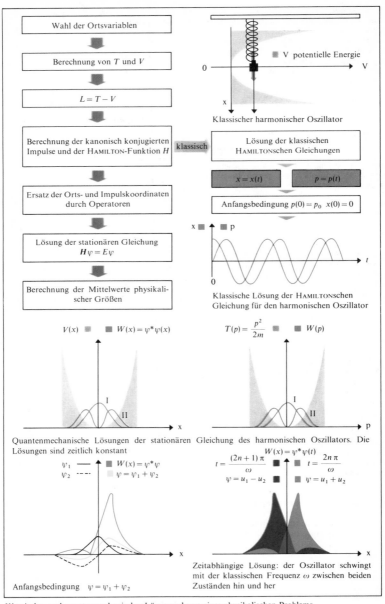

Wahl der Ortsvariablen

Berechnung von T und V

$L = T - V$

Berechnung der kanonisch konjugierten Impulse und der HAMILTON-Funktion H

klassisch

Ersatz der Orts- und Impulskoordinaten durch Operatoren

Lösung der stationären Gleichung $H\psi = E\psi$

Berechnung der Mittelwerte physikalischer Größen

V potentielle Energie

Klassischer harmonischer Oszillator

Lösung der klassischen HAMILTONschen Gleichungen

$x = x(t)$ $p = p(t)$

Anfangsbedingung $p(0) = p_0$ $x(0) = 0$

Klassische Lösung der HAMILTONschen Gleichung für den harmonischen Oszillator

$V(x)$ $W(x) = \psi^* \psi(x)$

$T(p) = \dfrac{p^2}{2m}$ $W(p)$

Quantenmechanische Lösungen der stationären Gleichung des harmonischen Oszillators. Die Lösungen sind zeitlich konstant

ψ_1 —— $W(x) = \psi^* \psi$
ψ_2 - - - $\psi = \psi_1 + \psi_2$

$W(x) = \psi^* \psi(t)$

$t = \dfrac{(2n + 1)\pi}{\omega}$ $t = \dfrac{2n\pi}{\omega}$

$\psi = u_1 - u_2$ $\psi = u_1 + u_2$

Anfangsbedingung $\psi = \psi_1 + \psi_2$

Zeitabhängige Lösung: der Oszillator schwingt mit der klassischen Frequenz ω zwischen beiden Zuständen hin und her

Klassisches und quantenmechanisches Lösungsschema eines physikalischen Problems

In der Quantenmechanik geht man bis zu Punkt 5 genauso vor. Danach jedoch ersetzt man die kanon. konjug. Orts- und Impulsvariablen durch **Operatoren.**

Operatoren sind Rechenvorschriften, die auf eine Funktion anzuwenden sind, wie z. B. $\dfrac{d}{dx}$, was bedeutet: Differenziere die Funktion nach x! Die für die kanon. konjug. Variablen einzusetzenden Operatoren müssen die HEISENBERGschen Vertauschungsregeln erfüllen:

$$p_k q_k - q_k p_k = \frac{h}{i}.$$

Das bedeutet, für jede Funktion ψ muß gelten:

$$p_k(q_k\psi) - q_k(p_k\psi) = \frac{h}{i} \cdot \psi.$$

Im Rahmen dieser Vorschrift kann man beliebige Rechenvorschriften oder Operatoren wählen. In der Ortsdarstellung wählt man $q_k = q_k$ (Multiplikation mit der Variablen); dann ergeben die Vertauschungsrelationen:

$$p_k = \frac{h}{i} \frac{\partial}{\partial q_k}$$

(Ableitung nach der kanon. konjug. Ortsvariablen). Im Beispiel bedeutet das:

$$q_k \equiv x, \qquad p_k \equiv \frac{h}{i} \frac{\partial}{\partial x}.$$

Die klass. Gleichungen der Mechanik (Punkt 6) werden dann in der Quantenmechanik ersetzt durch die SCHRÖDINGER-Gleichung:

$$H\psi = -\frac{h}{i} \frac{\partial\psi}{\partial t}.$$

In ihr ist H nicht mehr die HAMILTON-Funktion, sondern der HAMILTON-Operator, d. h. eine Rechenvorschrift, die auf die Funktion ψ anzuwenden ist. Man sucht solche Funktionen ψ, bei denen die Gleichung erfüllt ist.

Normierung: Die SCHRÖDINGER-Gleichung hat unendlich viele Lösungen, insbes. ist zu jeder Lösung ψ_1 auch die Funktion $A \cdot \psi_1$ eine Lösung, wenn A eine beliebige komplexe Zahl ist; ebenso ist zu zwei Lösungen ψ_1 und ψ_2 auch die Funktion $A \cdot \psi_1 + B \cdot \psi_2$ mit beliebigen Konstanten A und B eine Lösung. Nach der BORNschen Interpretation der Funktion $\psi(q_k)$ ist die Aufenthaltswahrscheinlichkeit des Systems an einem Ort q gleich dem Wert $\psi^*(q) \cdot \psi(q)$. ψ^* ist der »konjugiert komplexe Wert« zu ψ.

Daraus erhält man die Normierungsbedingung, daß die Wahrscheinlichkeit, daß das System irgendwo ist, gleich 1 ist. Mathematisch drückt sich das aus durch die Gleichung

$$\int \psi^* \cdot \psi \, dq_k = 1.$$

Darstellung physikalischer Größen

Infolge der Unbestimmtheitsbeziehung kann man für ein quantenmechan. System nicht erwarten, daß durch die Theorie der exakte Wert einer physikal.

meßbaren Größe angegeben wird. Die Quantenmechanik ergibt i. a. nur Aussagen über Wahrscheinlichkeitsverteilungen und Mittelwerte dieser Größen. Die Berechnung des Mittelwertes einer physikal. Größe geschieht auf die folgende Weise:

1. Man berechnet aus der SCHRÖDINGER-Gleichung und dem Anfangszustand eines Systems die Wellenfunktion $\psi(q_k, t)$.

2. Man sucht den zu der Größe zugehörigen Operator L. In der Ortsdarstellung ist z. B. der Operator des Impulses in x-Richtung $\dfrac{h}{i} \dfrac{\partial}{\partial x}$ oder der der Geschwindigkeit in x-Richtung gleich

$$\frac{p}{m} = \frac{h}{m \cdot i} \frac{\partial}{\partial x}.$$

3. Den Mittelwert der gesuchten Größe erhält man aus dem Integral:

$$L = \int \psi^* L\psi \, dq_k.$$

Der Mittelwert einer physikal. meßbaren Größe muß natürlich immer reell sein, da komplexe Zahlen physikal. keine Bedeutung haben; das bedeutet, daß nur solche Operatoren zur Darstellung physikal. Größen verwendet werden dürfen, die reelle Mittelwerte ergeben. Solche Operatoren nennt man *selbstadjungiert* oder *hermitesch.*

Eigenwerte und Eigenfunktionen

Es ist nach der Unbestimmtheitsrelation möglich, daß eine physikal. Größe einen ganz bestimmten Wert annimmt. Die zu ihr kanon. konjug. Größe ist dann völlig unbestimmt (z. B. bei der DE-BROGLIE-Welle mit einer festen Wellenlänge und völlig unbestimmtem Ort). Solche Zustände sind gekennzeichnet durch die Eigenwertgleichung des zu der fest bestimmten Größe gehörigen Operators

$$L\psi_l = L\psi_l.$$

Die reelle Zahl L nennt man den Eigenwert, die Funktion ψ_l, die die Gleichung erfüllt, die Eigenfunktion. Eine Eigenfunktion zum Operator L kann gleichzeitig Eigenfunktion zu anderen Operatoren A sein, wenn diese mit L vertauschbar sind, d. h. wenn

$$A(L\psi_l) - L(A\psi_l) = 0.$$

Bes. Bedeutung haben die Eigenwerte und Eigenfunktionen der Energie, die die stationäre SCHRÖDINGER-Gleichung erfüllen

$$H\psi = E\psi.$$

Die kanon. konjug. Größe zur Energie ist die Zeit, daher sind die Eigenfunktionen der stationären SCHRÖDINGER-Gleichung die Zustände, die sich mit der Zeit nicht ändern. Die Lösungen der stationären Gleichung haben die Form

$$\psi_n = u_n(q_k) \cdot e^{i\frac{E}{h} \cdot t}.$$

Die Aufenthaltswahrscheinlichkeit $\psi_n^* \psi_n = u_n^2(q_k)$ ist nicht von der Zeit abhängig. Jede Lösung ψ der zeitabhängigen Gleichung kann man aus den Lösungen ψ_n der stationären Gleichung zusammensetzen.

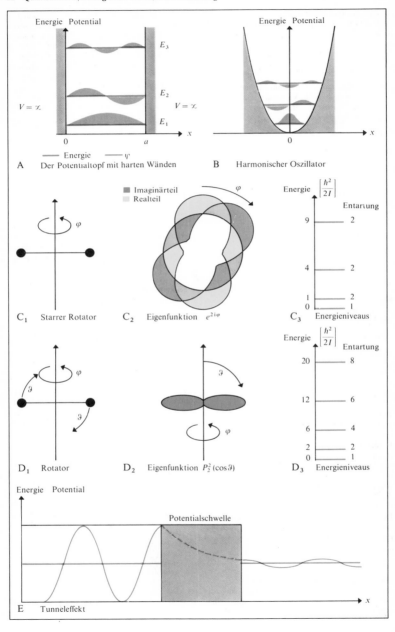

A   Der Potentialtopf mit harten Wänden

B   Harmonischer Oszillator

C_1 Starrer Rotator

C_2 Eigenfunktion $e^{2i\varphi}$

C_3 Energieniveaus

D_1 Rotator

D_2 Eigenfunktion $P_2^2(\cos\vartheta)$

D_3 Energieniveaus

E   Tunneleffekt

1. Das freie Teilchen: Wirken auf ein Teilchen keine äußeren Kräfte, so ist die potentielle Energie U gleich 0. Die Lösungen der SCHRÖDINGER-Gleichung haben dann die Form

$$\psi(x) = e^{ik \cdot x}, \text{ wobei}$$

$$k = \frac{\sqrt{2mE}}{\hbar} = \frac{p}{\hbar} = \frac{2\pi}{\lambda}.$$

Die Lösungen der SCHRÖDINGER-Gleichung für ein kräftefreies Teilchen sind Wellen mit der Wellenlänge $\lambda = \frac{h}{p}$, also die bekannten DE-BROGLIE-Wellen.

2. Das Teilchen im Potentialtopf mit harten Wänden: Die äußeren Kräfte seien so beschaffen, daß die potentielle Energie im Gebiet zwischen $x = 0$ und $x = a$ gleich 0 ist und außerhalb dieses Gebiets unendlich groß. Diese Kräfte kommen zwar in der Natur nicht vor, es lassen sich aber an diesem Beispiel die Eigenschaften der Lösungen der SCHRÖDINGER-Gleichung für gebundene Teilchen bes. einfach demonstrieren. Wegen der unendl. potentiellen Energie außerhalb des Gebiets $0;a$ wird dort $\psi = 0$. Da die Wellenfunktion keine Sprünge macht, gilt das auch noch für $x = a$ und $x = 0$. Mit diesen Randbedingungen sind aber nur Wellenfunktionen der Form $\psi = A \cdot \sin kx$ verträglich, wenn für k gilt: $k \cdot a = n \cdot \pi$. Da $k = \frac{\sqrt{2mE}}{\hbar}$ ist, gibt es nur Energien der Größe $E_n = \frac{\hbar^2 \pi^2}{2ma^2} \cdot n^2$, wobei n irgend eine ganze Zahl ist.

Im Gegensatz zur klass. Mechanik, wo ein Teilchen in einem Raum mit festen Wänden, etwa eine Billardkugel auf einem Billardtisch, jede beliebige Energie haben kann, läßt die SCHRÖDINGER-Gleichung nur ganz bestimmte diskrete Energiewerte zu. Diese Eigenschaft der Lösungen der SCHRÖDINGER-Gleichung gilt für alle gebundenen Zustände, bei denen das betrachtete Teilchen sich nur in einem eng begrenzten Raum aufhalten kann.

3. Der harmonische Oszillator: Als harmon. Oszillator bezeichnet man ein Teilchen in einem äußeren Kraftfeld, das so geartet ist, daß die rücktreibende Kraft der Entfernung von der Ruhelage proportional ist (s. a. S. 20f.).

Aus der klass. Mechanik ist bekannt, daß ein solches Teilchen mit einer Schwingungsfrequenz $\nu = \frac{\omega_0}{2\pi}$ um seine Ruhelage schwingt und dabei beliebige Amplituden bzw. beliebige Energie haben kann. In der Quantenmechanik ergibt sich ein anderes Bild: Aus der Forderung, daß in großen Entfernungen die Wellenfunktion gegen 0 geht, da sie sonst nicht normierbar ist, folgt, daß es nur bestimmte Eigenfunktionen mit bestimmten zugehörigen Energien $E_n = \hbar \omega_0 (n + \frac{1}{2})$ geben kann, wobei n eine ganze Zahl ist.

Auch der niedrigste mögliche Energiezustand hat noch eine von 0 verschiedene Energie; die Abstände der Energieniveaus sind gleich der klassischen Schwingungsfrequenz.

4. Der starre Rotator: Als viertes Beispiel soll der Rotator behandelt werden, der in der Physik der zweiatomigen Moleküle eine wichtige Rolle spielt. Zwei Teilchen der Masse M sind in einem festen Abstand starr miteinander verbunden und können sich um eine raumfeste Achse drehen. Bezeichnet man mit φ den Drehwinkel, so haben die Lösungen der SCHRÖDINGER-Gleichung die Form

$$\psi = e^{im\varphi}, \quad m^2 = \frac{4Mr^2}{\hbar^2}E^2.$$

Die Lösungen sind nur dann eindeutig, wenn m eine ganze Zahl ist. Also sind nur Energien möglich mit den Werten

$$E_m = \frac{\hbar^2}{2Mr^2} \cdot m^2.$$

Kann der Rotator um zwei unabhängige Achsen rotieren, so erhält man statt dessen für die möglichen Energieniveaus

$$E_j = \frac{\hbar^2}{2Mr^2} \cdot J(J+1)$$

J ist eine ganze Zahl. Ein Ergebnis, das durch Messungen an zweiatomigen Molekülen sehr genau bestätigt werden kann. Die zugehörigen Eigenfunktionen sind die sogenannten Kugelfunktionen

$$\psi(\varphi, \vartheta) = e^{im\varphi} \cdot P_J^{(m)}(\cos \vartheta)$$

J und m sind ganze Zahlen, $|m| < J$ (m kann auch negativ sein).

Die bei allen diesen Rechnungen auftretenden Zahlen, die zur Numerierung der möglichen Wellenfunktionen darstellen, nennt man **Quantenzahlen**. Gehören zu zwei versch. Quantenzahlen gleiche Energieniveaus, wie beim raumfreien Rotator, wo die Energie nur von der Quantenzahl J, nicht aber von m abhängt, so spricht man von **Entartung** des Energieniveaus. Die Niveaus des raumfreien Rotators sind 2 J-fach entartet.

5. Der Tunneleffekt: Ein zunächst erstaunliches Phänomen, das aber in der Natur häufig beobachtet werden kann, ist der Quantenmechanische Tunneleffekt: Auf eine Potentialschwelle der Höhe U läuft eine Teilchenwelle zu mit einer Energie E, die kleiner ist als U. Nach der klass. Mechanik können die Teilchen die Schwelle nicht durchdringen, da ihre Energie zu klein ist. In der Quantenmechanik folgt jedoch aus der Stetigkeit der Wellenfunktion im gesamten Raumbereich, daß die Wellenfunktion innerhalb der Potentialschwelle nur mit $e^{-\sqrt{2m(U-E)}}$ abnimmt und sich jenseits schwächer fortsetzt. Die Teilchen haben also eine endliche Wahrscheinlichkeit, die Schwelle zu durchdringen. Dieses Ergebnis spielt eine äußerst wichtige Rolle bei der Erklärung des α-Zerfalls der radioaktiven Kerne.

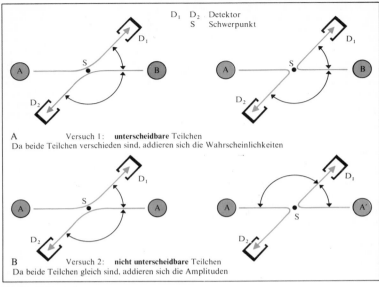

D₁ D₂ Detektor
S Schwerpunkt

A Versuch 1: **unterscheidbare** Teilchen
Da beide Teilchen verschieden sind, addieren sich die Wahrscheinlichkeiten

B Versuch 2: **nicht unterscheidbare** Teilchen
Da beide Teilchen gleich sind, addieren sich die Amplituden

Das Identitätsprinzip

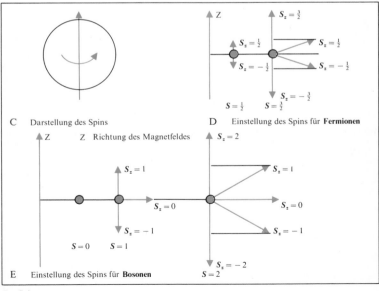

C Darstellung des Spins

D Einstellung des Spins für **Fermionen**

Z Richtung des Magnetfeldes

E Einstellung des Spins für **Bosonen**

Der Spin

Ein wichtiges Prinzip der Quantenmechanik ist das **Identitätsprinzip**. Danach führt die Vertauschung zweier Teilchen in einem System, die sich durch keinen physikal. Parameter unterscheiden, zu keinem neuen Zustand. Für *nicht unterscheidbare Teilchen* addieren sich die *Wellenfunktionen* der einzelnen Teilchen, während sich für *prinzipiell unterscheidbare Teilchen* die *Wahrscheinlichkeiten*, also die Quadrate des Betrages der Wellenfunktionen, addieren. Dieses Prinzip soll an zwei Gedankenversuchen dargestellt werden:

Versuch 1: Ein Teilchen A wird an einem Teilchen B gestreut, wobei beide Teilchen im Prinzip voneinander unterscheidbar sein sollen. Die Streuung im Schwerpunktsystem dargestellt, die Teilchen fliegen vor dem Stoß aufeinander zu und nach dem Stoß in entgegengesetzten Richtungen voneinander weg, während der Schwerpunkt beider Teilchen am Ort des Stoßes (S) verbleibt. Die Wellenfunktion für die Streuung des Teilchens A unter dem Winkel ϑ sei $\psi_A(\vartheta)$; die Wahrscheinlichkeit für diesen Vorgang ist $[\psi_A(\vartheta)]^2$. Da beide Teilchen in entgegengesetzte Richtungen fliegen, ist die Wahrscheinlichkeit dafür, daß das Teilchen B in den Detektor D_1 gelangt, gleich der Wahrscheinlichkeit dafür, daß das Teilchen A um den Winkel $(\pi - \vartheta)$ gestreut wird, also gleich $[\psi_A(\pi - \vartheta)]^2$, und die Wahrscheinlichkeit dafür, daß überhaupt ein Teilchen in den Detektor D_1 gelangt,

$$W(D_1) = [\psi_A(\vartheta)]^2 + [\psi_A(\pi - \vartheta)]^2 \,.$$

Dieses Resultat ist nur dann richtig, wenn beide Teilchen im Prinzip unterschieden werden können, nicht aber, wenn es sich um ident. Teilchen handelt. In diesem Falle muß man die Amplituden für die beiden möglichen Prozesse addieren.

Versuch 2: Die Wellenfunktion für den Prozeß 1 sei wieder $\psi_A(\vartheta)$, die für den Prozeß 2 sei $\psi_{A'}(\pi - \vartheta)$. Wieder ist wie im ersten Fall die Wahrscheinlichkeit dafür, daß das Teilchen A' um den Winkel $\pi - \vartheta$ gestreut wird, gleich der Wahrscheinlichkeit dafür, daß das Teilchen A um den Winkel $\pi - \vartheta$ gestreut wird, da ja beide Teilchen immer um den gleichen Winkel gestreut werden müssen; es ist also $\psi_{A'}(\pi - \vartheta)^2 = \psi_A(\pi - \vartheta)^2$. Die Wellenfunktionen brauchen deshalb noch nicht gleich zu sein, sie können sich noch um einen komplexen Faktor vom Absolutbetrag 1 unterscheiden, den man $e^{i\delta}$ schreibt.
Für diesen Faktor gibt es zwei Möglichkeiten:

1. $e^{i\delta} = +1$,
2. $e^{i\delta} = -1$.

Teilchen, deren Wellenfunktion bei der Vertauschung zweier Teilchen ihr Vorzeichen erhält, nennt man **Bosonen**;
Teilchen, deren Wellenfunktion bei der Vertauschung das Vorzeichen umkehrt, nennt man **Fermionen**.
Für beide Teilchenarten gibt es in der Natur Beispiele.

Je nachdem, ob man es mit Bosonen oder Fermionen zu tun hat, erhält man für den Gedankenversuch Nr. 2 verschiedene Resultate: Es ist die Wahrscheinlichkeit, daß ein Teilchen in den Detektor 1 fällt, gegeben durch

$$W(D_1) = [\psi_A(\vartheta) + \psi_{A'}(\pi - \vartheta)]^2 \,.$$

Für Bosonen ist $\psi_{A'} = \psi_A(\pi - \vartheta)$ und

$$W(D_1)_{\text{Boson}} = [\psi_A(\vartheta) + \psi_A(\pi - \vartheta)]^2 \,.$$

Für Fermionen ist $\psi_{A'} = -\psi_A(\pi - \vartheta)$ und

$$W(D_1)_{\text{Fermion}} = [\psi_A(\vartheta) - \psi_A(\pi - \vartheta)]^2 \,.$$

Für die Fermionen hat das Verhalten der Wellenfunktionen beim Austausch zweier Teilchen eine ganz fundamentale Bedeutung: Es können sich nicht zwei gleiche Fermionen genau im gleichen Zustand befinden. Die Wahrscheinlichkeit dafür ist nämlich das Quadrat der Differenz der beiden Wellenfunktionen. Sind diese gleich, so wird die Wahrscheinlichkeit 0, der Zustand ist unmöglich. Diese Tatsache nennt man das Pauli-Prinzip oder Pauli-Verbot. Fermionen unterliegen dem Pauli-Prinzip, Bosonen nicht, da sich ihre Wellenfunktionen addieren.

Der Spin

Der Spin ist ein Eigendrehimpuls eines Teilchens von einer festen Größe, der für eine bestimmte Teilchenart charakteristisch ist. Man kann ein Teilchen also auffassen als einen kleinen Kreisel im Raum, der sich mit einer festen Drehgeschwindigkeit dreht. Der Spin wird dargestellt als ein Vektor in Richtung der Drehachse, der in die Richtung eines Rechtsgewindes zeigt. Die Festlegung auf Rechtsgewinde ist reine Konvention und hat mit physikal. Tatsachen nichts zu tun, sie muß nur einheitlich sein.
Es gibt nun zwei Arten von Teilchen:

1. Teilchen mit halbzahligem Spin $S = \dfrac{\hbar}{2} + n \cdot \hbar$

(n ist eine ganze Zahl oder 0). Alle diese Teilchen sind Fermionen.

2. Teilchen mit ganzzahligem Spin $S = n \cdot \hbar$. Alle diese Teilchen sind Bosonen.

Durch den Spin haben die Teilchen ein magnet. Moment, das in die Richtung des Spins zeigt, von der Größe $\mu = g \cdot S$. Der Faktor g ist von der Teilchenart abhängig. Durch dieses magnet. Moment kann man durch Ablenkung in Magnetfeldern im Prinzip die Richtung des Spins messen und findet, daß sich der Spin nur in ganz bestimmten Richtungen zum Magnetfeld einstellen kann, wobei zwei benachbarte Einstellungen jeweils einen um die Größe $\hbar$ versch. Drehimpuls in Richtung des Magnetfeldes haben.
Der Versuch 2 auf dieser Seite ist nur dann ein Versuch mit nicht unterscheidbaren Teilchen, wenn auch die beiden Spins in dieselbe Richtung zeigen, während im anderen Falle das Ergebnis vom Versuch 1 herauskäme, da man prinzipiell anhand des Spins messen könnte, welcher Prozeß stattgefunden hat.

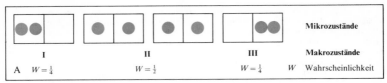

A $W=\frac{1}{4}$ $W=\frac{1}{2}$ $W=\frac{1}{4}$ W Wahrscheinlichkeit

Verwirklichung dreier Makrozustände durch vier Mikrozustände

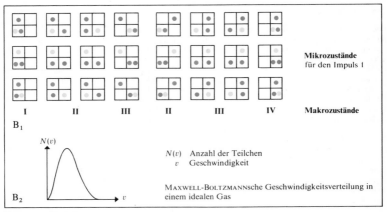

B_1

$N(v)$ Anzahl der Teilchen
v Geschwindigkeit

MAXWELL-BOLTZMANNsche Geschwindigkeitsverteilung in einem idealen Gas

B_2

BOLTZMANN-Statistik

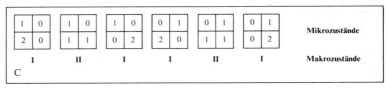

C

BOSE-Statistik

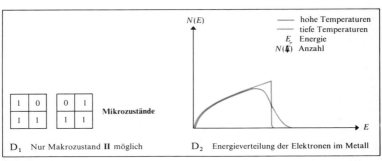

D_1 Nur Makrozustand **II** möglich

D_2 Energieverteilung der Elektronen im Metall

FERMI-Statistik

Die Aufgabe der **Statistik** im Sinne der Physik besteht darin, zu berechnen, welche Impuls- oder Energieverteilung bei einer sehr großen Zahl von Teilchen eingenommen wird.

Die Grundlage der Rechnungen bildet der Satz, daß sich ein System von sehr vielen Teilchen im Gleichgewicht auf den Zustand der größten Wahrscheinlichkeit einstellt. Die Wahrscheinlichkeit eines Zustandes ist definiert als die Anzahl der möglichen Mikrozustände, durch die ein Makrozustand realisiert werden kann, geteilt durch die insgesamt möglichen Mikrozustände. Dieser Sachverhalt sei an der Verteilung zweier Kugeln in zwei Kästen dargestellt:

Ein Makrozustand ist z. B.: Zwei Kugeln im Kasten 1, oder in jedem Kasten eine Kugel, oder 2 Kugeln in Kasten 2.

Ein Mikrozustand ist: Kugel 1 in Kasten 1, Kugel 2 in Kasten 2.

Der Makrozustand »in jedem Kasten eine Kugel« hat die doppelte Wahrscheinlichkeit wie die beiden anderen. Man muß bei diesen Überlegungen nur sicherstellen, daß die Mikrozustände von vornherein so gewählt sind, daß sie gleiche Wahrscheinlichkeit haben.

Der Phasenraum
In der klass. Mechanik wird die Bewegung eines Teilchens durch seinen Ort und seinen Impuls dargestellt. Kann sich ein Teilchen nur längs einer Geraden bewegen, so kann man in einem Diagramm, in dem man auf der Abszisse den Ort auf der Geraden und auf der Ordinate den Impuls längs der Geraden aufträgt, den Bewegungszustand eines Teilchens als Punkt darstellen. Dieses Diagramm stellt den **Phasenraum** eines Teilchens mit einem Freiheitsgrad dar. In der Quantenmechanik wird ein Teilchen nicht durch einen Punkt dargestellt, sondern durch eine Fläche der Größe h, da ein Teilchen der Unbestimmtheitsrelation $p_x \cdot x = h$ unterliegt, d. h., es ist im Phasenraum über eine Fläche h verschmiert. Für ein Teilchen mit 3 Freiheitsgraden, das sich im Raum in allen 3 Richtungen frei bewegen kann, wird der Phasenraum entsprechend durch 6 Koordinaten dargestellt. Man kann ihn dann nicht mehr aufzeichnen. Ein quantenmechan. Teilchen nimmt in diesem Phasenraum einen »Raum« der Größe h^3 ein.

Die BOLTZMANN-Statistik
Aus den Gleichungen der Mechanik kann man ableiten, daß gleich große Zellen im Phasenraum mit gleicher Wahrscheinlichkeit besetzt werden unter der Nebenbedingung, daß die Gesamtenergie des Systems erhalten bleibt. Die Zuordnung jedes Teilchens zu einer bestimmten Zelle des Phasenraums ist also ein bestimmter Mikrozustand.

Mikrozustände und Makrozustände für die Verteilung von 3 Teilchen vom Gesamtimpuls 1 nach der BOLTZMANN-Statistik sind in Abb. B_1 dar-

gestellt. Der Zustand I (»drei Teile links«) hat demnach die Wahrscheinlichkeit $\frac{3}{24} = \frac{1}{8}$, der Zustand III, (»1 links, 2 rechts«) hat die Wahrscheinlichkeit $\frac{9}{24} = \frac{3}{8}$, ist also 3mal so wahrscheinlich. Rechnet man sich für eine sehr große Zahl von Atomen eines Gases bei einer gegebenen Gesamtenergie die Geschwindigkeitsverteilung aus, indem man für jede mögliche Verteilung die Zahl der Mikrozustände berechnet, so erhält man als wahrscheinlichste und damit in der Natur wirklich beobachtete Verteilung die MAXWELL-BOLTZMANNsche Energieverteilung.

Die BOSE-Statistik
Quantenmechanisch muß man die Rechnungen jedoch noch modifizieren, da ja nach der Quantenmechanik durch Vertauschung zweier Teilchen miteinander kein neuer Zustand entstehen darf. Alle in der Tafel der Mikrozustände der BOLTZMANN-Statistik (Abb. B_1) untereinander stehenden Mikrozustände sind also nach dem Identitätsprinzip nur ein einziger Mikrozustand, ebenso ist Spalte 2 und 3 sowie Spalte 6 und 7 derselbe Mikrozustand. Ein Mikrozustand besteht also nur in der Angabe, mit wieviel Teilchen die einzelnen Zellen besetzt sind (Abb. C); ein Makrozustand ist dann die Angabe, wieviele Zellen jeweils mit einer bestimmten Anzahl von Teilchen besetzt sind. In dem Beispiel gibt es nur zwei Makrozustände:
Zustand I: eine mit 2, eine mit 1, zwei mit 0, und
Zustand II: drei mit 1, eine leer, der nur die halbe Wahrscheinlichkeit hat. Nach der BOLTZMANN-Statistik hätten beide die gleiche Wahrscheinlichkeit. Ein Beispiel für eine BOSE-Verteilung ist die Energieverteilung des Lichts im PLANCKschen Strahlungsgesetz. Die BOSE-Verteilung ist richtig für alle Bosonen, für Fermionen gilt ein anderes Gesetz.

Die FERMI-Statistik
Fermionen haben eine Wellenfunktion, die bei Vertauschung zweier Teilchen ihr Vorzeichen umkehrt, und unterliegen dem PAULI-Verbot, d. h., es können keine zwei Teilchen denselben Zustand einnehmen. Im Phasenraum bedeutet das, daß sich in einer Phasenraumzelle der Größe h^3 nur 1 Teilchen von einer Spinrichtung befinden kann, oder im 1-dimensionalen Phasenraum nur 1 Teilchen (die 3 Teilchen sollen alle den gleichen Spin haben) auf einer Fläche der Größe h.

Damit wird die Zahl der möglichen Mikrozustände stark eingeschränkt. Es bleiben in dem betrachteten Beispiel (Abb. C) nur zwei Mikrozustände übrig und nur 1 möglicher Makrozustand (Abb. D_1). Dies hat in der Natur die Konsequenz, daß für eine sehr große Dichte von Fermionen immer eine Mindestenergie vorhanden sein muß, da im darunter liegenden Phasenraumvolumen schon alles besetzt sein kann (in unserem Falle die Energie, die zum Gesamtimpuls 1 gehört). Die minimale Energie nennt man die FERMI-Grenze. Der FERMI-Verteilung unterliegen z. B. die Elektronen in einem Metall.

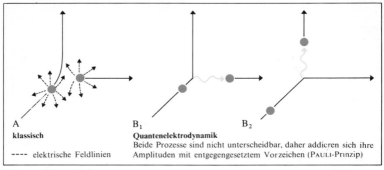

A

klassisch

---- elektrische Feldlinien

B_1 B_2

Quantenelektrodynamik
Beide Prozesse sind nicht unterscheidbar, daher addieren sich ihre
Amplituden mit entgegengesetztem Vorzeichen (PAULI-Prinzip)

Elektron - Elektron-Stoß

C

FEYNMAN-Diagramm des COMPTON-Effekts

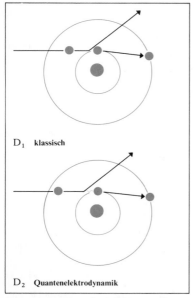

D_1 **klassisch**

D_2 **Quantenelektrodynamik**

Anregung eines Atoms durch Elektronenstoß

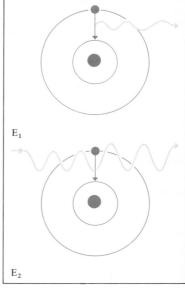

E_1

E_2

Spontane und angeregte Emission von Licht durch
ein Atom

In der gewöhnl. Quantenmechanik, mit der man die Vorgänge in der Elektronenhülle des Atoms beschreibt, wird das elektromagnet. Feld als klass. Größe behandelt, d. h., es wird als möglich angesehen, an jedem Ort eine beliebige elektr. und magnet. Feldstärke zu definieren. Elektr. und magnet. Feldstärke sind durch die MAXWELLschen Gleichungen der Elektrodynamik verknüpft. Durch das PLANCKsche Strahlungsgesetz und den lichtelektr. Effekt ist jedoch nachgewiesen, daß alle elektromagnet. Wellen aus Photonen der Energie $h \cdot v$ zusammengesetzt sind. Es ist daher in einer elektromagnet. Welle nicht jede beliebige Feldstärke möglich, sondern nur die, die einer ganzen Zahl von Photonen entspricht. Diese Überlegungen haben zur Aufstellung der **Quantenelektrodynamik** geführt, in der das elektromagnet. Feld beschrieben wird durch die Anzahl von Photonen in den versch. Zuständen, die durch den Impuls $h \cdot \dfrac{v}{c}$, die Polarisation (Richtung der elektr. Feldstärke) usw. gekennzeichnet sind.

Die Gesetze der Quantenelektrodynamik können folgendermaßen formuliert werden:
1. Die Amplitude (Wurzel der Wahrscheinlichkeit) dafür, daß ein physikal. System (z. B. ein Atom) ein Photon absorbiert, ist exakt die gleiche, wie die quantenmechan. Amplitude dafür, daß sich das Atom unter dem Einfluß einer elektromagnet. Welle, die dem Photon entspricht, verändert. Die dem Photon entsprechende elektromagnet. Welle ist so normiert, daß ihre klass. berechnete Energiedichte gleich $h \cdot v$ mal der Wahrscheinlichkeit, das Photon in einem cm³ anzutreffen, ist. Die Wahrscheinlichkeit dafür, daß ein Photon in einen bestimmten Zustand A emittiert wird, wobei das Atom vom Zustand 1 in den Zustand 2 übergeht, ist genau so groß wie die Wahrscheinlichkeit für die Absorption eines Photons aus dem Zustand A durch ein Atom im Zustand 2, wobei dieses in den Zustand 1 übergeht.
2. Die Zahl der in einem Kubikzentimeter möglichen Photonenzustände mit gegebener Polarisation und Wellenlänge ist gleich der Anzahl von stehenden elektromagnet. Wellen, die bei dieser Wellenlänge möglich sind.
3. Photonen gehorchen der BOSE-Statistik. Es sind also beliebig viele Photonen in einem Zustand möglich.
Genau so, wie die Atome durch die Quantenzahlen, die ihre Energie, ihren Drehimpuls usw. beschreiben, gekennzeichnet sind, wird das elektromagnet. Feld durch die **Besetzungszahlen** n_u gekennzeichnet, mit denen die versch. Photonenzustände (Eigenschwingungen stehender elektromagnet. Wellen) besetzt sind. Diese n_u müssen immer ganzzahlig sein. Eine Veränderung des elektromagnet. Feldes durch Wechselwirkung mit einem Atom bedeutet in diesem Bild die Vernichtung oder Erzeugung von Photonen, die durch entsprechende Operatoren bewirkt wird, die auf die zu den n_u gehörigen Zustandsfunktionen wirken. Prozesse dieser Art werden durch sog. FEYNMAN-Diagramme (Abb. C) dargestellt.

Ebenso, wie man die Quantenmechanik nur dann anwenden muß, wenn man physikal. Gebilde von atomaren Dimensionen betrachtet, ist auch die Quantenelektrodynamik nur dann anzuwenden, wenn man nur kleine Besetzungszahlen hat. Kleine Besetzungszahlen kommen immer dann vor, wenn das einzelne Photon sehr viel Energie hat, also bei hohen Frequenzen ($E = h \cdot v$) und damit kurzen Wellenlängen, die nach der klass. Elektrodynamik durch schnell bewegte Ladungen entstehen. Die **Quantenelektrodynamik** ist daher ihrem Wesen nach eine relativist. Theorie und in ihrem mathemat. Aufbau recht kompliziert.

Durch die Quantenelektrodynamik war es erst möglich, die Wechselwirkung von Atomen mit Licht exakt zu begründen. Es wäre nach der gewöhnlichen Quantenmechanik nicht möglich, daß ein Atom von einem energetisch höher gelegenen Zustand 1 durch spontane Emission eines Photons in den tiefer gelegenen Zustand 2 übergeht. Nach der Quantenelektrodynamik ist die Wahrscheinlichkeit für diesen Prozeß jedoch dadurch zu berechnen, daß man die Absorption eines Photons aus dem entsprechenden Zustand berechnet, indem man die HAMILTON-Funktion des atomaren Systems und der einem einzelnen Photon entsprechenden elektromagnet. Welle bildet und mit dieser erweiterten HAMILTON-Funktion der SCHRÖDINGER-Gleichung löst.

Es zeigt sich dabei, daß spontan nur solche Übergänge $\psi_1 \to \psi_2$ unter Aussendung von Licht vorkommen, bei denen im gemischten Zustand $a \cdot \psi_1 + b \cdot \psi_2$ der mittlere Abstand des Ladung tragenden Teilchens eine Schwingung der Frequenz

$$\omega = \frac{E_1 - E_2}{h}$$

ausführt, analog zur klass. Elektrodynamik, wo schwingende Ladungen elektromagnet. Strahlung aussenden.

Sind in einem Photonenzustand n Photonen vorhanden, so ist auch die Wahrscheinlichkeit, daß durch ein Atom ein Photon absorbiert wird, n mal so hoch, und entsprechend ist die Wahrscheinlichkeit, daß ein Photon emittiert wird, $(n + 1)$ mal der spontanen Emissionswahrscheinlichkeit. Man spricht dann von angeregter oder erzwungener Emission.

Ähnlich wie man nach der Quantenelektrodynamik das gut bekannte elektromagnet. Feld durch Photonen beschreibt, versucht man auch das Kraftfeld der Kernkräfte durch die Emission und Absorption von Mesonen zu beschreiben (**Quantenfeldtheorie**), jedoch ist die Wechselwirkung zwischen den »Mesonenfeldern« und den Kernbauteilen bisher nicht ausreichend geklärt.

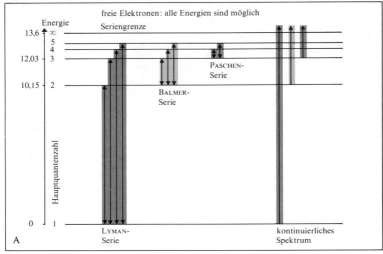

Energieniveaus und Spektren des Wasserstoffatoms

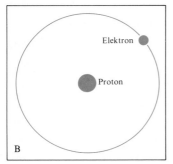

Das BOHRsche Atommodell

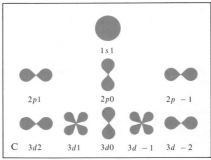

Die Aufenthaltswahrscheinlichkeit des Elektrons in den verschiedenen Zuständen

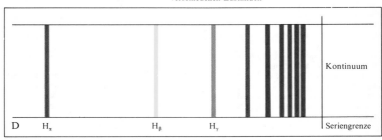

Die BALMER-Serie

Das Wasserstoffatom ist das leichteste überhaupt vorkommende Atom (Masse 1,008) und auch das einfachste: Es besteht aus einem positiv geladenen Kern der Ladung $+e$, also einem Proton, und einem Elektron der Ladung $-e$, dessen Bewegung durch die Schrödinger-Gleichung vorgegeben ist, wenn man in ihr für das Potential V das elektrostat. Anziehungspotential $\dfrac{e^2}{4\pi\varepsilon_0 r}$ einsetzt (r ist der Abstand zwischen Proton und Elektron).

Die Eigenzustände oder stationären Bahnen des Wasserstoffatoms werden durch fünf Quantenzahlen bestimmt:

1. Die **Hauptquantenzahl** (in der Literatur meistens durch n bezeichnet). Von ihr allein hängt die Energie und der mittlere Abstand des Elektrons vom Atomkern ab. Die möglichen Energiezustände sind

$$E = -\frac{2\pi^2\,\mu_e e^4}{h^2\cdot(4\pi\,\varepsilon_0)^2}\cdot\frac{1}{n^2} = h\cdot c\cdot R_{\mathrm{H}}\cdot\frac{1}{n^2}\;;$$

$$n = 1, 2, 3, \ldots\;;\; \mu_e = \frac{m_e M}{m_e + M}\,.$$

R_{H} ist die sehr genau gemessene Rydberg-Konstante ($R_{\mathrm{H}} = 1,0967758\cdot 10^7\ \mathrm{m}^{-1}$).

Die Gesamtenergie ist negativ, da das Elektron gebunden ist, also weniger Energie hat, als wenn es sich frei bewegen könnte.

Die dazu gehörenden mittleren Radien r sind:

$$r = \frac{4\pi\,\varepsilon_0\,h^2 n^2}{4\pi^2 m e^2} = \frac{4\pi\,\varepsilon_0\,h^2}{m e^2}\cdot n^2.$$

Der Radius der innersten Bohrschen Bahn ($n = 1$) wird demnach $r = 0{,}529172\cdot 10^{-10}$ m. Er stimmt mit der Erfahrung sehr gut überein.

2. Die **Drehimpulsquantenzahl** l. Der Drehimpuls des rotierenden Elektrons ist durch die Quantenzahl l bestimmt und zwar ist das Quadrat des Drehimpulses $(J)^2 = \hbar^2\,l(l+1)$.

Zu jedem Energiezustand können verschiedene Drehimpulszustände gehören, jedoch muß immer l kleiner als n sein; zum Grundzustand $n = 1$ kann also nur der Drehimpulszustand $l = 0$ gehören.

3. Die **Magnetquantenzahl** m gibt die Komponente des Gesamtdrehimpulses bezogen auf eine durch ein Magnetfeld (z. B. das des rotierenden Kerns) vorgegebene Richtung an. Für die Magnetquantenzahl gibt es zu jedem durch die Zahlen n und l gekennzeichneten Zustand die Möglichkeiten $m = 0$, ± 1, ± 2, ..., $\pm l$. Der Betrag von m muß kleiner oder gleich sein dem Betrag von l.

4. Die **Spinquantenzahl** s, die den Spin des Elektrons angibt, ist immer gleich $\tfrac{1}{2}$.

5. Die **Quantenzahl der Spinprojektion** m_s in Vorzugsrichtung kann $+\tfrac{1}{2}$ oder $-\tfrac{1}{2}$ betragen.

Den Zustand, in dem sich das Elektron im Atom befindet, bezeichnet man durch diese Quantenzahlen, wobei man für die Drehimpulsquantenzahl Buchstaben benutzt, und zwar s für $l = 0$, p für $l = 1$, d für $l = 2$, f, g, h für $l = 4$, 5, 6 usw. Ein Zustand

2, p, 1 heißt also, daß das Elektron eine Wellenfunktion hat, die durch die Quantenzahlen $n = 2$, $l = 1$, $m = 1$ gekennzeichnet ist (Aufenthaltswahrscheinlichkeiten $\psi^*\psi$ siehe Abb. C).

Alle Zustände, die zu einer Hauptquantenzahl gehören, also etwa die Zustände $2s0$, $2p0$, $2p1$, $2p-1$, haben die gleiche Energie. Die Energieniveaus mit der Hauptquantenzahl n sind n^2-fach entartet.

Die Spektren des Wasserstoffatoms

Verändert das Elektron eines Wasserstoffatoms seinen Zustand und nimmt einen neuen Zustand mit anderer Hauptquantenzahl an, so wird die Differenzenergie als Lichtquant ausgesendet. Die Frequenz des Lichtes ist $v = \dfrac{E}{h}$ oder die Wellenzahl (Anzahl der Lichtwellenlängen pro cm) $\bar v = \dfrac{v}{c} = \dfrac{E}{c\cdot h}$. Geht das Elektron aus einem Zustand n in den Grundzustand $n = 1$ über, so erhält man die

LYMAN-Serie $\quad \bar v = R_{\mathrm{H}}\left(1 - \dfrac{1}{n^2}\right)$, $n = 3, 4 \ldots$,

die im ultravioletten Gebiet liegt.

Entsprechend erhält man:

BALMER-Serie $\quad \bar v = R_{\mathrm{H}}\left(\dfrac{1}{4} - \dfrac{1}{n^2}\right)$, $n = 3, 5 \ldots$

PASCHEN-Serie $\quad \bar v = R_{\mathrm{H}}\left(\dfrac{1}{9} - \dfrac{1}{n^2}\right)$, $n = 4, 5, 6 \ldots$

BRACKET-Serie $\quad \bar v = R_{\mathrm{H}}\left(\dfrac{1}{16} - \dfrac{1}{n^2}\right)$, $n = 5, 6, 7 \ldots$

PFUND-Serie $\quad \bar v = R_{\mathrm{H}}\left(\dfrac{1}{25} - \dfrac{1}{n^2}\right)$, $n = 6, 7, 8 \ldots$

Da man Spektrallinien sehr genau vermessen kann, lassen sich diese Ergebnisse mit höchster Genauigkeit prüfen. Diese Serienspektren waren schon lange vor der theoret. Erklärung durch die Quantenmechanik bekannt und führten zu den ersten modellmäßigen Erklärungen des Atombaus. An das kurzwellige Ende der Linienspektrums, wo die Linien immer enger beieinander liegen, schließt sich ein kontinuierl. Spektrum an, dessen Erklärung nach dem Gesagten leicht fällt: Im gesamten Bereich positiver Energie ist jeder Zustand des Elektrons möglich, also ist auch beim Einfang eines Elektrons aus diesem Bereich jede in Strahlung umgewandelte Energie möglich, sofern sie größer ist als die negative Bindungsenergie desjenigen Zustands, in den das Elektron übergeht. Damit wird auch die genaue Bedeutung der Rydberg-Konstanten klar: $h\cdot c\cdot R_{\mathrm{H}}$ ist der Energieabstand des Grundzustands von der Ionisierungsgrenze, also von der Energie, bei der das Elektron den Kern verlassen kann, und damit die Bindungsenergie des Wasserstoffatoms. Diese wichtige Größe ist damit auf sehr genaue spektroskop. Messungen zurückgeführt:

Die Bindungsenergie eines Atoms ist gleich der Energie der kurzwelligen Seriengrenze der kurzwelligsten Spektralserie des Atoms.

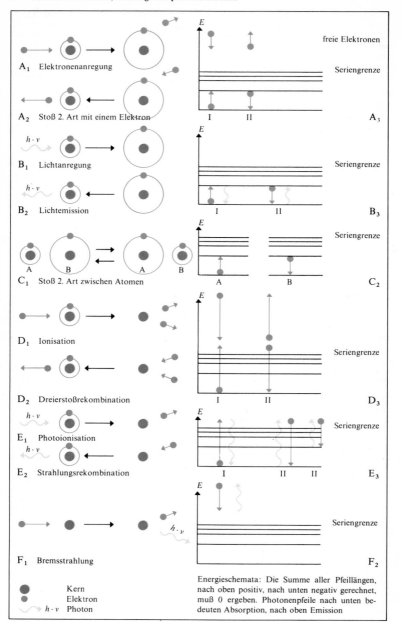

A_1 Elektronenanregung

A_2 Stoß 2. Art mit einem Elektron

B_1 Lichtanregung

B_2 Lichtemission

C_1 Stoß 2. Art zwischen Atomen

D_1 Ionisation

D_2 Dreierstoßrekombination

E_1 Photoionisation

E_2 Strahlungsrekombination

F_1 Bremsstrahlung

Kern
Elektron
$h \cdot \nu$ Photon

Energieschemata: Die Summe aller Pfeillängen, nach oben positiv, nach unten negativ gerechnet, muß 0 ergeben. Photonenpfeile nach unten bedeuten Absorption, nach oben Emission

Die Energieniveaus des BOHRschen Atommodells sind stationäre Zustände; ein Übergang von einem Zustand zum anderen ist nur durch Wechselwirkung mit irgendeinem anderen Teilchen möglich, wobei man Lichtquanten auch als Teilchen betrachten muß.

Eine Möglichkeit zur Anregung ist die Wechselwirkung mit einem schnellen Elektron, das genügend Energie hat, um das Elektron des Atoms vom Grundzustand in einen angeregten Zustand zu bringen. Das kann man symbolisch wie eine chem. Reaktionsgleichung schreiben

$$A + e_{schnell} \rightarrow A^* + e_{langsam},$$

wenn man mit A^* das angeregte Atom bezeichnet und mit e das Elektron. Das Atom ist bestrebt, jeweils seinen niedrigsten Zustand einzunehmen, den es durch den Vorgang

$$A^* \rightarrow A + h \cdot v$$

erreicht. Mit $h \cdot v$ wird ein Lichtquant bezeichnet.

Alle Vorgänge, die zur Anregung eines Atoms führen, lassen sich auch umkehren. Den Vorgang $A + h \cdot v \rightarrow A^*$ nennt man Lichtanregung. Mögliche Vorgänge sind auch:

$$A^* + e_{langsam} \rightarrow A + e_{schnell} \quad \text{oder}$$
$$A^* + B \rightarrow A + B^*,$$

wenn B ein anderes Atom bedeutet. Diese Prozesse nennt man »Stöße 2. Art«. Zu der letzten Reaktion ist Voraussetzung, daß A und B gleiche Anregungsenergien besitzen.

Die Ausstrahlung von Atomen oder Molekülen B als Folge von Stößen 2. Art mit angeregten Atomen A bezeichnet man nach FRANCK als *sensibilisierte Fluoreszenz*. Sie ist möglich, wenn die Stöße der Atome A^* mit den Atomen B so häufig sind, daß sie innerhalb der normalen Lebensdauer angeregter Zustände von etwa 10^{-8} sec ausreichend wahrscheinlich sind. Sie ist bes. gut zu beobachten, wenn das Atom A^* einen **metastabilen Zustand** erreicht hat. Das sind solche Zustände, die zwar eine höhere Energie haben als der Grundzustand, aber nicht auf einen niedrigeren Zustand durch Emission eines Lichtquants zurückkehren können.

Ionisierung

Bei hoher Energie des stoßenden Elektrons kann ein Elektron des Atoms so stark angeregt werden, daß es das Atom verläßt. Die Reaktion kann man schreiben:

$$A + e_{schnell} \rightarrow A^+ + e + e_{langsam}.$$

A^+ bedeutet ein Atom A, dem ein Elektron mit der negativen Ladung $-e$ fehlt und das daher mit der Ladung $+e$ positiv aufgeladen ist (normale Atome sind elektr. neutral). Die Umkehrung des Vorgangs, bei der ein Elektron eingefangen wird und die andere die frei gewordene Energie aufnimmt, ist die **Dreierstoßrekombination**. Dabei kann das eingefangene Elektron gleich in den Grundzustand gelangen oder auch zunächst einen angeregten Zustand besetzen, um dann unter Emission von Photonen des für das Atom charakterist. Linienspektrums in

den Grundzustand zurückzukehren. Die Aufgabe des nicht-eingefangenen Elektrons, die Energie des eingefangenen aufzunehmen, kann ebenso von anderen Atomen oder Molekülen übernommen werden.

Photoionisierung

tritt auf, wenn die Lichtquanten genügend Energie auf ein Atom treffen, um ein Elektron aus dem Atomverband zu befreien. Die Energie des Photons muß höher oder die Wellenlänge kürzer sein als der Abstand zwischen Seriengrenze und Grundzustand des Elektrons. Die Reaktionsgleichung dazu ist

$$A + h \cdot v = A^+ + e + E_{kin}.$$

E_{kin} ist die kinet. Energie des gebildeten Ions und Elektrons zusammen. Diese Reaktion bedeutet, daß das Atom nicht nur Photonen seines charakterist. Spektrums nach der Gleichung $A + h \cdot v = A^*$, sondern auch solche mit höherer Energie als seiner Seriengrenze entspricht, absorbieren kann, wobei positiv geladene Ionen zurückbleiben, in Übereinstimmung mit der Erfahrung.

Die Möglichkeit der Umkehrung aller Atomvorgänge bedeutet, daß jedes Atom die gleichen Spektren, die es emittieren kann, auch absorbieren kann. Man findet jedoch bei normalen Temperaturen im Absorptionsspektrum nur die Linien, die Übergänge zwischen dem Grundzustand und einem angeregten Zustand kennzeichnen, weil sich alle Elektronen normalerweise im Grundzustand befinden und durch Photonenanregung aus diesem in höhere Anregungszustände gebracht werden. Erst bei sehr hohen Temperaturen, die in Sternen vorkommen, findet man Absorptionslinien von Übergängen zwischen zwei angeregten Zuständen, da bei diesen Temperaturen die angeregten Zustände ausreichend besetzt sind.

Die Umkehrung der Photoionisation ist die **Strahlungsrekombination**, bei der ein Elektron von einem Ion nach der Reaktionsgleichung

$$A^+ + e + E_{kin} \rightarrow A + h \cdot v \quad \text{oder}$$
$$A^+ + e + E_{kin} \rightarrow A^* + h \cdot v_1 \rightarrow A + hv_1 + hv_2$$

eingefangen wird. Man beobachtet in einem ionisierten Gas z. B. in einer elektr. Entladung jenseits der Seriengrenzen immer ein kontinuierl. Spektrum, das anzeigt, daß dieser Prozeß vorkommt.

Bremsstrahlung

Elektronenbremsstrahlung tritt auf, wenn ein freies Elektron von einem Ion angebremst wird, jedoch mehr Energie, als der Seriengrenze entspricht, behält. Das Spektrum der Elektronenbremsstrahlung ist also kontinuierlich. Es kann beobachtet werden bei der Abbremsung schneller Kathodenstrahlen an der Antikathode einer RÖNTGENröhre (S. 14 f.).

	I a	I b	II a	II b	III b	III a	IV b	IV a	V b	V a	VI b	VI a	VII b	VII a	VIII b	VIII a
1	1 H 1,008															2 He 4,003
2	3 Li 6,940		4 Be 9,013			5 B 10,82		6 C 12,012		7 N 14,008		8 O 16,00		9 F 19,00		10 Ne 20,183
3	11 Na 22,991		12 Mg 24,32			13 Al 26,98		14 Si 28,09		15 P 30,975		16 S 32,066		17 Cl 35,457		18 Ar 39,944
4	19 K 39,100		20 Ca 40,08		21 Sc 44,96		22 Ti 47,90		23 V 50,95		24 Cr 52,01		25 Mn 54,94		26 Fe 55,85 27 Co 58,94 28 Ni 58,71	
4		29 Cu 63,54		30 Zn 65,38		31 Ga 69,72		32 Ge 72,60		33 As 74,91		34 Se 78,96		35 Br 79,916		36 Kr 83,80
5	37 Rb 85,48		38 Sr 87,63		39 Y 88,92		40 Zr 91,22		41 Nb 92,91		42 Mo 95,95		43 Tc 99		44 Ru 101,1 45 Rh 102,91 46 Pd 106,4	
5		47 Ag 107,88		48 Cd 112,41		49 In 114,82		50 Sn 118,70		51 Sb 121,76		52 Te 127,61		53 I 126,91		54 Xe 131,3
6	55 Cs 132,91		56 Ba 137,36		57 La 138,92 58 – 71		72 Hf 178,58		73 Ta 180,95		74 W 183,86		75 Re 186,22		76 Os 190,2 77 Ir 192,2 78 Pt 195,09	
6		79 Au 197,0		80 Hg 200,61		81 Tl 204,39		82 Pb 207,21		83 Bi 209,00		84 Po 210		85 At 210		86 Rn 222,04
7	87 Fr 223		88 Ra 226,05		89 Ac 227,05 90 – 103											

Lanthaniden

6	58 Ce 140,13	59 Pr 140,92	60 Nd 144,27	61 Pm 145	62 Sm 150,35	63 Eu 152,0	64 Gd 157,26	65 Tb 158,93	66 Dy 162,51	67 Ho 164,94	68 Er 167,27	69 Tm 168,94	70 Yb 173,04	71 Lu 174,99

Actiniden

7	90 Th 232,05	91 Pa 231	92 U 238,07	93 Np 237	94 Pu 242	95 Am 243	96 Cm 245	97 Bk 247	98 Cf 249	99 Es 255	100 Fm 252	101 Md 256	102 No 253	103 Lr 257

Das Periodensystem

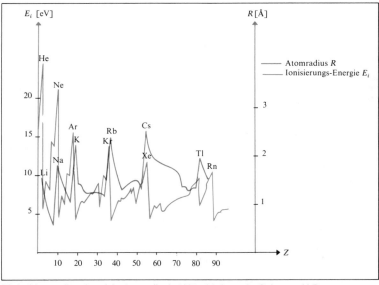

Die Ionisierungs-Energie und der Atomradius in Abhängigkeit von der Ordnungszahl Z

Schon vor der genauen Kenntnis über den Aufbau des Atoms erkannten MENDELEJEFF und L. MEYER, daß sich alle bekannten Elemente nach steigendem Atomgewicht in ein Schema einordnen lassen, das man als das **Periodensystem der Elemente** bezeichnet. Links stehen die Elemente, die bei der Elektrolyse die Träger positiver Ladung stellen und Laugen bilden, die Alkalien, und rechts in der vorletzten Gruppe die stark elektronegativen Elemente, die ausgeprägte Säureeigenschaften zeigen. Dabei ändern sich nicht nur die chem. Eigenschaften periodisch, sondern auch physikal. Eigenschaften wie die Ionisierungsenergie, das Atomvolumen, die Schmelztemperatur usw.

Die Beobachtung dieser Eigenschaften machte einige Ausnahmen von der Regel, daß die Elemente streng nach steigendem Atomgewicht geordnet wurden, notwendig. So muß das Tellur eindeutig unter das Selen an die 52. Stelle vor das Jod gesetzt werden, obgleich es schwerer ist; ebenso ist das Kalium eindeutig ein Alkalimetall und das schwerere Argon ein Edelgas, das auf Platz 18 davor einzuordnen ist. Aus dem Platz eines Elements im Periodensystem kann man seine chem. Eigenschaften bestimmen. Der Platz wird charakterisiert durch die **Ordnungszahl**, die den Plätzen fortlaufend von links nach rechts und von oben nach unten zugeordnet wird.

Alphabetische Liste der Elemente (mit Symbol und Ordnungszahl)

Actinium	Ac	89	Holmium	Ho	67	Radon	Rn	86
Aluminium	Al	13	Indium	In	49	Rhenium	Re	75
Americium	Am	95	Iridium	Ir	77	Rhodium	Rh	45
Antimon	Sb	51	Jod	I	53	Rubidium	Rb	37
Argon	Ar	18	Kalium	K	19	Ruthenium	Ru	44
Arsen	As	33	Kobalt	Co	27	Samarium	Sm	62
Astat	At	85	Kohlenstoff	C	6	Sauerstoff	O	8
Barium	Ba	56	Krypton	Kr	36	Scandium	Sc	21
Berkelium	Bk	97	Kupfer	Cu	29	Schwefel	S	16
Beryllium	Be	4	Lanthan	La	57	Selen	Se	34
Blei	Pb	82	Lawrentium	Lr	103	Silber	Ag	47
Bor	B	5	Lithium	Li	3	Silicium	Si	14
Brom	Br	35	Lutetium	Lu	71	Stickstoff	N	7
Cadmium	Cd	48	Magnesium	Mg	12	Strontium	Sr	38
Calcium	Ca	20	Mangan	Mn	25	Tantal	Ta	73
Californium	Cf	98	Mendelevium	Mv	101	Technetium	Tc	43
Cäsium	Cs	55	Molybdän	Mo	42	Tellur	Te	52
Cer	Ce	58	Natrium	Na	11	Terbium	Tb	65
Chlor	Cl	17	Neodym	Nd	60	Thallium	Tl	81
Chrom	Cr	24	Neon	Ne	10	Thorium	Th	90
Curium	Cm	96	Neptunium	Np	93	Thulium	Tm	69
Dysprosium	Dy	66	Nickel	Ni	28	Titan	Ti	22
Einsteinium	Es	99	Niob	Nb	41	Uran	U	92
Eisen	Fe	26	Nobelium	No	102	Vanadium	V	23
Erbium	Er	68	Osmium	Os	76	Wasserstoff	H	1
Europium	Eu	63	Palladium	Pd	46	Wismut	Bi	83
Fermium	Fm	100	Phosphor	P	15	Wolfram	W	74
Fluor	F	9	Platin	Pt	78	Xenon	Xe	54
Francium	Fr	87	Plutonium	Pu	94	Ytterbium	Yb	70
Gadolinium	Gd	64	Polonium	Po	84	Yttrium	Y	39
Gallium	Ga	31	Praseodym	Pr	59	Zink	Zn	30
Germanium	Ge	32	Promethium	Pm	61	Zinn	Sn	50
Gold	Au	79	Protactinium	Pa	91	Zirkon	Zr	40
Hafnium	Hf	72	Quecksilber	Hg	80			
Helium	He	2	Radium	Ra	88			

Schale, Hauptquantenzahl	Drehimpulszustand	
K 1	s	1 H — 2 He
L 2	s	3 Li — 4 Be
	p	5 B — 6 C — 7 N — 8 O — 9 F — 10 Ne
M 3	s	11 Na — 12 Mg
	p	13 Al — 14 Si — 15 P — 16 S — 17 Cl — 18 Ar
	d	21 Sc — 22 Ti — 23 V — 24 Cr — 25 Mn — 26 Fe — 27 Co — 28 Ni — 29 Cu — 30 Zn
N 4	s	19 K — 20 Ca
	p	31 Ga — 32 Ge — 33 As — 34 Se — 35 Br — 36 Kr
	d	39 Y — 40 Zr — 41 Nb — 42 Mo — 43 Tc — 44 Ru — 45 Rh — 46 Pd — 47 Ag — 48 Cd
	f	58 Ce — 59 Pr — 60 Nd — 61 Pm — 62 Sm — 63 Eu — 64 Gd — 65 Tb — 66 Dy — 67 Ho — 68 Er — 69 Tm — 70 Yb — 71 Lu
O 5	s	37 Rb — 38 Sr
	p	49 In — 50 Sn — 51 Sb — 52 Te — 53 I — 54 Xe
	d	57 La — 72 Hf — 73 Ta — 74 W — 75 Re — 76 Os — 77 Ir — 78 Pt — 79 Au — 80 Hg
	f	90 Th — 91 Pa — 92 U — 93 Np — 94 Pu — 95 Am — 96 Cm — 97 Bk — 98 Cf — 99 Es — 100 Fm — 101 Mv — 102 No — 103 Lr
P 6	s	55 Cs — 56 Ba
	p	81 Tl — 82 Pb — 83 Bi — 84 Po — 85 At — 86 Rn
	d	89 Ac
Q 7	s	87 Fr — 88 Ra

Die für das Atom so wichtige Ordnungszahl hat eine erst durch die Atomphysik aufgeklärte Bedeutung: Sie ist gleich der positiven Ladung des Atomkerns, ausgedrückt in Elementarladungen, und damit auch gleich der Anzahl der Elektronen im neutralen Atom.

Das **Aufbauprinzip des Periodensystems** besagt, daß jedes Atom aus dem vorhergehenden konstruiert werden kann, indem man die Kernladung um eine Elementarladung erhöht und ein weiteres Elektron in dem Zustand der niedrigsten möglichen Energie hinzufügt.

Wegen des PAULI-Verbots, das für Elektronen mit dem Spin $\frac{1}{2}$ gilt, können in einem Atom nicht zwei Elektronen denselben Zustand besetzen, sie dürfen also nicht in allen vier Quantenzahlen des BOHRschen Atommodells n (Hauptquantenzahl), l (Drehimpuls), m (Magnetquantenzahl) und s (Spinquantenzahl) übereinstimmen.
Die Elektronen werden nacheinander in versch. Schalen, die zu den versch. Hauptquantenzahlen gehören, aufgebaut. Diese Schalen nennt man für die Hauptquantenzahlen $n = 1, 2, 3 \ldots$ die $K, L, M \ldots$ Schalen (s. S. 36). Die inneren Schalen, die zu kleinen Hauptquantenzahlen gehören, können nur wenige Elektronen aufnehmen, da für die Quantenzahlen die Bedingungen gelten: l ist kleiner als n, m^2 ist kleiner oder gleich l^2 (m kann auch negative Werte annehmen). Es enthalten daher:

K-Schale	2 Plätze im s-Zustand
L-Schale	2 Plätze im s-Zustand
	6 Plätze im p-Zustand
M-Schale	2 Plätze im s-Zustand
	6 Plätze im p-Zustand
	10 Plätze im d-Zustand
N-Schale	2 Plätze im s-Zustand
	6 Plätze im p-Zustand
	10 Plätze im d-Zustand
	14 Plätze im f-Zustand
	usf.

In jeder Schale mit der Hauptquantenzahl n können $2n^2$ Elektronen untergebracht werden.

Die **Alkalien** sind dadurch gekennzeichnet, daß das letzte eingebaute Elektron allein auf einer Schale sitzt und daher bes. leicht vom Atom abgetrennt werden kann; sie sind daher elektropositiv und bilden in chem. Verbindungen und bei der Elektrolyse positive Ionen. Den **Halogeniden** in der vorletzten Gruppe des Periodensystems fehlt zur vorläufigen Vollendung einer Schale, die mit der Besetzung der p-Zustände abgeschlossen ist, genau ein Elektron. Es kann sich daher dieses fehlende Elektron bes. leicht anlagern und ein negatives Ion bilden. Die Besetzung der d-Zustände oder noch

höherer Drehimpulse erfordert offenbar bedeutend mehr Energie als die Besetzung der eine Schale weiter außen liegenden s-Zustände; diese werden deshalb eher besetzt.

Die **Edelgase** zeichnen sich dadurch aus, daß bei ihnen in der äußersten Schale alle p-Zustände besetzt sind, aber kein weiterer, so daß sie weder Elektronen anlagern noch abgeben. Sie haben daher eine bes. hohe Ionisierungsenergie und ein kleines Atomvolumen und bilden keine chem. Verbindungen.

Die chem. **Wertigkeit**, die zu der Aufstellung des Periodensystems führte, wird dadurch bestimmt, wieviele Elektronen ein Atom aus seiner Schale abgeben (positive Wertigkeit) oder in sie aufnehmen kann (negative Wertigkeit), damit diese abgeschlossen ist. So sind der Wasserstoff und die Alkalimetalle positiv einwertig und die Halogenide negativ einwertig.

Bei dem Periodensystem stehen die Elemente 58—71 alle an derselben Stelle wie das Lanthan mit der Nr. 57. Man nennt sie **Lanthaniden** oder auch Seltene Erden. Der Grund für ihr sehr ähnliches chem. Verhalten ist, daß sie sich nur durch die Besetzungszahlen der 4f-Zustände in der N-Schale unterscheiden, in den beiden äußeren Schalen O und P aber völlig gleich aufgebaut sind. Ebenso unterscheiden sich die **Actiniden** nur durch die Besetzungszahl der 5f-Zustände bei gleichem Aufbau der P- und Q-Schale. Sie zeigen ebenfalls gleiches chem. Verhalten.

Das letzte in der Natur vorkommende Element ist das Uran; die folgenden Elemente wurden bisher nur in geringen Mengen in Kernreaktoren gewonnen, so daß ihr Atomaufbau teils noch nicht vollständig geklärt ist. Der Grund für das Abbrechen des Periodensystems liegt nicht im Aufbau der *Atomhülle* aus den Elektronen, sondern daran, daß höher geladene *Atomkerne* nicht stabil sind.

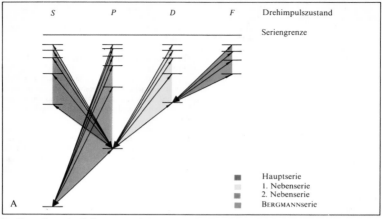

Das Termschema des Kaliumatoms mit den Spektralserien

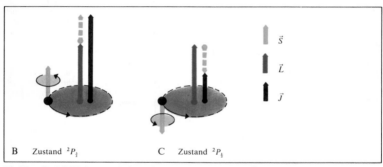

Die Einstellmöglichkeiten von Spin- und Bahndrehimpuls für den ^2P-Zustand der Alkali-Atome

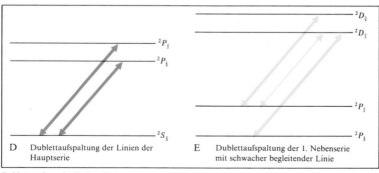

Dublettstruktur der Spektrallinien

Die **Alkali**-Atome in der ersten Gruppe des Periodensystems haben in der äußersten Schale nur ein Elektron und sind daher dem Wasserstoffatom, das überhaupt nur ein Elektron besitzt, am ähnlichsten. Das äußere Elektron nennt man **Leuchtelektron**, da die opt. Spektren der Alkalimetalle durch die Anregung dieses Elektrons zustande kommen, oder **Valenzelektron** wegen seiner Bedeutung für das chem. Verhalten. Das Kraftfeld, in dem sich das Elektron bewegt, wird durch die positive Kernladung $+Z \cdot e$ (Z ist die Ordnungszahl) und durch die $(Z-1)$ Elektronen der inneren Schalen gebildet. Den Kern mit den abgeschlossenen inneren Schalen bezeichnet man als den Atomrumpf.

Das Leuchtelektron hat eine von der Drehimpulsquantenzahl l abhängige Aufenthaltswahrscheinlichkeit innerhalb des Atomrumpfes, daher ist seine Energie, anders als beim Wasserstoffatom, nicht nur von der Hauptquantenzahl n, sondern auch von der Drehimpulsquantenzahl l abhängig. Die Energie der s-Zustände ist demnach

$$E_s = \frac{h \cdot c \cdot R}{(n+s)^2} \qquad n = 1, 2, 3 \dots$$

die der p-Zustände

$$E_p = \frac{h \cdot c \cdot R}{(n+p)^2} \qquad n = 2, 3, 4 \dots$$

usw.

wobei s und p Korrekturglieder bedeuten, die für Wasserstoff gleich 0 sind und desto größer sind, je schwerer das Atom ist und je kleiner die Drehimpulsquantenzahl l. (Wie beim Wasserstoffatom muß auch hier die Drehimpulsquantenzahl kleiner als die Hauptquantenzahl sein.) Die opt. Spektren kommen zustande, indem der Energieunterschied zwischen zwei Energieniveaus als Lichtquant ausgestrahlt wird. Durch Messung der Spektren fand man die folgenden Serien:

Hauptserie:

$$\bar{\nu} = \frac{R}{(1+s)^2} - \frac{R}{(n+p)^2} \; ; \qquad n = 2, 3, 4 \dots$$

II. Nebenserie:

$$\bar{\nu} = \frac{R}{(2+p)^2} - \frac{R}{(n+s)^2} \; ; \qquad n = 2, 3, 4 \dots$$

I. Nebenserie:

$$\bar{\nu} = \frac{R}{(2+p)^2} - \frac{R}{(n+d)^2} \; ; \qquad n = 3, 4, 5 \dots$$

BERGMANN-Serie:

$$\bar{\nu} = \frac{R}{(3+d)^2} - \frac{R}{(n+f)^2} \; ; \qquad n = 4, 5, 6 \dots .$$

Man sieht daraus, daß in den opt. Spektren nur Linien auftauchen, die zu solchen Übergängen gehören, bei denen sich die Drehimpulsquantenzahlen um genau $+1$ oder -1 ändern. Sie dürfen weder erhalten werden noch sich um mehr als 1 ändern. Das bezeichnet man als »**Auswahlregel**« $l = \pm 1$.

Die hier verwendeten Hauptquantenzahlen stimmen nicht mit der Schalennummer, für die beim Aufbau des Periodensystems die Hauptquantenzahl n verwendet wurde, überein. In Wahrheit besetzen den $1s$-Zustand des Lithiumatoms das s-Elektron der zweiten Schale, das dort als $2s$-Elektron bezeichnet wurde. Je nachdem, ob man vom Aufbau des Atoms spricht oder von den opt. Spektren, die von den Elektronen der äußersten Schale herrühren, sind beide Bezeichnungen gebräuchlich.

Als effektive Hauptquantenzahl eines Zustandes der Energie E bezeichnet man den Wert $n_{eff} = \sqrt{\dfrac{h \cdot c \cdot R}{E}}$, der bei den Alkali-Atomen gleich $(n+s)$, $(n+p)$, usw. ist, mit den Bezeichnungen n aus der Spektroskopie.

Die Dublettstruktur der Spektrallinien

Eine Aufspaltung der Spektrallinien in eng benachbarte Linien wird durch den **Elektronenspin** der Größe $|\vec{s}| = \sqrt{\frac{1}{2}(\frac{1}{2}+1)} \cdot \hbar$ bewirkt. Er setzt sich mit dem Bahndrehimpuls $\vec{l}$ des Elektrons, der ja die Größe $|\vec{l}| = \sqrt{l \cdot (l+1)} \cdot \hbar$ hat, zu dem Gesamtdrehimpuls $\vec{j}$ vektoriell zusammen. Für den Gesamtdrehimpuls gilt die Quantenbedingung $|\vec{j}| = \sqrt{j \cdot (j+1)} \cdot \hbar$, wobei die j die Werte $\frac{1}{2}$, $\frac{3}{2}$ ... annehmen können. Das Symbol $|\vec{j}|$ oder $|\vec{l}|$ bedeutet die Länge des Vektors $\vec{j}$ und $\vec{l}$. Durch unterschiedl. Einstellungen des Spins zum Bahndrehimpuls kann bei gleichem Bahndrehimpuls der Gesamtdrehimpuls zwei versch. Größen haben, die sich um die Größe $\hbar$ unterscheiden, außer im s-Zustand, der keinen Bahndrehimpuls hat und daher immer den Gesamtdrehimpuls $\vec{s}$ vom Eigendrehimpuls (Spin) des Elektrons.

Durch die magnet. Wechselwirkungen gehören zu versch. Drehimpulsen auch etwas versch. Energien. Außer den S-Energiezuständen bilden die Zustände der Alkalien Dubletts. Dieser Tatsache trägt man in der Symbolik der Spektroskopie dadurch Rechnung, daß man dem die Bahndrehimpulsquantenzahl kennzeichnenden Termsymbol S, P, D usw. die 2 voranstellt, also z. B. schreibt $2^2 P$ und den Gesamtdrehimpuls rechts unten anschreibt. Der Grundzustand der Alkali-Atome wird demnach $1^2 S_{\frac{1}{2}}$ geschrieben.

Die Übergänge in den Grundzustand von einem angeregten Zustand sind stets Doppellinien, da die angeregten P-Zustände doppelt sind. Beim Übergang zwischen zwei doppelten Termen könnten theoretisch 3 benachbarte Linien auftreten, da für den Gesamtdrehimpuls nur die Auswahlregel gilt: $\Delta j = 0$, $+1$ oder -1, jedoch muß auch, da $\Delta l = 1$ ist, bei $\Delta j = 0$ die Spinrichtung ändern, was mit wesentlich geringerer Wahrscheinlichkeit vorkommt, so daß die Spektrallinien der Alkali-Atome gewöhnlich als Doppellinien auftreten.

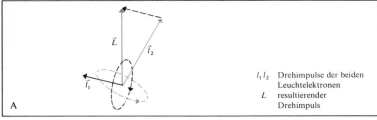

$l_1 l_2$ Drehimpulse der beiden
　　　 Leuchtelektronen
L　　 resultierender
　　　 Drehimpuls

Die Zusammensetzung der Einzeldrehimpulse zum Gesamt-Bahndrehimpuls

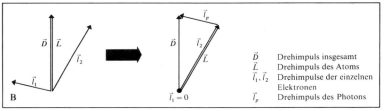

$\vec{D}$　　 Drehimpuls insgesamt
$\vec{L}$　　 Drehimpuls des Atoms
$\vec{l}_1, \vec{l}_2$　 Drehimpulse der einzelnen
　　　 Elektronen
$\vec{l}_p$　　 Drehimpuls des Photons

Übergang eines 2-Elektronen-Atoms vom p, d, D- in den s, d, D-Zustand ohne Änderung des Gesamtdrehimpulses des Atoms

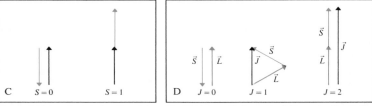

Die Möglichkeiten der Spineinstellung beim 2-Elektronen-Atom

Die Multiplettaufspaltung des P-Zustandes $(L = 1)$ für Spin 1

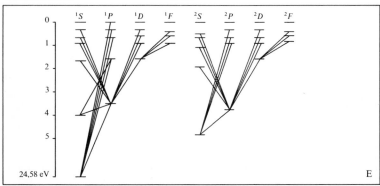

Das Termschema des Heliums mit den möglichen Übergängen. Zwischen Triplett- und Singulett-Termen gibt es keine Übergänge

Unter Mehrelektronenatomen versteht man in der Spektroskopie die Atome, die mehrere Leucht- oder Valenzelektronen haben, d. h. mehrere Elektronen in der äußersten Schale. Die Elektronen in den inneren abgeschlossenen Schalen beeinflussen weder das chem. Verhalten noch die opt. Spektren.

Zur Charakterisierung eines Zustandes des Atoms genügt bei den Alkalimetallen die Angabe der Quantenzahlen des einen Leuchtelektrons, während bei Mehrelektronen noch der Gesamt-Bahndrehimpuls $\vec{L}$, der Gesamt-Spin $\vec{S}$ und der Gesamt-Drehimpuls $\vec{J}$ aller Leuchtelektronen angegeben werden muß, der sich aus den Drehimpulsen der Einzelelektronen vektoriell zusammensetzt. Diese Werte werden gewöhnlich durch große Buchstaben gekennzeichnet, während die Quantenzahlen der Einzelelektronen durch kleine Buchstaben beschrieben werden. So können sich zum Beispiel bei einem Zweielektronenatom (Helium) ein p- und ein d-Zustand der Einzelelektronen zu einem D-Zustand des Gesamtatoms zusammensetzen. Für den Gesamt-Bahndrehimpuls gilt ebenfalls die Quantenbedingung $|\vec{L}| = \sqrt{L \cdot (L+1)} \cdot \hbar$, wobei die L ganze Zahlen sind. Infolge der magnet. Wechselwirkung der durch die umlaufenden Elektronen gebildeten Kreisel präzessieren die Kreiselachsen um die Achse des Bahndrehimpulses, so daß dieser insgesamt erhalten bleibt.

Bei der Aussendung eines Lichtquants von einem Alkali-Atom ändert sich der Drehimpuls des Leuchtelektrons um genau die Größe $\hbar$. Das beweist, daß das Lichtquant selbst einen Eigendrehimpuls von der Größe $\hbar$ hat, da der Gesamtdrehimpuls von Atom und Lichtquant zusammen vor und nach der Aussendung des Photons derselbe bleiben muß. Beim Mehrelektronenatom gilt dieselbe Auswahlregel $\Delta l = \pm 1$ ebenfalls für das Elektron, das seinen Platz wechselt; für den Gesamt-Bahndrehimpuls bedeutet das die Regel $\Delta L = 0$ oder ± 1 mit der zusätzl. Bedingung, daß Übergänge zwischen zwei S-Zuständen nicht möglich sind. Bei einer Ausstrahlung ohne Änderung des Gesamtdrehimpulses ändern sich die Quantenzahlen mindestens zweier Valenzelektronen, sie ist daher bei Einelektronenatomen nicht möglich und findet mit merklicher Wahrscheinlichkeit nur bei Atomen statt, bei denen die Wechselwirkung der Elektronen untereinander groß ist. Bei dem Beispiel (Abb. A) ändert sich die Quantenzahl m des zweiten Elektrons, die Einstellung seines Drehimpulses zum Gesamtdrehimpuls.

Ebenso wie die Bahndrehimpulse sich zu einem Gesamt-Bahndrehimpuls zusammensetzen, setzen sich auch die Eigendrehimpulse oder Spins der Einzelelektronen vektoriell zum Gesamtspin zusammen, der bei gerader Zahl der Valenzelektronen ganzzahlig (in Einheiten von $\hbar$) und bei ungerader Zahl von Valenzelektronen halbzahlig ist.

Die Kopplung der Bahndrehimpulse untereinander und der Spins untereinander nennt man die RUSSELL-SAUNDERS-Kopplung. Sie ist erfüllt für alle Atome außer den schwersten am Ende des Periodensystems. Bei diesen ist in der sog. jj-Kopplung die Wechselwirkung zwischen Bahndrehimpuls und Spin des Einzelelektrons so groß, daß sie sich zum Gesamtdrehimpuls $\vec{j}$ des Einzelelektrons zusammensetzen. Der Gesamtdrehimpuls des Atoms setzt sich dann vektoriell aus den einzelnen Drehimpulsen $\vec{j}$ der Einzelelektronen zusammen. Bei der wesentlich wichtigeren RUSSELL-SAUNDERS-Kopplung setzt sich aus resultierendem Bahndrehimpuls $\vec{L}$ und Spin $\vec{S}$ der Gesamtdrehimpuls $\vec{J}$ zusammen.

Für den Gesamtdrehimpuls $\vec{J}$ gilt die Quantenbedingung: $|\vec{J}| = \sqrt{J(J+1)} \cdot \hbar$, wobei J ganzzahlig ist, wenn der Gesamtspin ganzzahlig ist, d. h. bei gerader Anzahl von Valenzelektronen, und halbzahlig, wenn S halbzahlig ist, d. h. bei ungerader Anzahl von Valenzelektronen.

Bei einem Atom mit mehreren Valenzelektronen gibt es versch. Möglichkeiten für die Größe des Gesamtspins S, und zwar ist die Zahl der Möglichkeiten um eins höher als die Hälfte der Valenzelektronenzahl bei gerader Valenzelektronenzahl und um $\frac{1}{2}$ höher als die Hälfte der Valenzelektronenzahl bei ungerader Valenzelektronenzahl (also 2 bei 2 oder 3 Valenzelektronen, 3 bei 4 oder 5 Valenzelektronen usw.). Für einen Gesamtspin S gibt es $2S + 1$ verschiedene Möglichkeiten, sich mit dem Gesamtbahndrehimpuls $\vec{L}$ zu einem Gesamtdrehimpuls $\vec{J}$ zusammenzusetzen, der halbzahlig oder ganzzahlig ist, je nachdem, ob S halbzahlig oder ganzzahlig ist. Das gilt jedoch nur dann, wenn L größer als S ist; andernfalls gibt es höchstens $2L + 1$ Möglichkeiten. Da zu jedem Drehimpuls J eine etwas andere Energie gehört, sind die Energiezustände der Mehrelektronenatome jeweils $(2S + 1)$-fach bzw. $(2L + 1)$-fach aufgespalten, je nachdem was kleiner ist. S-Zustände sind daher nicht aufgespalten $(L = 0)$.

Bei Zweielektronenatomen wie beim Helium gibt es zwei getrennte Termschemata, nämlich das zum Gesamtspin 0 und das zum Gesamtspin 1. Im letzteren bestehen die Terme aus Tripletts wegen der drei Einstellmöglichkeiten von $\vec{S}$ und $\vec{L}$, im ersten aus Singuletts. Im Triplettsystem gibt es keinen $1s$-Zustand, da bei diesem die Elektronen in allen vier Quantenzahlen übereinstimmen würden, was nach dem PAULI-Prinzip nicht möglich ist. Da sich der Spin bei der Ausstrahlung von Licht nicht ändert, gibt es keine Spektrallinien, die einem Übergang von einem zum anderen Termschema entsprechen.

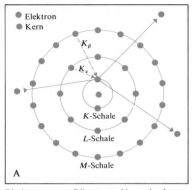

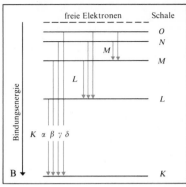

Die Anregung von RÖNTGENstrahlung durch Elektronenstoß (schematisch)

Darstellung der RÖNTGENserien ohne Berücksichtigung der Feinstruktur (Emissionslinien)

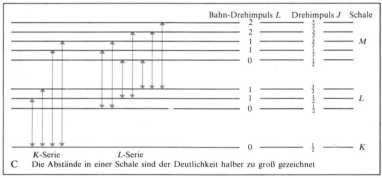

C   Die Abstände in einer Schale sind der Deutlichkeit halber zu groß gezeichnet

Die Aufspaltung der Terme und die Feinstruktur der RÖNTGENlinien

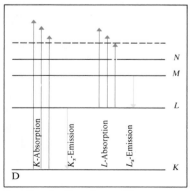

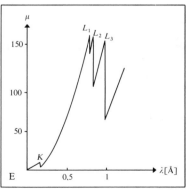

Darstellung der Absorption von RÖNTGENstrahlung im Energieniveauschema

Der Massenabsorptionskoeffizient μ von Blei in Abhängigkeit von der Wellenlänge λ

RÖNTGENstrahlen entstehen, wenn schwere Elemente mit Elektronenstrahlen hoher Energie bestrahlt werden. Das Spektrum der RÖNTGENstrahlen besteht aus dem kontinuierl. **Bremsstrahlungsspektrum,** das fast unabhängig vom bestrahlten Material ist und nur von der Energie der eingestrahlten Elektronen abhängt, und den für das bestrahlte Material charakterist. **RÖNTGENlinien.**

Diese charakterist. RÖNTGENlinien entstehen durch Elektronenübergänge zwischen den inneren, im Ruhezustand voll besetzten Energiezuständen des Atoms. Die Bindungsenergie der Elektronen der inneren Schalen ist sehr viel höher als die der Leuchtelektronen, daher ist auch die Energie der Photonen beim Übergang eines Elektrons von außen auf einen Platz nahe beim Kern höher, d. h. die Wellenlänge sehr kurz.

Zur Erzeugung der charakterist. RÖNTGENstrahlung muß zunächst aus einer der inneren Schalen durch die Elektronenstrahlen ein Elektron herausgeschlagen werden, so daß ein freier Platz für Übergänge entsteht.

Die charakterist. RÖNTGENspektren sind aus einzelnen Serien zusammengesetzt, die die Bezeichnungen K-Serie, L-Serie, M-Serie usw. haben. Die Buchstaben geben die innerste bei der Aussendung der Serie beteiligte Schale an; die K-Serie ist also die energiereichste und kurzwelligste, da sie durch Elektronenübergänge auf die innerste Schale entsteht.

Die Wellenlänge oder Frequenz der langwelligsten Linie der K-Serie, die dem Elektronenübergang aus der L-Schale zur K-Schale entspricht, kann zur Messung der Kernladung Z eines Atoms benutzt werden. Nach dem **MOSELEYschen Gesetz** ist ihre Frequenz v durch die Gleichung

$$v = \tfrac{3}{4} R(Z - 1)^2$$

gegeben, wenn R die aus dem BOHRschen Atommodell bekannte RYDBERG-Konstante ist. Allgemein kann man die Frequenzen der RÖNTGENlinien eines Atoms mit der Kernladungszahl Z durch Gleichungen der Form

$$v_K = R(Z - 1)^2 \left(\frac{1}{1^2} - \frac{1}{n^2} \right),$$

$$v_L = R(Z - \sigma)^2 \left(\frac{1}{2^2} - \frac{1}{n^2} \right)$$

usw. darstellen, wobei nur die Feinstruktur der Linien unberücksichtigt bleibt. Die RÖNTGENspektren sind also wesentlich einfacher aufgebaut als die opt. Spektren, da sie durch den komplizierten Aufbau der äußersten nicht voll besetzten Elek-

tronenschale nicht beeinflußt werden. Diese Tatsache kann als Beweis dafür angesehen werden, daß alle Atome im Inneren gleich aufgebaut sind ($\rightarrow$ Aufbauprinzip des Periodensystems, S. 35 f.).

Die **Feinstruktur** der RÖNTGENlinien entsteht dadurch, daß die Energiezustände der Atome mit einem fehlenden Elektron in einer bestimmten Schale vom resultierenden Drehimpuls der Restelektronen dieser Schale abhängen. Da eine abgeschlossene Elektronenschale immer den resultierenden Drehimpuls 0 hat (alle Spins und alle Bahndrehimpulse gleichen sich untereinander aus), gibt es für den resultierenden Drehimpuls einer Schale mit einem fehlenden Elektron genau die gleichen Möglichkeiten wie bei einer mit genau einem Elektron besetzten Schale. Die Aufspaltung der Energieterme ist daher analog zu der der Alkali-Atome. Wie bei diesen gilt auch hier, daß nur solche Linien ausgestrahlt werden, bei denen $\varDelta J = 0$ oder ± 1 und $\varDelta L = \pm 1$ ist. Die Aufspaltung der Energieterme ist in den inneren Schalen bes. groß, da sich die Elektronen mit Geschwindigkeiten bewegen, die nur wenig unter der Lichtgeschwindigkeit liegen. Wie SOMMERFELD gezeigt hat, ergibt die relativist. Quantenmechanik eine vom Drehimpuls abhängige Aufspaltung der Energieterme des BOHRschen Atommodells, die um so größer ist, je höher die Geschwindigkeit des Elektrons auf seiner Bahn ist.

Die Absorption von RÖNTGENstrahlen

Während die opt. Spektren eines Atoms sowohl als Emissions- wie als Absorptionslinien zu beobachten sind, können bei den RÖNTGENlinien diejenigen nicht als Absorptionslinien beobachtet werden, die bei einem Übergang zwischen zwei besetzten Zuständen entstehen würden. Die Absorption von RÖNTGENstrahlen ist daher gekennzeichnet durch **Absorptionskanten,** die bei Energien liegen, die dem Übergang eines Elektrons von einer inneren Schale in den freien Zustand oder auf ein unbesetztes opt. Niveau entsprechen.

Die Energiedifferenz der opt. Niveaus zum freien Zustand ist gegenüber den großen Bindungsenergien der inneren Schalen so klein, daß ein Übergang zum freien Zustand von einem in ein opt. Niveau praktisch nicht unterschieden werden kann.

Durch das Freiwerden eines Platzes auf einer inneren Schale bei der Absorption von RÖNTGENstrahlen kann durch Übergänge von den höheren Schalen wieder die charakterist. Strahlung emittiert werden. Da die Energie der absorbierten Strahlung ausreichen muß, um ein Elektron auf einen freien Platz zu heben, die emittierte Strahlung aber durch Übergänge von einem tiefer liegenden besetzten Zustand herrührt, ist die emittierte Strahlung stets langwelliger als die kurzwelligste Absorptionskante.

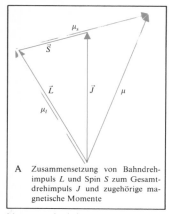

A Zusammensetzung von Bahndrehimpuls *L* und Spin *S* zum Gesamtdrehimpuls *J* und zugehörige magnetische Momente

Magnetomechanische Anomalie

B

Versuchsanordnung zur Messung des RICHARDSON-EINSTEIN-DE HAAS-Effekts

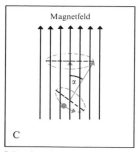

C

Präzession des magnetischen Moments um die Magnetfeldrichtung

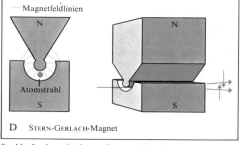

D STERN-GERLACH-Magnet

Strahlaufspaltung im STERN-GERLACH-Versuch

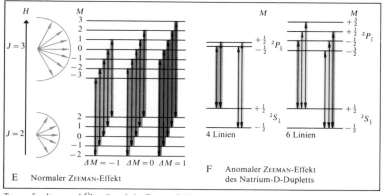

E Normaler ZEEMAN-Effekt

F Anomaler ZEEMAN-Effekt des Natrium-D-Dupletts

Termaufspaltung und Übergänge beim ZEEMAN-Effekt

Ein magnet. Feld H erzeugt in einem Element eine Magnetisierung $M = \chi \cdot H$. χ ist die **Suszeptibilität** des Stoffes. Je nachdem, ob χ positiv oder negativ ist, d. h. ob die Magnetisierung parallel oder antiparallel zum Magnetfeld ist, spricht man von paramagnet. oder diamagnet. Stoffen. Die Suszeptibilität hängt eng zusammen mit dem Aufbau der äußersten Elektronenschale: Die Atome eines paramagnet. Elements müssen ein magnet. Moment haben, die eines diamagnet. haben keins. Alle Atome, deren Grundzustand ein $^1S_0$-Zustand ist, sind daher diamagnetisch.

Das **magnetische Moment** eines Atoms wird gebildet durch die Bahnbewegung der Elektronen und durch ihre Eigenrotation (Spin). Ein Elektron, das sich auf einer Bahn mit dem Drehimpuls $\vec{L}$ bewegt, erzeugt nach dem elektromagnet. Gleichungen ein magnet. Moment $\mu = \dfrac{e}{2m} \cdot \vec{L}$. Da die allein meßbare Komponente von $\vec{L}$ in Richtung eines Magnetfeldes immer nur ganzzahlige Vielfache von $\hbar$ annimmt, sind die von der Bahnbewegung des Elektrons hervorgerufenen magnet. Momente immer ganzzahlige Vielfache des BOHRschen Magnetons $\mu_0 = \dfrac{e\hbar}{2m}$.

Aus den spektroskop. Messungen muß gefolgert werden, daß das magnet. Moment, das vom Spin herrührt, etwa doppelt so groß ist, als nach den erwähnten Gleichungen zu erwarten wäre. Ein Spin der Größe $\dfrac{\hbar}{2}$ erzeugt also ebenfalls ein magnet. Moment von der Größe des BOHRschen Magnetons. Man bezeichnet das als **magnetomechanische Anomalie**. Sie bewirkt, daß der Drehimpuls $\vec{J}$ und das magnetische Moment $\vec{\mu}$ eines Atoms mit nicht verschwindendem Spin und Bahndrehimpuls nicht parallel sind (Abb. A).

Den Zusammenhang zwischen Spin und magnet. Moment zeigt der RICHARDSON-EINSTEIN-DE HAAS-Effekt: Im Eisen wird die Magnetisierung fast nur durch den Spin der Eisenatome erzeugt. Kehrt man durch ein äußeres Magnetfeld die Magnetisierung in einem Stück Eisen um, so kehrt man gleichzeitig die Spinrichtungen um. Da aber der Drehimpuls des Eisenstücks insgesamt erhalten bleiben muß, wird die Änderung der Spinkomponenten durch einen Drehimpuls des gesamten Eisenstücks kompensiert, den man mit einem auf dem Eisen befestigten Drehspiegel messen kann.

Richtungsquantelung

Ein magnet. Dipol der Größe μ hat in einem äußeren magnet. Feld H eine potentielle Energie $u = -\mu \cdot H \cdot \cos\alpha$, wenn α der Winkel zwischen der Dipolrichtung und dem Magnetfeld ist. Das Magnetfeld übt also eine ausrichtende Kraft auf den Dipol aus. Infolge der Kreiseleigenschaften des Atoms wird die Drehachse senkrecht zur wirkenden Kraft abgelenkt und präzessiert um die Richtung des Magnet-

feldes (Abb. C) mit der sogenannten LARMOR-frequenz.

Nach der Quantenmechanik ist nicht jeder Winkel α zwischen dem Drehimpuls $\vec{J}$ eines Atoms und der Richtung des Magnetfeldes möglich, sondern nur solche, bei denen die Komponente des Drehimpulses in Richtung des Feldes, die gewöhnlich M genannt wird, ein ganzzahliges oder halbzahliges Vielfaches von $\hbar$ ist, je nachdem ob $\vec{J}$ ganzzahlig oder halbzahlig ist.

Dieses Ergebnis kann man direkt prüfen im STERN-GERLACH-Versuch (Abb. D): In einem inhomogenen Magnetfeld ist die Ablenkung eines Strahls von Atomen proportional zur Komponente des magnet. Moments in Richtung des Magnetfelds. Bei Silberatomen mit dem Gesamtdrehimpuls $\frac{1}{2}\hbar$ gibt es daher nur zwei mögliche Einstellungen zum Magnetfeld, nämlich parallel oder entgegengesetzt, und der Strahl wird in zwei deutlich getrennte Teilstrahlen aufgespalten. Das wäre nicht der Fall, wenn der Drehimpuls des Silberatoms im Magnetfeld jede beliebige Richtung einnehmen könnte; ein Atom, dessen Drehimpuls quer zum Magnetfeld liegt, würde dann nicht abgelenkt.

ZEEMAN-Effekt

Infolge der versch. Energien bei versch. M spalten auch die Spektrallinien von Atomen, die sich in einem Magnetfeld befinden, in mehrere nahe beieinander liegende Linien auf. Man unterscheidet zwischen dem normalen ZEEMAN-Effekt (Abb. E), der bei Atomen ohne resultierenden Spin auftritt, und dem anomalen ZEEMAN-Effekt (Abb. F) bei Atomen mit von 0 versch. Spin.

Beim normalen ZEEMAN-Effekt spaltet ein Energiezustand mit dem Drehimpuls J (in Einheiten von $\hbar$) in $2J + 1$ Terme auf. Die Komponenten des Drehimpulses in Feldrichtung zwischen zwei benachbarten Termen unterscheiden sich um $\hbar$, die Energien um $\mu_0 \cdot H$ (H ist wieder das Magnetfeld). Bei der Ausstrahlung von Licht gilt die Auswahlregel $\Delta M = 0$ oder ± 1. Eine Spektrallinie spaltet daher im normalen ZEEMAN-Effekt in drei Linien auf.

Beim anomalen ZEEMAN-Effekt gilt ebenfalls die Auswahlregel $\Delta M = 0$ oder ± 1, nur ist dort das magnet. Moment nicht nur durch den Drehimpuls J und seine Komponente in Richtung des Feldes nicht durch M bestimmt, da wegen der magnetomechan. Anomalie das magnet. Moment und der Drehimpuls nicht parallel sind. Man findet daher im anomalen ZEEMAN-Effekt wesentlich mehr Linien.

Bei sehr starken Magnetfeldern wird die Kopplung zwischen Spin und Bahndrehimpuls aufgehoben. Da die Spinkomponente sich bei der Ausstrahlung nicht ändert, erhält man dann wieder ein Triplett, das den drei Möglichkeiten der Bahndrehimpulsänderung entspricht. Man nennt das den PASCHEN-BACK-Effekt.

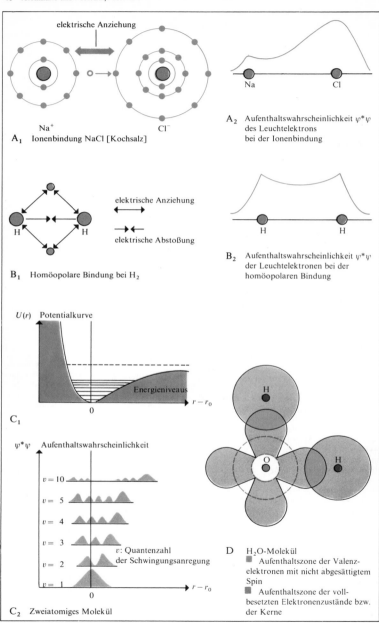

elektrische Anziehung

Na⁺   Cl⁻

A_1 Ionenbindung NaCl [Kochsalz]

A_2 Aufenthaltswahrscheinlichkeit $\psi^*\psi$ des Leuchtelektrons bei der Ionenbindung

H   H

elektrische Anziehung

elektrische Abstoßung

B_1 Homöopolare Bindung bei H_2

B_2 Aufenthaltswahrscheinlichkeit $\psi^*\psi$ der Leuchtelektronen bei der homöopolaren Bindung

$U(r)$ Potentialkurve

Energieniveaus

$r - r_0$

C_1

$\psi^*\psi$ Aufenthaltswahrscheinlichkeit

$v = 10$
$v = 5$
$v = 4$
$v = 3$
$v = 2$
$v = 1$

v: Quantenzahl der Schwingungsanregung

$r - r_0$

C_2 Zweiatomiges Molekül

D H_2O-Molekül
■ Aufenthaltszone der Valenzelektronen mit nicht abgesättigtem Spin
■ Aufenthaltszone der vollbesetzten Elektronenzustände bzw. der Kerne

Die **Molekülphysik** ist die Lehre von der Struktur und den Eigenschaften der Moleküle, d. h. den kleinsten Teilen einer chem. Verbindung, soweit sie mit physikal. Mitteln erforscht werden. Die angewandten Methoden sind die gleichen wie in der Physik der Atomhülle, nur sind die Erscheinungen wesentlich komplizierter, da an der Bildung eines Moleküls mehrere Atome beteiligt sind.

Das chem. Verhalten eines Atoms wird im wesentlichen durch die Anzahl seiner Leuchtelektronen oder Valenzelektronen, d. h. durch den Aufbau der äußeren Elektronenschale, bestimmt. Die inneren abgeschlossenen Elektronenschalen geben zu den Bindungskräften keinen Beitrag.

Der einfachere Fall einer chem. Bindung ist die sog. **heteropolare** oder **Ionenbindung**, die bes. ausgeprägt bei den Alkali-Halogen-Salzen wie Kochsalz (NaCl) oder bei den entsprechenden Säuren (Salzsäure = HCl) auftritt: Das eine Leuchtelektron in der äußeren Schale des Alkalimetalls geht auf den letzten unbesetzten Platz in der äußeren Schale des Halogenatoms und füllt diese auf die energetisch bes. begünstigte Edelgaskonfiguration hin vollständig abgeschlossenen Elektronenschalen auf. Das Alkali-Atom wird dadurch positiv auf die Ladung $+e$ aufgeladen, das Halogenatom negativ auf die Ladung $-e$; die Atome bilden damit Ionen, die sich stark elektrisch anziehen.

Da sich die inneren abgeschlossenen Schalen der Ionen nicht durchdringen können, ohne das PAULI-Prinzip zu verletzen, stellt sich ein Gleichgewichtsabstand der Ionen ein. Durch die räuml. Trennung der elektr. Ladungen muß ein Ionenmolekül ein starkes elektr. Dipolmoment haben. Aus Messungen geht jedoch hervor, daß die Dipolmomente geringer sind als das Produkt aus Elementarladung und Abstand der Ionen in einem Ionenmolekül; das bedeutet, daß das Leuchtelektron des Alkali-Atoms nicht vollständig auf das Halogenatom übergeht sondern eine endl. Aufenthaltswahrscheinlichkeit sowohl in der äußeren Schale des Halogenatoms als auch auf seinem ursprüngl. Platz beim Alkali-Atom hat.

Das einfache Bild der Ionenbindung ist nicht anwendbar auf Moleküle gleicher Atome wie H_2, N_2 usw., die kein elektr. Dipolmoment besitzen und bei denen daher keine Ladungstrennung stattfindet. Man spricht in diesem Falle von **homöopolarer Bindung**. Nach der Theorie von HEITLER und LONDON kann ein Elektron im H_2-Molekül sich wegen der Gleichheit der Kerne 1 und 2 genau mit der gleichen Wahrscheinlichkeit bei beiden Kernen aufhalten. Für beide Möglichkeiten addieren sich die Wellenfunktionen ψ_1 und ψ_2, so daß insgesamt eine erhebl. größere Aufenthaltswahrscheinlichkeit $(\psi_1 + \psi_2)^2$ zwischen den Kernen als außerhalb entsteht. Deshalb erhält man eine sog. Austausch-Bindungsenergie dadurch, daß das Elektron des einen Atoms den Kern des anderen mehr anzieht, als sich die Kerne untereinander abstoßen. Wenn sich die beiden Elektronen des H_2-Moleküls in ihren Spinquantenzahlen unterscheiden, können sie sich beide vorwiegend zwischen den Kernen aufhalten und damit zur Bindung beitragen. Im H_2-Molekül sind daher die Spins stets antiparallel; es hat kein resultierendes Spinmoment. Die quantenmechan. Rechnungen ergeben, daß die potentielle Energie des Gesamtsystems bei sich verringerndem Kernabstand zunächst abnimmt, ein Minimum durchläuft und dann durch die Abstoßung der Kerne wieder stark zunimmt. Jedes System ist bestrebt, den Zustand minimaler potentieller Energie einzunehmen; die Kernabstände des H_2-Moleküls liegen daher in der Nähe des Potentialminimums.

Die Tatsache, daß auch die homöopolare Bindung auf den elektr. Anziehungskräften der Elektronen und Atomkerne beruht, zeigt, daß homöopolare und Ionenbindung nur zwei extreme Erscheinungsformen desselben Phänomens sind. Bei der rein homöopolaren Bindung ist die Aufenthaltswahrscheinlichkeit der Elektronen symmetrisch, bei der Ionenbindung stark asymmetrisch. Alle Zwischenformen sind ebenfalls möglich.

Das durch die Elektronen erzeugte Potential für die beteiligten Atomkerne hat für beide Bindungsarten etwa die gleiche Form. Es ermöglicht bei gleicher Elektronenanordnung eine Folge von möglichen Energiezuständen und Wellenfunktionen, die den Schwingungen eines anharmon. Oszillators entsprechen. Im klass. Bild entspricht diesen Schwingungen eine Schwingung der Kerne gegeneinander. Die Abstände der Energieterme dieser Schwingungen sind etwa 10mal kleiner als die Abstände versch. Elektronenniveaus; die ihnen zugeordneten Lichtquanten liegen daher im nahen Infrarot.

Die bisher gemachten Aussagen über zweiatomige Moleküle lassen sich auf mehratomige ausdehnen, wie am Beispiel des Wassermoleküls dargestellt wird (Abb. D): Das Sauerstoffatom hat sechs Valenzelektronen, davon zwei im 2s-Zustand, zwei in einem dadurch abgesättigten 2p-Zustand (in der Zeichnung nicht eingezeichnet) und je eins in einem 2p-Zustand, mit dem das 1s-Elektron eines Wasserstoffatoms mit umgekehrtem Spin überlappen kann (in der Zeichnungsebene). Im Wassermolekül bildet der Sauerstoff mit den beiden Wasserstoffatomen daher etwa einen rechten Winkel. Durch die Abstoßung der Wasserstoffkerne wird dieser auf etwas über 100° vergrößert.

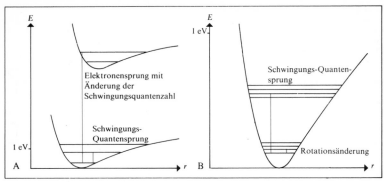

Mögliche Energiezustandsänderungen in einem Molekül

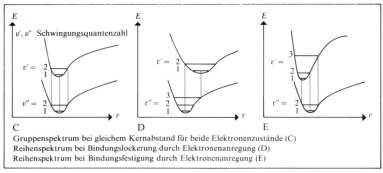

Gruppenspektrum bei gleichem Kernabstand für beide Elektronenzustände (C)
Reihenspektrum bei Bindungslockerung durch Elektronenanregung (D)
Reihenspektrum bei Bindungsfestigung durch Elektronenanregung (E)

Intensivste Linien nach dem FRANCK-CONDON-Prinzip

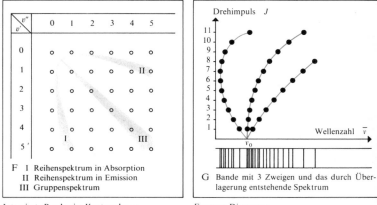

F I Reihenspektrum in Absorption
   II Reihenspektrum in Emission
   III Gruppenspektrum

Intensivste Banden im Kantenschema

G Bande mit 3 Zweigen und das durch Überlagerung entstehende Spektrum

FORTRAT-Diagramm

Ebenso wie bei den Atomen entstehen auch bei den Molekülen die opt. und Infrarot-Spektren durch den Übergang von einem Energiezustand in einen anderen und sind damit das wichtigste Hilfsmittel zur Messung dieser Energiezustände.

Es gibt im wesentlichen drei Möglichkeiten, den Energiezustand des Moleküls zu ändern:

1. **Elektronensprung.** Dabei wechselt ein Elektron von einer Schale in eine höhere oder tiefere über. Die Energiedifferenzen zweier Elektronenzustände sind sehr groß, etwa 10 eV; die bei einem Elektronensprung ausgesandten Spektren liegen daher im Bereich des sichtbaren Lichts oder gar des nahen Ultraviolett. Die Potentialkurven, die die Energie des Moleküls in Abhängigkeit vom Kernabstand wiedergeben, gelten jeweils für eine feste Elektronenkonfiguration. Bei einem Elektronensprung handelt es sich also um einen Übergang zwischen zwei versch. solchen Kurven.

2. **Schwingungsquantensprung.** Die versch. Energiezustände innerhalb einer Potentialkurve entsprechen den Schwingungen der Kerne gegeneinander bei einer festgehaltenen Elektronenkonfiguration. Die Energiedifferenzen zwischen zwei versch. Zuständen sind wesentlich kleiner, etwa von der Größenordnung von 0,1—0,5 eV; die durch einen solchen Übergang erzeugten Wellenlängen liegen im nahen Infrarot.

3. **Rotationsänderung.** Im Gegensatz zum einzelnen Atom kann das Molekül auch dadurch Energie aufnehmen, daß es im ganzen rotiert. Da aber sein Drehimpuls immer ganzzahlige Vielfache von h betragen muß, sind auch für die Rotationsenergie nur diskrete Werte zulässig. Benachbarte Rotationszustände unterscheiden sich um Energien der Größenordnung 10^{-2} eV; die Spektren der reinen Rotationsübergänge würden im fernen Infrarot liegen.

Bandenspektren

Mit einem Elektronensprung ist normalerweise auch eine Änderung des Schwingungszustandes verbunden. Nach dem **FRANCK-CONDON-Prinzip** erfolgt die Umordnung der Elektronen so schnell, daß sich die Lage und die Geschwindigkeit der schweren Atomkerne während dieser Zeit nicht merklich ändern. Die Übergänge finden also mit der größten Wahrscheinlichkeit oder auch größten Intensität zwischen solchen Zuständen statt, bei denen der Aufenthaltswahrscheinlichkeit im Anfangs- und Endzustand bei gleichem Kernabstand groß ist. Für höhere Schwingungszustände ist die Aufenthaltswahrscheinlichkeit am größten an den klass. Umkehrpunkten, also den Schnittpunkten einer Energieniveaulinie mit der Potentialkurve. Übergänge erfolgen also bevorzugt dort, wo diese Schnittpunkte für zwei versch. Potentialkurven direkt übereinander liegen.

Kantenschema

Im Kantenschema trägt man als Abszisse die Schwingungsquantenzahlen v'' des unteren Elektronenzustands und als Ordinate die Quantenzahlen v' des oberen auf. Die intensivsten Spektrallinien liegen dann auf der Diagonalen, wenn die Potentialminima für beide Zustände übereinander liegen; liegen sie räumlich versetzt, so liegen die intensivsten Linien im Gebiet einer mehr oder weniger geöffneten Parabel. In Emission, dem Übergang von oben nach unten, tritt hauptsächlich die flache Parabelast auf, da die unteren Schwingungsniveaus v' des oberen Elektronenzustands (Ausgangszustands) stärker besetzt sind; in Absorption, also beim Übergang von unten nach oben, tritt hauptsächlich der steile Parabelast (kleine v'') in Erscheinung. Man unterscheidet zwischen Gruppenspektren und Reihenspektren. Gruppenspektren treten auf, wenn die Kernabstände für beide Elektronenkonfigurationen gleich sind und die Schwingungsquantenzahlen sich beim Elektronensprung nicht oder nur um 1 ändern (Diagonale im Kantenschema). Reihenspektren treten bei stark versch. Kernabständen auf (weit geöffnete Parabel im Kantenschema). Die Wellenlängendifferenzen nebeneinanderliegender Banden sind dabei im Vergleich zum Gruppenspektrum sehr groß.

Der Einfluß der Rotation

Durch die Rotation des gesamten Moleküls um seinen Schwerpunkt sind die einzelnen Schwingungsterme eines Elektronenzustands nochmal aufgespalten. Mit einer Rotationsquantenzahl J ist eine Rotationsenergie $E_{rot} = h \cdot c \cdot B(v) \cdot J \cdot (J+1)$ verbunden. Die Konstante $B(v)$ vom Schwingungszustand (Quantenzahl v) abhängig. Bei einem Elektronensprung mit Änderung der Schwingungsquantenzahl kann sich auch der Drehimpuls des Moleküls ändern, allerdings nur um eine Einheit. Es gilt also hier ähnlich wie bei den Atomen die Auswahlregel $\Delta J = 0$ oder ± 1. Dementsprechend erhält man eine Aufspaltung einer Elektronensprungbande in eine ganze Serie von Linien mit den Wellenzahlen

$$\bar{v} = \bar{v}(v', v'') + B(v') \cdot J'(J'+1) - B(v'') \cdot J'' \cdot (J''+1) ,$$

wobei das erste Glied der Summe dem reinen Elektronensprung mit Schwingungsänderung entspricht und die beiden letzten Glieder die Änderung der Rotationsenergie angeben.

FORTRAT-Diagramm

Im FORTRAT-Diagramm trägt man als Abszisse die Wellenzahlen und als Ordinate die Drehimpulsquantenzahlen auf. Die drei Möglichkeiten $J' = J'' - 1$, $J' = J''$ und $J' = J'' + 1$ ergeben drei Parabeln, die man als P-, Q- und R-Zweig der Bande bezeichnet. Unter einem Schnittpunkt einer Parabel mit einem ganzzahligen Drehimpulswert liegt jeweils eine Spektrallinie.

	nicht lokale Bindung	lokale Bindung	
homöopolare Bindung	reine Metalle	Valenzkristalle	VAN-DER-WAALS-Kristalle
heteropolare Bindung	Legierungen	Ionenkristalle	A

Schematische Einteilung der Kristalle nach ihrer Bindungsart

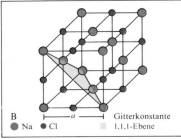

B   ⊢——— a ———⊣   Gitterkonstante

● Na   ● Cl   ▩ 1,1,1-Ebene

Einheitszelle von NaCl

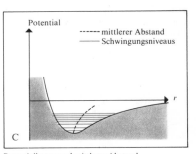

C

Potentialkurve und mittlerer Abstand der Atome im Kristall

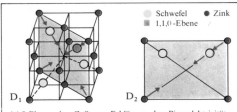

○ Schwefel   ● Zink
▩ 1,1,0-Ebene

D₁   D₂

1,1,0-Ebene des ZnS zur Erklärung der Piezoelektrizität. Eine Kompression in Richtung der blauen Pfeile bewirkt eine relative Verschiebung der negativ geladenen Schwefel-Atome

ZnS-Gitter

E

Zweidimensionales Bild einer Fehlstelle

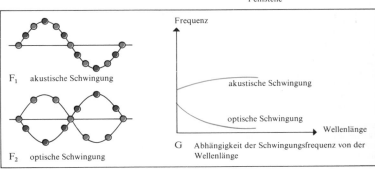

F₁   akustische Schwingung

F₂   optische Schwingung

G   Abhängigkeit der Schwingungsfrequenz von der Wellenlänge

Optische und akustische Schwingung

Bei nicht zu hoher Temperatur (d. h. bei geringer Bewegung der Atome) bedingen die zwischen den Atomen wirkenden Bindungskräfte, daß dem Zustand des Gleichgewichts (d. h. dem Minimum der potentiellen Energie) eine regelmäßige geometr. Anordnung der Atome entspricht. Diese regelmäßige Anordnung von Atomen ist ein **Kristall.**

Genau wie beim Molekül rühren die Bindungskräfte von Elektronen her, die nicht eindeutig einem Atom zuzuordnen sind, sondern eine gewisse Aufenthaltswahrscheinlichkeit bei mehreren Atomen oder auch im ganzen Kristall haben. Die letztere Eigenschaft findet man vorwiegend in Metallen und Legierungen.

Ebenso wie es beim Molekül homöopolare Bindung und Ionenbindung gibt, findet man auch Valenz- und Ionenkristalle. Die Alkalihalogenidkristalle (z. B. Kochsalz) sind typ. Vertreter der Ionenkristalle; der bekannteste Valenzkristall ist der Diamant (Kohlenstoff). Ebenso wie bei den Molekülen gibt es auch alle Übergänge zwischen beiden Typen.

Ein bes. schwach gebundener Kristall ist der VAN-DER-WAALS-Kristall, dessen Bindungskräfte auf der Anziehungskraft der elektr. Dipole zweier Moleküle beruhen.

Kristallgitter

Es gibt versch. Möglichkeiten der regelmäßigen Anordnung von Atomen in einem Kristall. Das Kristallgitter ist aufgebaut aus **Elementarzellen**, aus denen man sich den ganzen Kristall durch wiederholten Anbau in allen Richtungen entstanden denken kann. Die Kantenlänge der Elementarzelle bezeichnet man als die **Gitterkonstante**, den Abstand zweier mit Atomen belegter Ebenen als den **Netzebenenabstand.** Eine bestimmte Netzebenenrichtung wird durch die MILLERschen **Indizes** h, k, l beschrieben, dabei sind $\frac{1}{h}$, $\frac{1}{k}$, $\frac{1}{l}$ die Abstände von einem Atom auf der h, k, l-Ebene, in denen die nächste h, k, l-Ebene die x, y, bzw. z-Achse schneidet, jeweils gemessen in Einheiten der Gitterkonstanten.

Da die Bindungskräfte des Kristalls von der gleichen Art wie beim Molekül sind, hat auch die Kurve der potentiellen Energie, aufgetragen über dem Abstand zweier Kristallbausteine, die gleiche Form, nämlich einen sehr steilen Abfall auf negative Werte bei kleinen Abständen und einen langsamen Anstieg zu großen Abständen. In dem Potentialminimum liegen die Energieniveaus der Eigenschwingungen. Durch die Unsymmetrie der Kurve bedingt, wachsen die mittleren Abstände der Bausteine voneinander bei der Anregung höherer Schwingungsniveaus (d. h. je mehr innere Energie der Kristall enthält). Das ist die atomtheoret. Erklärung für die Ausdehnung von Kristallen mit steigender Temperatur.

Piezoelektrizität und Elektrostriktion

Bei Quarz und zahlreichen anderen Ionenkristallen treten bei elast. Kompression in gewissen Richtungen scheinbare Oberflächenladungen auf, während sich der Kristall beim Anlegen eines elektr. Feldes deformiert. Das kommt dadurch zustande, daß geladene Ionen im Kristall unsymmetrisch angeordnet sind (wie z. B. die Schwefelatome in der Zinkblende) und sich bei der Kompression durch Unsymmetrie der Potentialkurve näher zum weiter entfernt liegenden Nachbaratom schieben. Dadurch erscheint auf der entsprechenden Oberfläche ein Ladungsüberschuß.

Ideale und reale Kristalle

Ein wirklich in der Natur vorkommender Kristall ist normalerweise nicht exakt aus einer genauen Aneinanderfügung von Elementarzellen aufgebaut, sondern besteht aus sehr vielen Einzelkristallen, die jeweils nur einige hundert oder tausend Elementarzellen enthalten. Zwischen diesen liegen sogenannte **Fehlstellen, Fremdatome** oder **Gitterversetzungen**, die bewirken, daß die Netzebenen im Kristall nicht alle genau parallel liegen sondern in ihrer Richtung um einen Mittelwert streuen.

Gitterschwingungen

Wegen der Bindungskräfte entlang der Verbindungslinien der Kristallbausteine können diese Bausteine gegeneinander Schwingungen ausführen, an denen alle Atome des Kristalls beteiligt sind. Diese Schwingungen bilden sich als stehende Wellen im Kristall aus, die einem stationären Schwingungszustand in der Potentialkurve entsprechen. Zu jeder Wellenlänge der Schwingung sind zwei versch. Schwingungsformen möglich, die man als **optische** und **akustische Schwingungen** bezeichnet.

Bei den akust. Schwingungen bewegen sich die benachbarten Atome in gleicher Richtung, so daß auch bei Ionenkristallen kein Dipolmoment entsteht. Diese Schwingungen können daher nicht durch Licht angeregt werden; sie erscheinen nicht im Absorptionsspektrum. Bei den opt. Schwingungen bewegen sich benachbarte Atome in entgegengesetzter Richtung, wodurch bes. bei Ionenkristallen ein starkes Dipolmoment entsteht. Diese Schwingungen erscheinen im Absorptionsspektrum. Da die Bindungskräfte bei opt. Schwingungen sehr viel stärker beansprucht werden infolge der weit größeren Abweichung von der mittleren Entfernung benachbarter Atome, ist bei gleicher Wellenlänge die Frequenz opt. Schwingungen stets höher als die der akustischen.

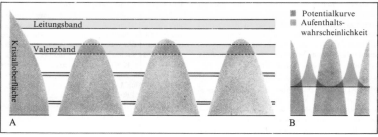

Periodisches Potential und erlaubte Energiebänder im Kristall (A)
Aufenthaltswahrscheinlichkeit der Elektronen in den inneren Schalen (B)

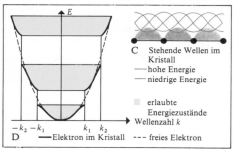

Der Zusammenhang zwischen Energie und Wellenvektor

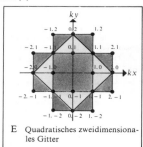

BRILLOUINsches Zonenbild

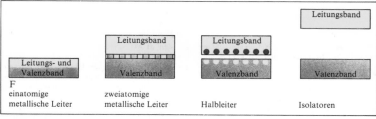

Energiebänder für Leiter, Halbleiter und Isolatoren

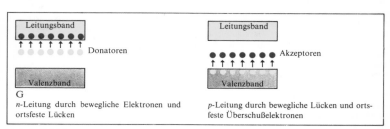

Dotierte Halbleiter

In einem Kristall bildet sich durch die regelmäßige Anordnung der positiv geladenen Atomkerne im Gitter für die Elektronen ein period. Potential aus. Die Elektronen der inneren Schalen der Atome werden durch die benachbarten Kerne nur sehr geringfügig beeinflußt, da die Wahrscheinlichkeit, durch quantenmechan. Tunneleffekt den Nachbarkern zu erreichen, äußerst gering ist; sie verhalten sich daher so wie in einem einzelnen Atom bis auf eine geringfügige Verbreiterung der Energiezustände.

Für die *Valenzelektronen* in den äußeren Schalen sind die Potentialberge zwischen den einzelnen Gitteratomen so gering, daß sie durch den Tunneleffekt leicht überwunden werden können. Man muß daher für diese Elektronen den gesamten Kristall als ein quantenmechan. System auffassen. Die Energiezustände der Valenzelektronen entarten zu einem breiten Band, welches aus $2N$ einzelnen sehr nahe beieinander liegenden Einzelzuständen besteht, wenn N die Anzahl der Atome ist.

Wie immer kann jedes Atom zwei Elektronen in einem Zustand aufnehmen, nur gilt diese Aussage für Kristalle nur im Mittel; die Elektronen können nicht einem einzelnen Atom zugeordnet werden, sondern können sich im gesamten Kristall fast frei bewegen.

Der Bewegung eines Elektrons mit dem Impuls p entspricht eine DE-BROGLIE-Welle mit der Wellenlänge $\lambda = \dfrac{h}{p}$ oder der Wellenzahl $k = \dfrac{p}{h}$. Im gesamten Kristall der Länge l kommen nur die Wellenlängen vor, bei denen die Länge l ein ganzzahliges Vielfaches der Wellenlänge ist. Das führt zu einer Auswahl der mögl. Wellenzahlen $k = \dfrac{n}{l}$ und damit zu genau N einzelnen, sehr nahe beieinander liegenden mögl. Impulsen zwischen den Wellenzahlen $\dfrac{1}{l}$ und $\dfrac{1}{2d}$, wenn d der Abstand einzelner Gitterpunkte ist.

Die *kinetische Energie* eines Elektrons mit dem Impuls p ist: $T = \dfrac{p^2}{2m}$, wenn m seine Masse ist. Die Gesamtenergie $E = T + V$ ist gleich der kinet. Energie plus einer konstanten potentiellen Energie, die für die meisten Wellenzahlen unabhängig von der Wellenzahl ist, da sich das Elektron im Mittel ebensooft über den Potentialbergen wie über den Tälern aufhält.

Wird die Wellenlänge der Elektronen im Kristall jedoch gleich der doppelten Gitterkonstanten $\left(k = \dfrac{1}{2d}\right)$, so werden die DE-BROGLIE-Wellen von allen Gitterpunkten reflektiert, so daß sich eine stehende Welle ausbildet. Je nachdem, ob die *Schwingungsbäuche* der stehenden Wellen und damit die *Maxima* der Aufenthaltswahrscheinlichkeit an

den Stellen hoher potentieller Energie zwischen den Gitteratomen oder an den Stellen niedriger Energie liegen, wird die Energie durch das Gitter erhöht oder erniedrigt. Trägt man die Energie der Elektronen gegen die Wellenzahl auf, so erhält man an den Stellen $k = \dfrac{n}{2d}$ Unstetigkeitspunkte, bei denen ein Energieband übersprungen wird.

Die Größe der krit. Impulse, bei denen Energie-Unstetigkeiten entstehen, hängt von der Bewegungsrichtung der Elektronen im Kristall ab. Das wird dargestellt durch die **BRILLOUINschen Zonenbilder,** in denen die reziproken Gitterebenenabstände in den versch. Achsrichtungen aufgetragen und durch ihre MILLERschen Indizes markiert werden. Die krit. Wellenlängen liegen dann jeweils auf den Verbindungsebenen (in der Abb. Verbindungslinien) der Netzebenen, die in Abb. E als Punkte erscheinen. Einem Energieband entspricht immer eine Zone zwischen den Verbindungsebenen im BRILLOUINschen Zonenbild.

Elektrische Leitfähigkeit

In einem voll besetzten Band können die Elektronen eines Kristalls durch das Anlegen einer äußeren Spannung keine zusätzl. Energie aufnehmen, da kein Zustand mit nur wenig höherer Energie frei ist. Ein Elektronentransport, und damit elektr. Leitfähigkeit, ist nur möglich, wenn ein Elektron aus dem voll besetzten **Valenzband** in das höher gelegene **Leitungsband** gelangt.

In **Isolatoren** ist die verbotene Zone zwischen Valenzband und Leitungsband sehr breit, so daß durch therm. Anregung keine Elektronen das Leitungsband erreichen können und daher eine äußere Spannung nicht zu einem Ladungstransport führen kann.

In **metallischen Leitern** dagegen überschneiden sich Valenz- und Leitungsband bzw. ist das Valenzband nicht voll besetzt, so daß die Elektronen des obersten teilbesetzten Bandes frei beweglich sind und sich am positiven Pol sammeln können.

Halbleiter

Von besonderer techn. Bedeutung sind die Halbleiter. Bei ihnen ist das unbesetzte Leitungsband nur durch eine geringe Energielücke vom voll besetzten Valenzband getrennt. Durch therm. Anregung können bereits Elektronen in das Leitungsband gelangen, wodurch sowohl die entstehenden Lücken im Valenzband als auch die Elektronen im Leitungsband fast frei beweglich werden und zum Ladungstransport beitragen. Die Leitfähigkeit kann erhöht werden durch Fremdatome im Gitter, die entweder ein Elektron mehr haben, so locker gebunden, daß es leicht in das Leitungsband gelangt (**Donatoren** oder *n*-**Leiter**) oder solche, die ein Elektron zu wenig haben und daher eins aus dem Valenzband aufnehmen, wodurch dort eine bewegl. Lücke entsteht (**Akzeptoren** oder *p*-**Leiter**).

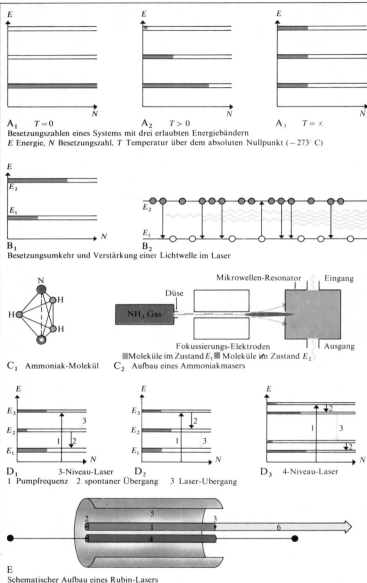

A_1 $T = 0$ A_2 $T > 0$ A_3 $T = \infty$

Besetzungszahlen eines Systems mit drei erlaubten Energiebändern
E Energie, N Besetzungszahl, T Temperatur über dem absoluten Nullpunkt ($-273°$ C)

B_1 B_2
Besetzungsumkehr und Verstärkung einer Lichtwelle im Laser

C_1 Ammoniak-Molekül C_2 Aufbau eines Ammoniakmasers

■Moleküle im Zustand E_1 ■ Moleküle im Zustand E_2

D_1 3-Niveau-Laser D_2 D_3 4-Niveau-Laser
1 Pumpfrequenz 2 spontaner Übergang 3 Laser-Übergang

E
Schematischer Aufbau eines Rubin-Lasers
1 Rubinstab, 2 verspiegeltes Ende, 3 halbdurchlässig verspiegeltes Ende, 4 Quecksilberlampe zum
optischen Pumpen, 5 elliptischer Zylinder als Reflektor für Pumplicht, 6 Laserlichtstrahl

Besetzungsdichte

In einem System von Atomen mit mehreren erlaubten Energiezuständen der zugehörigen Elektronen sind im Normalzustand immer die unteren Energieniveaus stärker besetzt als die höher liegenden. Die Verteilung der Elektronen auf die Energiezustände ist abhängig von der Temperatur, beim absoluten Temperaturnullpunkt ($-273\,°C$) sind nur die untersten Energieniveaus besetzt, bei unendlich hoher Temperatur sind alle Niveaus gleichmäßig besetzt.

Wechselwirkung mit Strahlung

Die Materie kann mit elektromagnet. Strahlung auf dreierlei Weise in Wechselwirkung treten:
1. **Strahlungsabsorption.** Dabei wird ein Photon absorbiert und ein Elektron von einem unteren in einen höheren Zustand gehoben. Die Wahrscheinlichkeit für diesen Prozeß ist proportional zur Anzahl der vorhandenen Photonen und zur Zahl der Elektronen im unteren Zustand.
2. **Spontane Emission.** Ein Elektron verläßt spontan einen Platz auf einem höheren Energieniveau und kehrt unter Aussendung eines Photons in einen tieferen Zustand zurück.
3. **Erzwungene oder induzierte Emission.** Photonen der Strahlung in der Materie bewirken, daß ein Elektron im höheren Zustand ein Photon der gleichen Art abgibt und in einen unteren Zustand fällt. Die Wahrscheinlichkeit für diesen Prozeß ist proportional zur Zahl der Elektronen im höheren Zustand und zur Zahl der Photonen, die nach dem Prozeß vorhanden sind.

Da normalerweise die oberen Zustände geringer besetzt sind als die unteren, ist der Prozeß 3 seltener als Prozeß 1, und jede Materie absorbiert Licht, wobei sie sich erwärmt. Im Strahlungsgleichgewicht (wenn weder Strahlung absorbiert noch emittiert wird) sind die Prozesse 2 und 3 zusammen ebenso häufig wie Prozeß 1. Gelingt es jedoch, einen höher gelegenen Zustand der Energie E_2 stärker zu besetzen als einen darunter liegenden mit der Energie E_1, so wird eine eingestrahlte Lichtquelle der Frequenz

$$v = \frac{E_2 - E_1}{h}$$

durch die induzierte Emission verstärkt. Auf diesem Effekt beruhen die **Laser** und **Maser** (Laser = Light amplification by stimulated emission; Maser = Microwave amplification by stimulated emission).

Beim Maser wird die Materie, meistens ein Gas, in einen Hohlraumresonator gebracht, d. h. in ein Gefäß aus leitendem Material, in dem sich eine stehende Welle der Maserfrequenz ausbilden kann. Durch einzelne spontane Übergänge $2 \to 1$ oder durch von außen zugeführte Mikrowellen wird der Maser zum Schwingen angeregt.

Beim Laser liegt die Materie zwischen zwei Spiegeln, von denen einer halb durchlässig ist, und

die so justiert sind, daß eine stehende Lichtwelle zwischen beiden Spiegeln hin- und herläuft. Genau wie beim Maser wird auch der Laser durch einzelne spontane Übergänge zum Schwingen angeregt.

Da beim Laser alle Photonen genau gleich sind, also gleiche Phase und gleiche Frequenz haben, ist das Laserlicht kohärent, d. h. es addieren sich die Amplituden der Lichtwellen von allen Atomen und nicht, wie bei der Strahlung eines heißen Körpers etwa, die Intensitäten. Laserlicht ist daher auch streng parallel und kann durch Linsen auf äußerst kleine Punkte fokussiert werden, wodurch hohe Energiedichten entstehen.

Erzeugung von Populationsumkehr

Die zum Betrieb eines Lasers oder Masers nötige Umkehr des Besetzungszustandes zweier Energieniveaus kann auf versch. Weise erreicht werden. Bei dem ersten realisierten Maser, dem Ammoniak-Maser, nutzt man die Schwingung des Stickstoffs zwischen der Ebene der drei Wasserstoffatome aus. Die Schwingungsenergie ist in zwei benachbarte Zustände aufgespalten. In einem inhomogenen elektr. Feld werden die Moleküle mit der größeren Energie E_2 in das Gebiet kleinerer, die mit der Energie E_1 in das Gebiet größerer Feldstärke gezogen. Es gelingt daher, die Moleküle im Energiezustand E_2 abzutrennen und allein zum Betrieb eines Masers der Frequenz $v = \dfrac{E_2 - E_1}{h}$ auszunutzen.

Optisches Pumpen

Beim opt. Pumpen erreicht man die Überbesetzung des oberen Niveaus durch Einstrahlung von Licht. Dabei sind mindestens drei Energieniveaus E_1, E_2, E_3 zur Erzeugung der Populationsumkehr beteiligt. Durch das eingestrahlte Licht werden die Elektronen vom Grundzustand E_1 in den obersten Zustand E_3 gehoben. Da aber gleichzeitig induzierte Übergänge $E_3 \to E_1$ stattfinden, können beide Zustände höchstens gleich besetzt sein. Ein dazwischenliegender Zustand E_2, von dem die Elektronen sehr schnell spontan in den Grundzustand zurückkehren, sorgt für eine Populationsumkehr zwischen E_3 und E_2, so daß Laser-Licht-Emission der Frequenz $(E_3 - E_2)/h$ möglich wird. Ebenso würde ein sehr schneller spontaner Übergang $E_3 \to E_2$ für eine Populationsumkehr zwischen E_2 und E_1 sorgen.

Günstiger als der 3-Niveau-Laser ist der 4-Niveau-Laser (Abb. D$_3$), bei dem ein schneller spontaner Übergang $E_4 \to E_3$ und $E_2 \to E_1$ stattfindet. Man pumpt durch eingestrahltes Licht Elektronen in das schwach besetzte Niveau 4, von dem sie schnell auf Niveau 3 fallen. Zwischen 3 und 2 bildet sich Populationsumkehr aus, da die Elektronen von Niveau 2 sehr schnell in den Grundzustand E_1 zurückkehren.

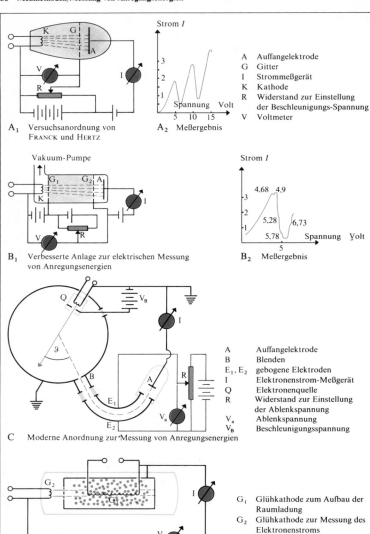

A_1 Versuchsanordnung von FRANCK und HERTZ

A_2 Meßergebnis

A   Auffangelektrode
G   Gitter
I   Strommeßgerät
K   Kathode
R   Widerstand zur Einstellung der Beschleunigungs-Spannung
V   Voltmeter

B_1 Verbesserte Anlage zur elektrischen Messung von Anregungsenergien

B_2 Meßergebnis

C   Moderne Anordnung zur Messung von Anregungsenergien

A   Auffangelektrode
B   Blenden
E_1, E_2 gebogene Elektroden
I   Elektronenstrom-Meßgerät
Q   Elektronenquelle
R   Widerstand zur Einstellung der Ablenkspannung
V_a Ablenkspannung
V_B Beschleunigungsspannung

D   Anordnung von HERTZ zum Nachweis der Ionisierungsspannung

G_1 Glühkathode zum Aufbau der Raumladung
G_2 Glühkathode zur Messung des Elektronenstroms
I   Strommeßgerät
R   Widerstand zur Einstellung der Vorspannung
V   Spannungsmeßgerät
●   Elektronen
●   positive Ionen
▪   Isolatoren

Die Verknüpfung von Anregungsenergie eines Atoms und Wellenlänge des ausgesandten Lichts bei der Rückkehr in den Grundzustand durch die BOHR-sche Frequenzbedingung $E_a = h \cdot v = \dfrac{h \cdot c}{\lambda}$ kann durch Messungen direkt nachgeprüft werden. Das gelang 1914 durch einen Versuchsaufbau von FRANCK und HERTZ:

Von einer Glühkathode ausgehende Elektronen werden durch eine regelbare Beschleunigungsspannung zwischen der Kathode und einem Gitter beschleunigt. Im Raum zwischen Gitter und Kathode können sie außerdem durch Anregung der dazwischen liegenden Gasatome Energie verlieren. Hinter dem Gitter befindet sich eine Auffangelektrode, die mit einer geringen Spannung negativ gegen das Gitter aufgeladen ist, so daß nur die Elektronen sie erreichen können, die genügend Energie haben, um die Bremsspannung zu überwinden. Die Zahl dieser Elektronen wird als Strom gemessen.
Als Meßergebnis erhält man mit steigender Beschleunigungsspannung zunächst einen stark ansteigenden Strom, da die Elektronen keine Energie verlieren können, weil ihre Gesamtenergie nicht zur Anregung des ersten unbesetzten Niveaus ausreicht. Bei einer bestimmten Spannung, die vom Material zwischen Gitter und Kathode abhängt, sinkt der Strom plötzlich ab, die Elektronen erhalten genug Energie, um das erste Niveau anzuregen und können, nachdem sie das getan haben, die Auffangelektrode nicht erreichen. Erhöht man die Spannung weiter, so steigt der Strom zunächst wieder an, um bei der doppelten Spannung, wenn zwei anregende Stöße möglich werden, erneut abzusinken. An den Stellen des starken Stromabfalls ist also $e \cdot V = h \cdot v$, wenn e die Elementarladung, V die Beschleunigungsspannung, h die PLANCK-sche Konstante und v die Frequenz des Lichts ist, das bei der Rückkehr in den Grundzustand ausgestrahlt wird. Diese Frequenz kann mit einem opt. Spektrometer gleichzeitig gemessen werden, da der Gasraum bei Erreichen der ersten Anregungsenergie zu leuchten beginnt. Man erhält also aus diesen Messungen einen direkten Zusammenhang zwischen elektr. gemessener Energie und Lichtwellenlängen. FRANCK und HERTZ fanden beim Quecksilber eine Anregungsenergie von 4,9 eV und eine ausgesandte Wellenlänge von 2537 Å.

In einer verbesserten Apparatur nach FRANCK, KNIPPING und EINSPORN können auch die höheren Anregungsstufen der Atome noch nachgewiesen werden. Zu diesem Zweck werden Beschleunigungs- und Stoßraum getrennt, die Beschleunigungsstrecke wird evakuiert, um in ihr alle Stöße zu vermeiden, so daß alle Elektronen mit gleicher Geschwindigkeit in den Stoßraum eintreten, wo sie nur noch sehr gering beschleunigt werden. Auf diese Weise

konnte man beim Quecksilber Anregungsniveaus messen, von denen ein Übergang in den Grundzustand gegen die Auswahlregeln der opt. Spektren verstößt und die deshalb in opt. Spektren nicht sichtbar sind.

Bei diesen Versuchen kann man bisher nicht unterscheiden, ob das Strom-Minimum durch Energieverlust bei einem oder bei mehreren Stößen bewirkt wird. Um dieses zu erreichen, wählt man eine andere Anordnung: Ein Bündel von Elektronen mit einer Energie, die die höchste Anregungsenergie der untersuchten Atome überschreitet, wird in ein verdünntes Gas eingestrahlt, in dem die Wahrscheinlichkeit mehrmaliger Zusammenstöße eines Elektrons gering ist. Nach dem Stoß werden die unter einem vorgewählten Winkel gestreuten Elektronen durch Schlitzblenden aussortiert und laufen zwischen zwei gebogenen Elektroden hindurch, an denen eine regelbare Spannung liegt. Nur Elektronen einer ganz bestimmten Geschwindigkeit können der Krümmung der Elektroden folgen und eine Auffangelektrode erreichen. An der eingestellten Spannung kann man die Energie der gestreuten Elektronen ablesen. Die Differenz zwischen Anfangsenergie und der abgelesenen Energie ist die Verlustenergie, die auf das Atom übertragen wurde. Beim Variieren der Spannung an den gekrümmten Elektroden erhält man scharfe Maxima der Stromstärke an der Auffangelektrode, die den opt. gemessenen Spektrallinien entsprechen, aber auch solche, die als opt. Übergänge verboten sind, d. h. den Auswahlregeln widersprechen.

Die **Ionisierungsenergie**, die der Seriengrenze der Spektrallinien entspricht, kann nach einer ähnl. Methode, die ebenfalls von HERTZ stammt, direkt elektr. gemessen werden. Da man an dem Abfall der Stromstärke nicht unterscheiden kann, ob es sich um eine Anregungsstufe oder um den Beginn der Ionisierung handelt, benutzt man die positiv aufgeladene Wolke der schweren Ionen zum Nachweis.
Durch Elektronen, die von einer großen Glühkathode ausgehen, schafft man im Beschleunigungsraum eine Raumladung, die ein elektr. Gegenfeld aufbaut, so daß nur wenige Elektronen einer weiteren negativ vorgespannten Glühkathode zur Auffangelektrode gelangen können. Erhöht man jetzt die negative Spannung der kleinen Glühkathode so weit, daß im Beschleunigungsraum Ionisierung einsetzt, so neutralisieren die positiven Ionen die Elektronenwolke und ein starker Strom von der negativen Kathode zur Anode setzt ein. Die Spannung beim Einsetzen dieses Stromes multipliziert mit der Elementarladung ist gleich der Ionisierungsenergie.

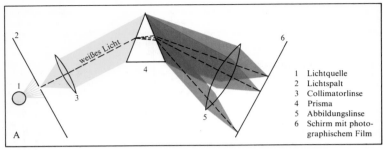

1	Lichtquelle
2	Lichtspalt
3	Collimatorlinse
4	Prisma
5	Abbildungslinse
6	Schirm mit photo-graphischem Film

Prismenspektrometer für Emissionsmessungen

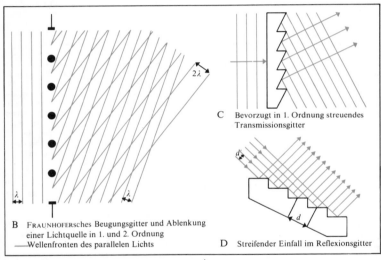

B   FRAUNHOFERsches Beugungsgitter und Ablenkung einer Lichtquelle in 1. und 2. Ordnung
—— Wellenfronten des parallelen Lichts

C   Bevorzugt in 1. Ordnung streuendes Transmissionsgitter

D   Streifender Einfall im Reflexionsgitter

Beugungsgitter

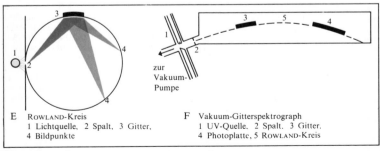

E   ROWLAND-Kreis
1 Lichtquelle, 2 Spalt, 3 Gitter, 4 Bildpunkte

F   Vakuum-Gitterspektrograph
1 UV-Quelle, 2 Spalt, 3 Gitter, 4 Photoplatte, 5 ROWLAND-Kreis

Gitterspektrographen

Die Analyse der Spektren der elektromagnet. Strahlung von den Atomen ist das wichtigste Hilfsmittel der Physiker zur Erforschung ihres Aufbaus. Die RÖNTGENspektren geben uns die Aussagen über das Innere der Elektronenhülle, die opt. oder Lichtspektren über die äußeren Elektronen eines Atoms, die für sein chem. Verhalten maßgeblich sind, und die Infrarot- und Hochfrequenzspektren über die Veränderungen des Atoms im Molekül oder Kristall.

Der Untersuchung am leichtesten zugänglich ist das sichtbare und nahe ultraviolette Spektralgebiet zwischen 2000 und 7000 Å (1 Å = 10^{-8} cm). Ein opt. Spektrometer besteht aus einer Lichtquelle, in der das zu untersuchende Spektrum hergestellt wird, einer Abbildungsoptik, einem Analysator, der das Licht versch. Wellenlänge räumlich voneinander trennt, und einem Detektor, in dem die Lichtintensität in Abhängigkeit von der Wellenlänge gemessen wird.

Als Lichtquellen für **Emissionsspektren** eignen sich leuchtende Gase oder Dämpfe, die in einer Gasentladung oder im Lichtbogen durch Stöße zum Leuchten angeregt werden, oder auch Gasflammen, in denen die Anregung durch hohe Temperatur zustande kommt.

Zur Aufnahme von **Absorptionsspektren** benötigt man ein kontinuierliches, d. h. alle Wellenlängen enthaltendes Emissionsspektrum der Lichtquelle, aus denen dann die zwischen Lichtquelle und Spektrograph befindliche zu untersuchende Substanz die ihr eigenen Linien absorbiert. Als kontinuierl. Lichtquellen dienen im sichtbaren Gebiet und im Infrarot Wolframbandlampen oder Kohlelichtbogen und im Ultraviolett die kontinuierl. Spektren von Gasentladungen jenseits der Seriengrenzen, die für das Gas im Entladungsraum charakteristisch sind.

Die älteste Methode der Analyse von opt. Spektren ist der **Prismenspektrograph**. Prinzip: Licht wird an einer Glas- oder Quarzoberfläche je nach seiner Wellenlänge versch. stark abgelenkt, rotes (langwelliges) Licht schwächer zur Senkrechten hin als blaues (kurzwelliges). Beim Austreten aus einer Glasoberfläche wird rotes Licht schwächer von der Senkrechten weg abgelenkt als blaues Licht. Beim Durchgang durch ein Prisma werden deshalb die versch. Wellenlängen von einer Lichtquelle räuml. voneinander getrennt. Sie können auf einem Auffangschirm auf photograph. Filmen registriert werden, die Ablenkung ist ein Maß für die Wellenlänge.

Größere Genauigkeit und vor allem auch Absolutmessungen der Wellenlängen erhält man mit einem Gitter als Analysator. Immer dann, wenn der Abstand einer Wellenfront des Lichts zu versch. Gitteröffnungen ein ganzzahliges Vielfaches der Lichtwellenlänge beträgt, verstärken sich die Lichtwellen von den versch. Gitteröffnungen, während sie sich

sonst gegenseitig auslöschen (beim Licht addieren sich die Amplituden des elektromagnet. Feldes und nicht die Intensitäten). Mathematisch ausgedrückt lautet die Verstärkungsbedingung $n\lambda = d \cdot \sin \vartheta$, wenn λ die Wellenlänge, d der Abstand der Gitterlinien, ϑ der Ablenkwinkel und n eine ganze Zahl ist. n nennt man die **Ordnungszahl**; es gibt also ein Spektrum nullter Ordnung (unabgelenktes Licht), erster Ordnung usw., die mit höherer Ordnung stärker abgelenkt werden, sich jedoch überlappen können. Durch geeignete Formgebung der Gitter erreicht man jedoch, daß fast die gesamte Lichtintensität nur in eine bestimmte Ordnung abgelenkt wird. Dazu benutzt man in Transmission schräg geschliffene Austrittsflächen von Gläsern, die gleichzeitig die Lichtbrechung, die beim Prisma ausgenutzt wird, zur Ablenkung des Lichts in die gewünschte Richtung ausnutzen. Reflexionsgitter sind geritzte Spiegelflächen, die die größte Intensität nach dem Spiegelgesetz Einfallswinkel gleich Ausfallswinkel reflektieren. Optimal wirken diese Gitter jeweils nur in einem begrenzten Wellenlängenbereich, für andere Wellenlängenbereiche wird dann der Einfallswinkel auf das Gitter variiert.

Um auf meßbare Ablenkungswinkel des gestreuten Lichts zu bekommen, muß man bei kurzen Wellenlängen auch sehr kleine Abstände der Gitterlinien verwenden, was techn. Schwierigkeiten bereitet. Für das Ablenkungsgesetz wirksam ist jedoch nicht der wirkl. Abstand d der Gitterlinien, sondern seine Projektion d' auf die einfallende Wellenfront. Im Ultraviolett-Gebiet läßt man daher die einfallende Strahlung unter sehr kleinen Winkeln auf ein Reflexionsgitter treffen (streifender Einfall).

ROWLAND-Gitter

Ganz ohne Abbildungsoptik kommt das selbstfokussierende ROWLAND-Gitter aus. Lichtquelle, Reflexionsgitter und Lichtdetektor befinden sich auf einem Kreis. Die Lichtquelle muß dazu ein sehr schmaler, senkrecht zum Kreis stehender Spalt sein. Für jede Wellenlänge gibt es einen Bildpunkt an einer anderen Stelle des Kreises.

Diese Anordnung kann man auch im Spektralgebiet unter 1800 Å noch verwenden, wo alle Materialien, auch die Luft, sehr stark absorbieren. Die gesamte Apparatur einschließlich der Ultraviolett-Quelle ist in einem auf Hochvakuum auspumpbaren Kessel angeordnet. Als Detektoren dienen gelatinefreie Photoplatten oder Sekundärelektronenvervielfacher.

Im Infrarotgebiet benutzt man im Prinzip die gleichen Apparate wie beim sichtbaren Licht mit den folgenden Unterschieden:

1. Die Abstände der Gitterlinien sind größer, entsprechend den größeren Wellenlängen.

2. Als Abbildungsoptik werden metall. Hohlspiegel benutzt.

3. Als Detektoren werden **Bolometer** verwendet, die die Erwärmung durch die Strahlung messen.

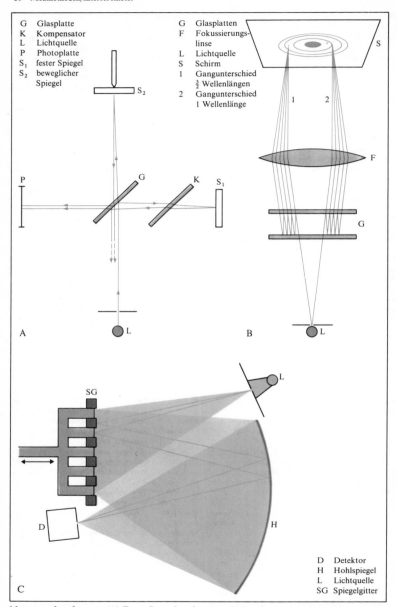

G   Glasplatte
K   Kompensator
L   Lichtquelle
P   Photoplatte
S₁ fester Spiegel
S₂ beweglicher
    Spiegel

G   Glasplatten
F   Fokussierungs-
    linse
L   Lichtquelle
S   Schirm
1   Gangunterschied
    $\frac{3}{2}$ Wellenlängen
2   Gangunterschied
    1 Wellenlänge

D   Detektor
H   Hohlspiegel
L   Lichtquelle
SG Spiegelgitter

MICHELSON-Interferometer (A), FABRY-PEROT-Interferometer (B), Interferometer mit Spiegelgitter (C)

Die Auflösung von Gitter- und Prismenspektrometern (d. h. der Abstand zweier Spektrallinien, die noch voneinander getrennt werden können) ist begrenzt durch die Größe des Prismas bzw. durch die Anzahl der Linien in einem Strichgitter. Aus techn. Gründen läßt sich beides nicht beliebig vergrößern. Mit den immer höheren Anforderungen bei der Messung (z. B. der Hyperfeinstruktur der Spektrallinien) war man gezwungen, andere Methoden zur extrem genauen Wellenlängenmessung zu finden.

MICHELSON-Interferometer

Ein MICHELSON-Interferometer beruht auf einem ganz anderen Prinzip als Gitter- oder Prismenspektrometer: Die Lichtstrahlen versch. Wellenlänge werden nicht räumlich getrennt. Im Interferometer wird das Licht durch eine halbreflektierende Glasplatte in zwei Teilstrahlen aufgespalten, die Wege versch. Länge durchlaufen, bevor sie an derselben Platte wieder vereinigt werden. Sind beide Teilstrahlen bei der Vereinigung in Phase, d. h. fällt Wellenberg auf Wellenberg und Tal auf Tal, so verstärken sich die Lichtquellen (konstruktive Interferenz). Haben die Teilstrahlen um eine halbe Wellenlänge verschobene Phase, so ist der vereinigte Strahl dunkel (destruktive Interferenz). Wenn die Phasendifferenz von einem Teil des Strahls zum anderen variiert, so erhält man helle und dunkle Interferenzstreifen, deren Abstand proportional zur Lichtwellenlänge ist. Die Kurve der Intensität in Abhängigkeit vom Wegunterschied der Teilstrahlen ist ein Interferogramm. Dieses ist nicht unmittelbar das Lichtspektrum, wie beim Prismenspektrographen, das Spektrum muß aus dem Interferogramm durch Frequenzanalyse oder FOURIER-Transformation erst berechnet werden. Im MICHELSON-Interferometer wird einer der Lichtwege durch einen bewegl. Spiegel variiert. Im anderen Teilstrahl befindet sich eine Glasplatte, die dafür sorgt, daß der Weg im Glas für beide Teilstrahlen gleich lang ist.

Die Genauigkeit der Interferometer hat dazu geführt, daß als Längenstandard seit 1960 nicht mehr das Urmeter in Paris, sondern eine bestimmte Spektrallinie eingeführt ist, weil deren Wellenlänge genauer gemessen werden kann als die Länge eines Stabes.

FABRY-PEROT-Interferometer

Besonders einfach in seinem Aufbau und dennoch sehr leistungsfähig ist das FABRY-PEROT-Interferometer. Während das MICHELSON-Interferometer nur zwei Strahlen verwendet, interferiert beim FABRY-PEROT-Interferometer eine unbegrenzte Zahl von Einzelstrahlen mit abnehmender Intensität. Dadurch kommen sehr starke Interferenzstreifen zustande, so daß man das Spektrum in einem engen Wellenlängenbereich direkt ablesen kann. Das Interfero-

meter besteht aus zwei stark reflektierenden, ebenen, parallelen Glasplatten, zwischen denen der einfallende Lichtstrahl sehr oft hin und her reflektiert wird. Die Auflösung ist nur begrenzt durch die techn. Möglichkeiten, ebene Glasplatten herzustellen.

Mit immer höherer Auflösung der Spektralapparate taucht die Schwierigkeit auf, daß für den einzelnen Teil des Spektrums weniger Intensität zur Registrierung zur Verfügung steht. Die Leuchtkraft der Lichtquellen läßt sich nicht beliebig erhöhen, ohne bei höheren Temperaturen zu arbeiten, was wiederum zu einer Verbreiterung der ˈSpektrallinien führt. Besonders im Infrarotgebiet, wo man keine Filme verwenden kann, würden dadurch, daß man das Spektrum Punkt für Punkt mit geringer Intensität registrieren muß, die Meßzeiten untragbar lang werden. Man suchte daher nach Methoden, bei denen das gesamte Licht der Quelle (d. h. alle Wellenlängen) zu gleicher Zeit auf den Detektor fällt. Das wird erreicht durch ein Gitter aus abwechselnd bewegl. und festen Spiegeln. Der Detektor empfängt das reflektierte Licht von den festen und den bewegl. Spiegeln gleichzeitig. Unterscheiden sich die Weglängen zwischen den an den festen Spiegeln reflektierten und den an den bewegl. Spiegeln reflektierten Strahlen um eine halbe Wellenlänge, so registriert der Detektor nichts, beträgt der Unterschied eine ganze Zahl von Wellenlängen, so zeigt der Detektor doppelte Intensität. Die bewegl. Spiegel werden bei der Messung langsam zurückgezogen und man registriert als Interferogramm die Intensität in Abhängigkeit vom Ort der bewegl. Spiegel, oder, wenn man mit gleichförmiger Geschwindigkeit zieht, in Abhängigkeit von der Zeit. Aus dem Interferogramm gewinnt man das Spektrum wie beim MICHELSON-Interferometer durch FOURIER-Transformation.

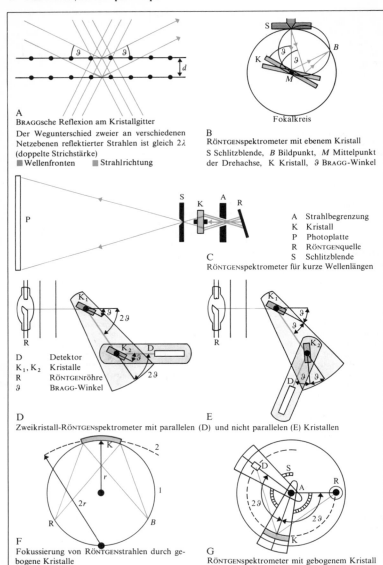

A
BRAGGsche Reflexion am Kristallgitter
Der Wegunterschied zweier an verschiedenen
Netzebenen reflektierter Strahlen ist gleich 2λ
(doppelte Strichstärke)
■ Wellenfronten ■ Strahlrichtung

Fokalkreis
B
RÖNTGENspektrometer mit ebenem Kristall
S Schlitzblende, *B* Bildpunkt, *M* Mittelpunkt
der Drehachse, K Kristall, ϑ BRAGG-Winkel

A   Strahlbegrenzung
K   Kristall
P   Photoplatte
R   RÖNTGENquelle
S   Schlitzblende
C
RÖNTGENspektrometer für kurze Wellenlängen

D   Detektor
K_1, K_2 Kristalle
R   RÖNTGENröhre
ϑ BRAGG-Winkel

D   **E**
Zweikristall-RÖNTGENspektrometer mit parallelen (D) und nicht parallelen (E) Kristallen

F
Fokussierung von RÖNTGENstrahlen durch gebogene Kristalle
1 Fokalkreis, 2 Krümmungskreis der Netzebenen, *B* Bildpunkt, K Kristall, R RÖNT-
GENquelle

G
RÖNTGENspektrometer mit gebogenem Kristall
A Drehachse von Detektor- und Kristallarm,
D Detektor, K Kristall, R RÖNTGENquelle,
S Skala zur Ablesung des Drehwinkels 2ϑ

Anordnungen für RÖNTGENspektrometer

Wesentl. Erkenntnisse über den Aufbau der inneren Elektronenschalen brachte erst die RÖNTGEN-spektroskopie. Erst durch sie wurde erkannt, daß für alle Atome das gleiche Aufbauprinzip der Elektronenschalen wirksam ist, was bei den opt. Spektren wegen der Kompliziertheit der nicht aufgefüllten Schalen zunächst nicht sichtbar war.

Die Spektroskopie von RÖNTGENstrahlen beruht auf demselben Prinzip, wie die Licht- und UV-Spektrometrie mit Gitterspektrographen mit den folgenden Unterschieden:
1. Statt künstl. Gitter muß man wegen der sehr kurzen Wellenlängen Kristalle verwenden, die durch die regelmäßige Anordnung der Atome ein dreidimensionales räuml. Gitter darstellen.
2. Die Möglichkeit opt. Abbildung durch Linsen oder Spiegel entfällt.

Nach dem BRAGGschen Gesetz werden RÖNTGEN-strahlen von den Netzebenen eines Kristalls wie von einem Spiegel reflektiert, wenn die BRAGG-Bedingung $2d \sin \vartheta = \lambda$ erfüllt ist. d ist der Abstand der Netzebenen, λ die Wellenlänge der einfallenden RÖNTGENstrahlung und ϑ der Winkel zwischen der Einfallsrichtung und der Netzebene. Von parallel einfallenden RÖNTGENstrahlen aller Wellenlängen wird durch einen Kristall nur eine bestimmte Wellenlänge reflektiert, im Gegensatz zum Strichgitter der Optik, wo alle Wellenlängen, jeweils in versch. Richtungen, reflektiert werden.
Obwohl man bei RÖNTGENstrahlen mit divergenten, nicht parallelen Strahlen arbeitet, gelingt es, die RÖNTGENstrahlen einer Wellenlänge, die von einer Schlitzblende herkommen, an einem Punkt zu fokussieren.

Instrumente mit einem ebenen Kristall
Das RÖNTGENspektrum wird auf einem Kreis registriert, dessen Mittelpunkt auf der Oberfläche des Kristalls liegt, und dessen Radius gleich der Entfernung von der Schlitzblende zur Kristallmitte ist. Der Kristall dreht sich um eine Achse, die senkrecht zur Kreisfläche durch den Kreismittelpunkt geht. Zieht man einen Kreis durch die Schlitzblende, die Drehachse und den Bildpunkt einer Wellenlänge, so reflektiert der Punkt des Kristalls, an dem der kleine Kreis ihn schneidet, die richtige Wellenlänge auf den Bildpunkt.
Da man i. a. die Lage der Ebenen im Kristall (d. h. ihren Winkel zur Oberfläche) nicht genau bestimmen kann, registriert man das RÖNTGENspektrum auf beiden Seiten des gerade durchgehenden Strahls und mißt den Winkel zwischen den beiden Bildpunkten einer Wellenlänge. Bes. geeignet für hohe Energien (d. h. kurze Wellenlängen) sind Spektrometer, bei denen die Schlitzblende hinter dem Kristall liegt und der Kristall nicht bewegt zu werden braucht, da nur kleine Ablenkungswinkel auftreten. Man braucht dazu

RÖNTGENstrahlquellen einer gewissen Ausdehnung, da die reflektierten RÖNTGENstrahlen für jeden Punkt des Kristalls von einem anderen Punkt der Quelle herkommen. Das gesamte kurzwellige RÖNTGENspektrum erscheint gleichzeitig auf der Photoplatte.

Zweikristallspektrometer
Bes. gute Auflösung (d. h. Trennung nahe beieinander liegender Spektrallinien) kann man durch Zweikristallspektrometer erreichen. Dabei werden die RÖNTGENstrahlen an den gleichen Netzebenen zweier gleicher Kristalle reflektiert. Diese können entweder parallel zueinander stehen oder der zweite Kristall ist um den 3-fachen Winkel wie der erste gegen die Einfallsrichtung der RÖNTGENstrahlen gedreht. Die Wellenlänge der doppelt reflektierten RÖNTGEN-strahlen ist nur durch die Stellung der beiden Kristalle zueinander bestimmt und nicht durch die Breite von Schlitzblenden. Es lassen sich hohe Auflösungen erreichen, da die Netzebenen im Kristall sehr genau definiert sind und die Drehwinkel der Kristalle auf wenige Bogensekunden genau abgelesen werden können.
Bei dieser Anordnung kann man immer nur die Intensität einer Wellenlänge zur Zeit messen, man muß daher das Spektrum nacheinander messen, wobei die Kristalle für jeden Meßpunkt neu eingestellt werden müssen. Als Detektoren für RÖNTGENstrahlung verwendet man daher keine Filme, sondern die wesentlich empfindlicheren **Ionisationskammern** oder neuerdings auch **Halbleiterzähler**.

Spektrometer mit gebogenen Kristallen
Alle Spektrometer mit ebenen Kristallen verwerten bei einer bestimmten Kristallstellung von einer Wellenlänge nur die Strahlung der RÖNTGENquelle, die in eine bestimmte Richtung ausgesandt wird. Um die Intensität zu erhöhen, kann man gebogene Kristalle verwenden, die die RÖNTGENstrahlung einer Wellenlänge aus versch. Richtungen auf einen Bildpunkt fokussieren. Die Oberfläche des Kristalls liegt dabei auf einem Kreis, auf dem sich auch die RÖNTGENquelle und der Detektor, meistens eine Ionisationskammer, befinden. Diesen nennt man **Fokalkreis**.
Die Netzebenen des Kristalls sind so gebogen, daß sie einen Kreis mit dem doppelten Radius des Fokalkreises bilden, dessen Mittelpunkt auf dem Fokalkreis gegenüber dem Kristall liegt.
Auch bei diesen Spektrometern muß man das Spektrum nacheinander Punkt für Punkt vermessen, wobei jeweils die Stellung von Kristall und Detektor verändert werden muß. Der Detektorarm dreht sich bei festgehaltener RÖNTGENquelle immer um den doppelten Winkel wie der Kristallarm.

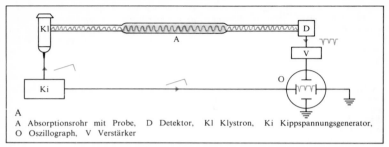

A
A Absorptionsrohr mit Probe, D Detektor, Kl Klystron, Ki Kippspannungsgenerator,
O Oszillograph, V Verstärker

Prinzipschaltung des Mikrowellenspektrometers

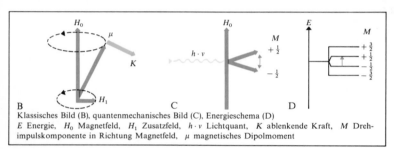

Klassisches Bild (B), quantenmechanisches Bild (C), Energieschema (D)
E Energie, H_0 Magnetfeld, H_1 Zusatzfeld, $h \cdot v$ Lichtquant, K ablenkende Kraft, M Drehimpulskomponente in Richtung Magnetfeld, μ magnetisches Dipolmoment

Elektronenspinresonanz

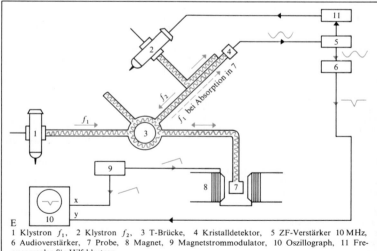

E 1 Klystron f_1, 2 Klystron f_2, 3 T-Brücke, 4 Kristalldetektor, 5 ZF-Verstärker 10 MHz,
6 Audioverstärker, 7 Probe, 8 Magnet, 9 Magnetstrommodulator, 10 Oszillograph, 11 Fre-
quenzregler für Hilfsklystron

Superheterodynspektrometer

Die kleinsten im Atom oder Molekül vorkommenden Energieänderungen entsprechen Wellenlängen, die aus der Technik als **Hochfrequenzwellen** oder **Mikrowellen** bekannt sind. Dazu gehören Änderungen der Magnetquantenzahl in einem äußeren Magnetfeld, Multiplettaufspaltungen einer Spektrallinie bei Atomen mit resultierendem Spin und die Hyperfeinstrukturaufspaltungen der Linien im Atom. Im Molekül oder Kristall können durch Hochfrequenzspektroskopie alle Änderungen des Schwingungs- oder Rotationszustandes gemessen werden, bei denen sich das elektr. oder magnet. Moment ändert.

In der Mikrowellenspektroskopie mißt man immer Absorptionslinien, indem man Strahlung bekannter Frequenz auf die Probe einstrahlt und hinter der Probe mit einem Kristalldetektor die Schwächung registriert. Als Quellen dienen mehrere, jeweils in einem bestimmten Frequenzbereich abstimmbare **Klystrons**. Die gasförmige Probe befindet sich in einem als Wellenleiter ausgebildeten Absorptionsrohr, an dessen Ende ein Kristalldetektor liegt. Dieser richtet die Mikrowellen gleich und führt sie einem Oszillographen zu. Mit der Sägezahnspannung, die an den Horizontalablenkungsplatten liegt, moduliert man gleichzeitig die Frequenz des Klystrons, so daß man auf dem Oszillographenschirm direkt das Mikrowellen-Absorptionsspektrum sieht.

Hochfrequenzspektrometer ($v = 10^6 - 10^9$ Hz) arbeiten im Prinzip genauso, nur ist die HF-Quelle ein abstimmbarer Schwingkreis und der Detektor eine Antenne.

Ein für die Anwendung wichtiges Gebiet ist die **Elektronenspinresonanz** oder **paramagnetische Resonanz**, bei der man die Energieunterschiede versch. Spineinstellungen zu einem von außen an die Probe angelegten Magnetfeld mißt. Das Prinzip der Resonanz kann aus klass. Vorstellungen abgeleitet werden: Das magnet. Moment μ eines Elektrons führt um ein äußeres Magnetfeld H_0 eine Präzessionsbewegung

mit der LARMOR-Frequenz $v_L = \frac{1}{h} \cdot \mu \cdot H_0 \cdot \cos(\mu, H_0)$

aus. Legt man nun senkrecht zu H_0 ein schwaches Magnetfeld H_1 an, das mit einer Frequenz v um H_0 rotiert, so ist dieses Zusatzfeld bestrebt, das magnet. Moment μ um eine der momentanen H_1-Richtung parallele Achse zu drehen. Ist die Frequenz v von der LARMOR-Frequenz verschieden, so ist die Wirkung gering, da zu versch. Zeiten die Ablenkung immer in versch. Richtung wirkt. Nur für den Spezialfall $v = v_L$ wirkt die ablenkende Kraft des Zusatzfeldes immer gleichsinnig, so daß die Richtungseinstellung des magnet. Moments zum Feld H_0 sich rasch ändert. Ein drehendes Magnetfeld der Frequenz v wird durch eine elektromagn. Welle der Frequenz v oder der Photonenenergie $h \cdot v$ hergestellt. Die Energie dieser Photonen $h \cdot v$ entspricht gleichzeitig der Energiedifferenz zweier möglicher stabiler Spinein-

stellungen zum äußeren Magnetfeld. Quantenmechanisch entspricht also der Änderung der Einstellung des Moments unter der Resonanzbedingung $v = v_L$ die Absorption eines Photons der Energie $h \cdot v$, wobei das Atom seine Magnetquantenzahl ändert (siehe Aufspaltung beim ZEEMAN-Effekt, S. 45).

Bei der Messung der Elektronenspinresonanz verändert man nicht die Frequenz der eingestrahlten Mikrowellen, da durch die Frequenzabhängigkeit der Detektoren und Verstärker zusätzl. Schwierigkeiten auftreten, sondern man variiert die Stärke des äußeren Magnetfeldes H_0, die ja der anzulegenden Frequenz direkt proportional ist.

Als Magneten zur Erzeugung des äußeren Feldes benutzt man starke Elektromagneten, die sich leicht regeln lassen. In den älteren EPR-Spektrometern (von Electron Paramagnetic Resonance) gibt man auf die Vertikal-Ablenkplatten das gleichgerichtete und verstärkte Signal vom Mikrowellendetektor, während man an die Horizontalplatten die Spannung an den Magnetspulen legt, die zwischen 0 Volt und einer Maximalspannung variiert oder bei besser auflösenden Spektrometern zwischen zwei Grenzspannungen. Auf dem Schirm des Oszillographen kann man so wieder direkt das Mikrowellen-Absorptionsspektrum ablesen.

Die Empfindlichkeit dieser Spektrometer wird vorwiegend durch das niederfrequente Rauschen bestimmt, das sich dem zu messenden Signal überlagert. Man ist daher dazu übergegangen, Wechselspannungen definierter Frequenz als Meßsignal zu verwenden. Das modernste Spektrometer dieser Art ist das **Superheterodynspektrometer**. Als Meßsignal wird die Differenzfrequenz zweier Klystrons mit Frequenzen f_1 und f_2, die sich um etwa 10 MHz unterscheiden, verwendet. Die Mikrowellen werden so gemischt, daß kein Signal entsteht, wenn von der Frequenz f_1, die durch die Probe geht, nicht absorbiert wird. Findet eine Resonanzabsorption statt, so wird das Gleichgewicht in der Mikrowellenbrücke gestört, so daß der Detektor ein 10-MHz-Signal erhält, das auf dieser Frequenz verstärkt und gleichgerichtet wird.

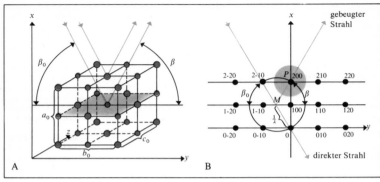

Beugung eines RÖNTGENstrahls an der 2,0,0-Ebene eines NaCl-Kristalls (A) und Darstellung im reziproken Gitter (B)

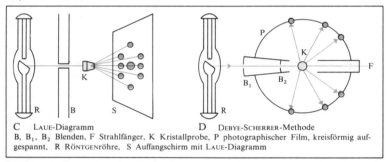

C LAUE-Diagramm   D DEBYE-SCHERRER-Methode

B, B_1, B_2 Blenden, F Strahlfänger, K Kristallprobe, P photographischer Film, kreisförmig aufgespannt, R RÖNTGENröhre, S Auffangschirm mit LAUE-Diagramm

Anordnung zur Untersuchung der Kristallstruktur

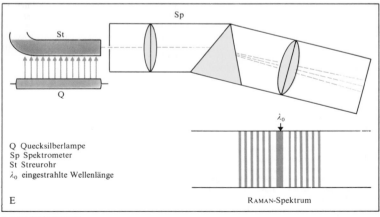

Q Quecksilberlampe
Sp Spektrometer
St Streurohr
λ_0 eingestrahlte Wellenlänge

E   RAMAN-Spektrum

RAMAN-Spektrometer

Kristallstrukturuntersuchung mit RÖNTGENstrahlen

Ebenso, wie man die Kristalle benutzt, um die Wellenlänge der RÖNTGENstrahlung zu messen, kann man auch umgekehrt mit RÖNTGENstrahlung die Zusammensetzung und Struktur der Kristalle untersuchen. Die von v. LAUE gefundenen Interferenzbedingungen (d.h. die Bedingung dafür, daß im Kristallgitter ein abgelenkter Strahl entsteht) lauten

$$h \cdot \lambda = a_0(\cos\alpha - \cos\alpha_0)$$
$$k \cdot \lambda = b_0(\cos\beta - \cos\beta_0)$$
$$l \cdot \lambda = c_0(\cos\gamma - \cos\gamma_0)$$

wenn a_0, b_0, c_0 die Atomabstände im Kristall in den drei Grundrichtungen (Kristallachsen) sind, α_0, β_0, γ_0 die Winkel der einfallenden Strahlung zu den Achsen und α, β, γ die Winkel des austretenden Strahls zu den Achsen. λ ist die Wellenlänge der einfallenden Strahlung. Die drei Bedingungen sind für eine vorgegebene Einfallsrichtung und Wellenlänge normalerweise nicht gleichzeitig erfüllt, es gibt jedoch zu jeder Einfallsrichtung bestimmte Wellenlängen, wo sie erfüllt sind. Bestrahlt man daher einen Kristall mit »weißer« RÖNTGENstrahlung, die alle Wellenlängen enthält, so erhält man an ganz bestimmten Punkten auf einer Photoplatte Schwärzungen, die von abgelenkten Strahlen stammen. Das Muster dieser Punkte nennt man das »LAUE-Diagramm«. Aus ihm kann man auf die Struktur der Kristalle zurückschließen.

Die Bedingungen v. LAUES sind mit der Gleichung von BRAGG für die Reflexion an Netzebenen äquivalent. Ein Punkt im LAUE-Diagramm entsteht immer dort, wohin eine Netzebene den einfallenden Strahl spiegelt. In der Kristallstrukturanalyse hat sich die Konstruktion des **reziproken Gitters** bewährt. In ihm beschreibt man jede Netzebene durch einen Punkt, dessen Ort folgendermaßen festgelegt ist: Die Richtung vom 0-Punkt ist gleich der Senkrechten auf die Netzebene, die Entfernung vom 0-Punkt ist gleich dem Reziproken des Abstandes zweier Netzebenen derselben Art. Aus dem reziproken Gitter kann man ablesen, ob und in welche Richtung ein einfallender Strahl abgelenkt wird: Man zeichnet einen Kreis mit dem Radius $\dfrac{1}{\lambda}$ um einen Mittelpunkt M, der auf dem Strahl um den Betrag $\dfrac{1}{\lambda}$ vom 0-Punkt entfernt ist. Liegt ein Punkt P des reziproken Gitters auf diesem Kreis, so wird an dieser Ebene der Strahl in die Richtung $M - P$ abgelenkt.

Bei der Strukturanalyse nach BRAGG verwendet man RÖNTGENstrahlen einer bekannten Wellenlänge und dreht den Kristall um eine Achse senkrecht zur Einfallsrichtung der Strahlen. Auf einem kreisförmigen Detektor und um die Drehachse erhält man Beugungsmaxima, aus denen man, da Wellenlänge und Ablenkungswinkel bekannt sind, die Netzebenenabstände berechnen kann.

Beim Verfahren von DEBYE und SCHERRER verwendet man stattdessen pulverförmige Proben, so daß an den entsprechenden Stellen Beugungsmaxima gerade von den Mikrokristallen entstehen, die die richtige Lage haben.

RAMAN-Effekt

Bestrahlt man Moleküle mit Licht einer festen Frequenz v_0, so findet man im Spektrum des seitlich austretenden Streulichts neben der Spektrallinie der anregenden Frequenz symmetrisch gelegene schwache Linien der Frequenz $v_0 \pm v_s$, die RAMAN-Linien. Die den Frequenzen v_s entsprechenden Energien $h \cdot v_s$ sind gleich den Energien der Schwingungen oder Rotationen der streuenden Moleküle. Der RAMAN-Effekt eröffnet daher die Möglichkeit, diese Energien zu messen, obwohl sie sich nicht direkt durch Infrarotemission bemerkbar machen, da sie nicht einem Elektronensprung innerhalb des Moleküls entsprechen. Beim RAMAN-Effekt beobachtet man die Energieänderungen, bei denen sich die Polarisierbarkeit eines Moleküls ändert, im Gegensatz zu den direkt emittierten Linien, wo man solche Energieänderungen beobachtet, bei denen sich das elektr. Dipolmoment ändert.

Ein RAMAN-Spektrometer besteht aus einer starken Lichtquelle einer Frequenz zur Erzeugung des Anregungslichts, einem Streugefäß, in dem sich die zu untersuchende Substanz befindet und einem opt. Spektrometer oder Interferometer, in dem das gestreute Licht analysiert wird.

Als Lichtquellen dienen gewöhnlich Quecksilberlampen.

Hochdruckbrenner bestehen aus einem Quarzrohr mit eingeschmolzenen Elektroden, das neben der für den Dampfdruck von 1 at erforderlichen Menge Quecksilber ein Zündgas enthält. Beim Anlegen einer Spannung verdampft durch den Strom der Gasentladung des Zündgases das Quecksilber und übernimmt den Stromtransport. In dem entstehenden Lichtbogen erreicht der Quecksilberdampf Temperaturen von 5000—8000 Grad und damit hohe Lichtstärken. Ein großer Teil des Lichts entfällt auf die blaue Spektrallinie von 4358 Å, die durch Lichtfilter ausgesondert und zur Beleuchtung der Probe genutzt wird. Die Breite der Linie, die auch die Auflösung bestimmt, beträgt etwa 0,5 Å.

In neuerer Zeit verwendet man auch **Niederdruckbrenner** in Wendelform, die beim Druck von etwa 10^{-2} at arbeiten. Sie haben eine geringere Leuchtstärke, dafür aber auch sehr viel schärfere Linien im ausgesandten Licht und sind daher für Messungen mit hoher Auflösung geeignet.

Für moderne RAMAN-Spektrometer verwendet man auch Laser als Lichtquellen, die bes. geeignet sind, da sie streng monochromat., paralleles Licht aussenden, das auf sehr kleine Volumina fokussiert werden kann. Das ermöglicht hohe Auflösung bei guter Intensität und äußerst geringem störendem Untergrund.

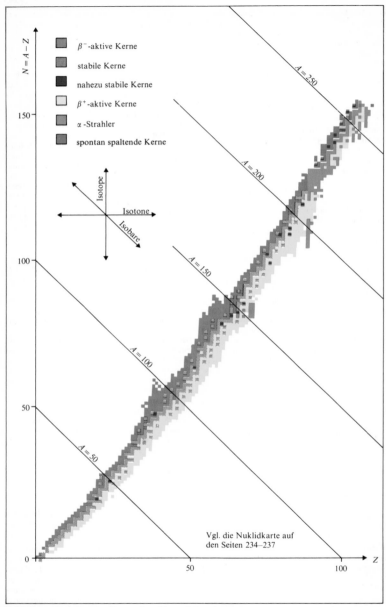

Nuklidkarte aller bekannten Kerne mit meßbaren Lebensdauern

Die Kernphysik ist die Wissenschaft vom Aufbau und der Zusammensetzung des Atomkerns. Während die Physik der Atomhülle (d. h. der Elektronen des Atoms) als durch die Quantenmechanik im wesentlichen geklärt gelten kann, ist das bis heute für die Kernphysik keineswegs der Fall, da hier eine neue sehr starke Kraft wirkt, die die Kerne zusammenhält, die sich aber nur über so kurze Entfernungen auswirkt, daß sie in der makroskop. Natur nicht zu beobachten ist. Die Kernphysik ist daher noch in dem Stadium, wo sie sich mit den Erscheinungen befaßt, ohne sie durch eine umfassende Theorie erklären zu können, ähnlich etwa wie die Atomphysik vor der Entdeckung der Quantenmechanik nach der Aufstellung des Periodensystems und der Entdeckung der Regeln der opt. Spektren.

Die **Ladung des Atomkerns** bestimmt seinen Platz im Periodensystem, d. h. seine Ordnungszahl. Sie ist immer ein ganzzahliges Vielfaches der positiven Elementarladung und wird in diesen Einheiten angegeben (Beispielsweise: Kohlenstoff hat die Ladung 6, d. h. 6 positive Elementarladungen). Beim Atom ist die Ladung des Kerns gleich der Anzahl der Elektronen in der Hülle. Die Kernladung kann direkt gemessen werden durch das Moseleysche Gesetz. Danach ist die Frequenz der energiereichsten Röntgenserie durch die Serienformel $v = b(Z - a)^2$ charakterisiert, wobei b und a von der speziellen Art des Atoms unabhängig sind und Z die Ladungszahl des Kerns ist.

Die **Masse der Atomkerne** beträgt immer etwa, jedoch nicht ganz genau, ein ganzzahliges Vielfaches der Masse des Wasserstoffkerns. Sie wird angegeben in Einheiten von $\frac{1}{12}$ des Kohlenstoffatoms C^{12}. Die der Atommasse benachbarte ganze Zahl wird häufig als Massenzahl bezeichnet und dem Element-Symbol zugefügt. Man schreibt also C^{12} für ein Kohlenstoffatom mit der Masse von 12 Masse-Einheiten und O^{16} für ein Sauerstoffatom mit 15,995 Masse-Einheiten.

Isotope sind Kerne gleicher Ladung, also Kerne, die das gleiche chem. Element darstellen, jedoch unterunterschiedl. Masse haben (z. B. O^{16} und O^{18}, Sauerstoff mit der Masse 16 oder 18). In der Isotopenkarte oder **Nuklidkarte** sind alle bekannten Kerne durch einen Punkt dargestellt, dessen Abszisse die Ladung und dessen Ordinate die Differenz zwischen Ladung und Masse angibt. Stabile Isotope sind durch einen schwarzen Punkt markiert, radioaktive Isotope durch farbige Punkte. Bei den leichten Kernen ist die Massenzahl A etwa doppelt so groß wie die Ladungszahl, bei den schweren Kernen höher. Kerne mit Ladungszahlen über 81 sind nicht stabil, es kommen allerdings auch in der Natur noch die Kerne Wismut 209, Thorium 232 und Uran 235 und 238 vor, die beinahe stabil sind, d. h. Lebensdauern von der Größenordnung des Alters des Sonnensystems oder länger haben. Isotope des gleichen Elements stehen in der Nuklidkarte übereinander. Kerne gleichen Gewichts, aber verschiedener Ladung nennt man **Isobare**, sie liegen auf einer diagonalen Linie; Kerne auf einer waagrechten Geraden mit gleichem $N = A - Z$ nennt man **Isotone**. Es gibt etwa 300 stabile Kerne und über 700 radioaktive Kerne mit meßbaren Lebensdauern. Die höchste Zahl stabiler Isotope bei einem Element ist 10 beim Zinn mit der Ladungszahl 50 und 9 beim Xenon mit der Ladungszahl 54.

Die **Größe des Kerns** läßt sich nicht genau so wie bei einem makroskop. Körper definieren, man kann nur mit einiger Berechtigung sagen, daß sie etwa der Reichweite der Kernkräfte entspricht. Das wird aus der Vorstellung abgeleitet, daß Teile des Atomkerns, die positiv geladen sich außerhalb dieser Reichweite befinden würden, durch die elektr. Abstoßung ja den Kern verlassen müßten. Im stabilen Kern müssen sich daher alle Kernteile innerhalb dieser Reichweite befinden. Eine mit ausreichender Genauigkeit zutreffende Formel ist: $r = r_0 \cdot \sqrt[3]{A}$, wobei $r_0 = 2 \cdot 10^{-13}$ cm ist. Die Größe der Kerne wächst mit der dritten Wurzel der Masse, genau wie bei einem Wassertropfen; die Dichte ist also konstant, sie beträgt etwa 140 Millionen Tonnen pro Kubikzentimeter. Das bedeutet, daß der Atomkern, in dem fast die ganze Masse des Atoms konzentriert ist, nur etwa den hundertvierzigbillionsten Teil des Raumes einnimmt, den das gesamte Atom mit seinen Elektronenbahnen besetzt.

Die Bausteine des Kerns
Alle Kerne bestehen aus zwei Sorten **Elementarteilchen** mit nahezu gleicher Masse, aus **Protonen** mit einer positiven Elementarladung und aus **Neutronen**, die keine Ladung besitzen. Der Kern des Wasserstoffs besteht aus einem einzelnen Proton. Die Anzahl der Protonen ist gleich der positiven Kernladung und damit der Ordnungszahl im Periodensystem, die Zahl der Neutronen $N = A - Z$, d. h. gleich der Differenz zwischen Massenzahl und Ordnungszahl. Die Masse des Protons beträgt $m_p = 1,6726 \cdot 10^{-24}$ g, die des Neutrons $m_n = 1,6749 \cdot 10^{-24}$ g; sie unterscheiden sich um weniger als ein Promille. Das nicht in einem Kern gebundene Neutron ist nicht stabil, es zerfällt nach einer Lebensdauer von etwa 20 Minuten in ein Elektron und ein Proton. Protonen und Neutronen bezeichnet man mit dem Sammelbegriff **Nukleonen**, weil sie die Bausteine des Kerns (nucleus) sind.

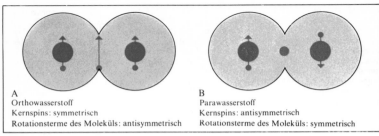

A
Orthowasserstoff
Kernspins: symmetrisch
Rotationsterme des Moleküls: antisymmetrisch

B
Parawasserstoff
Kernspins: antisymmetrisch
Rotationsterme des Moleküls: symmetrisch

Der Kernspin im Wasserstoff

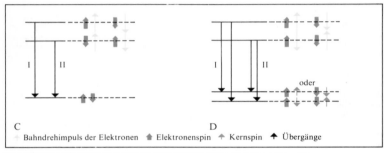

C

D

↑ Bahndrehimpuls der Elektronen ↑ Elektronenspin ↑ Kernspin ↑ Übergänge

Die Aufspaltung der Natrium-D-Linie in Feinstruktur (C) und Hyperfeinstruktur (D)

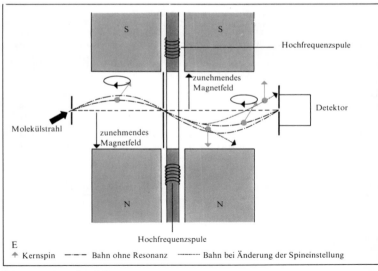

E
↑ Kernspin —·—· Bahn ohne Resonanz ·········· Bahn bei Änderung der Spineinstellung

Kernresonanzversuch nach RABI

Der Spin

Neben der Ladung und der Masse besitzt der Atomkern einen charakterist. **Spin** (Eigendrehimpuls). Er setzt sich zusammen aus den Spins der ihn aufbauenden Protonen und Neutronen und unter Umständen einem dem Bahndrehimpuls im Atom analogen Anteil. Protonen und Neutronen haben jeweils den Spin $\frac{1}{2}\hbar$. Nach dem PAULI-Prinzip kann sich der Spin von der Größe $\frac{1}{2}\hbar$ zu irgend einer anderen Richtung, speziell also zur Richtung des Spins eines anderen Teilchens im Kern, nur parallel oder antiparallel einstellen. Das führt zu der durch Experimente nachprüfbaren Tatsache, daß der Kernspin eines Teilchens mit gerader Massenzahl A ganzzahlig (in Einheiten von $\hbar$), der von Kernen mit ungerader Massenzahl halbzahlig ist. Kerne mit gerader Massenzahl genügen daher der BOSE-Statistik, Kerne mit ungerader Massenzahl der FERMI-Statistik.

Die experimentelle Nachprüfung dieser physikal. Aussage gelingt durch die Messung der Intensität von Rotationsbandenspektren von Molekülen aus gleichen Atomen. Die Intensität der Spektrallinien ist proportional zu der Anzahl der physikal. unterscheidbaren Zustände, die an der Aussendung der Spektrallinie beteiligt sind. So gibt es zum Beispiel beim Wasserstoffmolekül zwei versch. Möglichkeiten der Einstellung der Kernspins, nämlich *parallel*, mit dem Gesamtkernspin 1 (**Orthowasserstoff**), und *entgegengerichtet*, mit dem Gesamtkernspin 0 (**Parawasserstoff**).

Die Einstellung der Kernspins gegeneinander ändert sich bei einem optischen Übergang nicht. Die Terme des Orthowasserstoffs bestehen daher eigentlich aus drei ganz nahe beieinander liegenden, aber physikalisch (nicht direkt meßbar) unterscheidbaren Einzeltermen; die Intensität der Spektrallinien sind daher dreimal so stark. Die quantenmechan. Rechnung zeigt, daß jede zweite Linie des Wasserstoff-Bandenspektrums vom Orthowasserstoff gehört, und die Messung zeigt, daß jede zweite Linie dreimal so intensiv ist, wie die dazwischen liegende.

Für Kerne wie Sauerstoff O^{16} mit dem Kernspin 0 fällt jede zweite Linie im Bandenspektrum des zweiatomigen Moleküls aus. Dieser Effekt beruht darauf, daß für Fermionen die Gesamt-Wellenfunktion (d. h. das Produkt aus Spin- und Bahnrotations-Eigenfunktion beider Kerne) antisymmetrisch sein muß (d. h. bei Vertauschung der Kerne ihr Vorzeichen ändern), bei Bosonen symmetrisch. Orthowasserstoff hat daher nur antisymmetr. Bahnrotations-Eigenfunktionen.

Das gilt jedoch nur dann, wenn beide Kerne gleich sind, also wirklich aus dem Isotop O^{16} bestehen. Im Sauerstoff kann man jedoch auch die dazwischenliegenden Linien sehr schwach ausgeprägt finden, was auf das Vorhandensein des seltenen stabilen Isotops O^{18} schließen läßt.

Das magnetische Moment

Ein geladenes Teilchen mit der Ladung q, einem Drehimpuls J und einer Masse M hat nach der klass. Elektrodynamik ein magnet. Moment der Größe $\mu = \dfrac{q \cdot J}{2Mc}$, wenn c die Lichtgeschwindigkeit ist.

Analog zum BOHRschen Magneton, das das magnet. Moment eines Elektrons auf einer Bahn mit dem Drehimpuls $\hbar$ angibt, definiert man das Kernmagneton:

$$\mu_k = \frac{e\,\hbar}{2m_p c},$$

wobei m_p die Masse des Protons bedeutet. Das Kernmagneton ist 1836mal kleiner als das BOHRsche Magneton, da die Protonenmasse um diesen Faktor größer ist. Man findet auch beim Proton ein magnet. Moment, das aber nicht, analog zum Elektron, genau ein Kernmagneton groß ist, sondern fast 3mal so groß, genau $\mu_p = 2{,}79276$ Kernmagnetonen. Sogar das nicht geladene Neutron hat ein magnet. Moment der Größe $\mu_n = -1{,}91315\,\mu_k$, wobei das Minuszeichen bedeutet, daß das magnet. Moment dem Spin entgegengerichtet ist.

Das magnet. Moment der Kerne kann durch die **Hyperfeinstruktur** der Spektrallinien gemessen werden. Der Kernspin I setzt sich mit dem resultierenden Drehimpuls der Elektronen gequantelt zu einem Gesamtdrehimpuls D des ganzen Atoms zusammen, wobei die Zahl der entstehenden Hyperfeinstrukturterme gleich $2I+1$ oder $2J+1$ ist, je nachdem, was größer ist. Die Aufspaltung ist wegen der Kleinheit des Kernmagnetons etwa 300 mal kleiner als die Feinstrukturaufspaltung, die auf der Wechselwirkung von Bahndrehimpuls und Spin der Elektronen beruht. Aus der Zahl der Aufspaltungen kann man die *Quantenzahl* des Kerndrehimpulses ablesen; die *Größe* des magnet. Moments ist so nur schlecht meßbar, da die Größe der Aufspaltung vom magnet. Moment und vom Magnetfeld der Elektronen am Ort des Kerns abhängt.

Die Messung des magnet. Moments der Kerne beruht auf der Hochfrequenzspektroskopie oder **Kernmagnetresonanz** und ähnelt der Elektronenspinresonanz-Methode zur Messung von ZEEMAN-Aufspaltungen.

Der zu untersuchende Stoff durchläuft als Molekularoder Atomstrahl nacheinander ein inhomogenes Magnetfeld, ein homogenes Magnetfeld, dem eine elektromagn. Hochfrequenz überlagert ist, und wieder ein inhomogenes Magnetfeld, dessen Inhomogenität der des ersten inhomogenen Feldes entgegengerichtet ist. Ändert sich die Richtung des magnet. Moments nicht, so heben sich die Ablenkungen in den inhomogenen Feldern auf. Ist das Hochfrequenzfeld jedoch mit der Präzession des Kern-Moments im homogenen Feld in der Mitte in Resonanz, so können die Kerne die Richtung ihres Moments ändern, wodurch sich die Ablenkungen addieren, so daß man im Detektor am Strahlende weniger Teilchen findet.

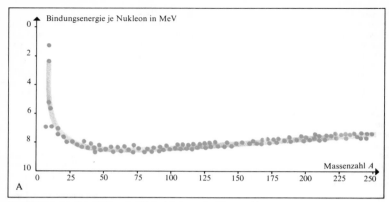

Die Bindungsenergie je Nukleon in Abhängigkeit von der Massenzahl

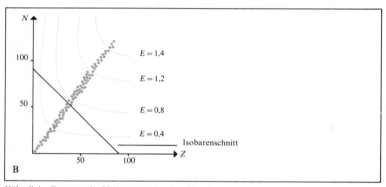

Höhenliniendiagramm der Bindungsenergie mit stabilen Kernen

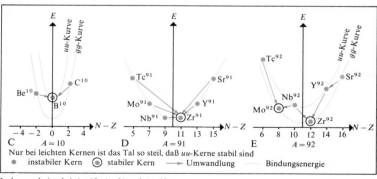

Nur bei leichten Kernen ist das Tal so steil, daß uu-Kerne stabil sind

● instabiler Kern   ◉ stabiler Kern   ⟶ Umwandlung   ⌒ Bindungsenergie

Isobarenschnitte bei $A = 10$, $A = 91$ und $A = 92$

Obwohl über die eigentl. Kräfte, die den Kern zusammenhalten, bisher nur modellmäßige Vorstellungen bestehen, ist die **Bindungsenergie**, d. h. die Arbeit, die aufgewendet werden müßte, um einen Kern in die einzelnen Protonen und Neutronen zu zerlegen, für alle Kerne sehr gut bekannt, wenn auch nicht, wie bei den Elektronen in der Atomhülle, theoretisch erklärt.

Nach der Relativitätstheorie entspricht einer Energie E immer eine Masse m, die durch die Gleichung $E = mc^2$ bestimmt ist. Ein Atomkern mit negativer Bindungsenergie, bei dem also beim gedachten Zusammenbau aus Neutronen und Protonen Energie frei geworden ist, ist um den entsprechenden Massenbetrag $m = \dfrac{E}{c^2}$ leichter als die Bausteine alleine.

Man kann daher die Bindungsenergie in Masse-Einheiten angeben oder auch direkt als Massenverlust messen. Einer physikal. Masse-Einheit entsprechen 931 MeV. Meistens geht man den umgekehrten Weg und bestimmt die genauen Massen der Isotope aus der bei Kernreaktionen meßbaren Bindungsenergie.

Als **Massendefekt** bezeichnet man den Unterschied zwischen der wirklichen Masse eines Isotops und der Massenzahl, als **Packungsanteil** den Massendefekt geteilt durch die Massenzahl. Der Packungsanteil gibt an, um wieviel fester (oder loser) die Nukleonen im Mittel in einem Isotop gebunden sind als im Kohlenstoff 12, wobei die Bindungsenergie in Masse-Einheiten ausgedrückt wird.

Nach einer Theorie von v. WEIZSÄCKER setzt sich die Bindungsenergie pro Nukleon aus fünf Beiträgen zusammen:

1. Ein konstanter Anteil a_1, der die mittlere Energie des allseitig gebundenen Nukleons darstellt.
2. Ein Beitrag, der berücksichtigt, daß die Bindungsenergie durch die Kernkräfte bei gleicher Protonen- und Neutronenzahl am größten ist, überschüssige Neutronen also weniger fest gebunden sind. Er hat die Form $a_2(N - Z)^2 \cdot A^{-2}$ (hier wie im folgenden ist N die Neutronenzahl, Z die Protonenzahl und $A = N + Z$ die Massenzahl).
3. Ein Beitrag, der berücksichtigt, daß die Nukleonen an der Oberfläche des Kerns weniger stark gebunden sind, von der Form $a_3 \cdot A^{-\frac{1}{3}}$.
4. Die elektrostat. Abstoßung zwischen den geladenen Protonen. Sie hat die mathemat. Form $a_4 \cdot Z^2 \cdot A^{-\frac{4}{3}}$.
5. Ein Beitrag, der berücksichtigt, daß Kerne mit gerader Protonen- und Neutronenzahl (sog. gg-Kerne) fester gebunden sind als Kerne mit gerader Protonen- und ungerader Neutronenzahl oder umgekehrt (gu- bzw. ug-Kerne) und diese wieder fester als Kerne mit ungerader Neutronen- und Protonenzahl (uu-Kerne). Das beruht darauf, daß bei gerader Anzahl von Protonen oder Neutronen die Spinrichtungen abgesättigt sind, ähnlich wie bei der Edelgaskonfiguration in der Atomhülle. Der Beitrag hat die Form $\pm a_5 \cdot A^{-2}$,

das Pluszeichen gilt für gg-Kerne, das Minuszeichen für uu-Kerne. Für gu- oder ug-Kerne ist der Beitrag 0.

Die Konstanten a_1 bis a_5 wurden aus den gemessenen Bindungsenergien aller stabilen Kerne bestimmt. Die beste Näherung an die Meßwerte ist

$$E = 14,0 - 19,3\left(\frac{N - Z}{A}\right)^2 - \frac{13,1}{\sqrt[3]{A}} - 0,6\,\frac{Z^2}{(\sqrt[3]{A})^4}$$
$$\pm\,\frac{130}{(A)^2}\,[\text{MeV}].$$

Zeichnet man sich die Bindungsenergie in Form von Höhenlinien über der Neutronenzahl N und der Protonenzahl Z auf, so entspricht der Lage der stabilen Kerne ein Tal in diesem Diagramm, d. h. bei gegebener Massenzahl $A = N + Z$, der eine diagonale Linie entspricht, ist die Energie am geringsten (die negative Bindungsenergie am größten, also die Bindung am festesten) gerade dort, wo die stabilen Kerne liegen (siehe Nuklidkarte, S. 68). Kerne, die außerhalb dieses Tals liegen, können durch Umwandlung eines Neutrons in ein Proton oder umgekehrt sich unter Abgabe von Energie in andere Kerne in der Nähe des Tals verwandeln (β-Zerfall). Das Tal liegt bei leichten Kernen bei $N = Z$, bei schwereren Kernen zu höheren Neutronenzahlen verschoben.

Einen Schnitt durch diese Fläche der Bindungsenergie entlang einer Linie $A =$ const. nennt man einen Isobarenschnitt; auf ihm ist die Bindungsenergie aller Kerne der gewählten Massenzahl abzulesen. Größte Stabilität besitzen die Kerne in der Talsohle, rechts herrscht Neutronenüberschuß, links Protonenüberschuß, wenn man $N - Z$ nach rechts aufträgt.

Ist die gewählte Massenzahl ungerade, so wird das Tal in einer Linie geschnitten, auf der die Energien der Isobaren liegen, und es ist nur der am tiefsten liegende Kern stabil. Daher besagt der 1. MATTAUCHsche Isobarensatz: *Zu jedem ungeraden Atomgewicht gibt es nur ein stabiles Isotop.*

Ist die gewählte Massenzahl gerade, so hat man zwei Linien für die gg-Kerne und die uu-Kerne, letztere liegt über der ersten. Auf der unteren Kurve können mehrere Kerne stabil sein, wenn sie sich in den am tiefsten liegenden Kern nur unter Abgabe zweier Ladungen gleichzeitig verwandeln könnten, was in der Natur nicht vorkommt, und wenn der um eine Ladung kleinere Kern auf der uu-Kurve mehr Energie benötigt als der Ausgangskern. Kerne auf der uu-Kurve können sowohl ihre Ladung erhöhen als auch erniedrigen und sich dadurch in einen der benachbarten stabilen Kerne verwandeln. Die uu-Kerne sind daher bis auf die Ausnahmen $_1\text{H}^2$, $_3\text{Li}^6$, $_5\text{B}^{10}$ und $_7\text{N}^{14}$ nicht stabil. Nach dem 2. MATTAUCHschen Isobarensatz *kann es mehrere doppelt gerade Isobare geben, die sich in der Ladungszahl um 2 Einheiten unterscheiden.*

Die ASTONsche Isotopenregel sagt aus, daß Elemente mit ungerader Ordnungszahl höchstens zwei stabile Isotope haben können, die mit gerader jedoch mehr.

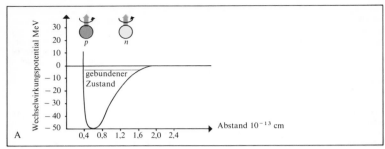

Neutron-Proton-Wechselwirkungspotential bei parallelem Spin

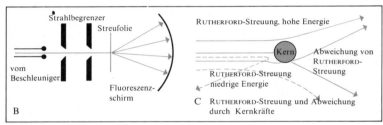

B Messung von Kernkräften durch Streuversuche

C RUTHERFORD-Streuung und Abweichung durch Kernkräfte

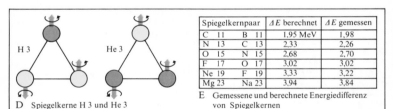

Spiegelkernpaar		ΔE berechnet	ΔE gemessen
C 11	B 11	1,95 MeV	1,98
N 13	C 13	2,33	2,26
O 15	N 15	2,68	2,70
F 17	O 17	3,02	3,02
Ne 19	F 19	3,33	3,22
Mg 23	Na 23	3,94	3,84

D Spiegelkerne H 3 und He 3

E Gemessene und berechnete Energiedifferenz von Spiegelkernen

Spiegelkerne

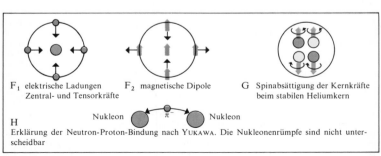

F₁ elektrische Ladungen Zentral- und Tensorkräfte

F₂ magnetische Dipole

G Spinabsättigung der Kernkräfte beim stabilen Heliumkern

H Erklärung der Neutron-Proton-Bindung nach YUKAWA. Die Nukleonenrümpfe sind nicht unterscheidbar

Kernkraftmodelle

Die Größe und Richtung der **Kernkräfte**, durch die die Atomkerne trotz der abstoßenden Wirkung der positiven Ladungen in den Protonen zusammengehalten werden, kann bisher noch nicht in einer geschlossenen mathemat. Form angegeben werden, die alle beobachteten Tatsachen erklärt. Trotzdem kann man aus den beobachteten Größen viele Eigenschaften dieser Kräfte erkennen.

Die **Reichweite** der Kernkräfte beträgt etwa $2 \cdot 10^{-13}$ cm und hat bis zu diesen Entfernungen eine anziehende Wirkung, die etwa 100mal so stark ist wie die abstoßende Wirkung zweier elektr. Elementarladungen gleichen Vorzeichens. Es ist daher möglich, daß Kerne mit bis zu 80 Protonen noch stabil sind.

Bei Entfernungen der Nukleonen von weniger als $0,5 \cdot 10^{-13}$ cm wirken die Kernkräfte abstoßend, etwa so, als hätten die Nukleonen einen harten Kern, der nicht durchdrungen werden kann.

Die Information über die Art der Kernkräfte erhält man durch **Streuexperimente** bei hohen Energien: In einem Beschleuniger bringt man Protonen auf so hohe Energie, daß sie die elektrostat. Abstoßung der positiv geladenen Kerne durchdringen können, und läßt sie dann an einer dünnen Folie der zu untersuchenden Kerne streuen. Hinter der Folie mißt man die Intensität der gestreuten Protonen in den versch. Richtungen. Die Winkelverteilung, die durch die reine elektrostat. Ablenkung zustande kommt, wurde von RUTHERFORD berechnet für den Fall, daß die gesamte Ladung des Kerns in einem Punkt konzentriert ist. Sie wird beschrieben durch die RUTHERFORDsche Streuformel

$$\frac{dn}{n} = \frac{D N Z^2 e^4}{2 m^2 v^4} \cdot \frac{1}{\sin^4 \dfrac{\vartheta}{2}} \cdot d\Omega \,,$$

wobei n die Zahl der einfallenden Teilchen, D die Foliendicke, N die Anzahl der Kerne pro cm³, Z die Kernladungszahl, m die Masse der Protonen und v deren Geschwindigkeit ist; dn ist dann die Zahl der Protonen, die in den kleinen Raumwinkel $d\Omega$ unter dem Winkel ϑ gestreut werden; e ist die Elementarladung.

Die Abweichungen der gemessenen Winkelverteilungen von der RUTHERFORDschen Streuformel kommen durch die Kernkräfte beim Passieren der Kerne in sehr kurzen Entfernungen zustande.

Ladungssymmetrie und Ladungsunabhängigkeit

Unter **Ladungssymmetrie** versteht man die Aussage, daß die Kraft zwischen zwei Neutronen gleich der Kraft zwischen zwei Protonen unter gleichen Bedingungen ist, wenn man von der elektrostat. Abstoßung absieht. Unter **Ladungsunabhängigkeit** versteht man die Aussage, daß die Kraft zwischen Neutron und Proton unter gleichen Bedingungen die gleiche ist wie unter zwei Protonen oder zwei Neutronen.

Die Ladungssymmetrie folgt aus der gleichen Bindungsenergie der **Spiegelkerne**, deren elektrostat. Abstoßung man berechnen kann. Spiegelkerne sind zwei Kerne gleicher Masse, von denen der eine so viele Protonen hat wie der andere Neutronen und so viele Neutronen wie der andere Protonen. Der berechnete Bindungsenergie-Unterschied aus elektrostat. Abstoßung und unterschiedl. Neutronen- und Protonenmasse stimmt mit dem gemessenen in vielen Fällen ausgezeichnet überein.

Zentralkräfte und Tensorkräfte

Unter **Zentralkräften** versteht man Kräfte, die nur vom Abstand zweier Körper, aber nicht von irgendwelchen Richtungen abhängig sind wie die elektrostat. Kräfte oder die Schwerkraft. **Tensorkräfte** wirken in versch. Richtungen verschieden wie z. B. ein magnet. Dipol. Kernkräfte sind eine Mischung aus Zentralkraft und Tensorkraft.

Die Tensorkräfte sind abhängig von der Einstellung der Spins der Nukleonen zueinander und zum Bahndrehimpuls. Kerne ohne Kernspin (der Kernspin ist eigentlich der Gesamtdrehimpuls des Kerns und setzt sich aus Spin und Bahndrehimpuls zusammen, wird aber immer als Spin bezeichnet) haben rein zentrale Kernkräfte.

Sättigung

Aus der Unabhängigkeit der mittleren Bindungsenergie von Nukleonen folgt, daß sich die Kernkräfte absättigen, d. h., daß nicht jedes Nukleon auf jedes wirkt, da sonst die Bindungsenergie pro Nukleon proportional zur Zahl der Nukleonen im Kern sein müßte und auch beliebig große Kerne noch stabil sein müßten. Die Instabilität großer Kerne rührt daher, daß sich die elektrostat. Abstoßungskräfte nicht absättigen.

Die Spins der Nukleonen zeigen die Tendenz, sich in einem Kern zu kompensieren. Der bes. stabile Heliumkern hat je zwei Protonen und Neutronen mit entgegengerichtetem Spin.

Austauschkräfte

Die Form des Nukleon-Nukleon-Potentials ist ähnlich dem Potential zwischen zwei Atomen bei der kovalenten chem. Bindung, die dadurch zustande kommt, daß Elektronen sowohl zum einen wie zum anderen Atom gehören, also gewissermaßen zwischen beiden Atomen ausgetauscht werden. Ebenso ist die Sättigung beiden Bindungen gemeinsam. Man erklärt daher nach YUKAWA die Kernkräfte durch den Austausch eines Elementarteilchens, des π-Mesons, zwischen zwei Nukleonenrümpfen. Zwischen π-Meson und Nukleonenrumpf besteht eine starke Wechselwirkung, die im Falle einer Kernbindung auf beide Rümpfe wirkt.

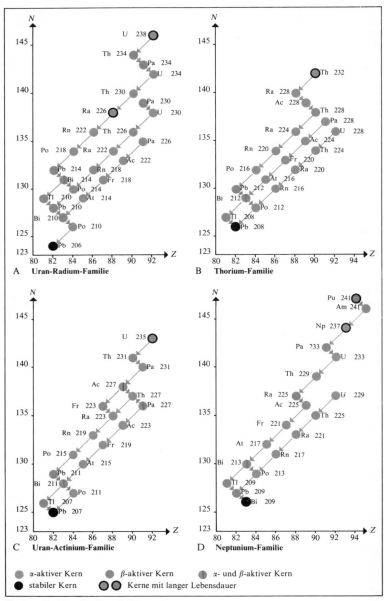

A   Uran-Radium-Familie

B   Thorium-Familie

C   Uran-Actinium-Familie

D   Neptunium-Familie

α-aktiver Kern   β-aktiver Kern   α- und β-aktiver Kern

stabiler Kern   Kerne mit langer Lebensdauer

Die vier radioaktiven Familien mit Seitenzweigen

Radioaktivität

Viele Atomkerne haben die Eigenschaft, ohne irgendwelche äußere Einwirkung ein Teilchen auszusenden und sich dadurch in einen anderen Kern umzuwandeln. Diese Kerne sind radioaktiv. Der zeitliche Ablauf der Umwandlung ist durch die **Halbwertszeit** gekennzeichnet, in der sich genau die Hälfte der ursprüngl. vorhandenen Kerne umgewandelt hat. Diese Zeit ist unabhängig von der Vorgeschichte der Kerne, d.h. nach zwei Halbwertszeiten ist noch $\frac{1}{4}$ der ursprüngl. Menge da, nach 3 Halbwertszeiten $\frac{1}{8}$ usw. Anders ausgedrückt: Die Wahrscheinlichkeit, daß ein Kern zu einem bestimmten Zeitpunkt zerfällt, ist unabhängig davon, wie lange er schon existiert.

Daraus folgt das **Zerfallsgesetz:** Von ursprünglich N_0 vorhandenen Kernen ist nach einer Zeit t noch eine Anzahl N vorhanden, die man nach der Gleichung $N = N_0 \cdot e^{-\frac{t}{\tau}}$ ausrechnet. Die Zeit τ nennt man die Lebensdauer, sie ist gleich 1,443mal der Halbwertszeit. Es sind radioaktive Kerne mit Halbwertszeiten zwischen 10^{-7} sec und 10^{17} Jahren bekannt.

Ist das Folgeprodukt eines radioaktiven Zerfalls wieder ein radioaktiver Kern, so spricht man von einer **radioaktiven Familie** oder **radioaktiven Reihe**. Während die Ausgangssubstanz einer radioaktiven Familie unter ihrer charakterist. Halbwertszeit zerfällt und abnimmt, stellt sich für die Kerne in der Mitte der Reihe durch Bildung und Zerfall eine Gleichgewichtskonzentration ein, die proportional zur Lebensdauer des betreffenden Kerns ist. Jede radioaktive Reihe endet bei einem stabilen Kern.

Die **natürliche Radioaktivität**, an der die Möglichkeit der radioaktiven Umwandlung schon vor der Entdeckung des Atomkerns erkannt wurde, entsteht durch die langen Halbwertszeiten des Uran 235, Uran 238 und des Thorium 232. Die radioaktiven Familien tragen nach den Ausgangselementen die Namen **Uran-Radium-Reihe**, **Uran-Actinium-Reihe** und **Thorium-Reihe**. Neben diesen wurde später noch die **Neptunium-Reihe** entdeckt, die wegen der verhältnismäßig kurzen Halbwertszeit der Ausgangssubstanz Neptunium 237 von etwa 2 Millionen Jahren in der Natur nicht mehr vorkommt. Die Elemente der in der Natur vorkommenden radioaktiven Familien (Uran-Radium-Familie, Uran-Actinium-Familie und Thorium-Familie) werden häufig noch mit den histor. Namen bezeichnet, die aus der Zeit herrühren, als man noch nicht wußte, welche Kerne bei den Zerfällen gebildet werden. Diese Namen sind:

in der **Uran-Radium-Familie:** Uran X1 (Thorium 234), Uran X2 (Protactinium 234), Uran II (Uran 234), Ionium (Thorium 230), Radium A (Polonium 218), Radium B (Blei 214), Radium C (Wismut 214), Radium C' (Polonium 214), Radium C" (Thallium 210), Radium D (Blei 210), Radium E (Wismut 210);

in der **Thorium-Familie:** Mesothorium 1 (Radium 228), Mesothorium 2 (Actinium 228), Radiothorium (Thorium 228), Thorium X (Radium 224), Thoron (Radon 220), Thorium A (Polonium 216), Thorium B (Blei 212), Thorium C (Wismut 212), Thorium C' (Polonium 212), Thorium C" (Thallium 208);

in der **Uran-Actinium-Familie:** Aktinouran (Uran 235), Uran Y (Thorium 231), Aktinium K (Francium 223), Radioaktinium (Thorium 227), Aktinium X (Radium 223), Aktinon (Radon 219), Aktinium A (Polonium 215), Aktinium B (Blei 211), Aktinium C (Wismut 211), Aktinium C' (Polonium 211), Aktinium C" (Thallium 207).

Es gibt zwei Möglichkeiten der radioaktiven Umwandlung eines Kerns:

Beim α-Zerfall sendet der Kern den doppelt positiv geladenen Heliumkern mit der Massenzahl 4 aus, den man auch α-Teilchen nennt. Im N-Z-Diagramm liegt daher das Folgeprodukt zwei Plätze weiter unten und zwei Plätze weiter links, die Massenzahl verringert sich um 4 Einheiten.

Beim **β-Zerfall** wird ein Elektron ausgesandt; dabei kommt sowohl die Aussendung eines gewöhnlichen Elektrons mit negativer Ladung wie bei den Atomhüllenelektronen vor (β^--Zerfall) als auch die Aussendung eines positiv geladenen Teilchens mit sonst genau den gleichen Eigenschaften wie das Elektron (β^+-Zerfall). Die Masse des Kerns ändert sich nicht. Beim β^--Zerfall wird die positive Ladung des Kerns um eine Einheit erhöht, das Folgeprodukt liegt daher im N-Z-Diagramm einen Platz tiefer und einen Platz nach rechts vom Ausgangsprodukt (die Linien gleicher Massenzahl, die Isobaren, gehen von links oben nach rechts unten). Beim β^+-Zerfall wird die Ladung um eine Einheit erniedrigt und das Folgeprodukt liegt links oberhalb vom Ausgangsprodukt.

Das alte Maß für die Quellenstärke der radioaktiven Strahlung ist das **Curie** (Ci). 1 Curie ist die Menge eines radioaktiven Strahlers, in der $3,7 \cdot 10^{10}$ Zerfälle pro Sekunde stattfinden. 1 Ci Radium ist genau 1 g Radium.
Nach den neuen Normen wird statt der Einheit Ci die Einheit **Becquerel** (Bq) verwendet. 1 Bq ist die Menge eines radioaktiven Stoffes, in der 1 Zerfall pro Sekunde stattfindet.

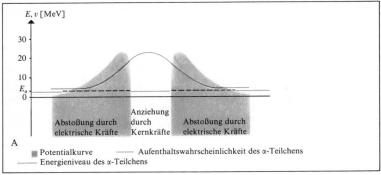

A

■ Potentialkurve ——— Aufenthaltswahrscheinlichkeit des α-Teilchens
——— Energieniveau des α-Teilchens

Die Erklärung des Alphazerfalls

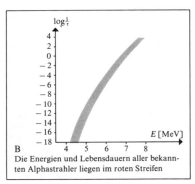

B
Die Energien und Lebensdauern aller bekannten Alphastrahler liegen im roten Streifen

Das GEIGER-NUTTALLsche Gesetz

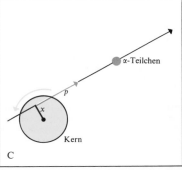

C
Änderung des Drehimpulses durch Emission eines spinlosen Alphateilchens

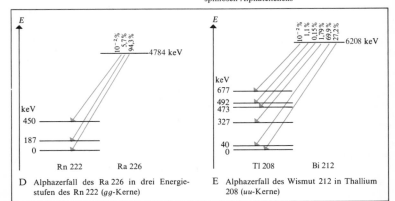

D Alphazerfall des Ra 226 in drei Energiestufen des Rn 222 (gg-Kerne)

E Alphazerfall des Wismut 212 in Thallium 208 (uu-Kerne)

Alphazerfall bei gg- und uu-Kernen

Alphazerfall

Die theoret. Erklärung des Alphazerfalls bereitete vor der Entdeckung der Quantenmechanik große Schwierigkeiten aus dem folgenden Grund: Die Energie der Alphateilchen kann man aus der Reichweite in Luft oder genauer aus der Ablenkung in Magnetfeldern bestimmen, sie beträgt bei allen bekannten α-Strahlern zwischen 1 und etwa 7 MeV. Diese Energie würde das Alpha-Teilchen durch die elektrostatische Abstoßung erreichen, wenn es aus einer Entfernung von mindestens $5 \cdot 10^{-12}$ cm vom Kernmittelpunkt aus losfliegt. Andererseits ist jedoch aus den RUTHERFORDschen Streuversuchen bekannt, daß die Reichweite der Kernkräfte nicht größer als etwa $3,5 \cdot 10^{-12}$ cm ist, d. h., daß der Kern nicht größer als eine Kugel mit diesem Radius ist. Ein Alphateilchen, das vom Rand des Kerns aus den Bereich der Kernkräfte verläßt, müßte durch die elektrostat. Abstoßung auf wesentlich höhere Energien beschleunigt werden.

Dieser Widerspruch wurde durch die Entdeckung des quantenmechan. Tunneleffekts gelöst (siehe Lösungen der SCHRÖDINGER-Gleichung S. 22 f.). Danach kann sich ein Teilchen mit geringer Wahrscheinlichkeit auch an einem Ort befinden, an dem es eine höhere potentielle Energie hat, als seiner Gesamtenergie entspricht. Anders ausgedrückt: Der Energiesatz darf verletzt werden, wenn die Größe des Energie-Fehlbetrags mal der Zeit, in der der Energiesatz verletzt wird, noch innerhalb der quantenmechan. Unbestimmtheit von der Größe h bleibt. Die Wahrscheinlichkeit für einen solchen Prozeß fällt mit der Höhe und Breite der zu überwindenden Potentialschwelle. Daher sind die Halbwertszeiten energiereicher Alphastrahler wesentlich kürzer als die energiearmen. GEIGER und NUTTAL fanden dafür das mathemat. Gesetz

$$\log E = A + B \log \left(\frac{1}{\tau} \right).$$

In diesem Gesetz sind die Konstanten A und B aus den bekannten radioaktiven Strahlern bestimmt worden. E ist die Energie und τ die Lebensdauer. Das Gesetz ist zwar nicht exakt aber in guter Näherung erfüllt. Die Abweichungen haben zwei Gründe:

1. Das Gesetz würde nur dann exakt gelten, wenn die Radien der Kerne immer gleich groß wären; sie wachsen jedoch in Wirklichkeit mit der Anzahl der Nukleonen im Kern.

2. Die Rechnungen gehen davon aus, daß im Kern immer ein fertiges Alphateilchen vorliegt. Der Kern besteht jedoch aus einzelnen Protonen und Neutronen, die alle untereinander in Wechselwirkung stehen und mit unbekannten Wahrscheinlichkeiten sich zu Alphateilchen zusammensetzen und wieder auseinandergehen.

Die **Spektren der Alphastrahlung** eines Kerns bestehen aus diskreten Linien, die sich um einige hundert keV untereinander unterscheiden, d. h., es kann z. B. das Ra 226 nur Alphateilchen mit der Energie 4,784 MeV oder 4,597 MeV oder 4,334 MeV aussenden, jedoch keine mit dazwischen liegenden Energien. Da das Radium ein langlebiger Kern ist, der sich beim Zerfall im Zustand niedrigster Energie befindet, bedeutet das, daß im Folgeprodukt Radon 222 mehrere diskrete Energieniveaus vorhanden sind, nämlich der Grundzustand und zwei angeregte Zustände mit Energien von 187 bzw. 450 keV über dem Grundzustand.
Zerfällt das Radium in den Grundzustand des Radon 222, so wird die Bindungsenergie des Rn 222 und des He^4-Kerns gewonnen und die des Ra 226 verbraucht. Der Überschuß wird umgekehrt proportional zu den Massen aufgeteilt, d.h. das α-Teilchen erhält 98,2 % oder 4,784 MeV als kinet. Energie. Zerfällt es in einen angeregten Zustand des Rn 222, so geht zusätzlich auch die Anregungsenergie verloren und das Alphateilchen erhält entsprechend weniger kinet. Energie.

Der Grund dafür, daß schwere Kerne beim Zerfall immer Alphateilchen und keine Protonen aussenden, ist die hohe Bindungsenergie des Alphateilchens; für die Bildung eines anderen ausgesandten Teilchens (Protons, Be-Kerns) reicht normalerweise die Energie nicht. Mathematisch ausgedrückt ist die Bedingung für die Möglichkeit eines α-Zerfalls: $B(N, Z) \leqq B(N - 2, Z - 2) + B(He^4)$, wenn $B(N, Z)$ die Bindungsenergie eines Kerns mit der Ladung Z und der Neutronenzahl N ist. Alle α-Zerfälle, die nach dieser Bedingung möglich sind, kommen auch wirklich vor.
Einen Einfluß auf die Spektren der Alphastrahlung hat auch der Spin der beteiligten Kerne. Da das Alphateilchen selbst keinen Spin hat, besteht die größte Wahrscheinlichkeit für Übergänge mit gleichem Spin des Ausgangs- und Folgekerns. Ein Unterschied im Spin beider Kerne kann nämlich nur dadurch zustandekommen, daß das fortfliegende Alphateilchen einen Bahndrehimpuls mitnimmt, d. h., daß seine nach rückwärts verlängerte Bahn nicht durch den Schwerpunkt des Ausgangskerns führt, sondern um ein Stück x daran vorbei, so daß das Produkt aus x und dem Impuls $p = \sqrt{2mE}$ gleich $n \cdot h$ ist, wenn n die Änderung des Drehimpulses in Einheiten von h ist. Bei gg-Kernen hat der Grundzustand immer den Spin 0, deshalb ist der Übergang in den Grundzustand, d. h. die energiereichste mögliche Linie, immer am häufigsten (gg-Kerne gehen immer wieder in gg-Kerne über, da 2 Neutronen und 2 Protonen ausgesandt werden). Bei ungeraden Kernen kann es dagegen vorkommen, daß eine weniger energiereiche Linie eines Übergangs in einen angeregten Zustand aus Spin-Gründen bevorzugt ist. Ein Beispiel dafür ist das Spektrum des Bi 212.

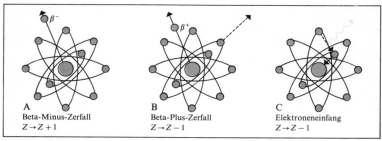

A
Beta-Minus-Zerfall
$Z \to Z + 1$

B
Beta-Plus-Zerfall
$Z \to Z - 1$

C
Elektroneneinfang
$Z \to Z - 1$

Die Möglichkeiten des Betazerfalls

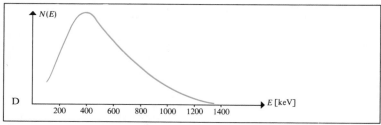

Das Betaspektrum des Kalium 40

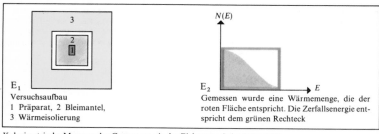

E_1
Versuchsaufbau
1 Präparat, 2 Bleimantel,
3 Wärmeisolierung

E_2
Gemessen wurde eine Wärmemenge, die der roten Fläche entspricht. Die Zerfallsenergie entspricht dem grünen Rechteck

Kalorimetrische Messung der Gesamtenergie der Elektronen beim Betazerfall

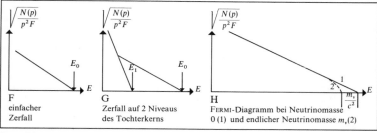

F
einfacher
Zerfall

G
Zerfall auf 2 Niveaus
des Tochterkerns

H
Fermi-Diagramm bei Neutrinomasse
0 (1) und endlicher Neutrinomasse m_ν(2)

Fermi-Diagramme

Unter dem Begriff **Betazerfall** versteht man alle Kernzerfälle, bei denen sich die Kernladung Z um eine Einheit ändert und die Massenzahl A erhalten bleibt.

Beim **Beta-Minus-Zerfall** wird ein *Elektron* emittiert, die Kernladung ändert sich von Z in $Z + 1$. Das Element rückt im Periodensystem eine Stelle nach rechts.

Beim **Beta-Plus-Zerfall** wird ein *Positron* emittiert, die Kernladung ändert sich von Z in $Z - 1$. Das Element rückt im Periodensystem eine Stelle nach links, aus der Elektronenhülle löst sich ein überschüssiges Elektron. Das Positron ist ein Teilchen der gleichen Masse wie das Elektron, jedoch mit einer positiven Elementarladung anstatt einer negativen. Man nennt es das Antiteilchen zum Elektron.

Beim **Elektroneneinfang** reagiert ein Elektron aus der Atomhülle mit dem Atomkern. Die Kernladung ändert sich dabei von Z in $Z - 1$, das Element rückt im Periodensystem eine Stelle nach links. Das Atom bleibt neutral, jedoch in einem angeregten Zustand, da die eingefangenen Elektronen aus der innersten K-Schale stammen. Es wird daher nach dem Elektroneneinfang vom Folgeatom die charakterist. RÖNTGENstrahlung ausgesandt. Ein Betazerfall ist immer dann möglich, wenn die Bindungsenergie des Endkerns größer ist als die des Ausgangskerns, wobei eventuell auftretende Massendifferenzen wegen unterschiedl. Elektronenzahlen als Bindungsenergie mitgerechnet werden müssen.

Rechnet man mit den Massen der neutralen Atome, so gelten folgende Bedingungen [$M(Z, A)$ sei die Masse eines Atoms der Ladung Z und der Massenzahl A, m_e sei die Elektronenmasse]:

β^--Zerfall: $M(Z, A) - M(Z + 1, A) > 0$
β^+-Zerfall: $M(Z, A) - M(Z - 1, A) - 2m_e > 0$
Elektroneneinfang:
$$M(Z, A) - M(Z - 1, A) > 0 .$$

Da der β^+-Zerfall und der Elektroneneinfang vom selben Ausgangskern zum selben Endkern führen, tritt immer mit dem β^+-Zerfall gleichzeitig Elektroneneinfang auf. Ist die Energiedifferenz zwischen Ausgangs- und Folgekern kleiner als $2m_e$, so findet nur Elektroneneinfang statt.

Die Spektren der Betateilchen unterscheiden sich auffällig von denen der Alphateilchen: Während α-Teilchen nur diskrete Energien haben können, die dem Unterschied der Bindungsenergie vom Ausgangs- und Endzustand entsprechen, haben β-Teilchen eine kontinuierliche Energieverteilung zwischen der Energie 0 und einer Maximalenergie, die gleich dem Unterschied der Bindungsenergien vom Ausgangs- und Endzustand ist; sie haben also im Mittel weniger Energie als die Zerfallsenergie.

Die Vermutung, daß die β-Teilchen zwar mit der gesamten diskreten Zerfallsenergie emittiert würden, daß aber ein Teil ihrer Energie im Präparat absorbiert würde, konnte durch kalorimetr. Messungen widerlegt werden. Das β-Präparat befand sich in einem Bleimantel, der die gesamte Strahlung absorbierte und in Wärme verwandelte. Die gemessene Wärmemenge im Bleimantel und Präparat entsprach der mittleren β-Energie und nicht der Maximalenergie, die gleich der Zerfallsenergie ist. Wenn also der Energiesatz gilt, so muß auf anderem Wege als durch das Elektron Energie abgeführt werden.

Das Neutrino

Um den genannten Schwierigkeiten zu entgehen, wurde schon lange vor der eigentlichen Entdeckung des Teilchens ein weiteres Elementarteilchen, das Neutrino, postuliert, das beim Betazerfall ebenfalls emittiert wird. Die Wechselwirkung des Teilchens mit Materie ist verschwindend klein, so daß bei Absorptionsversuchen nur die Energie des Elektrons gemessen wird. Die Ladung des Neutrino ist 0, die Masse ist unmeßbar klein, wahrscheinlich sogar 0, es besitzt kein magnet. Moment. Da die Eigenschaft des Kernspins, halb- oder ganzzahlig zu sein, nur von seiner Nukleonenzahl oder Massenzahl A abhängt und diese sich beim β-Zerfall nicht ändert, andererseits jedoch das Elektron den Spin $\frac{1}{2}$ fortträgt, muß auch das Neutrino einen Spin von $\frac{1}{2}\hbar$ haben.

Das Neutrino hat mit dem Photon (Lichtquant) gleiche Ladung, magnet. Moment und Masse, unterscheidet sich von ihm jedoch durch die Größe des Spins und durch die sehr viel schwächere Wechselwirkung. Zur näheren Unterscheidung wird das beim β^+-Zerfall emittierte Teilchen Neutrino (Symbol ν) und das beim β^--Zerfall emittierte Teilchen Antineutrino ($\bar{\nu}$) genannt.

Die Theorie des Betazerfalls nach FERMI

Da im Atomkern keine Elektronen vorhanden sind, müssen diese beim Betazerfall erst aus einem Nukleon entstehen. Man schreibt das als Reaktionsgleichung

$$n \rightarrow p + e^- + \bar{\nu} \quad \text{bzw:}$$
$$p \rightarrow n + e^+ + \nu .$$

Mit den Abkürzungen n = Neutron, p = Proton, e^- = Elektron, e^+ = Positron, ν = Neutrino, $\bar{\nu}$ = Antineutrino.

Nach FERMI ist die Anzahl der Elektronen, die bei einem β-Zerfall mit der Zerfallsenergie E_0 eine Energie E und einen entsprechenden Impuls p erhalten, proportional zur Anzahl der möglichen Quantenzustände mit diesem Impuls $[p^2 \cdot (E_0 - E)^2]$ mal einem Korrekturfaktor, der von der Ladung des Kerns und der Elektronenenergie abhängt [FERMI-Funktion $F(Z, E)$], mal einem Matrixelement M^2, das ein Maß für die Überlappung der Zu-

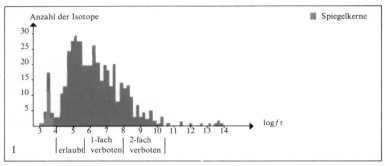

Häufigkeitsverteilung der $f\tau$-Werte

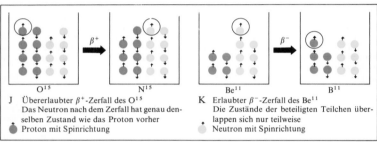

J Übererlaubter β^+-Zerfall des O^{15}
Das Neutron nach dem Zerfall hat genau den-selben Zustand wie das Proton vorher
● Proton mit Spinrichtung

K Erlaubter β^--Zerfall des Be^{11}
Die Zustände der beteiligten Teilchen über-lappen sich nur teilweise
○ Neutron mit Spinrichtung

Erlaubter und übererlaubter Betazerfall

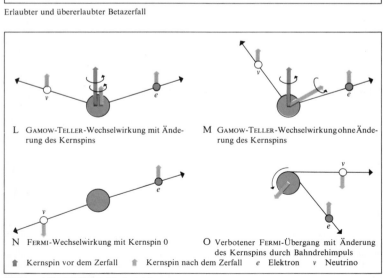

L GAMOW-TELLER-Wechselwirkung mit Ände-rung des Kernspins

M GAMOW-TELLER-Wechselwirkung ohne Ände-rung des Kernspins

N FERMI-Wechselwirkung mit Kernspin 0

O Verbotener FERMI-Übergang mit Änderung des Kernspins durch Bahndrehimpuls

⬆ Kernspin vor dem Zerfall   ⬆ Kernspin nach dem Zerfall e Elektron v Neutrino

FERMI- und GAMOW-TELLER-Wechselwirkung

stände der beteiligten Nukleonen im Ausgangs- und Tochterkern ist. Die Formel lautet:

$$N(p) = \frac{1}{\tau_0} M^2 F(E, Z) \cdot p^2 (E_0 - E)^2 .$$

Die Proportionalitätskonstante τ_0 ist für alle β-Zerfälle die gleiche und enthält die universelle Wechselwirkungskonstante zwischen Nukleonen einerseits und Neutrinos und Elektronen andererseits. Diese Wechselwirkung ist um den Faktor 10^{14} schwächer als die der Kernkräfte und heißt deshalb die schwache Wechselwirkung. τ_0 hat die Dimension einer Zeit; die Größe der Konstanten ist etwa 7000 sec $\approx$ 2 Stunden.

FERMI-Diagramm

Trägt man die Größe

$$\sqrt{\frac{N(p)}{p^2 \cdot F(E, Z)}} = \frac{M^2}{\tau_0} (E_0 - E)$$

für alle gemessenen β-Teilchen eines Betapräparats über der Energie auf, so ergibt sich eine Gerade, die die Abszisse bei $E = E_0$ schneidet. Diese Darstellung bezeichnet man als FERMI-Diagramm; sie gestattet es, die Maximalenergie E_0 aus den Meßwerten genau zu bestimmen. Ist das Spektrum aus mehreren Übergängen in den Grundzustand und in angeregte Zustände zusammengesetzt, so gestattet das FERMI-Diagramm, die einzelnen Komponenten zu trennen.

Mit Hilfe des FERMI-Diagramms ist es möglich, die Masse des Neutrinos zu bestimmen. Die FERMIsche Theorie geht nämlich davon aus, daß diese Masse 0 ist. Ist sie größer, so erhält man im FERMI-Diagramm keine genaue Gerade, sondern ein Abknicken nach unten bei höheren Energien. Da dieses im Rahmen der experimentellen Genauigkeit nicht beobachtet wurde, ist bekannt, daß die Neutrinomasse sicher weniger als 1/3000 der Elektronenmasse beträgt.

$f\tau$-Werte

Die Größe $N(p)$ ist die Anzahl der β-Teilchen, die von einem Kern pro Sekunde mit dem Impuls p emittiert werden. Man erhält daraus die Zerfallskonstante $\lambda = 1/\tau$ durch Integration über alle möglichen Impulse. λ ist die Zahl der β-Teilchen, die von einem Kern pro sec überhaupt emittiert werden. Diese Zahl kann kleiner als 1 sein, deshalb sagt man besser, τ ist die mittlere Zeit, die vergeht, bis ein Elektron emittiert wird. Aus der FERMIschen Theorie folgt die Gleichung

$$\lambda = \frac{M^2}{\tau_0} \cdot f(Z, E_0) ,$$

worin $f(Z, E_0)$ die integrale FERMI-Funktion heißt. Die Werte dieser Funktion sind berechnet und tabelliert. Als Näherung für nicht zu kleine Werte von E_0 kann man die Formel $f(Z, E_0) = \frac{1}{3} E_0^5$ ver-

wenden für leichte Kerne. Das Produkt aus Lebensdauer τ und integraler FERMI-Funktion

$$f(E_0, Z) \cdot \tau = \frac{\tau_0}{M^2}$$

nennt man den $f\tau$-Wert eines Betazerfalls. Er ist nur von dem Matrixelement abhängig und läßt sich experimentell bestimmen, so daß man aus ihm Aussagen über die Größe des Matrixelements, d. h. die Überlappung von Anfangs- und Endzustand der Kerne gewinnen kann. Man unterscheidet zwischen erlaubten Übergängen ($\log f\tau = 4$—5), übererlaubten ($\log f\tau = 3$—4) und einfach ($\log f\tau = 6$—8), zweifach (8—10) und mehrfach verbotenen Übergängen.

Übererlaubte Übergänge zeichnen sich dadurch aus, daß sich die Wellenfunktionen im Anfangs- und Endzustand sehr ähnlich sind. Ein Beispiel dafür sind die sog. Spiegelkerne O^{15} und N^{15}, die sich nur dadurch unterscheiden, daß der Sauerstoff ein Proton statt eines Neutrons im Stickstoff hat.

Bei **erlaubten Übergängen** überdecken sich die Wellenfunktionen der Nukleonen im Ausgangs- und Endzustand nur teilweise, die Matrixelemente sind daher etwa um den Faktor 10 kleiner und die Halbwertszeiten im Mittel 100mal so groß. Exakte Aussagen kann man nicht machen, da die Kernkräfte und daher auch die Wellenfunktionen im Kern nur unzureichend bekannt sind. Allen Rechnungen liegen Modellvorstellungen zugrunde.

Verbotene Übergänge finden statt bei minimaler Überlappung der Wellenfunktionen. Ihr Matrixelement hängt im Gegensatz zu erlaubten Übergängen auch von der Elektronenenergie ab, so daß sich im FERMI-Diagramm keine Gerade ergibt.

Auswahlregeln

Bei erlaubten Übergängen ist der Bahndrehimpuls des Elektrons und Neutrinos gleich 0, sie kommen also aus der Mitte des Kerns. Experimentell fand man, daß sich der Kernspin um 0 oder 1 ändert. Ändert sich der Kernspin bei erlaubten Übergang um eine Einheit, so muß der Spin $\hbar$ von Elektron und Neutrino übernommen werden, daher sind die Spins, die je die Größe $\frac{1}{2}\hbar$ haben, parallel. Diesen Fall nennt man GAMOW-TELLER-Wechselwirkung.

Ändert sich der Kernspin nicht, so kann es sich ebenfalls um GAMOW-TELLER-Wechselwirkung handeln, da die Drehachsen sich ja als Vektoren addieren; es können jedoch auch die Spins von Elektron und Neutrino entgegengerichtet sein. Man nennt das FERMI-Wechselwirkung. Ist der Kernspin vor und nach dem β-Zerfall gleich 0, so muß es sich um eine FERMI-Wechselwirkung handeln.

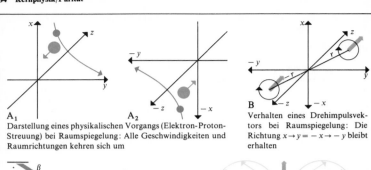

A₁ **A₂**
Darstellung eines physikalischen Vorgangs (Elektron-Proton-Streuung) bei Raumspiegelung: Alle Geschwindigkeiten und Raumrichtungen kehren sich um

B
Verhalten eines Drehimpulsvektors bei Raumspiegelung: Die Richtung $x \to y = -x \to -y$ bleibt erhalten

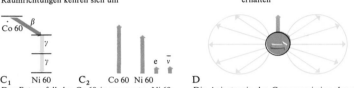

C₁ **C₂**
Der Betazerfall des Co 60 in angeregtes Ni 60 mit nachfolgender Gammaemission und der Spin der beteiligten Teilchen

D
Die Anisotropie der Gammaemission des angeregten Ni 60. Dieser Prozeß ist spiegelsymmetrisch und verletzt die Paritätserhaltung nicht

Spiegelebene

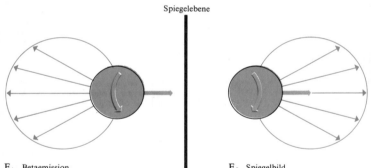

E₁ Betaemission **E₂** Spiegelbild
Die Betaemission des Co 60 und ihr Spiegelbild. Der gespiegelte Prozeß (E₂) kommt nicht vor

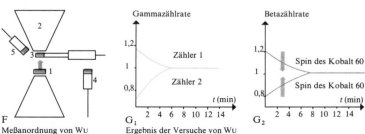

F
Meßanordnung von Wu
1 Kobaltpräparat, 2 Magnet, 3 Betazähler, 4 Gammazähler 1, 5 Gammazähler 2

G₁ **G₂**
Ergebnis der Versuche von Wu
Mit Abnahme der Anisotropie der Gammastrahlung nimmt die Emission in Magnetfeldrichtung zu (untere Kurve G₂) und entgegen dem Magnetfeld ab (obere Kurve G₂)

Parität

Ersetzt man in einem physikal. System, beispielsweise bei der Streuung eines Elektrons an einem Proton, alle Koordinaten x, y, z durch ihr negatives $(-x, -y, -z)$, so müssen in diesem gespiegelten System alle physikal. Größen erhalten bleiben. Da die Aufenthaltswahrscheinlichkeit durch das Quadrat der Wellenfunktion gegeben ist, gibt es für die Wellenfunktion zwei Möglichkeiten: $\psi(\mathfrak{r}) = +\psi(-\mathfrak{r})$ oder $\psi(\mathfrak{r}) = -\psi(-\mathfrak{r})$. Sie muß dem Betrag nach gleich groß sein, kann aber ihr Vorzeichen ändern. Bleibt das Vorzeichen bei der Spiegelung erhalten, so hat der Zustand **gerade Parität**, kehrt sich das Vorzeichen um, so hat er **ungerade Parität**.

Die quantenmechan. Rechnungen zeigen, daß ein Zustand mit *geradem* Bahndrehimpuls l ($l = 0, 2\hbar, 4\hbar$ usw.) *gerade* Parität hat, ein Zustand mit *ungeradem* Bahndrehimpuls *ungerade* Parität. Nach den Regeln der Quantenmechanik wird bei einer Wechselwirkung zwischen mehreren Teilchen die Parität des Gesamtsystems erhalten, wenn der HAMILTON-Operator (s. S. 18ff.), der die Form der Wechselwirkung zwischen den Teilchen beschreibt, unabhängig davon ist, ob er im System x, y, z oder im gespiegelten System $-x$, $-y$, $-z$ beschrieben wird. Dabei ist die Wellenfunktion des Gesamtsystems gleich dem Produkt der Wellenfunktionen der einzelnen Teilchen. Es kann also, auch bei Paritätserhaltung, ein Partner einer Wechselwirkung seine Parität ändern, wenn gleichzeitig auch ein anderer der Partner seine Parität ändert. Ursprünglich glaubte man, daß die Parität eines Systems immer erhalten bleiben müßte, da die Wechselwirkungen unabhängig davon sein sollten, in welchem Koordinatensystem sie dargestellt werden. Es zeigte sich jedoch, daß das nur für die starken Wechselwirkungen, auf die die Kernkräfte zurückzuführen sind, und für die elektromagnet. Wechselwirkungen gilt, während die Parität beim Betazerfall nicht erhalten bleibt.

Bei der Spiegelung der Raumkoordinaten drehen alle Vektoren ihre Richtung um, nicht jedoch sogenannte Axialvektoren oder Drehimpulse, deren Richtung durch eine Rechtsschraube definiert ist. Diese erhalten ihre Richtung, da z. B. eine Drehung von x nach y in eine Drehung von $-x$ nach $-y$ übergeht, was dasselbe ist. Der Spiegelung entspricht der Übergang von einem Rechts-Koordinatensystem (x, y, z im Sinne einer Rechtsschraube) zu einem Links-Koordinatensystem. Eine Wechselwirkung führt dann zur Verletzung der Paritätserhaltung, wenn Drehrichtungen und Vektoren (wie z. B. Geschwindigkeiten oder bevorzugte Emissionsrichtungen) in der Weise kombiniert sind, daß das Spiegelbild eines physikal. möglichen Prozesses einen anderen Prozeß ergibt, der in der Natur nicht vorkommt, oder mit anderen Worten, wenn ein Prozeß oder eine Wechselwirkung in einem Rechts-Koordinatensystem anders beschrieben werden muß als in einem Links-Koordinatensystem.

Es zeigte sich beim Betazerfall des Kobalt 60, daß die Elektronen nur in die dem Spin entgegengesetzte Richtung emittiert werden, daß also die Parität bei diesem Betazerfall maximal verletzt ist. Der gespiegelte Prozeß, nämlich Emission in Richtung des Spins, kommt nicht vor.

Experimente von WU

Zur Prüfung der Paritätsverletzung beim Betazerfall benutzten WU u.a. folgende Meßanordnung: Durch ein starkes Magnetfeld wurden bei sehr tiefen Temperaturen die Kerne einer Kobalt-60-Probe ausgerichtet. Außerhalb der Probe in Richtung des Kernspins befindet sich ein Betadetektor, mit dem die Intensität der Betastrahlung gemessen wird. Den Grad der Ausrichtung der Kerne in der Probe kann man mit zwei Gammadetektoren messen, von denen einer in der Nähe der Spinachse und einer in der Äquatorebene der Spins steht. Diese Detektoren registrieren die der Betastrahlung nachfolgende Gammastrahlung, die vorwiegend in Äquatorrichtung ausgesandt wird. Diese Strahlung ist zwar anisotrop, aber nicht asymmetrisch, d. h. das Spiegelbild der Intensitätsverteilung der Gammastrahlung unterscheidet sich nicht von der ungespiegelten Verteilung. Bei der Emission von Gammastrahlung wird die Paritätserhaltung nicht verletzt.

Bei der langsamen Erwärmung der Kobalt-60-Probe nimmt der Grad der Ausrichtung der Kerne ab und mit ihm die Anisotropie der Gammastrahlung. Es zeigte sich, daß synchron mit der Abnahme der Gamma-Anisotropie auch die Betazählrate zu- oder abnahm, je nachdem, ob zu Anfang der Kernspin zum Betazähler hin oder von ihm weg zeigte. Innerhalb der Meßgenauigkeit von etwa 1% wurden die Elektronen dem Spin entgegengesetzt emittiert.

Polarisation der Elektronen

Beim Betazerfall des Co 60 in Ni 60 nimmt der Kernspin um eine Einheit ab, der Spin des Elektrons und des Antineutrinos ist daher dem des Co-Kerns parallel und seiner Flugrichtung entgegengesetzt. *Elektronen* aus dem Beta-Minus-Zerfall haben daher *Linksdrall*; entsprechend haben *Positronen* aus einem Beta-Plus-Zerfall *Rechtsdrall*.

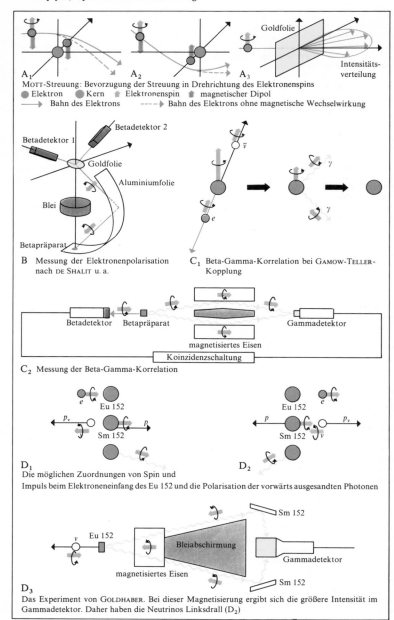

A_1 A_2 A_3

Intensitätsverteilung

MOTT-Streuung: Bevorzugung der Streuung in Drehrichtung des Elektronenspins
● Elektron ● Kern ⬆ Elektronenspin ⬆ magnetischer Dipol
⟶ Bahn des Elektrons ----▶ Bahn des Elektrons ohne magnetische Wechselwirkung

Betadetektor 2
Betadetektor 1
Goldfolie
Aluminiumfolie
Blei
Betapräparat

B Messung der Elektronenpolarisation nach DE SHALIT u. a.

C_1 Beta-Gamma-Korrelation bei GAMOW-TELLER-Kopplung

Betadetektor Betapräparat
Gammadetektor
magnetisiertes Eisen
Koinzidenzschaltung

C_2 Messung der Beta-Gamma-Korrelation

e Eu 152
p_v Sm 152 p

Eu 152 e
p Sm 152 p_v

D_1 D_2
Die möglichen Zuordnungen von Spin und
Impuls beim Elektroneneinfang des Eu 152 und die Polarisation der vorwärts ausgesandten Photonen

ν Eu 152
Sm 152
Bleiabschirmung
Gammadetektor
magnetisiertes Eisen
Sm 152

D_3
Das Experiment von GOLDHABER. Bei dieser Magnetisierung ergibt sich die größere Intensität im Gammadetektor. Daher haben die Neutrinos Linksdrall (D_2)

MOTT-Streuung

Bei der Streuung transversal polarisierter Elektronen an schweren Kernen treten Kräfte auf, die von der Kopplung zwischen Elektronenspin und Bahndrehimpuls des Elektrons in bezug auf den streuenden Kern abhängen. Sind Spin und Bahndrehimpuls parallel, so bewirken diese Kräfte eine zusätzliche Abstoßung, andernfalls eine Anziehung. Diese Kräfte kommen dadurch zustande, daß der positive Kern, an dem das Elektron vorbeifliegt, wie ein magnet. Dipol in Bahndrehimpulsrichtung wirkt, der abstoßend bzw. anziehend auf den durch den Elektronenspin hervorgerufenen magnet. Dipol, der dem Spin entgegengesetzt ist, wirkt.

Werden daher transversal polarisierte Elektronen an schweren Kernen in einer Folie gestreut, so ist in der Winkelverteilung der gestreuten Elektronen die Richtung im Drehsinn des Elektronenspins bevorzugt. Dieser Effekt wird dazu ausgenutzt, die **longitudinale Polarisation** der Elektronen aus dem Betazerfall nachzuweisen, wobei man aus der longitudinalen Polarisation zunächst durch Ablenken der Elektronen eine transversale Polarisation herstellen muß.

Nach FRAUENFELDER kann das geschehen, indem man die Elektronen durch ein elektr. Feld ablenkt, wobei sich die Richtung des Impulses, aber nicht des Spins der Elektronen ändert, wenn die Felder nicht zu stark sind.

Nach DE SHALIT u. a. werden die Elektronen an einer Aluminiumfolie rechtwinklig gestreut, wobei sich ebenfalls der Spin nicht ändert, so daß sie anschließend transversal polarisiert sind. Die Asymmetrie der Streuung wird mit zwei Zählern rechts und links der Einfallsebene der Betateilchen auf eine Goldfolie nachgewiesen.

Diese Experimente haben den Vorteil, daß die technisch sehr schwierige Ausrichtung der Atomkerne nicht nötig ist, da nur der Linksdrall der Elektronen nachgewiesen wird. Für alle verwendeten Beta-Minus-Strahler wurde dieser Linksdrall nachgewiesen, während die Experimente von WU nur bei Kobalt möglich sind, da andere Betastrahler nicht so stark magnetisierbar sind.

Beta-Gamma-Korrelation

Die Zuordnung der Emissionsrichtung zum Spin des Kerns kann man messen, ohne die Kerne auszurichten, indem man die Spinrichtung durch **zirkulare Polarisation** der nachfolgenden Gammastrahlung identifiziert. Dazu muß der Folgekern vor der Emission des Gammaquants den Spin 1 und hinterher den Spin 0 haben. Photonen, die in Richtung des Kernspins oder entgegengesetzt ausgesandt werden, sind dann zirkular polarisiert. Mißt man Betateilchen und an magnetisiertem Eisen gestreute Photonen in Koinzidenz, d.h. nur solche Ereignisse, bei denen gleichzeitig beides vorhanden ist, so ist die Anzahl dieser Ereignisse größer, wenn das Eisen so magneti-

siert ist, daß *die* Photonen stärker gestreut werden, deren auslösende Elektronen in den Betadetektor fallen.

Polarisation der Neutrinos

Um den Drehsinn des ausgesandten Neutrinos zu bestimmen, muß man sowohl seine Flugrichtung als auch seine Spinrichtung kennen. Die Spinrichtung ist bei FERMI-Kopplung der Elektronenspinrichtung entgegengesetzt, also in Flugrichtung des Elektrons, bei GAMOW-TELLER-Kopplung umgekehrt. Da man das Neutrino nicht direkt nachweisen kann, muß man seine Flugrichtung aus der Richtung des Kernrückstoßes bestimmen, dessen Geschwindigkeit jedoch so gering ist, daß er das Betapräparat im allgemeinen nicht verläßt.

Experiment von GOLDHABER

Der Impuls eines Folgekerns wurde am Betazerfall des Europium 152 gemessen, das durch Elektroneneinfang mit GAMOW-TELLER-Wechselwirkung in Samarium 152 zerfällt. Nach dem Einfang müssen Kernspin und Neutrinospin entgegengerichtet sein, da sie sich zum Gesamtspin $\frac{1}{2}$ zusammenaddieren müssen; ebenso Kernimpuls und Neutrinoimpuls.

Bei der nachfolgenden Emission eines Photons geht der Kernspin der Größe $\hbar$ auf dieses über. Bei Emission des Photons in Vorwärtsrichtung hat seinen Spin vorwärts, wenn Spin und Impuls des Neutrinos parallel sind, und rückwärts im umgekehrten Fall.

Photonen, die in Vorwärtsrichtung ausgesandt werden, können auf einer weiteren Samarium-152-Probe Kernresonanzstreuung auslösen, d. h. sie können dasselbe Energieniveau wieder anregen, von dem aus sie ausgesandt wurden. In Rückwärtsrichtung ausgesandte Photonen können das nicht, da sie etwas weniger Energie haben und daher nicht genug für den Rückstoß des getroffenen Kerns. Durch Messung der Kernresonanz gestreuten Photonen erhält man danach genau die, die in Flugrichtung des Sm-152-Kerns ausgesandt wurden; durch die Absorption in magnetisiertem Eisen kann man messen, ob ihr Spin nach vorwärts oder rückwärts gerichtet ist, und daraus schließen, ob Spin und Impuls des Neutrinos parallel oder antiparallel sind. Es ergibt sich: Antineutrinos (vom Beta-Minus-Zerfall) haben Rechtsdrall; Neutrinos (vom Beta-Plus-Zerfall) haben Linksdrall.

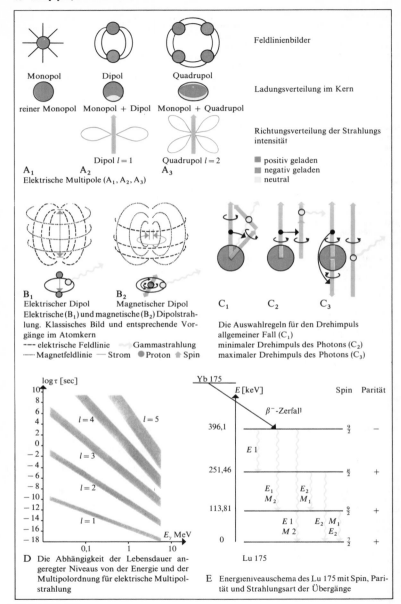

Feldlinienbilder

Monopol   Dipol   Quadrupol

Ladungsverteilung im Kern

reiner Monopol   Monopol + Dipol   Monopol + Quadrupol

Richtungsverteilung der Strahlungs intensität

Dipol $l = 1$ Quadrupol $l = 2$

A₁   A₂   A₃
Elektrische Multipole (A₁, A₂, A₃)

■ positiv geladen
■ negativ geladen
□ neutral

B₁   B₂
Elektrischer Dipol   Magnetischer Dipol
Elektrische (B₁) und magnetische (B₂) Dipolstrahlung. Klassisches Bild und entsprechende Vorgänge im Atomkern
--- elektrische Feldlinie   ⟿ Gammastrahlung
······ Magnetfeldlinie — Strom ● Proton ⬆ Spin

C₁   C₂   C₃

Die Auswahlregeln für den Drehimpuls
allgemeiner Fall (C₁)
minimaler Drehimpuls des Photons (C₂)
maximaler Drehimpuls des Photons (C₃)

log τ [sec]

$l = 4$ $l = 5$

$l = 3$

$l = 2$

$l = 1$

E_γ MeV

0,1   1   10

D Die Abhängigkeit der Lebensdauer angeregter Niveaus von der Energie und der Multipolordnung für elektrische Multipolstrahlung

Yb 175

E [keV]   Spin Parität

β^--Zerfall

396,1 $\frac{9}{2}$ —

$E\,1$

251,46 $\frac{8}{2}$ +

E_1 E_2
M_2 M_1

113,81 $\frac{9}{2}$ +

$E\,1$ $E_2\ M_1$
$M\,2$ E_2

0     $\frac{7}{2}$ +

Lu 175

E Energieniveauschema des Lu 175 mit Spin, Parität und Strahlungsart der Übergänge

Beim **Gammazerfall** ändert der Kern weder seine Masse noch seine Ordnungszahl. Er gibt nur Energie ab in Form eines Photons, d.h. eines sehr kurzwelligen Lichtquants. Dazu muß der Kern vorher in einem angeregten Zustand gewesen sein, was durch einen vorausgegangenen Alpha- oder Betazerfall, durch eine Kernreaktion oder einen unelast. Stoß mit einem anderen Kern verursacht sein kann. Ähnlich wie die Elektronen der Atomhülle diskrete Energieniveaus haben und ganz bestimmte Spektrallinien aussenden, deren Wellenlängen im opt., ultravioletten oder Röntgengebiet liegen, haben auch die Atomkerne diskrete Energieniveaus und senden daher charakterist. Spektrallinien aus, deren Energien jedoch am kurzwelligen Ende des RÖNTGENgebiets liegen. Die Energien der Gammastrahlung werden meistens in keV (Kiloelektronenvolt) oder MeV (Megaelektronenvolt) angegeben.

Zum Unterschied von den Atomhüllen können die Energieniveaus der Kerne jedoch bisher nicht quantitativ vorausberechnet werden, da man die Kernkräfte nicht genau genug kennt. Die Messung der Energien der Gammastrahlung von Atomkernen ist eines der wichtigsten Hilfsmittel, um über die Natur der Kernkräfte nähere Aufschlüsse zu erlangen.

Kernenergieniveaus

Das Energieniveau eines Kerns ist gekennzeichnet durch: Energie (über dem Grundzustand), Kernspin (Drehimpuls), Parität (s. S. 84 f.) und Lebensdauer.

Die Lebensdauern angeregter Kerne reichen von 10^{-13} sec bis zu einigen Jahren. Hat ein angeregter Zustand eines Kerns eine Lebensdauer von mehr als einer Sekunde, so bezeichnet man den angeregten Kern auch als **isomeren Kern**.

Multipolstrahlung

Jede elektromagnet. Strahlung ist nach der MAXWELLschen Theorie des Elektromagnetismus zusammengesetzt aus Dipol-, Quadrupol-, Oktupol- oder allgemeiner Multipolstrahlung. Dem entspricht quantenmechanisch der totale Drehimpulsänderung des Kerns bei der Aussendung von Gammastrahlung. Der Intensitätsverteilung in die versch. Richtungen nach der klass. Theorie entspricht quantenmechanisch die Wahrscheinlichkeit der Aussendung des Photons in diese Richtungen.

Der Multipolordnung nach der klass. Theorie entspricht 2^l, wenn l die Drehimpulsänderung ist. Drehimpulsänderungen 0 sind nicht möglich, da das ausgesandte Photon selbst einen Drehimpuls der Größe h hat. Dem entspricht nach der klass. Physik die Aussage, daß ist elektromagnet. Strahlung transversal ist (Feldrichtungen von magnet. und elektr. Feld stehen senkrecht zur Fortpflanzungsrichtung).

Elektrische und magnetische Multipolstrahlung

Für jede Multipolordnung oder Drehimpulsänderung unterscheidet man zwei Arten elektromagnet. Strahlung, die elektrische und die magnetische Multipolstrahlung. Elektr. Multipolstrahlung entspricht dem Transport oder der Schwingung elektr. Ladungen, magnet. Multipolstrahlung der Änderung von Strömen, die im Atomkern durch den Spin der Protonen dargestellt werden.

Paritätsänderungen

Jedes elektromagnet. Strahlungsfeld besitzt einen definierten Paritätscharakter. Bei der Aussendung von Gammastrahlung bleibt die Parität des Gesamtsystems erhalten, d.h. die von Strahlungsfeld und Kern zusammen. Hat das Strahlungsfeld negative Parität (Beispiel elektr. Dipol: dreht man die Vorzeichen aller Ortskoordinaten um, so ändern sich die Vorzeichen aller physikal. Größen), so ändert sich bei der Aussendung des Gammaquants auch die Parität des Kerns.

Die Paritätsänderung der Kerne ist bei elektr. Multipolstrahlung $\Delta\Pi = (-1)^l$ und bei magnet. Multipolstrahlung $\Delta\Pi = (-1)^{l+1}$. Man kennzeichnet einen speziellen Übergang durch E1 (für elektrisch, $l = 1$) bzw. M1 (für magnetisch, $l = 1$) usw.

Auswahlregeln

Bei der Gammaemission trägt das Photon die Änderung des Drehimpulsvektors mit sich fort, d.h. Kernspin vorher, Kernspin nachher und Drehimpuls des Gammaquants bilden ein geschlossenes Dreieck bzw. zwei sind zusammen genau so groß wie das dritte, wenn sie parallel liegen. Da immer zwei zusammen dem Betrag nach größer oder gleich groß wie das dritte sein müssen, gilt für den Drehimpuls des Photons die Bedingung $I_1 - I_2 \leq l \leq I_1 + I_2$, wenn I_1 und I_2 der Drehimpuls des Kerns vor bzw. nach der Emission ist.

Lebensdauern und Emissionswahrscheinlichkeiten

Die Emissionswahrscheinlichkeit nimmt mit wachsender Multipolordnung schnell ab und mit wachsender Energie zu. Elektr. Multipolstrahlung ist bei gleicher Multipolordnung wahrscheinlicher als magnetische. So wird beispielsweise bei einem Übergang ohne Paritätsänderung elektr. Quadrupolstrahlung und magnet. Dipolstrahlung mit vergleichbaren Intensitäten ausgesandt. Bei einem Übergang mit Paritätsänderung ist die elektr. Dipolstrahlung weit bevorzugt vor magnet. Quadrupolstrahlung. Die Lebensdauer eines angeregten Niveaus wird jeweils durch die wahrscheinlichsten Übergänge in energieärmere Niveaus bestimmt.

Aufstellung eines Niveauschemas

Aus der meßbaren Energie der Photonen erhält man die Energie der einzelnen Niveaus; ist die Differenz zweier versch. Gammaenergien gleich einer dritten gemessenen Gammaenergie, so entspricht diese Linie dem Übergang zwischen zwei angeregten Niveaus. Aus der Winkelverteilung der Strahlung ausgerichteter Kerne kann man die Multipolordnung bestimmen und daraus Drehimpuls und Parität der angeregten Niveaus.

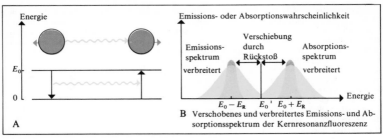

A

Kernresonanzfluoreszenz

B Verschobenes und verbreitertes Emissions- und Absorptionsspektrum der Kernresonanzfluoreszenz

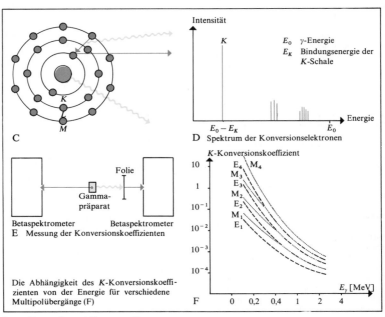

C

D Spektrum der Konversionselektronen

E_0 γ-Energie
E_K Bindungsenergie der K-Schale

E Messung der Konversionskoeffizienten

Die Abhängigkeit des K-Konversionskoeffizienten von der Energie für verschiedene Multipolübergänge (F)

Innere Konversion und Gammastrahlung

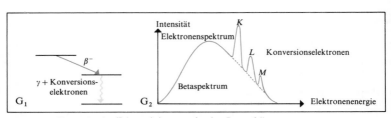

G_1

G_2

Messung von Konversionskoeffizienten bei vorausgehendem Betazerfall

Kernfluoreszenz

Kernfluoreszenz ist eine Resonanzabsorption von Gammastrahlen durch einen Kern, deren Energie exakt einer Anregungsenergie des Kerns entspricht. Sie tritt auf, wenn die von einem Kern emittierte Strahlung von einem Kern der gleichen Art wieder absorbiert wird. Die Absorptionswahrscheinlichkeit für Resonanzabsorption ist sehr hoch, aber auf ein sehr enges Energieintervall beschränkt.

Normalerweise wird die Resonanzabsorption nicht in der erwarteten Stärke beobachtet aus zwei Gründen:
1. Die Gammastrahlung wird mit einer etwas kleineren Energie als die Anregungsenergie emittiert, da der verbleibende Kern eine Rückstoßenergie aufnimmt. Der Impuls des Photons und des Kerns nach der Emission müssen entgegengerichtet und gleich groß sein. Wegen der großen Masse des Kerns ist die Rückstoßenergie sehr gering.
2. Die Gammalinie wird durch den DOPPLER-Effekt infolge der Wärmebewegung der emittierenden und absorbierenden Kerne verbreitert. Ein nach vorne in Richtung der zufälligen Bewegung des Kerns ausgesandtes Photon hat etwas mehr Energie als ein nach rückwärts ausgesandtes. Emissions- und Absorptionsspektrum sind daher etwas verbreitert und gegeneinander verschoben, so daß sie sich nur an den Rändern geringfügig überschneiden, wodurch sich die wesentlich schwächer beobachtete Resonanzabsorption erklärt.

Die volle Resonanzabsorption wird beim MÖSSBAUER-Effekt beobachtet (s. S. 160f.).

Innere Konversion

Ein angeregter Kern kann mit einem gebundenen Elektron der Elektronenhülle direkt in Wechselwirkung treten und seine Anregungsenergie auf dieses übertragen, so daß es das Atom verläßt. Dieser Prozeß tritt als Konkurrenz zum normalen Gammazerfall auf und unterliegt denselben Auswahlregeln für Drehimpuls und Parität wie dieser bis auf die Ausnahme, daß durch innere Konversion auch Übergänge zwischen zwei Zuständen mit dem Kernspin 0 möglich sind.

Die innere Konversion findet am häufigsten mit Elektronen aus der K-Schale statt (K-Konversion), seltener mit Elektronen aus den äußeren Schalen. Sie ist bei schweren Atomen häufiger als bei leichten, da der Abstand der K-Elektronen mit wachsender Ordnungszahl des Elements sich verringert.

Die Energie der Konversionselektronen ist um die Bindungsenergie der Elektronen geringer als die Anregungsenergie des Kerns: $E_e = E_\gamma - E_B$. Es ergibt sich daher für eine einzelne Anregungsenergie ein Spektrum von Konversionselektronen, das durch die versch. Bindungsenergien in den versch. Schalen zustande kommt.

Als **Konversionskoeffizienten** bezeichnet man das Verhältnis der Zahl der emittierten Konversionselektronen zur Zahl der emittierten Photonen. Es ist klein für sehr schnelle Gammazerfälle und größer für langsame, da dem Kern mehr Zeit bleibt, um mit der Atomhülle zu reagieren.

Messung von Konversionskoeffizienten

Bei einem einfachen Gammaübergang wird der Konversionskoeffizient dadurch gemessen, daß man mit einem Betaspektrometer die Intensitäten der Linien im Konversionselektronenspektrum und in einem weiteren Spektrometer die Intensität von Photoelektronen mißt, die durch die Gammastrahlung in einer Folie eines schweren Elements ausgelöst werden.

Genauer ist die Messung durchzuführen, wenn dem entsprechenden Gammaübergang ein Betazerfall vorausgeht. Die Konversionselektronen überlagern sich dann als deutlich sichtbare Linien dem kontinuierlichen Betaspektrum. Die Fläche unter dem Betaspektrum entspricht dann der gesamten Zerfallsrate durch Gammaemission und innere Konversion, die Fläche unter den Konversionslinien entspricht dem Anteil der Konversion in den versch. Schalen. Die Methode wird dadurch genau, daß keine Absolutmessung von Intensitäten nötig ist.

Aus der Größe der Konversionskoeffizienten aus den einzelnen Schalen kann man Rückschlüsse ziehen auf die Multipolordnung und -art des zugehörigen Gammaübergangs, da diese Koeffizienten nach theoret. Rechnungen von der Drehimpuls- und Paritätsänderung des Kerns abhängig sind.

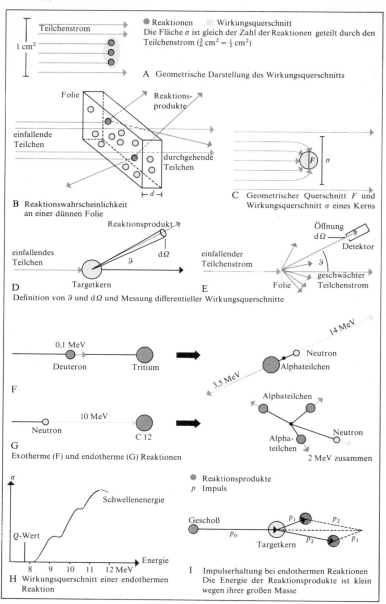

1 cm²

Teilchenstrom

● Reaktionen   ▨ Wirkungsquerschnitt

Die Fläche σ ist gleich der Zahl der Reaktionen geteilt durch den Teilchenstrom ($\frac{3}{6}$ cm² = $\frac{1}{2}$ cm²)

A Geometrische Darstellung des Wirkungsquerschnitts

Folie

Reaktions-produkte

einfallende Teilchen

durchgehende Teilchen

$\vdash d \dashv$

B Reaktionswahrscheinlichkeit an einer dünnen Folie

F σ

C Geometrischer Querschnitt F und Wirkungsquerschnitt σ eines Kerns

Reaktionsprodukt

einfallendes Teilchen

ϑ dΩ

Targetkern

D

Öffnung dΩ

Detektor

einfallender Teilchenstrom

ϑ

geschwächter Teilchenstrom

Folie

E

Definition von ϑ und dΩ und Messung differentieller Wirkungsquerschnitte

0,1 MeV

Deuteron   Tritium

F

14 MeV

Neutron

3,5 MeV   Alphateilchen

10 MeV

Neutron   C 12

G

Alphateilchen

Neutron

Alpha-teilchen

2 MeV zusammen

Exotherme (F) und endotherme (G) Reaktionen

σ

Schwellenenergie

Q-Wert

8   9   10   11   12 MeV

Energie

H Wirkungsquerschnitt einer endothermen Reaktion

● Reaktionsprodukte
p Impuls

Geschoß

p_0

p_1 p_2

p_2 p_1

Targetkern

I Impulserhaltung bei endothermen Reaktionen
Die Energie der Reaktionsprodukte ist klein wegen ihrer großen Masse

Der Wirkungsquerschnitt

Kernreaktionen

Ebenso wie zwei Atome in einer chem. Reaktion miteinander reagieren können, können auch zwei Atomkerne miteinander reagieren und einen oder mehrere neue Kerne bilden. Dabei ist gewöhnlich nur einer der Kerne in einem festen Material enthalten (Targetkern) und ruht, während der andere als Ionenstrahl auf ihn geschossen wird. Eine Kernreaktion schreibt man als Formel: $A(b, c) D$, wobei A der Targetkern, b das Geschoßteilchen, D der Restkern und c ein fortfliegendes Teilchen ist. Beispiel: $C^{12}(n, n') 3\alpha$ (Abb. G).

Wirkungsquerschnitt

Die Wahrscheinlichkeit, daß eine Reaktion stattfindet, wird durch den Wirkungsquerschnitt angegeben. Der **Wirkungsquerschnitt** ist gleich der Anzahl der an einem Kern stattfindenden Reaktionen pro Sekunde geteilt durch den einfallenden Teilchenstrom (= Teilchen pro cm² und Sekunde). Nach dieser Definition ist der Wirkungsquerschnitt eine Fläche. Stellt man sich die Ionen als ausdehnungslos vor, so würden auf eine Scheibe von der Größe des Wirkungsquerschnitts genau so viele Ionen fallen, wie in Wirklichkeit Kernreaktionen an einem Kern bewirken.

Enthält ein dünnes Target eine Anzahl n Teilchen pro Kubikzentimeter und hat es eine Dicke d, die so klein ist, daß sich die Wirkungsquerschnitte nicht überdecken, so addieren sich alle Wirkungsquerschnitte im Target. Die Gesamtzahl der Kernreaktionen ist dann $N = N_0 \cdot \sigma \cdot d \cdot n$, wenn N_0 die Zahl der einfallenden Teilchen und σ der Wirkungsquerschnitt der Targetkerne ist. Der Wirkungsquerschnitt kann also gemessen werden, wenn man eine Folie bekannter Dichte und Dicke mit einem Teilchenstrom bekannter Dichte bestrahlt und anschließend die Anzahl der Reaktionsprodukte mißt. Bei einem dicken Target, in dem sich die Wirkungsquerschnitte überlappen, ist die Anzahl der Reaktionen

$$N = N_0(1 - e^{-n\sigma d}).$$

Der Wirkungsquerschnitt eines Kerns darf nur als anschauliches Maß für die Wahrscheinlichkeit der Wechselwirkung verstanden werden, er hat nichts zu tun mit der wahren Ausdehnung des Kerns. Er ist zum Beispiel von der Art der einfallenden Teilchen und von deren Energie abhängig und kann bis zu 100 000 mal so groß sein wie der geometr. Querschnitt des Kerns.

Wellenbild

Betrachtet man die einfallenden Teilchen als Welle der Intensität I_0 (s. S. 16 f.), so ist der Wirkungsquerschnitt definiert als

$$\sigma = \frac{I}{I_0} \cdot \frac{1}{nd},$$

wenn I die Intensität der Welle hinter einem dünnen Target der Dicke d und der Dichte von n Teilchen pro Kubikzentimeter ist. Die Definition ist der im Teilchenbild äquivalent, da die Intensität (= Amplitudenquadrat) die Teilchenzahl bedeutet.

Partieller und totaler Wirkungsquerschnitt

Können an einem Kern mehrere versch. Reaktionen stattfinden, so kann man für jede einzelne Reaktion den partiellen Wirkungsquerschnitt angeben, der als Anzahl dieser speziellen Reaktionen pro einfallender Teilchenzahl und pro Targetkernzahl definiert ist. Die Summe aller partiellen Wirkungsquerschnitte ist der totale Wirkungsquerschnitt.

Differentieller Wirkungsquerschnitt

Der differentielle Wirkungsquerschnitt $\dfrac{d\sigma}{d\Omega}$ gibt die Winkelverteilung von Strahlung oder von Teilchen an, die infolge einer Reaktion vom Target ausgesandt werden. $\dfrac{d\sigma(\vartheta)}{d\Omega} d\Omega$ ist die Wahrscheinlichkeit, daß ein Teilchen oder eine Welle in den Raumwinkel $d\Omega$ unter dem Winkel ϑ zur Einfallsrichtung emittiert wird. Der totale Wirkungsquerschnitt einer Reaktion ist das Winkelintegral über die differentiellen Wirkungsquerschnitte

$$\sigma = \int \frac{d\sigma}{d\Omega} d\Omega.$$

Als Maßeinheit für den Wirkungsquerschnitt verwendet man das Barn, abgekürzt b($1 \text{ b} = 10^{-24} \text{ cm}^2$). Der geometr. Querschnitt eines Kerns beträgt etwa 1 Barn, während der Wirkungsquerschnitt für den Einfang von Neutronen bei einigen Elementen bis zu 10^5 Barn beträgt.

Q-Werte

Der Q-Wert einer Reaktion ist die Differenz der Massen der beteiligten Kerne vor der Reaktion und nach der Reaktion, d.h., da der Masse nach der EINSTEINschen Beziehung $E = mc^2$ eine Energie entspricht, die bei der Reaktion verbrauchte oder freigewordene Energie. Reaktionen, bei denen Energie frei wird, d.h. bei denen die Massen der Anfangskerne größer sind als die der Endkerne, heißen **exotherm**, Reaktionen, bei denen Energie verbraucht wird, heißen **endotherm**. Bei exothermen Reaktionen wird die überschüssige Energie in kinet. Energie der fortfliegenden Teilchen oder in Anregungsenergie eines Reaktionsprodukts umgesetzt, die anschließend in Form von Gammastrahlung abgegeben wird.

Schwellenenergie

Bei endothermen Kernreaktionen muß das Geschoßteilchen die aufzuwendende Energie als kinet. Energie mitbringen. Die Schwellenenergie ist die minimale Energie des Geschoßteilchens, bei der eine Reaktion einsetzen kann. Sie muß etwas größer sein als der Q-Wert der Reaktion, da wegen der Erhaltung des Impulses beide Teilchen zusammen mit dem gleichen Impuls haben müssen wie vorher das Geschoßteilchen. Die Schwellenenergie nähert sich für sehr schwere Targetkerne dem Q-Wert.

Der Wirkungsquerschnitt einer endothermen Reaktion ist gleich 0 für Energien kleiner als die Schwellenenergie und steigt bei dieser rasch an.

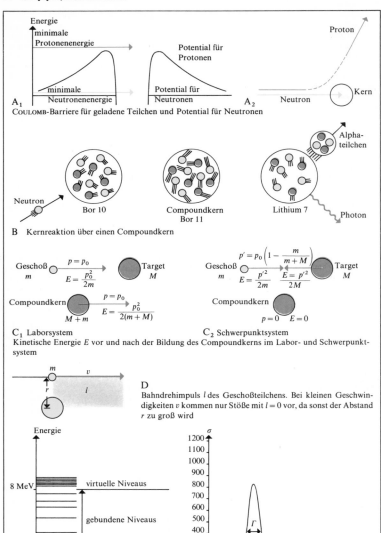

A_1 COULOMB-Barriere für geladene Teilchen und Potential für Neutronen

A_2

B Kernreaktion über einen Compoundkern

C_1 Laborsystem

C_2 Schwerpunktsystem

Kinetische Energie E vor und nach der Bildung des Compoundkerns im Labor- und Schwerpunktsystem

D Bahndrehimpuls l des Geschoßteilchens. Bei kleinen Geschwindigkeiten v kommen nur Stöße mit $l = 0$ vor, da sonst der Abstand r zu groß wird

E Energieschema eines Compoundkerns

F Gemessener Wirkungsquerschnitt von Indium gegen langsame Neutronen (3,85 eV-Resonanz)

COULOMB-Barriere

Sind die Geschoßteilchen elektrisch geladen, wie alle Atomkerne, so muß auch bei exothermen Kernreaktionen das Geschoß eine gewisse Mindestenergie haben, um die elektrostat. Abstoßung zu überwinden, die schon bei wesentlich größeren Entfernungen einsetzt als die anziehenden Kernkräfte. Diese abstoßende Kraft wird als positiver Potentialberg dargestellt. Da die Abstoßung mit dem Produkt der Ladungen von Target- und Geschoßteilchen wächst, verwendet man als Geschoßteilchen möglichst Kerne niedriger Ordnungszahl, also Protonen, Deuteronen ($Z = 1$), Alphateilchen ($Z = 2$, Heliumkerne) oder Neutronen ($Z = 0$). Neutronen haben keine COULOMB-Barriere und können daher auch bei sehr kleinen Energien noch reagieren.

Compoundkern

Bei den meisten Kernreaktionen wird aus dem Targetkern und dem Geschoß ein **Zwischenkern** gebildet, dessen Lebensdauer etwa um den Faktor 10^5 länger ist als die Zeit, die das Geschoßteilchen zur Durchquerung des Targetkerns benötigt. Die Zerfallsweise des Zwischenkerns oder Compoundkerns ist nicht durch seine Bildungsweise beeinflußt, d. h. er »vergißt«, wie er zustande kam. Seine Anregungsenergie setzt sich zusammen aus dem Massenüberschuß von Target- und Geschoßkern gegenüber dem Zwischenkern und der kinet. Energie der Kerne im Schwerpunktsystem. (Das Schwerpunktsystem ist dasjenige Koordinatensystem, dessen 0-Punkt sich mit dem gemeinsamen Schwerpunkt von Target- und Geschoßkern mitbewegt.)

Ein angeregter Zwischenkern kann normalerweise auf mehrere versch. Weisen gebildet werden und auf mehrere Weisen zerfallen. Die Bildungsweisen werden **Eingangskanäle** genannt, die Zerfallsweisen **Ausgangskanäle**.

Zur Bildung eines Zwischenkerns sind bes. gut Neutronen als Geschoßteilchen geeignet. Wegen der großen Bindungsenergie des Neutrons von etwa 8 MeV können auch Neutronen geringer Energie (< 1 eV) hochangeregte Zwischenkerne bilden, allerdings nur solche, bei denen sich der Kernspin von angeregtem Zwischenkern und Targetkern im Grundzustand um $\frac{\hbar}{2}$, dem Spin des Neutrons, unterscheiden. Höhere Differenzen der Drehimpulse sind erst bei höheren Geschoßenergien möglich, wo der Bahndrehimpuls (Masse mal Geschwindigkeit mal Minimalabstand) größer als $\hbar$ wird für Minimalabstände in der Größenordnung der Reichweite der Kernkräfte.

Gebundene und virtuelle Niveaus

Gebundene Niveaus eines Kerns nennt man solche, deren Anregungsenergie nicht ausreicht, um ein oder mehrere Nukleonen zu emittieren. Von angeregten gebundenen Niveaus zerfällt der Kern durch Gammazerfall in den Grundzustand. Virtuelle Niveaus eines Zwischenkerns sind die, deren Energie ausreicht, um mindestens ein Nukleon zu emittieren, auch wenn dieses durch Auswahlregeln verboten ist.

Niveaubreite und -Abstand

Nach der Unbestimmtheitsbeziehung entspricht einer Lebensdauer τ eines virtuellen Niveaus eine Energieunschärfe $\Gamma = \frac{\hbar}{\tau}$. Kann das Niveau in mehrere Ausgangskanäle zerfallen, so addieren sich die Niveaubreiten zu einer Gesamtbreite $\Gamma = \sum_K \Gamma_K$. Die Niveaubreiten virtueller Niveaus sind etwa von der Größe 1 eV. Sie nehmen mit wachsender Anregungsenergie zu, da erstens die Zahl der Ausgangskanäle zunimmt und zweitens die Lebensdauern der einzelnen Kanäle abnehmen.

Die Niveau-Abstände nehmen mit zunehmender Energie ab und betragen bei Anregungsenergien von etwa 8 MeV (Anregung durch langsame Neutronen) nur noch ca. 50 eV.

Resonanzquerschnitte

Ist die Reaktionsenergie, die Summe aus kinet. Energie im Schwerpunktsystem und der Bindungsenergie, gerade so groß, daß ein virtuelles Niveau im Compoundkern gebildet wird, so zeigt der Wirkungsquerschnitt bei dieser Energie eine scharfe Resonanzspitze. Für die Größe des Wirkungsquerschnitts in der Nähe der Resonanzenergie E_0 wurde von BREIT und WIGNER die Formel abgeleitet

$$\sigma(a,b) = \pi \cdot \lambda^2 (2l + 1) \frac{\Gamma_a \Gamma_b}{(E - E_0)^2 + \left(\frac{\Gamma}{2}\right)^2} .$$

$\sigma(a,b)$ ist der Wirkungsquerschnitt für die Absorption eines Teilchens a und die Emission eines Teilchens b, λ ist die DE-BROGLIE-Wellenlänge des Geschoßteilchens, l sein Bahndrehimpuls, Γ_a, Γ_b die Niveaubreiten für die Emission eines Teilchens a oder b und Γ die gesamte Niveaubreite.

Neutroneneinfang

Bei kleinen Neutronenenergien ist die Lebensdauer des Compoundkerns gegen Neutronenemission wesentlich größer als die gegen Gammaemission, da für das Photon wesentlich mehr Energie zur Verfügung steht als für das Neutron, dessen Bindungsenergie bei der Bildung des Compoundkerns frei wird. Daher eignet sich die Messung der Energieabhängigkeit des Neutronen-Einfang-Querschnitts zur Bestimmung von Niveaudichten und Niveaubreiten hochangeregter Kerne (Anregungsenergie = Bindungsenergie des Neutrons + kleine kinet. Energie). Besonders bei schweren Kernen findet man viele nahe beieinander liegende Resonanzen.

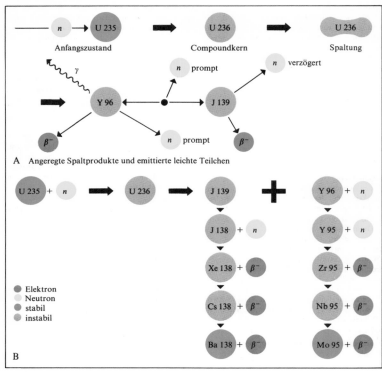

A   Angeregte Spaltprodukte und emittierte leichte Teilchen

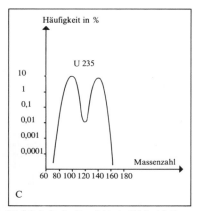

Beispiel einer angeregten Spaltung des U 235

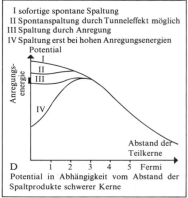

C   Häufigkeit der Spaltprodukte in Abhängigkeit von der Massenzahl bei thermischer Spaltung

D   Potential in Abhängigkeit vom Abstand der Spaltprodukte schwerer Kerne   Spaltungsschwelle

Bei der **Kernspaltung** zerfällt der Kern durch die Kernreaktion in große Bruchstücke, anstatt wie bei den sonstigen Kernreaktionen nur einzelne Nukleonen oder Alphateilchen zu emittieren.

Spontane Kernspaltung liegt dann vor, wenn der Kern ohne vorherige Absorption eines Teilchens spaltet. Sie ist nur möglich bei extrem schweren Kernen, da bei diesen die Bindungsenergie pro Nukleon kleiner ist als bei den entstehenden mittelschweren Kernen und die Spaltung daher ein exothermer Prozeß ist.

Angeregte Kernspaltung findet statt, wenn ein schwerer Kern ein anderes Teilchen, meistens ein Neutron, einfängt und der gebildete Compoundkern in Bruchstücke zerfällt. Dabei kann das eingefangene Neutron geringe Energie haben, da schon seine gewonnene Bindungsenergie ausreicht, um den Spaltungsprozeß anzuregen. Die bekannteste Reaktion dieser Art ist die Spaltung des **Uran 235** durch Neutronenabsorption

$$U\,235 + n \rightarrow U\,236 \rightarrow X + Y.$$

X und Y sind zwei mittelschwere Kerne, die Spaltbruchstücke, die im allgemeinen radioaktiv sind.

Da das Verhältnis von Neutronenzahl zu Protonenzahl bei schweren Kernen höher ist als bei leichten, werden normalerweise bei der Spaltung sofort Neutronen freigesetzt, die man als »**prompte Reaktionsneutronen**« bezeichnet.

Von den Spaltprodukten können innerhalb sehr kurzer Zeiten weitere Neutronen freigesetzt werden, die man als »**prompte Zerfallsneutronen**« bezeichnet. Nach der Emission der Neutronen zerfallen die Spaltprodukte weiter durch Betazerfälle mit versch. Halbwertszeiten und eventuell unter Emission weiterer Neutronen nach vorausgegangenen Betazerfällen. Die letzteren Neutronen, die erst nach den Betazerfällen mit meßbaren Halbwertszeiten emittiert werden, nennt man »**verzögerte Neutronen**«. Sie spielen eine sehr wichtige Rolle bei der Regelung von Kernreaktoren. Der Anteil der verzögerten Neutronen an der Gesamtzahl der bei einer Spaltung emittierten Neutronen beträgt etwa 2,5%.

Massenverteilung der Spaltprodukte

Bei der Kernspaltung entstehen i. a. zwei Spaltprodukte unterschiedl. Masse: eins mit einer Massenzahl von etwa 95 bis 100 und ein zweites mit einer Masse von etwa 135 bis 140. Die symmetr. Massenverteilung der Spaltprodukte, bei der beide Spaltprodukte eine Massenzahl von etwa 118 (Spaltung von U 235) haben, ist wesentlich seltener. Nur 0,1% der Spaltungen sind symmetrisch, während 6,6% der U-235-Spaltungen als primäre Spaltprodukte J 139 und Y 96 bilden.

Eine Spaltung in 3 Bruchstücke, die sogenannte »ternäre Spaltung«, ist äußerst selten, sie tritt nur etwa 5mal unter einer Million Spaltungen auf.

Die technisch ausgenutzten Spaltungsreaktionen sind die Spaltung von Uran 235 und Plutonium 239 durch langsame (thermische) Neutronen und die Spaltung von Uran 238 durch schnelle Neutronen. Die Anzahl der freigesetzten Neutronen beträgt im Mittel:

2,5 für therm. Spaltung von U 235
2,55 für schnelle Spaltung von U 238
3,0 für therm. Spaltung von Pu 239.

Energiebilanz

Bei der Spaltung eines Urankerns werden erhebliche Energiemengen frei, da die Bindungsenergie eines Kerns mit der Massenzahl 120 etwa 8,5 MeV pro Nukleon beträgt, die eines Kerns mit der Massenzahl 240 jedoch nur 7,6 MeV pro Nukleon. Es werden daher 0,9 MeV pro Nukleon, d. h. bei 235 Nukleonen 210 MeV pro Spaltung frei. Davon entfallen etwa 85% auf die kinet. Energie der Spaltprodukte, die zur Erwärmung des spaltbaren Materials führt, und 15% auf die Anregungsenergie der Bruchstücke, die zur Emission von Betateilchen, Gammastrahlung und Antineutrinos führt, sowie auf die kinet. Energie der Neutronen.

Spaltungsschwelle

Trotz der sehr hohen frei werdenden Energie bei der Spaltung schwerer Kerne ist die spontane Spaltung sehr selten, d. h. die Halbwertszeit gegen spontane Spaltung ist lang. Schwere Kerne zerfallen spontan wesentlich schneller durch Alphazerfall. Das liegt daran, daß die Teilkerne durch die starken Kernkräfte mit kurzer Reichweite zusammengehalten werden und durch die elektrostat. Kräfte mit langer Reichweite auseinandergedrückt werden. Um auf einen mittleren Abstand außerhalb der Kernkräfte, aber weit innerhalb der elektr. Kräfte zu kommen, müssen die Kerne daher Energie aufbringen, was durch ein Potentialmaximum dargestellt wird. Beim Uran 235 reicht die Bindungsenergie des Neutrons gerade aus, um den Potentialberg zu überwinden, beim Uran 238 nicht; der Compoundkern U 239 zerfällt daher nicht durch Spaltung, wenn das Neutron nicht mindestens 1,2 MeV kinet. Energie hat. Kerne mit Massenzahlen von etwa 200 können nur durch Anregung mit sehr hoher Energie gespalten werden.

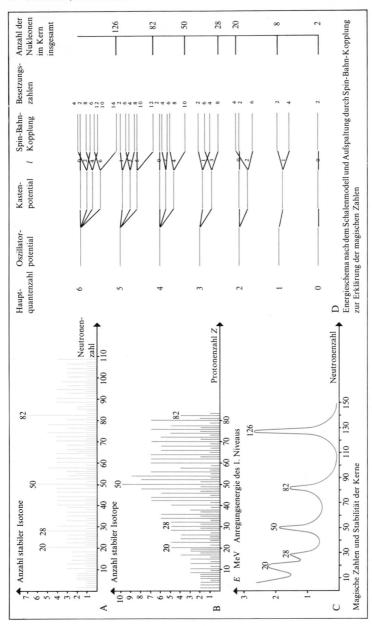

A Anzahl stabiler Isotone

B Anzahl stabiler Isotope

C Magische Zahlen und Stabilität der Kerne

D Energieschema nach dem Schalenmodell und Aufspaltung durch Spin-Bahn-Kopplung zur Erklärung der magischen Zahlen

Anzahl der Kerne gleicher Neutronenzahl —— Anzahl der Kerne gleicher Protonenzahl —— Anregungsenergie

Kernmodelle

Kernmodelle dienen dazu, die Eigenschaften und Struktur der Atomkerne theoretisch zu behandeln. Selbst wenn man die Kernkräfte genau kennen würde, wäre eine exakte mathemat. Behandlung eines Kerns nicht möglich, wenn er aus mehr als zwei Teilchen besteht, ebenso wie die Bewegung dreier Himmelskörper theoretisch nur näherungsweise (wenn auch in beliebig guter Näherung) berechnet werden kann.

Kein Kernmodell kann alle beobachteten Meßergebnisse gleichzeitig mit guter Genauigkeit erklären, sondern jedes ist in seiner Gültigkeit auf einen begrenzten Anwendungsbereich beschränkt, beispielsweise auf Reaktionen bei niedrigen Energien, auf die Erklärung der Bindungsenergie oder ähnliches.

Die Modelle lassen sich in zwei Klassen einteilen:
1. Modelle schwacher Wechselwirkung zwischen den Nukleonen **(independent particle models)**: Die Nukleonen bewegen sich nahezu unabhängig voneinander in einem gemeinsamen Potentialfeld.
2. Modelle starker Wechselwirkung **(strong interaction models)**: Die Bewegung der Nukleonen ist stark mit der Bewegung aller anderen Nukleonen im Kern gekoppelt.

In allen Kernmodellen wird die Bewegung der Nukleonen als nicht relativistisch betrachtet, d. h. ihre Geschwindigkeit ist wesentlich kleiner als die Lichtgeschwindigkeit (ca. $\frac{1}{10} \cdot c$).

In allen Fällen ist für die Berechnung der Nukleonenbewegung die Quantenmechanik anzuwenden, da das Produkt aus dem Impuls der Nukleonenbewegung und der Entfernung, in der sich das Kernpotential wesentlich ändert, in der Größenordnung von $\hbar$ liegt.

Das Schalenmodell

Das Schalenmodell wurde in Analogie zur Struktur der Elektronenschalen der Atomhülle aufgestellt. Es ist ein Modell schwacher Wechselwirkung. Es wird dabei angenommen, daß sich die Nukleonen in »Schalen« anordnen, die $2 \cdot (2l+1)$ Nukleonen enthalten, wobei l eine ganze Zahl ist. Zu den Schalen der Elektronen im Atom bestehen allerdings wesentliche Unterschiede:
1. die Bindungsenergie ist für die verschiedenen Schalen etwa gleich groß;
2. es existiert kein gemeinsames Kraftzentrum, sondern ein Potentialminimum einer Tiefe, die proportional zur Dichte der Kernmaterie ist;
3. es besteht starke Wechselwirkung zwischen Spin und Bahndrehimpuls der einzelnen Nukleonen.

Magische Zahlen

Kerne, deren Protonenzahl Z oder Neutronenzahl N eine der magischen Zahlen 2, 8, 20, 28, 50 oder 126 beträgt, haben eine bes. hohe Bindungsenergie, sind also bes. stabil. Man nimmt an, daß bei diesen eine

Schale vollständig gefüllt ist, ähnlich wie bei den Edelgasen die Elektronenschalen. Die Häufigkeit der Isotope von Kernen mit magischen Neutronenzahlen übertrifft weit diejenige der anderen Isotope eines beliebigen Elements, ebenso ist die Anzahl der Isotope eines Elements mit magischer Protonenzahl immer größer als die benachbarter Elemente. Die niedrigste mögliche Anregungsenergie von gg-Kernen mit magischer Neutronenzahl ist wesentlich höher als die von anderen Kernen ähnlicher Größe. Alle diese Erscheinungen sind ähnlich wie beim Periodensystem der Elemente; es liegt daher nahe, bei den Kernen einen ähnlichen Effekt zu vermuten wie die Auffüllung von Schalen in der Elektronenhülle.

Potentialansätze

Für Rechnungen benutzt man im wesentlichen zwei Potentialformen:
1. das Kastenpotential
$$V = -V_0 \quad \text{für} \quad r \leqq a,$$
$$V = 0 \quad \text{für} \quad r > a;$$
2. das harmonische Oszillatorpotential
$$V = V_0 \cdot r^2.$$

Mögliche Energiezustände sind in beiden Fällen gekennzeichnet durch die **Hauptquantenzahl** n, die **Drehimpulsquantenzahl** l mit der Bedingung $l \leqq n$ und l gerade, wenn n gerade, l ungerade, wenn n ungerade, und eine weitere Quantenzahl m mit der Bedingung $|m| \leqq |l|$ (m kann negativ sein). Die Energie ist im wesentlichen abhängig von der Hauptquantenzahl, und zwar bedeutet sie beim Atom: kleines $n \to$ feste Bindung. Jeder Zustand kann von zwei Protonen und zwei Neutronen, jeweils mit umgekehrtem Spin, besetzt sein. Die nach diesem Modell möglichen Besetzungszahlen der einzelnen Schalen (eine Schale ist durch eine Hauptquantenzahl n gekennzeichnet) erklären nur die untersten magischen Zahlen, nicht jedoch die höheren.

Die beobachteten magischen Zahlen erhält man durch die zusätzl. Annahme einer anziehenden Spin-Bahndrehimpuls-Kraft, welche bewirkt, daß die Energie des Teilchens mit dem höchsten Drehimpuls bei gegebener Hauptquantenzahl so niedrig liegt, daß sie in das Gebiet der nächstniedrigeren Schale fällt. Der Drehimpuls ist die Vektorsumme aus Bahndrehimpuls und Spin und daher gleich $l \pm \frac{1}{2}$. Die untersten Schalen bestehen dann aus allen Teilchen einer Hauptquantenzahl, die oberen Schalen aus den Teilchen einer Hauptquantenzahl bis auf das mit dem größten Drehimpuls und dazu die Teilchen der nächsthöheren Hauptquantenzahl mit dem höchsten Drehimpuls.

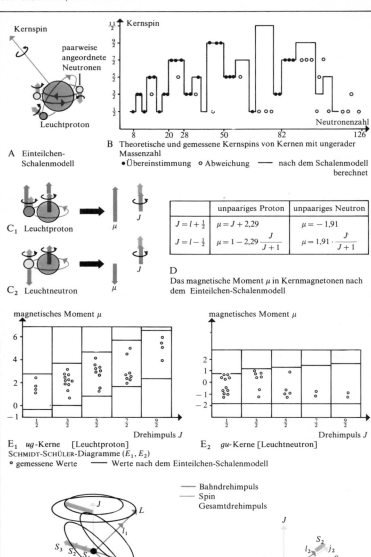

A Einteilchen-Schalenmodell

B Theoretische und gemessene Kernspins von Kernen mit ungerader Massenzahl
● Übereinstimmung   ○ Abweichung   —— nach dem Schalenmodell berechnet

C₁ Leuchtproton

C₂ Leuchtneutron

	unpaariges Proton	unpaariges Neutron
$J = l + \frac{1}{2}$	$\mu = J + 2{,}29$	$\mu = -1{,}91$
$J = l - \frac{1}{2}$	$\mu = 1 - 2{,}29 \dfrac{J}{J+1}$	$\mu = 1{,}91 \cdot \dfrac{J}{J+1}$

D Das magnetische Moment μ in Kernmagnetonen nach dem Einteilchen-Schalenmodell

E₁ ug-Kerne [Leuchtproton]
SCHMIDT-SCHÜLER-Diagramme (E₁, E₂)
○ gemessene Werte   —— Werte nach dem Einteilchen-Schalenmodell

E₂ gu-Kerne [Leuchtneutron]

—— Bahndrehimpuls
—— Spin
Gesamtdrehimpuls

F₁ L-S-Kopplung
Spins und Bahnimpulse präzessieren getrennt um S bzw. L und diese um J

F₂ j-j-Kopplung
Spin und Bahnimpuls des einzelnen Nukleons setzen sich zu j zusammen, die j präzessieren um J

Einteilchen-Schalenmodell

Beim Einteilchen-Schalenmodell wird angenommen, daß Neutronen und Protonen jeweils getrennt paarweise so angeordnet sind, daß der Drehimpuls eines Paares verschwindet. Der Kernspin ist dann bei gg-Kernen gleich 0, bei gu- bzw. ug-Kernen gleich dem gesamten Drehimpuls des restlichen Nukleons, das man als Leuchtnukleon bezeichnet. Dieses besetzt jeweils den Zustand mit der niedrigsten Energie, die noch frei ist, also nach dem Schalenmodell den mit dem größten möglichen Drehimpuls. Nach diesem Modell kann man den Spin und das magnetische Moment der Kerne im Grundzustand berechnen. Man findet unter allen stabilen Kernen 24 Ausnahmen, bei denen die Voraussagen des Kernspins nicht erfüllt werden, vor allem bei Kernen hoher Masse und Ordnungszahl, die stark von der Kugelgestalt abweichen, die im Modell vorausgesetzt wurde.

Das **magnetische Moment** der Kerne setzt sich aus dem Eigenmoment der Nukleonen, das mit dem Spin gekoppelt ist, und bei Protonen dem Moment, das dem Kreisstrom der Bahn entspricht, zusammen. Es ist durch den Drehimpuls nach dem Schalenmodell für unpaarige Protonen und Neutronen eindeutig berechenbar (s. Abb. D). Die Kurven des magnet. Moments gegen den Drehimpuls bezeichnet man als SCHÜLER-SCHMIDT-Diagramm.

Experimentell findet man, daß die wirklichen magnet. Momente nicht auf den SCHÜLER-SCHMIDT-Linien liegen, sondern dazwischen. Das bedeutet, daß das Einteilchen-Schalenmodell zur Erklärung der magnet. Momente nicht ausreicht. Am besten ist es erfüllt für Kerne, die genau ein Nukleon mehr als eine magische Zahl haben; für sie ist also offenbar die Voraussetzung des inaktiven abgesättigten inneren Kerns gut erfüllt.

Außer den Spins und magnet. Momenten der Kerne im Grundzustand kann man nach dem Einteilchen-Schalenmodell noch die folgenden Größen ausrechnen: $f\tau$-Werte beim Betazerfall (s. S. 80 ff.) unter der Voraussetzung, daß das zerfallende Nukleon das Leuchtnukleon ist, Kern-Quadrupolmomente unter der Annahme, daß der innere Kern kugelförmig ist und daher kein Quadrupolmoment hat, und Multipol-Übergangswahrscheinlichkeiten zur Aussendung von Gammastrahlung. Bei diesen Werten findet man jedoch wesentlich schlechtere Übereinstimmung mit den gemessenen Werten. Daraus muß gefolgert werden, daß das Einteilchen-Schalenmodell insbesondere zur Beschreibung angeregter Zustände zu grob ist.

Vielteilchen-Schalenmodell

Es wird angenommen, daß sich die Drehimpulse der Nukleonen nicht jeweils paarweise aufheben, sondern daß dies nur in den abgeschlossenen Schalen geschieht. In den nicht voll besetzten Energieniveaus treten alle Nukleonen miteinander in Wechselwirkung, wodurch das nicht voll besetzte Niveau in Unterniveaus aufgespalten wird.

Bei der Wechselwirkung der Nukleonen in der nicht gefüllten Schale gibt es zwei Möglichkeiten:

1. *L-S-Kopplung:* Alle Bahndrehimpulse setzen sich zu einem gequantelten Bahndrehimpuls zusammen, zu dem sich wieder der aus allen Spins zusammengesetzte Gesamtspin gequantelt einstellt. Das würde eintreten, wenn die Kräfte zwischen zwei Nukleonen nur von ihrem gegenseitigen Abstand abhängen.

2. *J-J-Kopplung:* Jedes Teilchen setzt für sich den Bahndrehimpuls und den Spin zusammen zum Gesamtdrehimpuls, und die Drehimpulse aller Teilchen addieren sich gequantelt zum Gesamtdrehimpuls. Dieser Ansatz setzt Tensorkräfte voraus.

Die beste Übereinstimmung mit gemessenen angeregten Energieniveaus sowie mit gemessenen magnet. Momenten ergibt das Schalenmodell mit intermediärer Kopplung, das davon ausgeht, daß sowohl Zentral- als auch Tensorkräfte zwischen zwei Nukleonen wirken.

Reichweiten

Auch für die Reichweiten der Kernkräfte zwischen zwei Nukleonen kann man zwei verschiedene Ansätze machen, nämlich

1. δ-Kräfte: Es wird angenommen, daß die Reichweite sehr kurz ist und daher das Wechselwirkungspotential durch die sog. δ-Funktion dargestellt werden kann, die gleich 0 ist, wenn beide Nukleonen sich an versch. Orten im Kern befinden, und unendlich, wenn sie sich am gleichen Ort befinden. Das Integral über die δ-Funktion hat einen endlichen Wert.

2. Kräfte großer Reichweite, die über den ganzen Kern wirken.

Die besten Ergebnisse ergibt das Schalenmodell mit einer Mischung aus beiden Möglichkeiten, wobei die Kräfte kurzer Reichweite überwiegen.

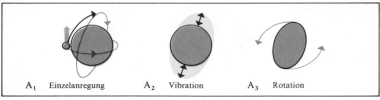

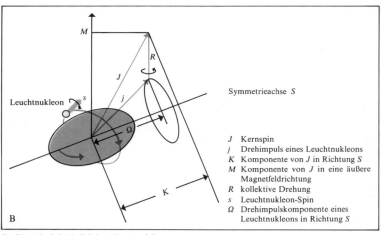

Anregungszustände des Kerns

A_1 Einzelanregung A_2 Vibration A_3 Rotation

Symmetrieachse S

J Kernspin
j Drehimpuls eines Leuchtnukleons
K Komponente von J in Richtung S
M Komponente von J in eine äußere Magnetfeldrichtung
R kollektive Drehung
s Leuchtnukleon-Spin
Ω Drehimpulskomponente eines Leuchtnukleons in Richtung S

B

Drehimpulse beim kollektiven Kernmodell

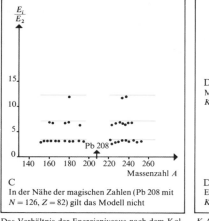

C
In der Nähe der magischen Zahlen (Pb 208 mit $N = 126$, $Z = 82$) gilt das Modell nicht

Das Verhältnis der Energieniveaus nach dem Kollektivmodell und gemessen

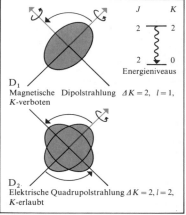

D_1
Magnetische Dipolstrahlung $\Delta K = 2$, $l = 1$, K-verboten

D_2
Elektrische Quadrupolstrahlung $\Delta K = 2$, $l = 2$, K-erlaubt

K-Auswahlregel

Das **Kollektivmodell** ist eine Erweiterung des Schalenmodells, bei der berücksichtigt wird, daß der innere Kern sehr stark von der Kugelform abweichen kann und damit auch das Potential, durch das die Bewegung der Leuchtnukleonen bestimmt wird. Dadurch gibt es außer den angeregten Zuständen der Leuchtnukleonen weitere Anregungsmöglichkeiten des Kerns, nämlich **Vibrationen** und **Rotationen des inneren Kerns,** die etwa den angeregten Molekülzuständen durch Vibration und Rotation der Atomschwerpunkte im Molekül entsprechen, während die Leuchtnukleonen-Anregungen vergleichbar sind mit einer Elektronenanregung im Molekülspektrum.

Zum Unterschied von Molekülspektren sind jedoch bei Atomkernen die Energiedifferenzen von Rotationsanregungen, Schwingungsanregungen und Anregungen eines einzelnen Leuchtnukleons alle in derselben Größenordnung. Einzelanregungen bestimmen die Spektren im wesentlichen in der Nähe aufgefüllter Schalen, d. h. magischer Zahlen, kollektive Vibrationen überwiegen, wenn mehrere Nukleonen außerhalb einer gefüllten Schale liegen und Rotationsspektren herrschen bei solchen Kernen vor, die nach beiden Richtungen weit entfernt von einer magischen Zahl sind.

Bei **Rotationsspektren** liegt das zweite gemessene Anregungsniveau bei einer Energie von $\frac{10}{3}$ des ersten Niveaus. Diese Spektren werden durch die Annahme erklärt, daß ein deformierter sphäroidförmiger (zigarrenförmiger) Körper um eine Achse senkrecht zu seiner Symmetrieachse rotiert.

Mit der Annahme eines deformierten Kerns stimmen auch die großen gemessenen elektr. Quadrupolmomente des Kerns überein. Im Feld des deformierten Kerns ist der Drehimpuls j eines einzelnen Leuchtnukleons nicht mehr eine Erhaltungsgröße, sondern nur noch seine Projektion Ω auf die Symmetrieachse, um die er präzessiert. Der gesamte Kernspin J setzt sich vektoriell zusammen aus der Summe der Leuchtnukleonen-Drehimpulse j und der Drehung k des gesamten deformierten Kerns. Er ist, genau wie seine Projektion K auf die Symmetrieachse und seine Komponente M in Richtung eines äußeren Magnetfeldes (z. B. der äußeren Elektronenhülle), eine Erhaltungsgröße und für einen bestimmten quantenmechan. Zustand eindeutig definiert.

Niveauenergien
Nach der Quantenmechanik sind die Energieniveaus eines rotierenden Körpers vom Trägheitsmoment I durch die Formel

$$E = \frac{\hbar^2}{2I} \cdot J \cdot (J + 1)$$

gegeben, wobei J die Quantenzahl des Drehimpulses ist. Mit den experimentell gefundenen Energieniveaus von Kernen, auf die das Modell anwendbar ist, ergeben sich keine Übereinstimmungen, wenn der Kern wie ein starrer deformierter Körper rotiert,

dagegen erhält man gute Übereinstimmung durch die Vorstellung, daß sich der Kern verhält wie eine ideale reibungslose Flüssigkeit in einem rotierenden ellipsoidförmigen Gefäß. Nach dieser Vorstellung ist das Trägheitsmoment

$$I = \tfrac{2}{5} A M_n \cdot (\Delta R)^2$$

wenn A die Massenzahl, M_n die Masse eines Nukleons und ΔR der Unterschied zwischen großer und kleiner Halbachse des Ellipsoids ist. Wegen der axialen Symmetrie können gg-Kerne keine Energiezustände ungerader Parität haben, d. h. keine Zustände mit ungeradem Drehimpuls J. Dadurch sind genau die Energieniveaus

$$E_2 = \frac{3\hbar^2}{I}, E_4 = \tfrac{10}{3} E_2, E_6 = 7 E_2$$

als angeregte Zustände möglich, die man mit den Gammaspektren gemessen hat.

Quadrupolmomente
Aus den Intensitäten versch. Gammalinien eines angeregten Kerns kann man die elektr. Quadrupolmomente bestimmen, da von ihnen die Übergangswahrscheinlichkeit eines Gammazerfalls mit elektr. Quadrupolstrahlung abhängt (s. S. 88 ff.). Der dabei gemessene Wert ist die mittlere Asymmetrie der Ladungsdichte des Kerns, während ihre Theorie das intrinsische Quadrupolmoment voraussagt, das man nur dann messen würde, wenn der Drehimpuls immer in Richtung der Symmetrieachse zeigen würde. Das gemessene mittlere Quadrupolmoment ist stets kleiner als das intrinsische. Aus gemessenen Werten berechnet man nach dem Kollektivmodell ein Verhältnis von großer zu kleiner Halbachse des Kerns von 1,3 : 1.

K-Auswahlregel
In den Gammaspektren der angeregten Kerne beobachtet man, daß für einen bestimmten Übergang elektr. Quadrupolstrahlung und magnet. Dipolstrahlung mit etwa gleicher Intensität auftreten, obwohl Dipolstrahlung eigentlich bevorzugt sein müßte. Nach dem Kollektivmodell muß die Strahlung jedoch außer der nach allen Modellen geforderten Drehimpulsauswahlregel (s. S. 89)

$$|J_2 - J_1| \leq l \leq J_2 + J_1$$

noch die K-Auswahlregel erfüllen:

$$\Delta K = |K_2 - K_1| \leq l,$$

wobei K die Komponente des Drehimpulses in Richtung der Symmetrieachse ist. Diese Regel gilt nicht streng, es kommen auch Übergänge vor, für die $V = \Delta K - 1$ größer als 0 ist, jedoch ist die Übergangswahrscheinlichkeit etwa um den Faktor 100^V seltener als bei erfüllter K-Auswahlregel. Diese Übergänge heißen V-fach K-verboten.

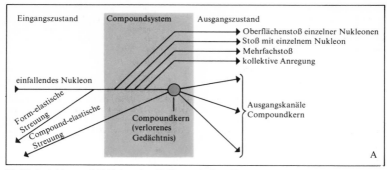

Die Wechselwirkungsmöglichkeiten eines Nukleons mit einem Kern

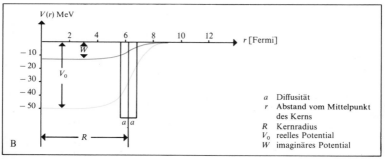

WOODS-SAXON-Potential

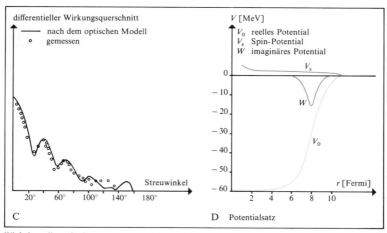

Winkelverteilung der Streuung von Neutronen mit 14 MeV an Wismut

Das **optische Kernmodell** dient dazu, die Wirkungsquerschnitte für Kernreaktionen theoretisch zu erklären und zu berechnen. Es ist eine Synthese zwischen dem Schalenmodell, nach dem ein in den Kern eintretendes Nukleon sich unabhängig von den einzelnen Nukleonen im Potential des ganzen Kerns bewegt und dadurch keine Energie abgeben kann, und der Vorstellung des Compoundkerns, nach der jedes in den Kern eintretende Nukleon sofort seine Energie unter allen anwesenden Nukleonen aufteilt und seine Identität verliert.

Nach dem Schalenmodell würde ein einfallendes Nukleon nicht absorbiert werden können; das Potential würde auf die ψ-Wellen wirken wie ein reeller Brechungsindex in der Optik, der nur eine Streuung bewirkt. Umgekehrt entspricht der Compoundkernvorstellung ein rein imaginärer Brechungsindex, wie er in der Optik bei Metallen vorkommt.

Beim opt. Kernmodell wird angenommen, daß der Kern ein komplexes Potential besitzt, analog zum Brechungsindex eines durchscheinenden Materials in der Optik. Es ist also sowohl der opt. Brechung analoge Streuung möglich wie auch Einfang und Bildung eines Compoundkerns, der unabhängig von seiner Bildungsweise zerfällt. Das Potential wird geschrieben:

$$V(r) = -(V_0 + iW).$$

Es ist negativ, weil der Kern das Nukleon anzieht. Der reelle Anteil V_0 und der imaginäre W (Absorption) sind ihrerseits noch vom Ort im Kern abhängig. Man versucht, aus den experimentellen Daten für Streuung und Absorption die Größen V_0 und W sowie ihre Ortsabhängigkeit zu berechnen. Für die Ortsabhängigkeit macht man nach WOODS und SAXON den Ansatz

$$V(r) = \frac{V_0 + iW}{1 + e^{\frac{r-R}{a}}},$$

wobei jetzt V_0 und W konstant sind, R der Radius des Kerns und a ein weiterer offener Parameter ist, der die Breite der diffusen Randzone des Kerns angibt. Dabei ist W etwa gleich $\frac{1}{4} V_0$. Um die spinabhängige Wechselwirkung zu berücksichtigen, erweitert man nach THOMAS den Potentialansatz von WOODS und SAXON noch um ein komplexes Zusatzpotential der Form

$$(V_s + iW_s) \cdot (\vec{s} \cdot \vec{l}),$$

wobei das Symbol $(\vec{s} \cdot \vec{l})$ die Größe des aus Spin- und Bahndrehimpuls-Vektor gebildeten Parallelogramms angibt. Mit den sechs Parametern V_0, W, V_s, W_s, R und a kann man fast alle experimentellen Daten der Winkelverteilungen von elast. und inelast. Streuungen und Kernreaktionen befriedigend genau beschreiben.

Mehrdeutigkeiten

Die beiden Parameter V_0 und R lassen sich aus den gemessenen Winkelverteilungen nicht eindeutig bestimmen. Erhöht man nämlich einen der Parameter

und verkleinert den anderen, so daß das Produkt $V_0 \cdot R^2$ konstant bleibt, so wird die Lage der Maxima und Minima der Winkelverteilung im Schwerpunktsystem kaum beeinflußt, d. h. die Größe der einzelnen Parameter ist aus den Messungen nicht zu entnehmen, sondern nur das Produkt Querschnittsfläche mal Potentialtiefe.

Eine weitere Mehrdeutigkeit kommt dadurch zustande, daß die experimentell gemessenen Werte nicht dieselben sind, die aus dem opt. Modell berechnet werden.

Der gemessene elast. Wirkungsquerschnitt ist nämlich im opt. Modell aus zwei Anteilen zusammengesetzt, dem form-elastischen Querschnitt (Streuung durch den reellen Potentialanteil) und dem compound-elastischen Querschnitt (Zerfall des Compoundkerns in den Eingangskanal). Ebenso kann nur der Reaktionsquerschnitt gemessen werden, d. h. die Anzahl der wirklichen Reaktionen, bei denen sich Ausgangs- und Eingangskanal unterscheiden, während nach dem opt. Modell der Wirkungsquerschnitt für die Bildung eines Compoundkerns berechnet wird, also unter Einschluß der Möglichkeit, daß dieser in den Eingangskanal zerfällt.

Geladene Teilchen

Bei der Berechnung der Wirkungsquerschnitte für geladene Teilchen kommt zum normalen reellen Anteil des Potentials noch das elektrostat. Potential $e \cdot \varphi(r)$ hinzu, das die Ergebnisse gut beschreibt, wenn man gleichmäßige Ladungsverteilung im Kern annimmt.

Größe der Parameter

Das **reelle Potential** nach dem opt. Modell ist gleich groß, wie es nach den experimentellen Ergebnissen aus dem Schalenmodell folgt.

Das **imaginäre Potential** nimmt mit wachsender Energie zu und ist anscheinend nur an der Kernoberfläche wesentlich von 0 verschieden.

Der **Radius** hat eine Größe von etwa 1,3 Fermi mal $A^{\frac{1}{3}}$.

Die **Dicke** der diffusen Oberfläche beträgt etwa 0,5 Fermi.

Das **imaginäre spinabhängige Potential** ist sehr klein oder gleich 0.

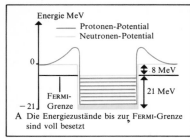

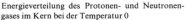

A Die Energiezustände bis zur FERMI-Grenze sind voll besetzt

Energieverteilung des Protonen- und Neutronengases im Kern bei der Temperatur 0

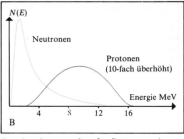

B

Energiespektrum verdampfter Protonen und Neutronen

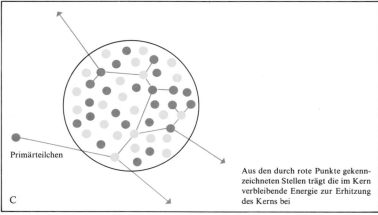

Aus den durch rote Punkte gekennzeichneten Stellen trägt die im Kern verbleibende Energie zur Erhitzung des Kerns bei

C

Anregung eines Kerns durch ein hochenergetisches Teilchen und direkt emittierte Nukleonen

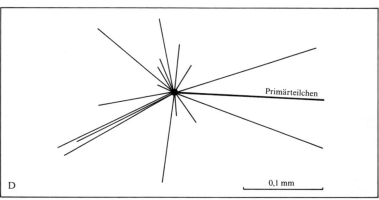

D

Nukleonenverdampfung durch einen Kern in einer photographischen Emulsion

Bei hohen Anregungsenergien der Kerne sind die möglichen Energiezustände so zahlreich, daß eine ins einzelne gehende Analyse nicht möglich ist, so daß man nur noch statist. Aussagen machen kann wie in der Thermodynamik, wo man auch nicht die Bewegung jedes einzelnen Moleküls verfolgen kann.

Die Ergebnisse statist. Überlegungen können nur dann zu vernünftigen Aussagen führen, wenn eine genügend große Anzahl von Teilchen beteiligt ist. Das statist. Gasmodell gilt daher nur für schwere Kerne mit $A > 50$ bei so hohen Anregungsenergien, daß viele der Nukleonen angeregt sein können.

Wie in der Thermodynamik benutzt man Begriffe wie die Temperatur, die Entropie und die Wärmekapazität.

Die **Entropie** S ist, genau wie in der Thermodynamik, der Logarithmus der Anzahl der möglichen Zustände in einem Energiebereich: $S = k \cdot \ln n$. Sie ist von der Anregungsenergie abhängig.

Die **Temperatur** T des Kerns definiert man ebenfalls ganz analog zur Temperatur eines Gases durch

$$\frac{1}{T} = \frac{\partial S}{\partial E}.$$

Sie wird meistens in MeV angegeben, wobei 1 MeV $1,16 \cdot 10^{10}$ Kelvin entspricht. Die **Wärmekapazität** ist die Temperaturerhöhung pro Anregungsenergie.

Sowohl Neutronen wie Protonen folgen jedes für sich der FERMI-Statistik, nach der nicht zwei Teilchen denselben Zustand besetzen dürfen, die Gesamtzahl der Teilchen also eine Mindestenergie haben muß, bei der alle unteren möglichen Zustände besetzt sind. Diese nennt man die **Ruhenergie**.

Enthält der Kern nur seine Ruhenergie, so ist die Temperatur gleich 0. Die Wärmekapazität des Kerns wird wie die Wärmekapazität des Elektronengases in Metallen berechnet und ist bei kleinen Temperaturen, das heißt bei Anregungsenergien von wenigen MeV, proportional zur Temperatur mit einer etwas versch. Proportionalitätskonstanten für das Neutronen- und Protonengas.

Nach diesem Ansatz kann man die Abhängigkeit der Temperatur, der Entropie und damit der Dichte der Zustände von der Anregungsenergie berechnen. Die Ergebnisse stimmen etwa in der Größenordnung mit den gemessenen Niveaudichten schwerer Kerne überein; größere Genauigkeit ist wegen der einfachen Annahmen nicht zu erwarten.

Nukleonenverdampfung

Gute Ergebnisse lassen sich mit dem Modell bei der Berechnung der Energieverteilung emittierter Nukleonen aus hochangeregten Kernen erzielen. Den angeregten Kern stellt man sich dabei als erhitztes Gasgemisch von Protonen und Neutronen vor, bei dem die Geschwindigkeitsverteilung aus der FERMI-Statistik bekannt ist.

Multipliziert man die Geschwindigkeitsverteilung mit der Wahrscheinlichkeit, den Potentialberg am Rand des Kerns zu überwinden, so erhält man das Spektrum der emittierten Protonen und Neutronen. Charakteristisch ist dabei, daß wegen der fehlenden elektr. Wechselwirkung wesentlich mehr Neutronen als Protonen emittiert werden, die Energie der Neutronen aber im Mittel sehr viel kleiner ist als die der Protonen.

Bei Kernreaktionen mit sehr hoher Energie kommt es zur Bildung eines sogenannten »Sterns«. Der Ausdruck kommt von dem Bild einer solchen Reaktion in einem photograph. Film, in dem sich die Bahnen der geladenen Teilchen als Spuren abzeichnen.

Die dabei emittierten Teilchen stammen aus zwei verschiedenartigen Prozessen:

1. Das hochenerget. Teilchen ($E > 200$ MeV) reagiert nur mit einem oder mehreren einzelnen Nukleonen, auf die es einen Teil seiner Energie überträgt. Dabei können auch einzelne Elementarteilchen (z. B. Pi-Mesonen) erzeugt werden, die den Kern verlassen. Das Primärteilchen verläßt den Kern normalerweise mit einem großen Teil seiner Anfangsenergie.

2. Die gestoßenen Nukleonen verteilen, sobald sie eine Energie von weniger als 30 MeV haben, diese gleichmäßig auf den ganzen Kern, der sich dabei erhitzt. Die Energie wird durch Verdampfung von mehreren Nukleonen abgegeben.

Der erste Prozeß dauert nur etwa 10^{-22} Sekunden, die Zeit, die das hochenerget. Teilchen zur Durchquerung des Kerns benötigt. Über die dabei entstehenden Teilchen und ihre Energie kann man nur statist. Aussagen machen, wenn man die Wirkungsquerschnitte für Wechselwirkungen einzelner Nukleonen kennt.

Der zweite Prozeß dauert etwa 10^{-16} Sekunden, also eine Million mal so lange. Das Spektrum der verdampften Nukleonen wird durch das statist. Modell gut vorausgesagt.

thermische
Neutronen

Target (flüssiger
Wasserstoff oder Wasser)

Einfanggamma

Halbleiter
Gammaspektrometer

A

Messung der Bindungsenergie des Deuterons

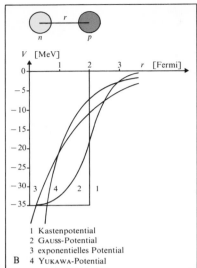

1 Kastenpotential
2 GAUSS-Potential
3 exponentielles Potential
B   4 YUKAWA-Potential

Potentialansätze für das Deuteron

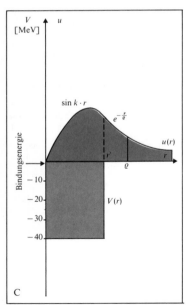

V [MeV] u

$\sin k \cdot r$

$e^{-\frac{r}{\varrho}}$

$u(r)$

Bindungsenergie

$V(r)$

C

Wellenfunktion u, Bindungsenergie und
Durchmesser ϱ nach dem Kastenpotentialansatz

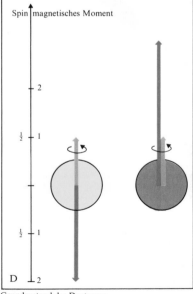

Spin magnetisches Moment

D

Grundzustand des Deuterons

Das Deuteron

Das Deuteron ist ein schweres Isotop des Wasserstoffs mit der Massenzahl $A=2$. Es besteht also aus einem Proton und einem Neutron und ist stabil. In der Natur bestehen 0,015% der Atome des Wasserstoffs aus Deuterium, dem Wasserstoff, der ein Deuteron als Kern hat.

Für die Kernphysik ist das Deuteron von großer Bedeutung, da es der einzige stabile Kern ist, der genau aus zwei Nukleonen besteht, so daß bei seiner theoret. Behandlung nicht die zusätzl. Schwierigkeit auftritt, daß man Systeme von drei oder mehr untereinander wechselwirkenden Teilchen nicht mathematisch geschlossen behandeln kann, auch wenn man die wirkenden Kräfte genau kennt. Außerdem wirken beim Deuteron nur die reinen Kernkräfte, da das Neutron nicht geladen ist.

Experimentelle Daten

Sehr genau gemessen ist die **Bindungsenergie** des Deuterons zu 2,226 MeV sowie sein Moment zu $\mu_D = 0,85741$ Kernmagnetonen. Die Bindungsenergie kann gemessen werden als Energie der freiwerdenden Gammastrahlung bei Neutroneneinfang durch Protonen. Ebenso liegen genaue Meßwerte vor über den Wirkungsquerschnitt für den Einfang eines Neutrons im leichten Wasserstoff und für die Streuung von Neutronen an Protonen.

Die Aufgabe der theoret. Kernphysik besteht nun darin, aus den experimentellen Tatsachen so weit wie möglich die Form des unbekannten Potentials zwischen den Nukleonen und damit die Natur der Kernkräfte zu bestimmen.

Potentialansätze

Die Form des Potentials zwischen den Nukleonen ist durch die experimentellen Tatsachen, insbes. durch die Bindungsenergie, nicht festgelegt; man kann versch. Ansätze machen, die nur die Voraussetzung kurzer Reichweite erfüllen müssen. Die bekanntesten sind:

Kastenpotential $\quad V = -V_0 \quad$ für den Abstand
$$r \leqq r' \quad \text{und}$$
$$V = 0 \quad \text{für} \quad r > r',$$

GAUSS-Potential $\qquad V = -V_0 \cdot e^{-\frac{r^2}{\varrho^2}},$

exponentielles Potential
$$V = -V_0 \cdot e^{-\frac{2r}{\varrho}},$$

YUKAWA-Potential $\quad V = -V_0 \cdot \dfrac{e^{-\frac{r}{\varrho}}}{\dfrac{r}{\varrho}}.$

In allen Fällen ist die Potentialtiefe V_0 wesentlich tiefer als die Bindungsenergie. Die Wellenfunktion nimmt bei großen Entfernungen außerhalb der Reichweite der Kernkräfte wie $e^{-\frac{r}{\varrho}}$ ab.
Nach diesen Ansätzen kann man nicht gleichzeitig die Potentialtiefe und die Reichweite der Kernkräfte

bestimmen, sondern nur, z. B. beim Kastenpotential, das Produkt aus V_0 und $(r')^2$; es bleibt also offen, ob das Potential tief und schmal oder flach und breit ist.

Die **Aufenthaltswahrscheinlichkeit** ist auch außerhalb der Reichweite der Kernkräfte nicht gleich 0 und verschwindet erst in wesentlich größeren Entfernungen, so daß die Nukleonen einen wesentl. Teil der Zeit einen größeren Abstand haben als die Reichweite. Als **Deuteronendurchmesser** definiert man die Entfernung $\varrho = 4,31 \cdot 10^{-13}$ cm, in der die Wellenfunktion auf den e-ten Teil ihres Wertes am Rand des Kastenpotentials abgesunken ist. Da die Wellenfunktion innerhalb der Reichweite der Kernkräfte unbekannt ist, ersetzt man sie durch die bekannte Wellenfunktion außerhalb und berechnet so die mittlere Entfernung von Neutron und Proton zu $3,24 \cdot 10^{-13}$ cm.

Drehimpuls und Spin

Das magnet. Moment des Deuterons ist nahezu, doch nicht ganz genau gleich der Summe der magnet. Momente von Proton und Neutron. Der Unterschied beträgt
$$\mu_p + \mu_n - \mu_D = 0,0223 \text{ Kernmagnetonen.}$$

Das bedeutet: Die Spins von Neutron und Proton stehen parallel und das Deuteron befindet sich im wesentlichen im S-Zustand, d. h. es gibt keinen Bahndrehimpuls der Nukleonen in Übereinstimmung mit den theoret. Rechnungen, die für den S-Zustand durchgeführt wurden. Eine genaue Übereinstimmung mit den Meßwerten des magnet. Moments erhält man, wenn man annimmt, daß sich das Deuteron mit 4% Wahrscheinlichkeit im D-Zustand (Drehimpuls $= 2\hbar$) befindet. Der P-Zustand (Drehimpuls $= 1\hbar$) ist nicht möglich, da er andere Parität hat und die Parität bei Kernwechselwirkungen erhalten bleibt. Aus Messungen der Atomspektren folgt, daß das Deuteron den Kernspin (Gesamtdrehimpuls des Kerns) 1 hat.

Teilchen	Antiteilchen	Masse in MeV	Ladung	Spin in $h/2\pi$	Lebensdauer in sec	Zerfall
Photon γ	γ	0	0	1	∞	—
Leptonen						
Elektron e^-	e^+	0,510976	$\mp e$	$\tfrac12$	∞	—
e-Neutrino ν_e	$\bar\nu_e$	0	0	$\tfrac12$	∞	—
Müon μ^-	μ^+	105,66	$\mp e$	$\tfrac12$	$2{,}212 \cdot 10^{-6}$	$e^- + \nu_\mu + \bar\nu_e + 105$ MeV
μ-Neutrino ν_μ	$\bar\nu_\mu$	0	0	$\tfrac12$	∞	—
Hadronen — Mesonen						
π^+	π^-	139,58	$\pm e$	0	$2{,}55 \cdot 10^{-8}$	$\mu^- + \bar\nu + 33{,}9$ MeV
π^0	π^0	134,97	0	0	$2{,}3 \cdot 10^{-16}$	$2\gamma + 135$ MeV
π^-	π^+	139,58	$\pm e$	0	$2{,}55 \cdot 10^{-8}$	$\mu^+ + \nu + 33{,}9$ MeV
K^+	K^-	493,8	$\pm e$	0	$1{,}224 \cdot 10^{-8}$	$\begin{cases}\mu^+ + \nu \text{ oder } \pi^+ + \pi^0 \\ \pi^0 + e^+ + \nu \text{ oder } \pi^0 + \mu^+ + \nu \text{ oder } 3\pi\end{cases}$
$K^0\!\begin{cases}K_1^0(\theta^0) \\ K_2^0(\tau^0)\end{cases}$	$\bar K^0$	497,7 ; 497,7	0 ; 0	0 ; 0	$1 \cdot 10^{-10}$; $6{,}1 \cdot 10^{-8}$	$\pi^+ + \pi^- + 218{,}6$ MeV ; $2\pi^0 + 227{,}8$ MeV ; $\pi^+ + \pi^- + \pi^0 + 83{,}6$ MeV ; $3\pi^0 + 92{,}8$ MeV
η	η	548,8	0	0	$\approx 10^{-22}$	$\begin{cases}\gamma + \gamma \\ 3\pi \text{ oder } \pi + 2\gamma\end{cases}$
Baryonen — Nukleonen						
p^+	$\bar p^-$	938,256	$\pm e$	$\tfrac12$	∞	—
n	$\bar n$	939,550	0	$\tfrac12$	1013	$p + e^- + \nu + 0{,}8$ MeV
Hyperonen						
Λ^0	$\bar\Lambda^0$	1115,44	0	$\tfrac12$	$2{,}36 \cdot 10^{-10}$	$\begin{cases}p + \pi^- + 37{,}6 \text{ MeV} \\ n + \pi^0 + 40{,}8 \text{ MeV}\end{cases}$
Σ^-	$\bar\Sigma^-$	1197,2	$\mp e$	$\tfrac12$	$1{,}61 \cdot 10^{-10}$	$n + \pi^- + 117$ MeV
Σ^0	$\bar\Sigma^0$	1192,3	0	$\tfrac12$	10^{-18}	$\Lambda^0 + \gamma + 76$ MeV
Σ^+	$\bar\Sigma^+$	1189,4	$\pm e$	$\tfrac12$	$0{,}81 \cdot 10^{-10}$	$\begin{cases}p + \pi^0 + 116 \text{ MeV} \\ n + \pi^+ + 110 \text{ MeV}\end{cases}$
Ξ^-	$\bar\Xi^-$	1320,8	$\mp e$	$\tfrac12\,?$	$1{,}3 \cdot 10^{-10}$	$\Lambda^0 + \pi^- + 63$ MeV
Ξ^0	$\bar\Xi^0$	1314,3	0	$\tfrac12\,?$	$1{,}5 \cdot 10^{-10}$	$\Lambda^0 + N\pi^0 + 61$ MeV
Ω^-	$\bar\Omega$	1675	$-e$	$\tfrac32$	10^{-10}	$\Xi + \pi + 220$ MeV

Zerfallsarten: □ schwache Wechselwirkung ░ elektromagnetische Wechselwirkung ▓ Wechselwirkung

Tabelle der Elementarteilchen

Die **Elementarteilchen** sind die kleinsten bis heute bekannten Bausteine der Materie, aus denen sich die Atomkerne und Atome zusammensetzen. Bis 1932 glaubte man, daß es nur zwei solche Teilchen gäbe, das Proton und das Elektron. Seitdem hat man jedoch so viele neue Elementarteilchen gefunden, die großenteils durch Wechselwirkungsprozesse hoher Energie ineinander übergehen, daß man annehmen muß, daß auch die Elementarteilchen nur versch. Erscheinungsformen der Energie oder Materie sind, die stationären Zuständen einer umfassenden Theorie entsprechen. Bisher ist allerdings eine solche Theorie noch nicht entwickelt und die Elementarteilchenphysik besteht darin, die Eigenschaften und Wechselwirkungen der versch. Teilchen experimentell zu erforschen. Sie steht damit etwa an dem Punkt, wo die Atomphysik nach der Aufstellung des Periodensystems der Elemente und vor der Entdeckung der Quantenmechanik stand.

Teilchen und Antiteilchen

Zu jedem Teilchen gibt es ein Antiteilchen, das dieselbe Masse, denselben Spin und dieselbe Lebensdauer hat und entgegengesetztes Ladungsvorzeichen. Zerfällt ein instabiles Teilchen in andere Elementarteilchen, so zerfällt auch das Antiteilchen in die Antiteilchen der Zerfallsprodukte. Das **Photon** oder Lichtquant ist mit seinem Antiteilchen identisch. Tritt ein Teilchen mit seinem Antiteilchen in Wechselwirkung, so werden beide Teilchen vernichtet, wobei die Energie in Photonen oder Mesonen umgesetzt wird. Deshalb existieren innerhalb der ruhenden Materie keine Antiteilchen. Sie können nur für kurze Zeit durch Wechselwirkungen hoher Energie erzeugt und sichtbar gemacht werden, bevor sie von dem entsprechenden Teilchen eingefangen werden. Man kennzeichnet ein Antiteilchen durch das Symbol des Teilchens mit einem Querstrich darüber (z. B. $\bar{v}$ für Antineutrino).

Stabile Teilchen

Vier der Elementarteilchen sind stabil; sie können nicht in leichtere Teilchen spontan zerfallen. Diese Teilchen sind
das **Photon** (Lichtquant),
das **Neutrino**, ein Teilchen mit der Ruhmasse 0, das beim Betazerfall auftritt,
das **Elektron**, aus dem die Atomhülle besteht, und
das **Proton**, einer der Bausteine des Atomkerns.

Das **Neutron**, der andere Baustein des Kerns, ist nicht stabil, sondern zerfällt nach einer Lebensdauer von etwa 17 Minuten in ein Proton, ein Elektron und ein Antineutrino.
Dieser Prozeß ist jedoch im Kern nicht möglich, wenn die Bindungsenergie des Neutrons so hoch ist, daß zur Erzeugung des Elektrons mehr Energie gebraucht wird, als durch die schwächere Bindung des entstehenden Protons aufgebracht wird. Daher können stabile Kerne Neutronen enthalten.

Auch die Antiteilchen der stabilen Teilchen sind stabil (d. h. sie können nicht durch spontanen Zerfall, ohne Anwesenheit eines anderen Teilchens, zerfallen, wohl aber vernichtet werden durch Wechselwirkung mit dem entsprechenden Teilchen, wie ja auch die Teilchen selbst durch Wechselwirkung mit Antiteilchen).

Instabile Teilchen

Alle anderen Elementarteilchen zerfallen mit einer charakterist. Lebensdauer in leichtere Teilchen, wobei die verbleibende Masse m als kinet. Energie $E = mc^2$ auf die entstehenden Teilchen verteilt wird (c ist die Lichtgeschwindigkeit). Die Lebensdauern der bekannten Elementarteilchen liegen zwischen 15 Minuten und 10^{-16} Sekunden (Lebensdauer und Halbwertszeit s. S. 77). Neuerdings hat man auch »Elementarteilchen« mit sehr viel kürzerer Halbwertszeit in der Gegend von 10^{-22} Sekunden nachgewiesen, sog. »Resonanzen«; man nimmt jedoch an, daß diese Teilchen nur angeregte Zustände anderer Teilchen sind.

Die Elementarteilchen kann man nach ihrer Masse grob in drei Gruppen aufteilen, die **Leptonen**, die **Mesonen** und die **Baryonen**.
Eine Sonderstellung nimmt das Photon oder Lichtquant ein, das zu keiner dieser Gruppen gehört.

Leptonen (leichte Teilchen)

Unter die Leptonen fallen die **Neutrinos** (Abkürzung v), die man noch weiter unterteilen muß in Elektronen-Neutrinos (v_e) und Müonen-Neutrinos (v_μ), sowie ihre Antiteilchen ($\bar{v}_e$ und $\bar{v}_\mu$). Das nächstschwerere Teilchen innerhalb der Leptonen ist das Elektron (e^- oder β^-) mit seinem Antiteilchen, dem Positron (e^+ oder β^+). Das dritte Teilchen dieser Gruppe ist das Müon (μ^-), häufig auch falsch als Mü-Meson bezeichnet, mit seinem Antiteilchen (μ^+).

Mesonen

Die leichtesten Mesonen sind die **Pionen**, die geladen und ungeladen auftreten (geladene Teilchen π^+, Antiteilchen π^-, ungeladenes Pion π^0, mit dem Antiteilchen identisch), die nächstschwereren, die **Kaonen**, die ebenfalls geladen und ungeladen vorkommen (geladenes Teilchen K^+, Antiteilchen K^-, ungeladenes Teilchen K^0, Antiteilchen $\bar{K}^0$).

Baryonen (schwere Teilchen)

Die Baryonen werden aufgeteilt in zwei Gruppen, die Nukleonen und die Hyperonen.
Die **Nukleonen** sind die Bausteine des Atomkerns, das Proton (p^+) mit dem Antiteilchen (p^-) und das Neutron (n) mit seinem Antiteilchen ($\bar{n}$).
Hyperonen sind alle Elementarteilchen, die schwerer sind als das Proton. Bekannt sind die Teilchen Lambda-Null (Λ^0) mit dem Antiteilchen $\bar{\Lambda}^0$, Sigma-Minus (Σ^-) mit Antiteilchen Anti-Sigma-Minus ($\bar{\Sigma}^-$),

Baryonen

Teilchen	Masse [MeV]	Seltsamkeit S	Isospin T	Spin $I(\hbar)$	
Nukleon-Anregungszustände N^*	1480	0	$1/2$	$1/2$	+
	1518			$3/2$	−
	1688			$5/2$	+
	2190			$9/2$?	+
	2645				
	1236	0	$3/2$	$3/2$	+
	1924			$7/2$	+
	2360			$11/2$?	+
	2825				
Λ-Anregungszustände Y_0^*	1405	−1	0	$1/2$	−
	1519			$3/2$	−
	1815			$5/2$	+
Σ-Anregungszustände Y_1^*	1383	−1	1	$3/2$	+
	1660				
	1762				−
	2065				
Ξ-Anregungszustände Ξ^*	1530	−2	$1/2$	$5/2$	?
	1816			$5/2$	
	1933			$3/2$	+

Mesonen

Teilchen	Masse [MeV]	Seltsamkeit S	Isospin T	Spin $I(\hbar)$	
η-Anregungszustände		0	0		
ω	783			1	−
X^0	958,6			0	−
φ	1019,5			1	−
f	1253			2	+
D	1286				
E	1420				
f'	1500				
π-Anregungszustände		0	1		
ϱ	765			1	−
A_1	1072			0	−
B	1220				
A_2	1324			2	+
K-Anregungszustände		+1	$1/2$		
k	725				
K^*	891			1	−
C	1215				
K^*	1405			1?	+

Tabelle der »Resonanzen«

Sigma-Null (Σ^0) und Anti-Sigma-Null ($\bar{\Sigma}^0$), Sigma-Plus (Σ^+) mit Anti-Sigma-Plus ($\bar{\Sigma}^+$), wobei Sigma-Minus und Sigma-Plus keine Antiteilchen sind, ferner Xi-Minus (Ξ^-) mit Anti-Xi-Minus ($\bar{\Xi}^-$), Xi-Null (Ξ^0) mit Anti-Xi-Null ($\bar{\Xi}^0$) und Omega-Minus (Ω^-) mit Anti-Omega-Minus ($\bar{\Omega}^-$).

Eigenschaften der Elementarteilchen

Die Eigenschaften eines Elementarteilchens, die direkt gemessen werden können, sind Ladung, Masse, Spin und bei unstabilen Teilchen die Lebensdauer und die Zerfallsprodukte. Diese Größen sind in der Tabelle zusammen mit den Fehlergrenzen aufgeführt für alle Teilchen. Die Größen für die Antiteilchen sind leicht zu ermitteln nach der Regel, daß sich die Ladungen umkehren und statt der Zerfallsprodukte deren Antiteilchen auftreten, während die anderen Größen die gleichen sind. Eine Ausnahme von dieser Regel bildet das neutrale Kaon K^0, bei dem Teilchen und Antiteilchen die gleichen Zerfallsprodukte haben können, und das daher als Mischzustand von Teilchen und Antiteilchen angesehen werden muß. Es gibt zwei mögliche Mischzustände, die versch. Lebensdauern und Zerfallsprodukte haben, die man auch mit Theta-Null (Θ^0) und Tau-Null (T^0) bezeichnet.

Die **elektrische Ladung** nimmt bei allen bisher gefundenen Teilchen die Größe $+1$, 0 oder -1, gemessen in Elementarladungen, an; eine doppelte Ladung ist bisher bei keinem Teilchen gefunden worden. Der **Spin** ist bei allen Leptonen gleich $\frac{1}{2}$, sie sind also Fermionen, bei allen Mesonen ist er gleich 0 und bei den Baryonen wieder $\frac{1}{2}$, bis auf das schwere Ω^-, das den Spin $\frac{3}{2}$ hat. Der Spin der Ξ^0-Hyperonen ist allerdings bisher nicht zuverlässig gemessen worden.

Die Massenunterschiede zwischen geladenen und ungeladenen Teilchen einer Teilchenart wie Pionen, Kaonen, Nukleonen, Lambda- oder Sigma-Hyperonen betragen jeweils nur wenige MeV, während die Massenunterschiede zwischen Teilchen verschiedener Art, etwa zwischen Pion und Kaon, wesentlich größer sind. Man nimmt daher an, daß diese in der Masse wenig unterschiedenen Teilchen verschiedene Ladungszustände desselben Teilchens sind und daß der geringe Massenunterschied durch die in der Ladung enthaltene Energie zu erklären ist. Dabei ist noch fraglich, ob auch Neutrino und Elektron nur zwei Ladungszustände des gleichen Teilchens sind.

Wechselwirkungen

Zwischen den Elementarteilchen sind vier versch. Arten von Wechselwirkungen möglich, die man als **starke Wechselwirkung, elektromagnetische Wechselwirkung, schwache Wechselwirkung** und **Gravitationswechselwirkung** bezeichnet. Dabei ist die Gravitation zwischen einzelnen Elementarteilchen so schwach, daß sie auf die Eigenschaften der Teilchen keinen Einfluß hat.

Die elektromagnet. Wechselwirkung ist etwa $100\,\text{mal}$ schwächer als die starke Wechselwirkung, die schwache Wechselwirkung etwa $10^{-12}\,\text{mal}$ so schwach und die Gravitation noch um den Faktor 10^{29} schwächer. Die starke und die schwache Wechselwirkung haben kurze Reichweiten, etwa von der Größe der Kernradien, die elektromagnet. und die Gravitationswechselwirkung haben unendliche Reichweite, d. h. die Kraft fällt mit dem Quadrat der Entfernung ab.

Alle Baryonen und Mesonen unterliegen der starken Wechselwirkung, man faßt sie daher auch unter dem Sammelbegriff **Hadronen** zusammen. Reaktionen zwischen Elementarteilchen, die durch die starke W.W. bewirkt werden, haben Reaktionszeiten von 10^{-23} Sekunden. Da die Lebensdauern der Hyperonen gegen Zerfall in Nukleonen und Mesonen wesentlich länger sind, muß gefolgert werden, daß sie durch schwache W.W. zustande kommen und in starker W.W. durch Auswahlregeln verboten sein sind. Das bedeutet, daß alle Teilchen mit starker W.W. gleichzeitig auch den schwachen W.W. unterliegen. Teilchen, die in starker W.W. zerfallen, d. h. mit allen ihren Folgeprodukten stark wechselwirken können, haben so kurze Lebensdauern, daß man sie zu den Resonanzen zählt.

Elektromagnet. W.W. tritt auf bei allen geladenen Teilchen und ist, da sie auch über große Reichweiten meßbar ist, seit langem bekannt. Sie bewirkt alle Zerfälle, bei denen nur Gammaquanten entstehen.

Die schwache Wechselwirkung tritt auf zwischen Leptonen untereinander oder zwischen Leptonen und Hadronen. Sie ist verantwortlich für die Zerfälle, an denen Neutrinos beteiligt sind, aber auch für die Zerfälle schwerer Teilchen, die in starker W.W. durch Auswahlregeln verboten sind.

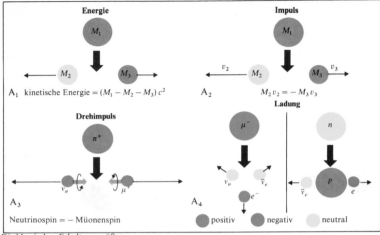

A_1 kinetische Energie $= (M_1 - M_2 - M_3)\,c^2$

A_2 $M_2\,v_2 = -M_3\,v_3$

A_3 Neutrinospin $= -$ Müonenspin

A_4

positiv   negativ   neutral

Die klassischen Erhaltungsgrößen

Erhaltungsgröße	belegt durch experimentelle Tatsachen
Baryonenzahl	Stabilität des Protons, Erzeugung von Baryonen und Antibaryonen stets paarweise
Elektronenzahl	Emission von Neutrinos bei allen Betazerfällen
Müonenzahl	Emission von Neutrinos beim Müonenzerfall. Verbot des elektromagnetischen Zerfalls $\mu \to e + \gamma$

B

Die absoluten Erhaltungssätze der Elementarteilchenphysik mit den wichtigsten experimentellen Beweisen

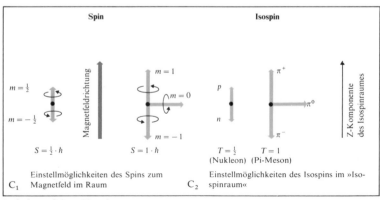

C_1 Einstellmöglichkeiten des Spins zum Magnetfeld im Raum

C_2 Einstellmöglichkeiten des Isospins im »Isospinraum«

Analogie von Spin und Isospin

Der Zerfall und die Reaktionen von Elementarteilchen unterliegen bestimmten **Erhaltungssätzen**, d. h. es gibt gewisse physikal. Größen, die bei einer Wechselwirkung erhalten bleiben müssen. Diese Größen nennt man **Erhaltungsgrößen**. Diese Erhaltungssätze bedeuten eine Einschränkung für die Möglichkeiten der Wechselwirkungen; eine Reaktion, die einen Erhaltungssatz verletzt, ist nicht möglich, andererseits sind auch alle Reaktionen, die keinen Erhaltungssatz verletzen, möglich und kommen wirklich vor.

Klassische Erhaltungsgrößen
Schon aus der klass. Physik sind vier Erhaltungsgrößen bekannt, nämlich die **Energie**, der **Impuls**, die **elektrische Ladung** und der **Drehimpuls**.

Die Erhaltung der Energie ist bei den Elementarteilchen-Reaktionen gültig, wenn man berücksichtigt, daß auch die Masse nach der EINSTEINschen Gleichung $E = mc^2$ eine Form der Energie ist. Der Energieerhaltungssatz verhindert, daß ein Teilchen in schwerere Teilchen zerfällt, und bewirkt so die Stabilität des leichtesten Teilchens, des Neutrinos. Schwere Teilchen können durch Reaktion zweier Teilchen bei hoher Energie erzeugt werden, indem die kinet. Energie in Masse umgewandelt wird.

Die Erhaltung des Impulses bewirkt, daß sich kein Teilchen in ein einzelnes anderes umwandeln kann, da bei einer Massenänderung Energie und Impuls nicht gleichzeitig erhalten werden können.

Die Erhaltung der elektrischen Ladung bewirkt zusammen mit den anderen Erhaltungssätzen die Stabilität des leichtesten geladenen Teilchens, des Elektrons, da es kein Teilchen gibt, das die Ladung aufnehmen könnte.

Absolute Erhaltungssätze
Die aus der klass. Physik bekannten Erhaltungsgrößen reichen nicht aus, um alle Einschränkungen, denen die Zerfälle von Elementarteilchen unterliegen, zu erklären. Es gibt drei weitere Erhaltungssätze, die bei allen Wechselwirkungen erfüllt sind, für die man jedoch eine Erklärung bisher nicht geben kann.
Diese Erhaltungsgrößen sind: die Baryonenzahl, die Müonenzahl und die Elektronenzahl.

Baryonenzahl
Jedes Baryon hat die Baryonenzahl $+1$, das Antiteilchen die Baryonenzahl -1, alle anderen Elementarteilchen, also Mesonen, Leptonen und Photonen, die Baryonenzahl 0.
Die Erhaltung der Baryonenzahl bedeutet, daß die Differenz zwischen der Anzahl der Baryonen und der Antibaryonen bei jeder Reaktion erhalten

bleiben muß. Das ist der Grund, warum das Proton nicht durch starke Wechselwirkung in Pi-Mesonen zerfallen kann, da sich sonst die Baryonenzahl von 1 nach 0 ändern würde. Möglich ist jedoch eine Reaktion $\Lambda^0 \to p + \pi^-$, da sowohl das Λ-Teilchen als auch das Proton die Baryonenzahl 1 haben; ebenso ist bei hoher Energie die Reaktion $p + p \to p + p + p + \bar{p}$ möglich, da die Differenz von Protonen und Antiprotonen vor und nach der Reaktion gleich ist.

Müonenzahl
Das Müon μ^- und das Müonen-Neutrino haben die Müonenzahl 1, ihre Antiteilchen die Müonenzahl -1, alle anderen Elementarteilchen haben die Müonenzahl 0. Daher muß mit jedem Müon gleichzeitig ein Müonen-Antineutrino entstehen und beim Zerfall des Müons ein Müonen-Neutrino. Der elektromagnet. Zerfall $\mu^- \to e^- + \gamma$ ist daher nicht möglich; ebenso sind elektromagnet. Zerfälle geladener Mesonen in Müonen nicht möglich, da das Neutrino nur der schwachen Wechselwirkung unterliegt.

Elektronenzahl
Die Elektronenzahl 1 wird dem Elektron und dem Elektronen-Neutrino zugeordnet, die Zahl -1 ihren Antiteilchen. Ebenso wie bei den Müonen muß mit jedem Elektron auch ein Positron oder ein Elektronen-Antineutrino entstehen und rein elektromagnet. Wechselwirkungen, bei denen nur Elektronen entstehen, sind nicht möglich.

Eingeschränkte Erhaltungssätze

Strangeness
Nach den absoluten Erhaltungssätzen sind noch Zerfälle möglich, die in der Natur nicht vorkommen, z. B. die elektromagnet. Zerfälle $\Sigma^+ \to p + \gamma$ oder $\Xi^- \to \Sigma^- + \gamma$ bei den Baryonen oder die Zerfälle $K^0 \to 2\gamma$ oder $K^+ \to \pi^+ + 2\gamma$, die sehr viel schneller erfolgen müßten, als die wirklich beobachteten Zerfälle; ebenso müßte der Zerfall $K^0 \to 2\pi^0$ sehr viel schneller vonstatten gehen, da alle beteiligten Teilchen der starken Wechselwirkung unterliegen. Man ordnet deshalb den Teilchen eine weitere Quantenzahl zu, die sogenannte Strangeness (Seltsamkeit). Sie ist für die K-Mesonen K^+ und K^0 gleich $+1$, für die Hyperonen Λ^0, Σ^+, Σ^0 und Σ^- gleich -1, für das Ξ-Hyperon gleich -2 und für das Ω^- gleich -3, für die Antiteilchen ändert sie das Vorzeichen. Das Fehlen aller erwähnten Zerfälle wird durch den beschränkten Erhaltungssatz beschrieben, daß sich die Strangeness bei *schwachen Wechselwirkungen* um *eine* Einheit ändert, bei *starken* und *elektromagnetischen Wechselwirkungen* jedoch erhalten bleibt. Die Erhaltung der Strangeness, die ursprünglich nur eingeführt wurde, um die großen Lebensdauern von K-Mesonen und Hyperonen zu

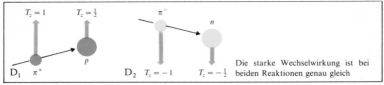

Invarianz gegen Isospindrehung

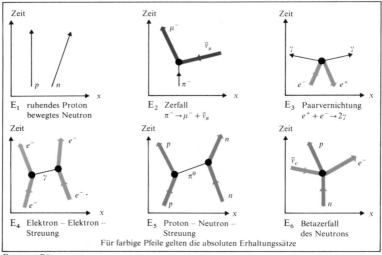

Für farbige Pfeile gelten die absoluten Erhaltungssätze

FEYNMAN-Diagramme

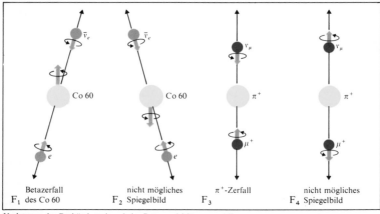

Verletzung der Paritätsinvarianz beim Beta- und Müonenzerfall

erklären, erklärt gleichzeitig die Beobachtung, daß durch Stöße energiereicher Pi-Mesonen an Nukleonen gleichzeitig mit der Erzeugung eines K-Mesons ein weiteres Teilchen, entweder ein Anti-K-Meson oder ein Λ- oder Σ-Hyperon erzeugt werden muß. Da diese Erzeugung von Teilchen auf der starken Wechselwirkung beruht, muß die Strangeness der erzeugten Teilchen sich aufheben.

Isospin

Nach GELL-MANN kann man die Ladungszahl der Elementarteilchen durch eine andere Größe ersetzen, die man als Isospin bezeichnet. Der Isospin ist ein Vektor, der formal mathematisch die gleichen Eigenschaften hat, wie der Spin-Vektor, d. h. er wird beschrieben durch seine absolute Größe und seine Komponente in eine Richtung, die jedoch, anders als beim Spin, mit den gewöhnlichen Raumrichtungen nichts zu tun hat. Ebenso wie der Spin kann auch der Isospin und seine Komponente in die sog. »z-Richtung des Isospinraumes« halbzahlige oder ganzzahlige Werte annehmen, wobei zu einem Wert J des Isospins $2J + 1$ mögliche Einstellungen der z-Komponente existieren. Während jedoch die Spin-Quantenzahlen die anschauliche Bedeutung des Eigendrehimpulses und seiner Komponente in Richtung des Magnetfeldes (in Einheiten von $\hbar$) haben, fehlt diese anschauliche Bedeutung bei den Isospin-Quantenzahlen. Der Vorteil dieser Darstellung ist, daß allen Pi-Mesonen, allen K-Mesonen, allen Nukleonen, Sigma-Hyperonen und Xi-Hyperonen jeweils nur eine Größe des Isospins zugeordnet zu werden braucht und die Aufspaltung in versch. Ladungszustände durch die versch. Größe der z-Komponente des Isospins beschrieben wird. Die Ladungszahl Q kann man danach durch die Baryonenzahl B, die Isospinkomponente in z-Richtung T_z und die Strangeness S ausdrücken durch die Gleichung

$$Q = T_z + \frac{B}{2} + \frac{S}{2}.$$

Für den Isospin gilt ein Erhaltungssatz, dem die starke Wechselwirkung unterliegt. Die Stärke der Wechselwirkung ist unabhängig von der Richtung des Isospinvektors im Gesamtsystem aller beteiligten Teilchen. Das bedeutet z. B., daß die Wechselwirkung zwischen $\pi^+(T_z = +1)$ und Proton $(T_z = +\frac{1}{2})$ genau so groß ist wie die zwischen $\pi^-(T_z = -1)$ und Neutron $(T_z = -\frac{1}{2})$.

Invarianzen

Ein Invarianzprinzip bedeutet die Aussage, daß alle physikal. Gesetze erhalten bleiben, wenn man einen bestimmten Parameter ändert; z. B. bedeutet die Invarianz gegen Ortsverschiebung, daß ein Experiment bei sonst gleichen Bedingungen an jedem

Ort der Welt zum gleichen Ergebnis führt. Jeder der klass. Erhaltungssätze beruht auf einem Invarianzprinzip, z. B. läßt sich der Impulssatz auf die Invarianz gegen räuml. Verschiebung und der Energiesatz auf die Invarianz gegen zeitl. Verschiebung zurückführen. Für die Erhaltungsgrößen Baryonenzahl, Elektronenzahl und Müonenzahl sind die Invarianzprinzipien bisher nicht bekannt.

Zur anschaul. Darstellung der Vorgänge zwischen Elementarteilchen kann man sie als FEYNMAN-Diagramm auftragen. Dabei trägt man als Abszisse den Ort und als Ordinate die Zeit auf. Ein ruhendes Teilchen wird dabei durch eine senkrechte Linie dargestellt, es wandert am ,selben Ort durch die Zeit. Einem bewegten Teilchen entspricht eine schräge Linie, die desto stärker geneigt ist, je schneller das Teilchen fliegt, am stärksten geneigt sind also die Linien der Photonen und Neutrinos, die mit Lichtgeschwindigkeit fliegen. In dieser Darstellung kann man ein Antiteilchen als Teilchen darstellen, das sich durch die Zeit rückwärts bewegt. Einer Wechselwirkung zwischen versch. Elementarteilchen entspricht ein Verzweigungspunkt. In dieser Darstellung kann man die Erhaltungssätze von Baryonenzahl, Elektronenzahl und Müonenzahl dadurch erfassen, daß in einem Verzweigungspunkt (Vertex) gleichviele Pfeile der genannten Gruppen eintreten wie austreten müssen. Diese Bedingung ist bei allen gezeigten FEYNMAN-Diagrammen erfüllt.

Alle Wechselwirkungen zwischen Elementarteilchen beruhen nach der modernen Vorstellung auf der momentanen Vernichtung und Erzeugung von Teilchen und können als FEYNMAN-Diagramme dargestellt werden. So ist auch die elektr. Abstoßung zweier Elektronen zurückzuführen auf den Austausch eines Photons, oder die starke Wechselwirkung zwischen Neutron und Proton auf den Austausch eines Pi-Mesons, das der Träger dieser Wechselwirkung ist, wie das Photon der Träger der elektromagnet. Wechselwirkung ist. Unbefriedigend ist dabei, daß ein entsprechender Träger der schwachen Wechselwirkung bisher nicht nachgewiesen ist.

Zeitumkehr (T-Invarianz)

Unter Zeitumkehr-Invarianz (T-Invarianz) versteht man die Aussage, daß alle in der Natur vorkommenden Reaktionen zwischen Elementarteilchen auch zeitlich umgekehrt möglich sind. Beispielsweise ist der Prozeß $p + p \rightarrow p + n + \pi^+$ eine mögliche Reaktion, die auch umgekehrt werden kann: $p + n + \pi^+ \rightarrow p + p$. Dabei spielt es keine Rolle, daß der letzte Prozeß sehr viel unwahrscheinlicher ist, da 3 Teilchen gleichzeitig zusammenstoßen müssen. T-Invarianz bedeutet nur, daß, wenn diese 3 Teilchen zusammenstoßen, mit der gleichen Wahrscheinlichkeit 2 Protonen gebildet werden, wie andersherum die 3 Teilchen beim Zusammenstoß zweier Protonen.

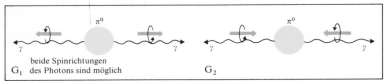

Paritätsinvarianz beim $\pi^0 \to 2\gamma$-Zerfall

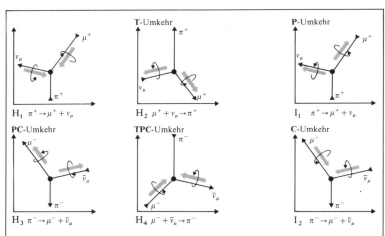

Pfeile unter dem Vertex sind einlaufende Teilchen, Pfeile darüber auslaufende. Pfeile nach oben sind Teilchen, Pfeile nach unten Antiteilchen. Spinpfeil aufwärts bedeutet Rechtsdrehsinn, abwärts Linksdrehsinn

FEYNMAN-Diagramme der erlaubten (H) und nicht erlaubten (I) Umkehrungen des Zerfalls $\pi^+ \to \mu^+ + v_\mu$

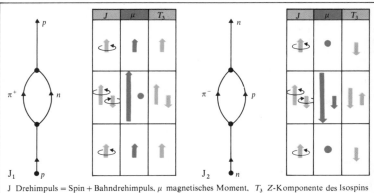

J Drehimpuls = Spin + Bahndrehimpuls, μ magnetisches Moment, T_3 Z-Komponente des Isospins

Emission und Absorption virtueller Pi-Mesonen durch Nukleonen

Parität (P-Invarianz)

Das Paritätsprinzip oder Prinzip der Raumumkehr sagt aus, daß das Spiegelbild eines physikal. Vorgangs wieder einen physikal. Vorgang ergibt. Da sich im Spiegelbild der Drehsinn einer Schraube umkehrt, dürfte nach dem Paritätsprinzip keine Drehrichtung mit einer Raumrichtung wie der Emissionsrichtung eines Teilchens bevorzugt verkoppelt sein. Man hat ursprünglich das Paritätsprinzip als selbstverständlich angenommen. Es hat sich jedoch beim Beta-Zerfall des Kobalt 60 gezeigt, daß das Paritätsprinzip dort nicht erfüllt ist, sondern daß die Elektronen nur mit Linksdrall emittiert werden, die entstehenden Antineutrinos mit Rechtsdrall. Das gleiche Bild ergibt sich beim Zerfall des π^+ in ein Anti-Müon (μ^-), bei dem Müonen-Neutrinos nur mit Linksdrall emittiert werden. Andererseits sind beim Zerfall des π^0 in zwei Photonen beide möglichen Drehsinne der Photonen mit gleicher Wahrscheinlichkeit möglich. Die Verletzung der Paritätsinvarianz tritt nur bei der schwachen Wechselwirkung auf, elektromagnet. und starke Wechselwirkung sind invariant gegen Raumumkehr.

Ladungsumkehr (C-Invarianz)

Das Prinzip der Ladungsinvarianz sagt aus, daß alle Vorgänge die gleichen bleiben, wenn man die Teilchen durch ihre Antiteilchen ersetzt. Auch dieses Prinzip ist bei der schwachen Wechselwirkung verletzt, wie am Beispiel des π^+-Zerfalls gezeigt werden kann. Das π^+ zerfällt in ein Antimüon (μ^+) und ein Müonen-Neutrino, welches Linksdrall hat. Die Ersetzung von Teilchen durch Antiteilchen ergäbe den Zerfall eines π^- in ein Müon und ein Müonen-Antineutrino mit Linksdrall; Müonen-Antineutrinos haben jedoch Rechtsdrall. Starke und elektromagnet. Wechselwirkungen sind gegen Ladungsumkehr invariant.

CP-Invarianz

Alle Wechselwirkungen sind gegen gleichzeitige Vertauschung Teilchen-Antiteilchen und Raumspiegelung invariant, d. h. am Beispiel des π^+-Zerfalls: der Prozeß $\pi^+ \rightarrow \mu^+ + \nu_\mu$ (beide Leptonen mit Linksdrall) ist genau so wahrscheinlich wie der Prozeß $\pi^- \rightarrow \mu^- + \bar{\nu}_\mu$ (beide Leptonen mit Rechtsdrall).

CPT-Invarianz

Aus der T-Invarianz und der CP-Invarianz folgt die sogenannte CPT-Invarianz, die aussagt, daß alle Rechnungen die gleichen bleiben, wenn man Teilchen durch Antiteilchen ersetzt, den Raum spiegelt und die Zeit umkehrt. Im FEYNMAN-Diagramm bedeutet das, daß man das Bild um 180° dreht; die Darstellung der Antiteilchen durch Teilchen mit umgekehrter Pfeilrichtung bekommt somit eine tiefergehende Berechtigung.

Virtuelle Teilchen

Der Energieerhaltungssatz ist bei der Wechselwirkung von Elementarteilchen zwar für alle sichtbar einen Vertex verlassenden Teilchen erfüllt, kann jedoch während sehr kurzer Zeiten, in denen das Produkt $\Delta E \cdot \Delta t$ kleiner als $\hbar$ ist, verletzt werden, wenn ΔE die Größe des Energiefehlbetrages und Δt die Zeit ist.

Auf diese Weise kann ein ruhendes Proton für kurze Zeit ein Pi-Meson emittieren, wobei dessen Ruhemasse von 140 MeV als Energiefehlbetrag erscheint, so daß es nach etwa $5 \cdot 10^{-24}$ sec wieder eingefangen werden muß. Für entsprechend kürzere Zeit kann es sogar 2 oder mehr Pi-Mesonen emittieren. Da diese Teilchen nicht sichtbar erscheinen, bezeichnet man sie als virtuelle Teilchen. Jedes Nukleon ist aufgrund der starken Wechselwirkung etwa $\frac{1}{10}$ seiner Zeit in Pi-Mesonen und einen Nukleonenrumpf dissoziiert, und zwar wegen der Erhaltung der z-Komponente des Isospins das Proton in Neutron und Pi-Plus, das Neutron in Proton und Pi-Minus. Durch diese Aufspaltung läßt sich auch das anomale magnet. Moment des Protons und Neutrons erklären: es ist in Wirklichkeit das magnet. Moment der Pi-Mesonen, das nur einen Teil der Zeit wirkt, aber wegen der kleinen Masse der Pi-Mesonen wesentlich größer ist. Da die Pi-Mesonen keinen Spin haben, müssen sie einen Bahndrehimpuls haben, um das magnet. Moment zu erzeugen. Das erklärt auch die Spin-Abhängigkeit der Kernkräfte, die durch den Austausch virtueller Pi-Mesonen zwischen den Nukleonen erklärt werden.

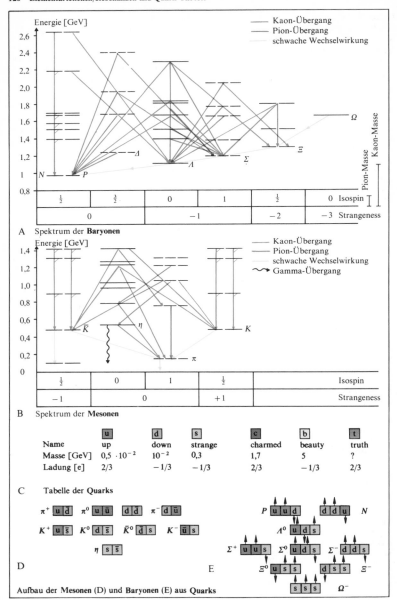

A   Spektrum der **Baryonen**

B   Spektrum der **Mesonen**

C   Tabelle der **Quarks**

D

E

Aufbau der **Mesonen** (D) und **Baryonen** (E) aus Quarks

Resonanzen

Mißt man die Streuung sehr energiereicher Pi- oder K-Mesonen an Nukleonen, so findet man bei gewissen Werten der Stoßenergie ausgeprägte Maxima des Streuquerschnitts. Genau wie die Maxima des Streuquerschnitts an Kernen durch angeregte Niveaus der Kerne bewirkt werden, bedeuten die Maxima bei reinen Nukleonen angeregte Zustände des Nukleons. Aus der Energiebreite ΔE des Maximums kann man die Lebensdauer des angeregten Zustandes nach der Unbestimmtheitsbeziehung $\Delta E \cdot \Delta t = h$ entnehmen. Sie liegt etwa bei 10^{-23} Sekunden, woraus man schließen muß, daß diese Zustände durch starke Wechselwirkung zerfallen und gebildet werden.

Dieser Vorgang ist ganz analog zur Bildung und dem Zerfall eines angeregten Zustands bei einem Atom, bei dem ein Photon absorbiert oder emittiert wird. Genau so stellt man sich hier vor, daß ein Pi-Meson, der Träger der starken Wechselwirkung, bei der Anregung absorbiert und beim Zerfall emittiert wird.

Mißt man gleichzeitig die Anzahl der entstehenden K-Mesonen bei den Resonanzenergien, so kann man Aussagen gewinnen über den Isospin und die Strangeness der angeregten Zustände, und erhält ein Energieniveauschema der Nukleonen, das in auffallender Weise dem Schemata der Mehrelektronen-Atome ähnelt. Die Hyperonen entsprechen in diesem Schema den metastabilen Zuständen bei den Atomen; ein Übergang in den Grundzustand, das Nukleon, ist bei ihnen in starker Wechselwirkung wegen der Strangeness- und Isospin-Erhaltung nicht möglich und sie zerfallen daher in schwacher W.W., bei der diese Erhaltungssätze erfüllt sind.

Ein ähnliches Niveauschema kann auch für die Mesonen aufgestellt werden, während für die Leptonen angeregte Zustände nicht gemessen werden konnten, da sie nicht der starken Wechselwirkung unterliegen und eine Anregung daher viel zu unwahrscheinlich ist.

Quarks

Nach einem Modell von GELL-MANN kann man die Spektren angeregter Baryonen und Mesonen dadurch erklären, daß sie auch wieder aus Einzelteilen zusammengesetzt sind. Diese theoretisch geforderten Teilchen nennt man Quarks.

Bisher haben die Experimente die Existenz von 5 Quarks ergeben, denen man die Bezeichnung »up« (Abkürzung u), »down« (d), »strange« (s), »charmed« (c) und »beauty« (b) gegeben hat. Zusätzlich wird die Existenz eines weiteren Quarks vermutet, dem man den Namen »truth« gegeben hat.

Die Quarks haben, anders als alle bisher beobachteten Teilchen, gebrochene Ladungen. »Up«, »charmed«, und »truth« tragen eine Ladung von $= \frac{2}{3}e$, »down«, »strange« und »beauty« haben eine Ladung von $- \frac{1}{3}e$. Der Spin aller Quarks ist gleich $\frac{h}{2}$.

Durch die Eigenschaften der Quarks werden die Eigenschaften »z-Komponente des Isospins« und »Strangeness« erklärt, wenn die z-Komponente des Isospins für »up« gleich $+\frac{1}{2}$ und für »down« gleich $-\frac{1}{2}$ ist und die Strangeness für »strange« gleich -1.

Zu jedem Quark gibt es ein Antiquark, bei dem die Ladung und alle übrigen Quantenzahlen das umgekehrte Vorzeichen haben.

Zwischen den einzelnen Quarks besteht eine sehr starke Wechselwirkung, die offenbar unabhängig ist von der Art der Quarks und auf eine weitere Quantenzahl, die sog. »Farbe«, zurückgeführt wird. Jedes Quark kann danach in 3 »Farben« auftreten, die man mit »rot«, »blau« und »gelb« bezeichnet; die entsprechenden Antiquarks können die Antifarben »antirot«, »antigelb« und »antiblau« annehmen.

Nach dem Modell können nur solche Teilchen als freie Elementarteilchen existieren, deren »Farbe« »weiß« ist. Das kann entweder durch Kombination der 3 Farben »rot«, »blau« und »gelb« oder durch Kombination von »Farbe« und entsprechender »Antifarbe« in einem Antiquark geschehen.

Die anziehenden Kräfte der Quarks in einem Elementarteilchen untereinander nehmen im Gegensatz zu allen sonst bekannten Wechselwirkungen mit der Entfernung nicht ab, so daß zur Abtrennung eines freien Quarks eine unendliche Energie aufgebracht werden müßte.

Die Baryonen bestehen nach dieser Theorie aus 3 Quarks unterschiedlicher »Farbe«, die Mesonen aus einem Quark-Antiquark-Paar. Das erklärt, warum Mesonen in Wechselwirkungen erzeugt und beim Zerfall verschwinden können, Baryonen aber nicht. Es ist nur die Gesamtzahl der Quarks, d.h. Anzahl der Quarks minus Anzahl der Antiquarks, eine Erhaltungsgröße.

Unter dem Einfluß der schwachen Wechselwirkung können Quarks sich ineinander umwandeln, was dazu führt, daß stabile Baryonen nur aus den massearmen Quarks u und d bestehen.

Die Existenz der massereichen Quarks c und b wurde erst in jüngster Zeit bei Hochenergie-Experimenten durch die unerwartet lange Lebensdauer hochenergetischer Resonanzen entdeckt. Diese lange Lebensdauer war darauf zurückzuführen, daß ein Quark-Paar entstanden war.

Die Masse der gebildeten Elementarteilchen wird außer durch die Art der Quarks auch durch deren relative Spin-Richtung bestimmt. Die niedrigsten Energiezustände (kleinsten Massen) treten auf, wenn die Spins der »up«- und »down«-Quanten antiparallel zueinander stehen.

Wenn auch das Quark-Modell viele Eigenschaften der Baryonen- und Mesonenspektren erklärt, ist doch bisher nicht sicher, ob Quarks reale Teilchen oder nur eine modellmäßige Erklärung der beobachteten Eigenschaften der Elementarteilchen sind.

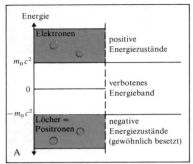

Energiezustände nach der DIRACschen Theorie

Eigenschaften von Positron und Elektron

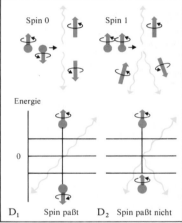

	Elektron	Positron
Ladung	$-e$	$+e$
Spin	$\frac{1}{2}$	$\frac{1}{2}$
magnetisches Moment	$-\mu$	$+\mu$
Masse	m_e	m_e
Elektronenzahl	1	-1

B

A

Energie

Elektronen — positive Energiezustände

$m_0 c^2$

0 — verbotenes Energieband

$-m_0 c^2$

Löcher = Positronen — negative Energiezustände (gewöhnlich besetzt)

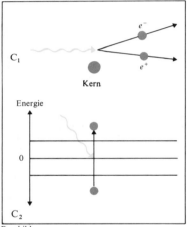

Paarbildung

Paarvernichtung von Positronium

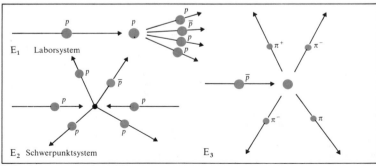

Antiprotonerzeugung und -vernichtung

DIRACsche Theorie

Schon vor der Entdeckung des ersten Antiteilchens fand DIRAC die quantenmechan. Gleichungen für relativist. Teilchen, d. h. Teilchen, die sich mit nahezu Lichtgeschwindigkeit bewegen, mit einem inneren Spin von der Größe $\frac{\hbar}{2}$. Diese Theorie sagte voraus, daß ein Teilchen sowohl positive als auch negative Energie haben kann, wobei die positiven Energiezustände immer oberhalb der Ruhenergie $m_0 c^2$ lagen und die negativen unterhalb von $-m_0 c^2$. Nach der Quantenmechanik braucht sich die Energie nicht kontinuierlich zu ändern, wie in der klass. Mechanik, so daß Teilchen spontan in das Gebiet negativer Energie fallen können. Um Übereinstimmung mit dem Verhalten der Elektronen zu erhalten, machte DIRAC die folgenden Zusatzannahmen:

1. Alle Zustände negativer Energie sind normalerweise besetzt und können daher von einem Elektron positiver Energie nicht eingenommen werden.
2. Der »See« von Elektronen negativer Energie kann normalerweise nicht beobachtet werden. Wenn das der Fall ist, muß eine Lücke in der Besetzung als positive Ladung zu beobachten sein. Eine genaue Rechnung zeigte, daß die beobachtbaren Eigenschaften der Lücke genau die eines Teilchens mit gleicher Masse wie das Elektron, aber umgekehrter Ladung, sein müssen.

Das entsprechende Teilchen wurde 1932 von ANDERSON in einer WILSONschen Nebelkammer gefunden und als **Positron** bezeichnet.

Paarbildung

Da Photonen mit den Elektronen negativer Energie in Wechselwirkung treten können, können sie, wenn sie genug Energie haben, diese in positive Energiezustände hinaufheben, wobei die Absorption des Photons und die Entstehung eines Elektron-Positron-Paares beobachtet wird. Die Mindestenergie des Photons ist $2 m_0 c^2$. Aus Gründen der Erhaltung des Impulses geschieht diese Reaktion nur in der Nähe eines Kerns, der den überschüssigen Impuls aufnimmt.

Paarvernichtung

Trifft ein Elektron auf ein Positron, so findet es einen freien Zustand negativer Energie, den es unter Emission von Gammaquanten der entsprechenden Energie besetzen kann. Man beobachtet dann die Vernichtung beider Teilchen und die Emission zweier oder dreier Gammaquanten.

Positronium

Vor der Vernichtung kann ein Elektron-Positron-Paar zu einem atomähnlichen Gebilde werden, das im Grundzustand den Bahndrehimpuls 0 und den Gesamtspin 0 oder 1 hat, je nachdem ob die Spins der beteiligten Teilchen parallel oder antiparallel sind. Das Spin-0-Positronium zerfällt in zwei Gammaquanten, das Spin-1-Positronium in drei. Es hat eine etwa 100mal größere Lebensdauer. Da die DIRACsche Theorie für alle Teilchen mit dem Spin $\frac{1}{2}$ gilt, sagt sie auch die Antiteilchen der Müonen, der Neutrinos und der Baryonen voraus, nicht jedoch die der Mesonen. Bei Teilchen mit ganzzahligem Spin ist nämlich jede beliebige Besetzungsdichte eines Zustandes möglich, so daß die Vorstellung des »Sees« von Teilchen negativer Energie sinnlos wird. Die Existenz der Antimesonen wird durch das Quark-Modell erklärt, da die DIRACsche Theorie auf die Quarks anwendbar ist.

Antinukleonen

Seit dem Bau der Beschleunigungsmaschinen für höchste Energien wurden auch Antiprotonen und Antineutronen nachgewiesen, wodurch die Vorstellungen von DIRAC bestätigt wurden. Nukleon-Antinukleon-Paare entstehen durch Stöße hoher Energie von Protonen auf Protonen, wobei die kinet. Energie dazu verwendet wird, ein Nukleon vom Zustand negativer Energie in den Zustand positiver Energie zu heben. Dazu ist eine Energie im Schwerpunktsystem von fast 2000 MeV oder von etwa 5600 MeV im Laborsystem notwendig. Die Paarvernichtung ist möglich unter Emission aller Teilchen, die mit dem Nukleon in Wechselwirkung treten, vorwiegend Pi- und K-Mesonen, da sie der starken Wechselwirkung unterliegen.

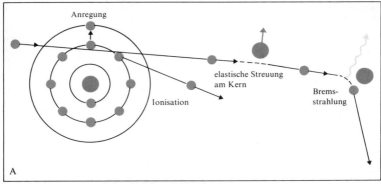

Wechselwirkungsprozesse geladener Teilchen mit Materie

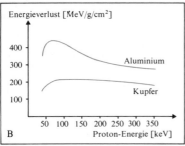

Massenbremsvermögen von Aluminium und Kupfer für Protonen

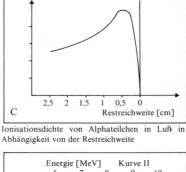

Ionisationsdichte von Alphateilchen in Luft in Abhängigkeit von der Restreichweite

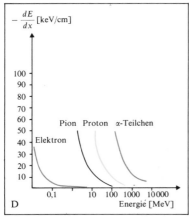

Energieverlust verschiedener Teilchen in Luft

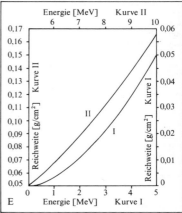

Energie-Reichweite-Kurven für Protonen in Aluminium

Wechselwirkungsprozesse

Die Wechselwirkungen von schnellen geladenen Teilchen lassen sich in fünf Klassen einteilen:

a) Elast. Zusammenstöße mit Atomelektronen
b) Inelast. Zusammenstöße mit Atomelektronen
c) Elast. Zusammenstöße mit Kernen
d) Inelast. Zusammenstöße mit Kernen
e) Kernwechselwirkungen.

Die **Kernwechselwirkungen** sind wegen der geringen Reichweite der Kernkräfte sehr unwahrscheinlich und tragen im allgemeinen zur Bremsung der geladenen Teilchen nicht bei.

Durch die elektr. Wechselwirkungen a—d werden die geladenen Teilchen abgelenkt und gebremst. Die Zahl der einzelnen Stöße beträgt etwa 10000 für eine Abbremsung von 1 MeV, beim einzelnen Stoß wird also jeweils nur geringe Energie übertragen.

Elastische Zusammenstöße mit Elektronen finden nur bei sehr kleinen Energien der einfallenden Teilchen statt, wo die übertragene Energie zu klein ist, um das Atomelektron in ein höher liegendes Niveau zu bringen.

Inelastische Zusammenstöße mit Elektronen sind der häufigste Prozeß, durch den die Teilchen Energie verlieren. Die gestoßenen Elektronen werden entweder auf angeregte Zustände gehoben oder sie verlassen das Atom ganz, so daß es zum positiv geladenen Ion wird. Man bezeichnet daher auch geladene Teilchenstrahlen als ionisierende Strahlung.

Elastische Zusammenstöße mit Kernen sind für schwere einfallende Teilchen selten, für leichte Teilchen, hauptsächlich Elektronen und Positronen, häufiger.

Inelastische Streuung an Kernen ist nur für leichte Teilchen bei hoher Energie von Bedeutung. Dabei wird die Energie als elektromagnet. Strahlung ausgesandt (Bremsstrahlung).

Schwere Teilchen

Bremsvermögen

Bei der inelastischen Streuung an Hüllenelektronen verlieren die schweren geladenen Teilchen kinetische Energie. Der Energieverlust pro Weglänge wird als Bremsvermögen bezeichnet. Da die Abbremsung in sehr vielen Stößen geschieht, kann man bei den Rechnungen so tun, als würde das Teilchen kontinuierlich und nicht in Einzelstößen gebremst. Ist die Energie des geladenen Teilchens sehr viel größer als die Ionisationsenergie der Elektronen in der durchstrahlten Materie, so wird das Bremsvermögen durch die Formel dargestellt:

$$-\frac{\mathrm{d}E}{\mathrm{d}x} = \frac{Z^2 e^4}{4\pi\,\varepsilon_0^2 m v^2} \cdot N \cdot B\,.$$

Z ist die Ladungszahl des Teilchens, e die Elementarladung, m die Elektronenmasse, v die Teilchen-geschwindigkeit, N die Anzahl der Atome pro Kubikzentimeter, B nennt man die Stoßzahl. Ihre Größe hängt von der Energie des einfallenden Teilchens und vom Material ab. Von BETHE wurde für B die Formel abgeleitet

$$B = Z\left[\ln\frac{2m v^2}{I} - \ln(1 - \beta^2) - \beta^2\right].$$

Z ist die Ordnungszahl der durchstrahlten Materien, $\beta = \dfrac{v}{c}$ (Geschwindigkeit durch Lichtgeschwindigkeit), I ist das mittlere Ionisierungspotential der Atome. Die Ionisationsdichte entlang einer Teilchenspur steigt bis kurz vor der endgültigen Abbremsung des Teilchens gleichmäßig an, um dann steil auf 0 zurückzufallen.

Massenbremsvermögen

Das Bremsvermögen eines Materials ist in guter Näherung proportional zu seiner Dichte. Aus diesem Grunde wird meistens das Massenbremsvermögen in Tabellen angegeben. Es ist definiert als

$$\frac{\mathrm{d}E}{\mathrm{d}\xi} = \frac{1}{\varrho}\,\frac{\mathrm{d}E}{\mathrm{d}x} \quad (\varrho \text{ ist die Dichte})\,.$$

Es ist für alle Materialien etwa gleich und wird in MeV pro Gramm pro cm^2 angegeben.

Als **relatives Bremsvermögen** eines Stoffes bezeichnet man das Verhältnis seines Massenbremsvermögens zu dem des Aluminiums, das bei dieser Definition als Standard-Element benutzt wird. Die relativen Bremsvermögen aller Materialien liegen zwischen etwa 0,5 und 1,5 bei mittleren Energien.

Reichweite

Die Reichweite eines Teilchens ist die Schichtdicke, die ein Teilchen durchdringt, bis es seine gesamte Energie verloren hat. Sie ist natürlich von der Energie abhängig. Da die Energie-Reichweite-Beziehungen für alle Teilchen sehr genau bekannt sind, kann man durch Messung der Reichweite von Teilchen ihre Energie bestimmen. In Energie-Reichweite-Kurven wird die Reichweite gewöhnlich in Gramm pro cm^2 und die Energie in MeV angegeben.

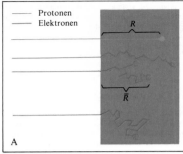

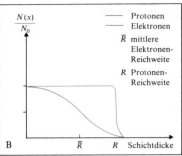

Bahnen von Protonen und Elektronen in Materie

Abnahme der Intensität mit der Schichtdicke für Protonen und Elektronen

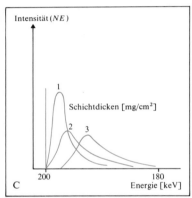

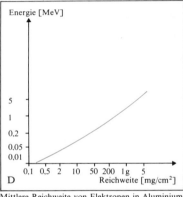

Energieverteilung von Elektronen nach verschiedenen Schichtdicken von Glimmer

Mittlere Reichweite von Elektronen in Aluminium

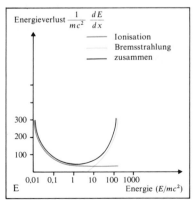

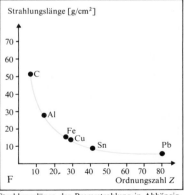

Energieverlust pro Zentimeter durch Ionisation und Bremsstrahlung für Elektronen in Blei

Strahlungslänge der Bremsstrahlung in Abhängigkeit von der Ordnungszahl

Die Bremsung schneller Elektronen in Materie geschieht im wesentlichen durch drei Effekte: Streuung an Atomelektronen, elastische Streuung an Atomkernen und Bremsstrahlung.

Die **inelastische Streuung an Atomelektronen** wird durch nahezu die gleichen Formeln wie bei der Bremsung schwerer Teilchen wiedergegeben, wobei Abweichungen durch zwei zusätzlich zu berücksichtigende Tatsachen entstehen:
1. Bei Elektronen gelten die Rechnungen im Schwerpunktsystem aus stoßendem und gestoßenem Elektron. Für das Laborsystem, in dem das gestoßene Elektron vor dem Stoß ruht, ist in den Formeln für die Stoßzahl die Elektronenmasse m durch $\dfrac{m}{2}$ zu ersetzen.
2. Nach dem Stoß sind stoßendes und gestoßenes Elektron nicht zu unterscheiden, man betrachtet jeweils das schnellere als das primäre Elektron, so daß maximal die Hälfte der Energie abgegeben werden kann.

Der Energieverlust durch Stöße an Atomelektronen wird MÖLLER-Streuung genannt und durch die Formel dargestellt:

$$-\frac{dE}{dx} = \frac{e^4 N}{4\pi\, \varepsilon_0^2 m v^2} \cdot Z \cdot \ln\left(\frac{m v^2}{2I} \cdot 0{,}85\right).$$

e Elementarladung, N Anzahl der Atome pro Kubikzentimeter, Z Ordnungszahl der Atome, m Elektronenmasse, v Elektronengeschwindigkeit, I mittleres Ionisierungspotential.
Die Ionisationsdichte ist bei gleicher Energie sehr viel geringer als bei schweren Teilchen wegen der wesentlich höheren Geschwindigkeit.

Die elastische Streuung an Kernen wurde klassisch durch RUTHERFORD und quantenmechanisch durch MOTT berechnet. Bei dieser Streuung gibt das Elektron nur wenig Energie ab, da es den schweren Kern kaum bewegen kann, verändert jedoch stark seine Richtung. Während die Stoßzahl bei MÖLLER-Streuung mit der Ordnungszahl Z (= Anzahl der Elektronen pro Atom) steigt, steigt sie bei MOTT-Streuung mit Z^2, überwiegt also bei nicht zu leichten Atomen. Elektronen bewegen sich daher in Materie auf einer Zickzackbahn.

Reichweite
Da Elektronen bei einem Stoß bis zur Hälfte ihrer Energie abgeben können, werden sie in sehr viel weniger Stößen abgebremst als schwere Teilchen. Deshalb ist die Annahme, daß sie ihre Energie kontinuierlich abgeben, nicht mehr gerechtfertigt und es treten große Abweichungen von der mittleren Bahnlänge auf.
Die Reichweite, d. h. die Schichtdicke, die die Elektronen durchdringen können, ist nicht gleich der Bahnlänge, da sie sich nicht geradlinig bewegen.
Die mittlere Reichweite ist die Schichtdicke, bei der die Hälfte der einfallenden Elektronen abgebremst ist. Sie ist etwa gleich der halben mittleren Bahnlänge.

Straggling
Als Straggling bezeichnet man die Abweichungen vom Mittelwert der Energie und Bahnrichtung nach dem Durchdringen einer Materieschicht. Infolge der geringen Anzahl der Stöße und der unregelmäßigen Bewegung ist das Straggling bei Elektronen sehr groß. Die Energieverteilung ist auch nach dem Durchdringen dünner Materieschichten sehr breit. Die Winkelverteilung nach dem Durchdringen der mittleren Reichweite ist praktisch isotrop.

Bremsstrahlung
Bremsstrahlung entsteht, wenn ein geladenes Teilchen beschleunigt oder abgebremst wird. Die Energie wird als elektromagnet. Strahlung ausgesandt. Wird ein Elektron im elektr. Feld eines Kerns mit der Ordnungszahl Z abgebremst, so ist nach der klass. Theorie die pro Zeiteinheit abgegebene Energie

$$\frac{dE}{dt} = \frac{Z^2}{m^2} \qquad (m = \text{Elektronenmasse}).$$

Sie ist also groß für Materie mit hoher Ordnungszahl und kleine gebremste Teilchen und spielt daher nur bei Elektronenbremsung eine Rolle.
Während das Massenbremsvermögen durch Ionisation mit wachsender Ordnungszahl leicht abfällt, steigt das Massenbremsvermögen durch Bremsstrahlung etwa linear mit der Ordnungszahl und mit der Energie. Die Wirkungsquerschnitte für Bremsstrahlung von Elektronen relativist. Energien wurden von BETHE und HEITLER berechnet. Danach ist das Massenbremsvermögen bei hoher Elektronenenergie proportional zur Elektronenenergie:

$$-\frac{dE}{d\xi} = \frac{E}{L}, \qquad E = E_0 \cdot e^{-\frac{\xi}{L}}.$$

L ist die Strahlungslänge, d. h. die Materialschichtdicke, auf der die Energie im Mittel auf $\dfrac{1}{e}$ der ursprüngl. Energie abfällt ($e = 2{,}718$ ist die Basis der natürlichen Logarithmen).

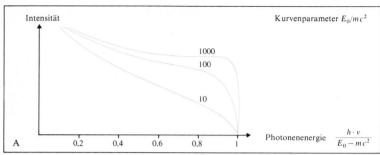

A

Spektrum der Bremsstrahlung bei verschiedenem Verhältnis von Teilchenenergie zu Ruhmasse

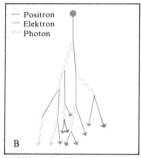

B

Ausbildung eines Schauers durch ein schnelles Elektron

C

Entwicklung eines Schauers

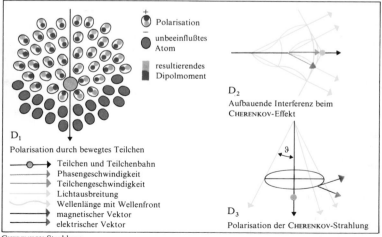

D_1

Polarisation durch bewegtes Teilchen

D_2

Aufbauende Interferenz beim CHERENKOV-Effekt

D_3

Polarisation der CHERENKOV-Strahlung

CHERENKOV-Strahlung

Bremsstrahlungsspektren

Bei Energien geladener Teilchen, die wesentlich größer als die Ruhenergie sind, geht der größte Teil der Energie durch Bremsstrahlung verloren. Das spielt besonders bei Elektronen eine Rolle, die nur eine Ruhmasse von 511 keV haben und bei denen in Schwermetallen bereits bei 10 MeV die Bremsstrahlungsverluste höher sind als die Ionisationsverluste. Die Energie, bei der beide gleich sind, nennt man die kritische Energie.

Die Bremsstrahlungsspektren erstrecken sich bei sehr hohen Energien der geladenen Teilchen fast gleichmäßig über den Energiebereich bis zur Anfangsenergie des Teilchens.

Schauer

Die bei der Bremsstrahlung gebildeten Photonen hoher Energie können im Material durch COMPTON-Effekt oder Paarerzeugung wieder reagieren. Dabei werden weitere Elektronen sowie Positronen erzeugt, so daß aus dem ursprünglichen Elektron ein ganzer Schauer von Teilchen entsteht, der nach kurzer Zeit ein Maximum der Teilchenzahl erreicht, um dann wieder abzuklingen. Die Anzahl der Teilchen im Schauer-Maximum ist etwa proportional zur Primärenergie des einfallenden Teilchens.

Schwere Teilchen sehr hoher Energie (bis zu etwa 10^{14} MeV) kommen in der Höhenstrahlung vor, einer Strahlung, die aus dem Weltraum kommend die Erde trifft. Die sehr seltenen Teilchen höchster Energie erkennt man an den durch sie ausgelösten großen Luftschauern. Diese enthalten außer den Elektronen und Positronen, die durch Bremsstrahlung und Paarerzeugung entstehen, noch einen Kern aus Mesonen und Baryonen und ihren Antiteilchen, die durch Paarerzeugung in starker Wechselwirkung entstehen. Die hochenergetischen Primärteilchen der kosmischen Strahlung erzeugen in der Atmosphäre Teilchenschauer mit bis zu 10^{10} Teilchen in Meereshöhe.

CHERENKOV-Strahlung

CHERENKOV-Strahlung tritt auf, wenn sich ein geladenes Teilchen in einem Medium schneller als die Phasengeschwindigkeit des Lichts bewegt. Die Phasengeschwindigkeit des Lichts ist gleich $\frac{c}{n}$, wenn c die Lichtgeschwindigkeit im Vakuum und n der Brechungsindex des Mediums ist.

CHERENKOV-Effekt

Die Entstehung der CHERENKOV-Strahlung kann ohne Quantenmechanik erklärt werden: Ein geladenes Teilchen polarisiert die Atome des Materials, indem es gleiche Ladung abstößt und entgegengesetzte anzieht, so daß die Atome zu kleinen Dipolen werden. Das geht nur dann, wenn das Material nicht elektrisch leitet; CHERENKOV-Strahlung tritt daher nur in einem Dielektrikum auf.

Bewegt sich das geladene Teilchen schnell durch die Materie, so sind hinter dem Teilchen die Atome weiter polarisiert, während vor dem Teilchen die Polarisation noch nicht auftritt, da sich die elektr. Wechselwirkung nur mit Lichtgeschwindigkeit durch die Materie fortpflanzt. Es entsteht dadurch ein resultierendes Dipolmoment am Ort des Teilchens. Dieses resultierende Dipolmoment ist die Ursache für die emittierte elektromagnet. Strahlung.

Im allgemeinen heben sich die elektromagnet. Wellen von verschiedenen Punkten der Teilchenspur gegenseitig durch Interferenz auf. Übersteigt jedoch die Teilchengeschwindigkeit die Phasengeschwindigkeit, so verstärken sich die Wellen in einer Wellenfront, die mit einem charakterist. Winkel ϑ zur Teilchenrichtung abgestrahlt wird. Diese Interferenz hat Ähnlichkeit mit der Verstärkung der Schallwellen zum MACHschen Kegel beim Flug eines Geschosses mit Überschallgeschwindigkeit.

Der charakterist. Winkel ϑ heißt CHERENKOV-Winkel und ist gegeben durch die CHERENKOV-Beziehung

$$\cos \vartheta = \frac{1}{\beta \cdot n},$$

wobei n der Brechungsindex und $\beta = \dfrac{v}{c}$ das Verhältnis von Teilchengeschwindigkeit zu Lichtgeschwindigkeit im Vakuum ist.

Für jedes Medium mit gegebenem Brechungsindex gibt es eine Schwellengeschwindigkeit, oberhalb derer der CHERENKOV-Effekt erst möglich ist. Sie ist gegeben durch

$$\beta = \frac{v}{c} = \frac{1}{n}.$$

Der maximale Emissionswinkel ist $\vartheta = \arccos\left(\dfrac{1}{n}\right)$.

Die CHERENKOV-Strahlung tritt hauptsächlich im sichtbaren blauen Bereich des elektromagnet. Spektrums auf, da nur für diese Wellenlängen der Brechungsindex größer als 1 ist.

Polarisation

Die CHERENKOV-Strahlung wird in einen Kegel vom halben Öffnungswinkel ϑ ausgesandt. Der elektr. Vektor steht senkrecht auf der Oberfläche des Kegels, der magnet. Vektor liegt tangential.

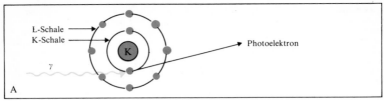

Photoeffekt

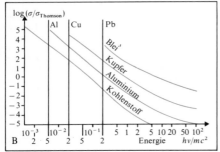

Wirkungsquerschnitt für Photoeffekt von K-Elektronen

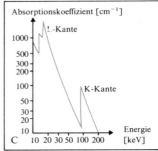

Absorptionskanten in Blei

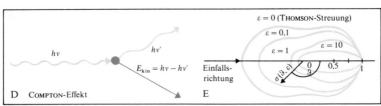

Winkelverteilung der COMPTON-gestreuten Gammaquanten in Einheiten des THOMSON-Querschnittes für Vorwärtsstreuung

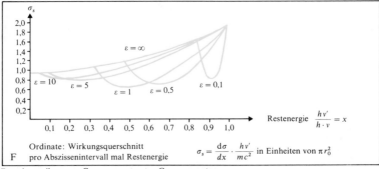

Ordinate: Wirkungsquerschnitt pro Abszisseninterval mal Restenergie

$$\sigma_s = \frac{d\sigma}{dx} \cdot \frac{h\nu'}{mc^2} \text{ in Einheiten von } \pi r_0^2$$

Energieverteilung von COMPTON-gestreuten Gammaquanten

Energiereiche elektromagnet. Strahlung wird als RÖNTGENstrahlung oder, wenn sie aus Atomkernen emittiert wird, als **Gammastrahlung** bezeichnet.

Beim Durchgang durch Materie treten die Gammaquanten (Photonen) in Wechselwirkung mit den Atomelektronen, den Atomkernen und mit deren elektr. Feldern. Sie können dabei absorbiert und mit oder ohne Energieverlust gestreut werden. Die wichtigsten Prozesse, bei denen sie Energie verlieren, sind der Photoeffekt, die COMPTON-Streuung und die Paarerzeugung.

Photoeffekt

Beim Photoeffekt wird das Gammaquant durch die Elektronenhülle eines Atoms vollständig absorbiert. Die Energie des Photons geht auf eins der Elektronen über, das dadurch in einen angeregten Zustand gehoben wird oder den Kern vollständig verläßt. Ist die Energie des Photons größer als die Bindungsenergie B des Elektrons, so wird letzteres mit der kinet. Energie $T = h \cdot v - B$ emittiert.

Wirkungsquerschnitt

Die Bindungsenergie des Elektrons ist abhängig von der Kernladungszahl des Materials und von der Schale, in der es sich befindet (s. S. 43). Ein Elektron nur dann angeregt werden kann, wenn die Energie des Photons ausreicht, um es auf einen unbesetzten Zustand geringer Bindungsenergie zu heben, zeigt die Absorptionskurve oder der Wirkungsquerschnitt jeweils beim Erreichen der Bindungsenergie einer Schale charakteristische Kanten. Zu hohen Energien hin fällt er jenseits der K-Kante stark ab. Die K-Kante entspricht der Bindungsenergie der innersten Elektronenschale (K-Schale). Mit wachsender Kernladungszahl Z nimmt der Wirkungsquerschnitt pro Atom wesentlich stärker als die Anzahl der Elektronen zu, und zwar etwa mit Z^4, was beweist, daß der Photoeffekt keine Wechselwirkung mit dem einzelnen Elektron, sondern mit dem ganzen Atom ist. Die Lage der K-Kanten verschiebt sich mit $(Z-1)^2$ zu höheren Energien.

Winkelverteilung

Bei kleiner Photonenenergie werden die Elektronen vorwiegend in Richtung des elektr. Vektors der einfallenden Strahlung emittiert, also senkrecht zur Einfallsrichtung der Photonen, bei großen Energien vorwiegend in Vorwärtsrichtung.

COMPTON-Effekt

Der COMPTON-Effekt ist die inelastische Streuung eines Photons an einem freien Elektron. Die Streuung an Atomelektronen kann als reiner COMPTON-Effekt angesehen werden, wenn deren Bindungsenergie klein ist gegen die Energie $h \cdot v$ des einfallenden Photons.

Beim Stoß verschiebt sich die Wellenlänge $\lambda = \dfrac{c}{v}$

des Photons um die vom Streuwinkel abhängige Größe

$$\Delta \lambda = \lambda_c (1 - \cos \vartheta_\gamma).$$

Dabei ist $\lambda_c = \dfrac{h}{mc}$ die COMPTON-Wellenlänge des Elektrons (m Elektronenmasse, c Lichtgeschwindigkeit, h PLANCKsches Wirkungsquantum) und ϑ_γ der Streuwinkel des Gammaquants.

Das Verhältnis der Gammaenergien vor und nach dem Stoß ist

$$\frac{hv'}{hv} = \frac{1}{1 + \varepsilon(1 - \cos \vartheta_\gamma)},$$

wobei ε das Verhältnis von Photonenenergie zur Ruhmasse des Elektrons ist:

$$\varepsilon = \frac{h \cdot v}{mc^2}.$$

Die Energieabgabe ist desto größer, je größer die Anfangsenergie und der Streuwinkel des Photons ist; bei kleinen Photonenenergien wird nahezu keine Energie abgegeben und die Streuung wird elastisch. Das Elektron erhält die vom Gammaquant abgegebene Energie $hv - hv'$ als kinet. Energie.

Wirkungsquerschnitt

Der Wirkungsquerschnitt eines Elektrons für COMPTON-Streuung wird durch die KLEIN-NISHINA-Formel dargestellt, aus der sich die Winkel- und Energieverteilungen der gestreuten Photonen und Elektronen in Abhängigkeit von der Einfallsenergie des Photons sowie die Gesamtwahrscheinlichkeit der COMPTON-Streuung ableiten lassen.

Winkelverteilung

Die Winkelverteilung der Photonen ist bei kleiner Energie ($\varepsilon \ll 1$) symmetrisch nach vorne und hinten und kleiner nach den Seiten. Bei großer Anfangsenergie geschieht die Streuung vorwiegend in Vorwärtsrichtung. Die Elektronen werden immer in den vorderen Halbraum beschleunigt. Bei kleinen Energien sind große Abweichungen von der direkten Vorausrichtung häufig, bei großen Einfallsenergien sind sehr kleine Winkel zwischen Elektronenflugrichtung und Einfallsrichtung des Photons bevorzugt.

Energieverteilung

Die gestreuten Photonen haben eine Energieverteilung, die von der Einfallsenergie hv bis zu einer minimalen Energie $\dfrac{hv}{1 + 2\varepsilon}$ reicht. Sie verteilen sich bei kleinen Einfallsenergien auf einen engen Bereich unterhalb der Einfallsenergie, bei großen Einfallsenergien auf einen weiten Bereich bis nahe an 0. An beiden Enden hat die Energieverteilung ein Maximum.

Die Energieverteilung der Elektronen reicht von 0 bis zur Maximalenergie $E_{max} = h \cdot v \left(\dfrac{2\varepsilon}{2\varepsilon + 1} \right)$ und hat ebenfalls an beiden Enden ein Maximum.

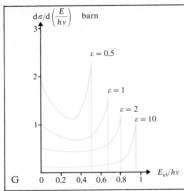

Energieverteilung von COMPTON-Elektronen

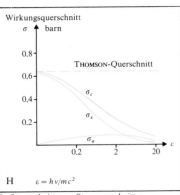

Stoßquerschnitt σ_c, Streuquerschnitt σ_s und Absorptionsquerschnitt σ_a

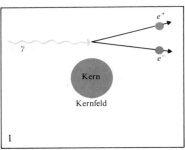

Paarerzeugung

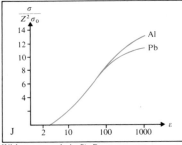

Wirkungsquerschnitt für Paarerzeugung σ_0 THOMSON-Querschnitt

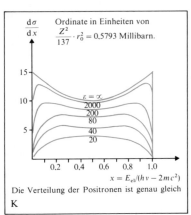

Die Verteilung der Positronen ist genau gleich

Energieverteilung des Elektrons aus der Paarerzeugung

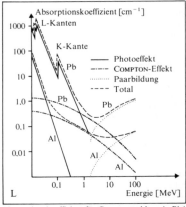

Absorptionskoeffizient für Gammastrahlung in Blei und Aluminium

Totale Querschnitte

Man unterscheidet den Stoßquerschnitt σ_c, d. i. die Anzahl der COMPTON-Wechselwirkungen pro einfallendem Photonenfluß (Photonen pro cm²), den Streuquerschnitt σ_s, d. i. die Energie aller gestreuten Photonen geteilt durch den einfallenden Energiefluß (Energie pro cm²) und den Absorptionsquerschnitt, d. i. die Differenz von Stoß- und Streuquerschnitt oder die auf Elektronen übertragene Energie pro einfallendem Energiefluß. Stoß- und Streuquerschnitt fallen mit steigender Energie ab, der Absorptionsquerschnitt durchläuft ein Maximum bei etwa $\varepsilon = 1$ (511 keV Gammaenergie).

Häufig wird der Wirkungsquerschnitt pro Atom benutzt, er ist gleich der Kernladungszahl Z mal dem Wirkungsquerschnitt pro Elektron.

THOMSON-Streuung

THOMSON-Streuung ist die elastische Streuung von Photonen an Elektronen, die nur bei sehr kleinen Energien auftritt. Der Wirkungsquerschnitt für THOMSON-Streuung kann nach klass. Physik berechnet werden und ist gleich (1 barn = 10^{-24} cm²):

$$\sigma_{\text{Thomson}} = \frac{8\pi}{3} r_0^2 = 0,6652 \text{ barn},$$

wobei r_0 der klass. Elektronenradius ist:

$$r_0 = \frac{e}{mc^2}.$$

Die Wirkungsquerschnitte für COMPTON-Streuung werden gewöhnlich in Einheiten des THOMSON-Wirkungsquerschnitts angegeben. Sie sind stets kleiner als der THOMSON-Querschnitt.

Paarerzeugung

Wenn die Energie des Gammaquants größer als die doppelte Ruhenergie des Elektrons $2mc^2 = 1,022$ MeV ist, kann das Gammaquant bei der Wechselwirkung mit dem elektr. Feld eines Atomkerns oder auch eines Elektrons ein Elektron-Positron-Paar bilden, wobei es selbst vernichtet wird und die überschüssige Energie in kinet. Energie der erzeugten Teilchen übergeht.

Wirkungsquerschnitt

Der Wirkungsquerschnitt für diesen Prozeß ist unterhalb der Energie $2mc^2$ gleich 0, darüber steigt er bis zu Gammaenergien um $100\,mc^2$ etwa logarithmisch mit der Energie an, um dann bei etwa $1000\,mc^2$ langsam konstant zu werden, d. h. unabhängig von der Gammaenergie. Er ist im Bereich zwischen 1 und $100\,mc^2$ proportional zum Quadrat der Kernladungszahl. Er wird gewöhnlich angegeben in Einheiten von

$$\bar{\sigma} = \frac{Z^2}{137} \cdot r_0^2.$$

Energieverteilung

Die Energieverteilung der erzeugten Elektronen und Positronen ist symmetrisch für beide Teilchen, wenn die verfügbare Energie $h\nu - 2mc^2$ groß genug ist, daß man die Abstoßung des Positrons und Anziehung des Elektrons durch das elektr. Feld des Kerns vernachlässigen kann. Bei mittleren Energien (etwa $5 - 50\,mc^2$) sind alle möglichen Energieverteilungen etwa gleich wahrscheinlich, bei hohen Energien ist die Abgabe eines großen Anteils der Energie an eines der Teilchen leicht bevorzugt.

Totaler Schwächungskoeffizient für Gammastrahlung

Gammastrahlen verlieren ihre Energie nicht wie schwere Teilchen in einem kontinuierlichen Prozeß, sondern immer in einem spontanen Einzelprozeß. Sie haben daher keine definierte Reichweite, sondern ihre Schwächung mit der Schichtdicke x folgt dem Exponentialgesetz

$$J = J_0 e^{-\mu x},$$

J ist die Intensität, J_0 die Anfangsintensität und μ der Schwächungskoeffizient, der von der Energie der Gammastrahlung abhängt. Der Schwächungskoeffizient ist die Wahrscheinlichkeit dafür, daß ein Gammaquant in einer dünnen Schicht absorbiert wird, geteilt durch die Dicke dieser Schicht, und ist das Produkt aus dem Wirkungsquerschnitt der Atome der Schicht mal deren Anzahl pro cm³.

Bei *niedrigen* Gammaenergien wird der Schwächungskoeffizient hauptsächlich vom Photoeffekt bestimmt. Er fällt nach Überschreiten der K-Kante stark ab.

Bei *mittleren* Energien, etwa um 1 MeV, wird er hauptsächlich durch den COMPTON-Effekt bestimmt und fällt bei leichten Atomen weiterhin schwach ab bis etwa 10 MeV.

Bei *hohen* Energien bestimmt der Paarbildungs-Querschnitt den Schwächungskoeffizienten. Er steigt mit dem Logarithmus der Energie an, bei schweren Atomen früher und stärker als bei leichten. Leichte Elemente haben daher ein breites Minimum des Schwächungskoeffizienten zwischen 0,1 und 100 MeV, in dem er nur wenig variiert, schwere Elemente haben im ganzen einen höheren Schwächungskoeffizienten und ein schmaleres Minimum.

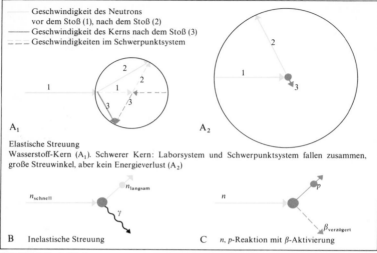

Geschwindigkeit des Neutrons
vor dem Stoß (1), nach dem Stoß (2)
Geschwindigkeit des Kerns nach dem Stoß (3)
Geschwindigkeiten im Schwerpunktsystem

A_1

A_2

Elastische Streuung
Wasserstoff-Kern (A_1). Schwerer Kern: Laborsystem und Schwerpunktsystem fallen zusammen, große Streuwinkel, aber kein Energieverlust (A_2)

$n_{schnell}$ $n_{langsam}$ γ

B   Inelastische Streuung

n p $\beta_{verzögert}$

C n, p-Reaktion mit β-Aktivierung

Energieverlust von Neutronen

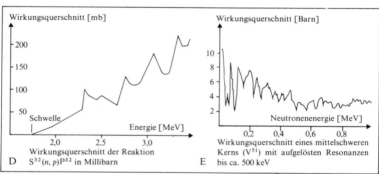

Wirkungsquerschnitt [mb]

200
150
100
50
Schwelle
Energie [MeV]
2,0   2,5   3,0
Wirkungsquerschnitt der Reaktion
D $S^{32}(n, p)P^{32}$ in Millibarn

Wirkungsquerschnitt [Barn]

10
8
6
4
2
Neutronenenergie [MeV]
0,2   0,4   0,6   0,8
Wirkungsquerschnitt eines mittelschweren
Kerns (V^{51}) mit aufgelösten Resonanzen
E   bis ca. 500 keV

Wirkungsquerschnitte für Neutronen

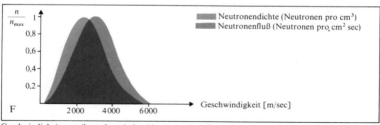

$\frac{n}{n_{max}}$

1
0,8
0,6
0,4
0,2

Neutronendichte (Neutronen pro cm^3)
Neutronenfluß (Neutronen pro cm^2 sec)

Geschwindigkeit [m/sec]
2000   4000   6000

F

Geschwindigkeitsverteilung thermischer Neutronen (bei Zimmertemperatur des Mediums)

Neutronen treten als ungeladene Teilchen in der Materie nur mit den Kernen in Wechselwirkung. Wegen der geringen Reichweite der Kernkräfte können sie auch mit geringer Energie noch große Schichtdicken ungestört durchdringen. Da sie nicht in der Atomhülle, sondern nur im Kern absorbiert werden, können sie sehr oft gestreut werden, ehe sie eingefangen werden, und sich so auf regellosen Bahnen wie ein Gas durch die Materie bewegen. Wegen der sehr unterschiedl. Effekte der Neutronen bei versch. Energie teilt man sie in versch. Gruppen ein:

Schnelle Neutronen: über 0,5 MeV
Mittelschnelle Neutronen: 1—500 keV
Langsame Neutronen: 0—1000 eV.

Schnelle Neutronen

Schnelle Neutronen können in der Materie drei versch. Arten von Wechselwirkungen machen:

1. elastische Streuung an Kernen,
2. inelastische Streuung an Kernen,
3. Kernreaktionen mit Erzeugung von geladenen Teilchen oder weiteren Neutronen: (n, α)-, (n, p)- und $(n, 2n)$-Reaktionen.

Bei der **elastischen Streuung** hängt der Energieverlust pro Streuereignis stark von der Masse des streuenden Kerns ab: Bei schweren Kernen tritt fast kein Energieverlust des Neutrons auf, da der Kern nicht bewegt wird, bei dem leichtesten Kern, Wasserstoff, kann der streuende Kern jede beliebige Energie bis zur vollen Energie des Neutrons aufnehmen. Zur Bremsung schneller Neutronen sind daher am besten wasserstoffreiche Materialien geeignet.

Bei der **inelastischen Streuung** nimmt der streuende Kern selbst Energie auf und geht in einen angeregten Zustand über. Die Anregungsenergie wird nach sehr kurzen Zeiten (Größenordnung 10^{-22} bis 10^{-24} sec) als Gammastrahlung wieder abgegeben. Die Bremsung von Neutronen durch inelastische Streuung ist daher ungünstig, da dabei die ebenfalls weitreichende Gammastrahlung entsteht.

Kernreaktionen mit schnellen Neutronen treten meistens erst ab einer bestimmten Schwellenergie auf, da bei ihnen Energie verbraucht wird, die aus der kinet. Energie des Neutrons kommt. Der Wirkungsquerschnitt für Kernreaktionen steigt jenseits der Schwelle rasch an und bleibt dann etwa konstant, bis eine neue Schwelle erreicht wird, bei der eine andere Reaktion möglich wird. Häufig führt eine Kernreaktion zur Aktivierung des Materials, d. h. der getroffene Kern ist nach der Kernreaktion radioaktiv.

Mittelschnelle Neutronen

Die Physik der mittelschnellen Neutronen ist am wenigsten erforscht, da in diesem Energiegebiet geeignete Spektrometer und geeignete Neutronenquellen nicht zur Verfügung stehen. Die wesentlichen Prozesse sind Neutroneneinfang und Neutronenstreuung. Inelastische Streuung geschieht bei den

Energien, wo das Neutron mit dem gestoßenen Kern einen angeregten Compoundkern bilden kann. Der Wirkungsquerschnitt zeigt an diesen Stellen ausgeprägte Maxima, sog. **Resonanzen**. Leichte Kerne haben eine geringe Anzahl weit auseinander liegender Resonanzstellen, schwere Kerne haben sehr viele Resonanzstellen, die bei den Messungen des Wirkungsquerschnitts gewöhnlich nicht mehr getrennt werden können.

Langsame Neutronen

Langsame Neutronen unterteilt man weiter in epithermische oder Resonanz-Neutronen, thermische Neutronen und kalte oder subthermische Neutronen.

Im Gebiet der **epitherm.** und **Resonanz-Neutronen** (ca. 1—1000 eV) wird der Wirkungsquerschnitt der Kerne durch einzelne Resonanzen bestimmt, bei denen er bis zu einigen tausend Barn ansteigen kann. Er variiert daher sehr stark mit der Energie und von Element zu Element. Die Messung der Wirkungsquerschnitts-Resonanzen und damit der Niveaus der Compoundkerne ist eins der wichtigsten Hilfsmittel zur Erforschung der Kernstruktur.

Thermische Neutronen haben eine Geschwindigkeitsverteilung, die mit der therm. Bewegung der Atome und Moleküle in der Umgebung im Gleichgewicht ist. Sie bewegen sich wie ein Gas in der Materie und werden weder verlangsamt noch beschleunigt. Sie haben in nichtabsorbierenden Medien wie z.B. schwerem Wasser (D_2O) eine sehr lange Lebensdauer. Ihre Verteilung in dem Medium wird durch die **Diffusionsgleichung** beschrieben, die z.B. auch die Ausbreitung eines Gases in Luft beschreibt. Die Diffusion therm. Neutronen spielt in der Reaktorphysik eine wichtige Rolle und wird dort behandelt. Die mittlere Energie therm. Neutronen beträgt 0,039 eV, das Maximum des therm. Neutronenspektrums liegt bei 0,026 eV.

Unter **subthermischen Neutronen** versteht man alle Neutronen, die weniger Energie als 0,02 eV haben. Die Wechselwirkung subtherm. und therm. Neutronen mit Materie wird wesentlich durch die Welleneigenschaften der Neutronen sowie durch die chem. Zusammensetzung und den Kristallaufbau der Materie beeinflußt.

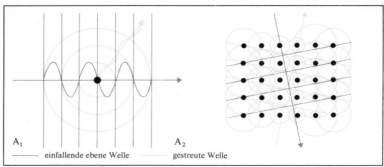

einfallende ebene Welle ——— gestreute Welle

Wellenfunktion der Neutronenstreuung an einem Streuzentrum und Überlagerung an einem regelmäßigen Kristallgitter zu Wellenfronten

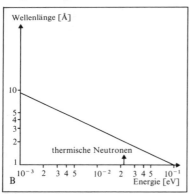

Energie-Wellenlänge-Beziehung für Neutronen

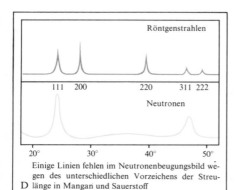

Neutronenbeugungs-Spektrometer

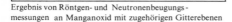

Einige Linien fehlen im Neutronenbeugungsbild wegen des unterschiedlichen Vorzeichens der Streulänge in Mangan und Sauerstoff

Ergebnis von Röntgen- und Neutronenbeugungsmessungen an Manganoxid mit zugehörigen Gitterebenen

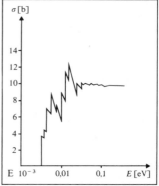

Streuquerschnitt von Berylliumoxid bei kleiner Energie

Kohärente Neutronenstreuung

Die Wellenlängen der DE-BROGLIE-Wellen therm. und subtherm. Neutronen sind von der Größenordnung 1 bis 10 Ångström und damit gleich groß oder gar größer als die Abstände der Kerne in der Materie. Die Neutronen können daher beispielsweise in Kristallen mit mehreren Kernen gleichzeitig in Wechselwirkung treten. Wenn die Kerne sich in nichts mehr unterscheiden, so müssen nach den Gesetzen der Quantenmechanik nicht die Wahrscheinlichkeiten für die Streuung an einzelnen Kernen zur Gesamtwahrscheinlichkeit der Streuung im Kristall addiert werden, sondern die Streuamplituden zur Gesamt-Streuamplitude, deren Quadrat die Streuwahrscheinlichkeit ergibt.

Für Neutronen so geringer Energie ist die Streuung an einem isolierten Kern in alle Richtungen gleich wahrscheinlich. Die Wellenfunktion eines parallelen Neutronenstrahls und der gestreuten Neutronen wird daher·dargestellt durch

$$\Psi = e^{ikz} - \frac{a}{r}\, e^{ikr},$$

wobei a die Streulänge ist, die aus dem Streuquerschnitt σ_s gewonnen wird: $\sigma_s = 4\pi a^2$; k ist die Wellenzahl $= \dfrac{2\pi}{\lambda}$, wenn λ die Wellenlänge ist, und r ist der Abstand vom Streuzentrum. Diese Streulänge kann positiv oder negativ sein, da nur der Streuquerschnitt positiv sein muß. Das Vorzeichen der Streulänge gibt nur eine Aussage über die *Phase* der gestreuten Welle, die mit der *Intensität* nichts zu tun hat.

Die Überlagerung der Amplituden der gestreuten Wellen von den einzelnen, regelmäßig angeordneten Kernen in Kristallen ergibt nur dann einen von Null verschiedenen Wert, wenn die Wellen in Phase sind und sich dadurch gegenseitig verstärken, was nur in bestimmten Raumrichtungen für vorgegebene Wellenzahlen k möglich ist. Soweit ist die kohärente Streuung von Neutronen ganz analog zur Streuung von RÖNTGENstrahlen in Kristallen. Es bestehen jedoch einige wesentliche Unterschiede.

1. In einem Material mit schweren und leichten Atomen werden die RÖNTGENinterferenzen der leichten Atome meistens von denen der schweren verdeckt, da die Streuquerschnitte für RÖNTGENstrahlung mit dem Quadrat der Kernladungszahl wachsen, für Neutronenstreuung jedoch bei allen Kernen etwa gleich groß sind. Die Struktur leichter Elemente in einem schweren Element kann daher nur mit Neutronenbeugung gemessen werden.

2. Die Neutronenstreulängen sind für verschiedene Isotope eines Elements verschieden, die RÖNTGENstreuquerschnitte nicht.

3. Wegen der starken Spin-Abhängigkeit der Kernkräfte hängen die Streueigenschaften für Neutronen von der Einstellungsrichtung Kernspin-Neutronenspin ab. Die Streuung von RÖNTGENstrahlen ist fast unabhängig von der Orientierung des Atoms.

4. Die Streulängen für RÖNTGENstrahlung sind immer positiv, während bei Neutronen positive und negative Streulängen vorkommen. Es überwiegt jedoch auch bei Neutronen die positive Streulänge, zumindest bei thermischen und subthermischen Neutronen.

5. Für einige Elemente (z. B. Cadmium) sind die Absorptionsquerschnitte wesentlich größer als die Streuquerschnitte, so daß die kohärente Streuung im wesentlichen an der Oberfläche stattfindet.

Diffuse Streuung

Nur kohärente Streuung würde dann auftreten, wenn die Ordnung im Kristall vollkommen und alle Kerne gleich wären und die Streuamplitude von der willkürlich verteilten Spineinstellung unabhängig wäre. Infolge der Temperaturbewegung der Kerne, der Mischung von Isotopen desselben Elements, der Spinabhängigkeit der Streulänge und der immer vorhandenen Fehlstellen im Kristall ist der kohärenten Streuung immer eine inkohärente überlagert, die in alle Richtungen gleich stark ist.

Meßmethoden

Die Intensität kohärenter Neutronenstreuung kann man auf zweierlei Weise messen:

1. Indem man die Winkelverteilung gestreuter Neutronen mißt; man erhält dann scharfe Maxima bei den Winkeln ϑ, bei denen die BRAGG-Bedingung $2d \cdot \sin \vartheta = n \cdot \lambda$ erfüllt ist, und

2. indem man die Transmission durch eine pulverförmige Probe mißt in Abhängigkeit von der Wellenlänge. Man erhält dann eine Reihe von scharfen Kanten, die zu höheren Energien immer kleiner werden. Die letzte Kante am niederenergetischen Ende erhält man bei der Wellenlänge, die gleich zweimal dem größten Netzebenenabstand ist. Für noch kleinere Energien ist keine kohärente Streuung mehr möglich und der Wirkungsquerschnitt sinkt stark ab. Man kann daher dicke Schichten polykristallinen Materials mit kleinem Absorptionsquerschnitt benutzen, um aus einem Neutronenstrahl gemischter Energie die subthermischen herauszufiltern.

Strahlungsdetektoren

elektrische

- Bahndetektoren: Funkenkammern, Hodoskope
- Spektrometer: Halbleiter, Ionisationskammer, Proportional-Zähler, Szintillations-Zähler, CHERENKOV-Zähler
- registrierende Detektoren: GEIGER-MÜLLER-Zähler
- Koinzidenztechniken, magnetische Spektrometer

nicht elektrische

- registrierende (Dosimeter): Thermolumineszenz, Radio-Photo-Lumineszenz, Lichtabsorption, chemischer Detektor, Halbleiter
- Bahndetektoren: Nebelkammer, Blasenkammer, Photoplatten

Indirekte Methoden für neutrale Teilchen

Teilchen	Umwandlung	erzeugtes geladenes Teilchen	Registrierung	Spektrometrie
Neutron	Kernreaktion	Proton, Alpha, Spaltprodukt	alle Detektoren	Szintillationszähler, Proportionalzähler
	Rückstoßproton	Proton		Photoplatten
Gamma-Strahlung	Photoeffekt	Elektronen		Szintillationszähler, Proportionalzähler, Koinzidenzmethoden
	COMPTON-Effekt	Elektronen		
	Paarbildung	Elektronen, Positronen		
kurzlebige Elementarteilchen	Zerfall	Zerfallsprodukte	wie Spektrometer	Nebelkammer, Blasenkammer, Photoplatte
Neutrino	schwache Wechselwirkung	Elektron, Müon	Szintillationszähler	

Legende:
- Energiemessung
- Bahn-, Zeitmessung
- reine Intensitätsmessung
- Energie-, Zeitmessung
- Zeitmessung
- Bahn-, Energie-, Zeitmessung
- Bahn-, Energiemessung

Die großen Fortschritte, die in den letzten Jahrzehnten auf dem Gebiet der Kernphysik und Elementarteilchenphysik erzielt worden sind, wurden erst möglich durch die Entwicklung und Vervollkommnung der Nachweismethoden für die emittierte Strahlung. Alle Strahlungsdetektoren beruhen auf der Wechselwirkung elektrisch geladener Teilchen mit den Atomen des Detektors; ungeladene Teilchen können daher nur indirekt gemessen werden durch die Erzeugung geladener Teilchen.

Die Detektoren kann man grob in zwei Gruppen einteilen, nämlich **elektrische** oder **elektronische** Meßmethoden und **nichtelektrische** Meßmethoden. Elektron. Meßgeräte geben sofort, wenn ein Teilchen den Detektor passiert, ein Signal ab, sie gestatten also eine genaue Zeitmessung, außerdem häufig noch aus der Größe und Form des Signals eine Messung der Energie, der Geschwindigkeit oder der Teilchenart. Nichtelektr. Detektoren sammeln i. a. die Information über einen größeren Zeitraum und gestatten keine Zeitmessung. Unter den nichtelektr. Detektoren findet man jedoch die, die die genauesten Messungen von Teilchenbahnen sowie die exaktesten Aussagen über die Energieverteilung der Reaktionsprodukte einzelner Kern- oder Elementarteilchenreaktionen ermöglichen.

Elektronische Detektoren

Elektron. Detektoren kann man weiter unterteilen in rein registrierende Detektoren, die nur anzeigen, wann ein Teilchen durch den Detektor hindurchgegangen ist, in Spektrometer, die gleichzeitig die Energie des Teilchens anzeigen, und in Bahndetektoren, die eine Messung des Teilchenorts im Zähler ermöglichen. Der einzige noch eingesetzte nur registrierende Zähler ist das bekannte GEIGER-MÜLLER-Zählrohr. Alle anderen verwendeten elektron. Detektoren sind entweder auch als Spektrometer oder als Bahndetektoren verwendbar. Selbstverständlich kann man jedes Spektrometer auch als registrierenden Detektor verwenden, indem man die Information aus der Signalform und -höhe nicht verwertet.

Spektrometer

Die wichtigsten zur Spektrometrie geeigneten Detektoren sind: Der Proportionalzähler, die Ionisationskammer, der Halbleiterzähler, der Szintillationszähler und der CHERENKOV-Zähler. Die ersten drei beruhen darauf, daß der elektr. Impuls, der durch die Ladungstrennung bei der Ionisation entsteht, geeignet verstärkt und registriert wird. Beim Szintillationszähler wird die Lichtintensität gemessen, die entsteht, wenn die durch das Teilchen angeregten oder vom Atom losgelösten Elektronen wieder in den Ruhezustand zurückkehren. Beim CHERENKOV-Zähler wird die CHERENKOV-Strahlung von Teilchen gemessen, die schneller sind als die Lichtgeschwindigkeit in der Zählermaterie. Dort wird also die *Geschwindigkeit* gemessen und nicht die *Energie*.

Bahndetektoren

Ein reiner Bahndetektor ist die Funkenkammer, die einen Lichtbogen an der Stelle erzeugt, wo sie von einem Teilchen durchsetzt wird. Außerdem kann man als Bahndetektoren sog. Hodoskope ansehen; sie bestehen aus einer großen Zahl kleiner Detektoren, die beim Durchgang des Teilchens aufleuchten. Die Verteilung der leuchtenden Detektoren wird photographiert.

Komplexe Anlagen

Durch die Kombination mehrerer Detektoren kann man häufig sehr viel genauere Angaben erhalten als durch einzelne Detektoren. So kann man durch **Koinzidenzschaltungen** feststellen, ob ein Teilchen gleichzeitig durch mehrere Zähler geht, und so die Bahn messen oder durch Magnetfelder Teilchen ablenken und aus der Bahnkrümmung in Bahndetektoren die Energie bestimmen. Welche Kombination am günstigsten ist, wird durch die physikal. Fragestellung bestimmt.

Nichtelektrische Detektoren

Es gibt zwei wesentliche Gruppen von nichtelektr. Detektoren, die Bahndetektoren und die Dosimeter. Dosimeter dienen dazu, die Gesamtintensität der Strahlung über einen längeren Zeitraum zu registrieren. In ihnen werden strahlungsbedingte Änderungen der Eigenschaften der Materie, wie z. B. Lichtabsorption, chem. Zusammensetzung, Leitfähigkeit usw. gemessen. Sie werden im wesentlichen beim Strahlenschutz von Personen und für techn. Messungen eingesetzt.

Nichtelektrische Bahndetektoren

Die nichtelektr. Bahndetektoren sind neben den Spektrometern die wichtigsten Detektoren in der Grundlagenforschung der Kern- und Elementarteilchenphysik. In ihnen werden die Ionisationsspuren elektrisch geladener Teilchen sichtbar gemacht. Das geschieht durch Kondensation von Wassertröpfchen in der Nebelkammer, durch Blasenbildung entlang der Spur (Blasenkammer) oder durch Entwickeln in Photoplatten. Aus der Spurenlänge, Spurdichte und -krümmung im Magnetfeld kann man die Energie, die Ladung und die Masse der Teilchen bestimmen. Liegt der Ort einer Reaktion im Detektor, so kann man die Eigenschaften aller beteiligten Teilchen (außer den ungeladenen) genau verfolgen.

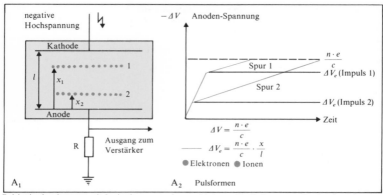

Pulsionisationskammer mit Ionisationsspuren in verschiedenen Abständen x von der Anode und zugehörige Impulsformen

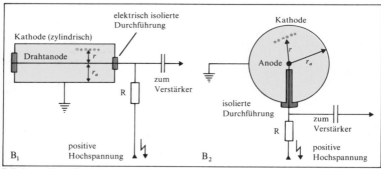

Zylinder- und kugelförmige Ionisationskammern

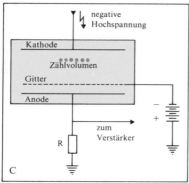

Gitterkammer (schematisch)

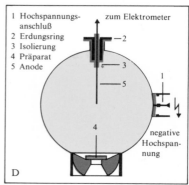

Stromionisationskammer zur Messung der Aktivität radioaktiver Präparate

Beim Durchgang geladener Teilchen durch ein Gas werden die Atome des Gases ionisiert. **Ionisationskammern** dienen dazu, diese Ionisierung genau zu messen und daraus Rückschlüsse auf das auslösende Teilchen zu ziehen.

Arbeitsprinzip

Eine Ionisationskammer besteht aus einem Gasvolumen, das zwischen zwei Elektroden liegt, an die eine ausreichend hohe Spannung (in prakt. Fällen zwischen 100 und einigen 1000 V) gelegt wird. Durch das elektr. Feld im Gasvolumen wandern die gebildeten Elektronen zur Anode (positive Elektrode) und die positiv geladenen Ionen zur Kathode (negative Elektrode). Man kann nun entweder die durch ein einzelnes Teilchen bewirkte Spannungsänderung an den Elektroden messen (Pulsionisationskammer) oder den mittleren Strom, der zwischen den Elektroden durch die erzeugten Ionen und Elektronen transportiert wird (Stromionisationskammern).

Ionisationsausbeute

Über den Energieverlust pro Weglänge geladener Teilchen gibt es sehr genaue Messungen und theoret. Formeln. Die Zahl der gebildeten Ionenpaare ist jedoch nicht allein von der abgegebenen Energie, sondern auch vom verwendeten Gas abhängig, da die Ionisierungsenergien für verschiedene Gase verschieden sind und außerdem ein Teil der Energie für die Anregung von Atomelektronen ohne Ladungstrennung verbraucht wird. Die genaue Messung der Energie pro gebildetem Ionenpaar ist daher die Grundlage jeder Energiemessung mit Ionisationskammern. Die gemessenen Werte liegen etwa zwischen 25 und 40 eV pro Paar. Glücklicherweise sind sie innerhalb von 0,5% unabhängig von der Energie des einfallenden Teilchens. Die Ladung ist daher proportional zur Teilchenenergie.

Pulsionisationskammern

Die Arbeitsweise einer Pulsionisationskammer wird am deutlichsten am Beispiel einer Plattenkammer, bei der die Elektroden aus ebenen Platten bestehen, die sich gegenüberliegen und einen Kondensator mit einem homogenen elektr. Feld im Gasvolumen bilden. Der Kondensator liegt an einer Seite an der Hochspannung und ist auf der anderen Seite über einen großen Widerstand geerdet.
Nach der Ionisation laufen die Ladungen auseinander, wobei durch Influenzwirkung auf der geerdeten Kathode eine Spannungsänderung entsteht, die proportional zur Ionenzahl und zum Ladungsabstand ist. Da die Elektronen sich etwa 1000 mal so schnell bewegen wie die Ionen, steigt der Spannungsimpuls erst schnell an, bis alle Elektronen gesammelt sind, und dann langsam, bis auch die Ionen gesammelt sind. Der gesamte Spannungssprung ist dann:

$$V = n \cdot \frac{e}{C},$$

n Anzahl der Ionenpaare, e Elementarladung, C Kapazität der Kammer.

Da die Sammelzeiten der Ionen für Meßzwecke zu lang sind, versucht man, den schnellen Elektronenpuls zur Energiebestimmung zu nutzen. Seine Höhe ist allerdings vom Elektronenweg und damit vom Ort der Ionisation in der Kammer abhängig, so daß man seine Steilheit (Volt/sec) mit elektron. Mitteln messen muß.
Eine häufig verwendete Form ist die zylindr. Ionisationskammer, in der die Anode aus einem dünnen Draht in der Achse einer zylindr. Kathode besteht. Das elektr. Feld konzentriert sich dann in der Nähe des Drahtes und die Höhe des Elektronenimpulses ist nur noch proportional zum Logarithmus des Abstands vom Anodendraht. Auch kugelförmige Kammern werden verwendet, in denen bei genügend kleiner Anode die Elektronenimpulse fast unabhängig vom Ionisationsort sind.

Gitterkammern

Der Nachteil ebener Kammern, daß die Impulshöhen vom Ionisationsort abhängen, kann durch ein Gitter zwischen den Elektroden behoben werden. An das Gitter wird eine feste Spannung gelegt, so daß die Ladungen aus dem Zählervolumen auf der einen Seite eine Influenzwirkung auf die Sammelelektrode auf der anderen Seite ausüben können. Die Wirkung auf die Sammelelektrode geschieht nur zwischen Gitter und Elektrode, wo keine Strahlung hinkommen soll.

Stromkammern

Stromkammern werden verwendet zur Messung der Aktivität von Alpha- oder Betastrahlen oder zur Messung konstanter oder langsam veränderlicher Intensitäten von RÖNTGEN- oder Gammastrahlung. Bei Aktivitätsmessungen muß das Präparat in der Kammer, welche so groß sein sollte, daß alle ausgesandten Teilchen innerhalb der Kammer abgebremst werden. Bei Beta-Aktivitätsmessungen führt das häufig zu großen Schwierigkeiten wegen der großen Reichweite von Elektronen. Man erhält dann entweder zu große Volumina oder zu große Drucke. Deshalb behilft man sich bei Betastrahlern mit Relativmessungen, indem man den Strom pro Aktivität mit bekannten Präparaten mißt. Auch bei RÖNTGEN- oder Gammastrahlung macht man nur Relativmessungen und nutzt die durch die Strahlung in der Kammerwand gebildeten Elektronen zur Messung aus.

Eine bes. Art der Ionisationskammer ist das **Taschendosimeter**, das zur Messung der Dosis verwendet wird, die strahlenexponierte Personen aufnehmen. Es wird vor Gebrauch auf eine feste Spannung aufgeladen. Der Spannungsabfall ist proportional zur Dosis.

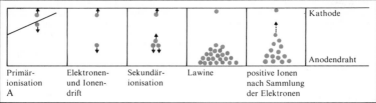

Primär-ionisation A	Elektronen- und Ionen-drift	Sekundär-ionisation	Lawine	positive Ionen nach Sammlung der Elektronen	Kathode
					Anodendraht

Die Entwicklung einer Lawine im Proportionalzähler

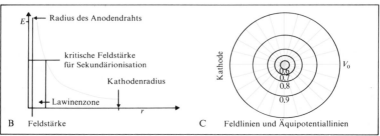

B Feldstärke

C Feldlinien und Äquipotentiallinien

Elektrische Feldverteilung im Zählrohr

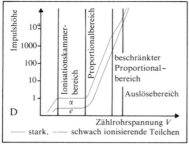

D — stark, — schwach ionisierende Teilchen

Impulshöhe in Abhängigkeit von der angelegten Spannung in zylindrischen Zählrohren

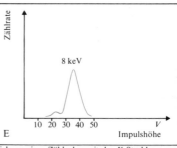

E

Eichung eines Zählrohrs mit der K-Strahlung von Zn 65 (8 keV)

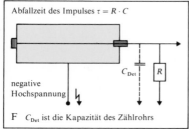

F C_{Det} ist die Kapazität des Zählrohrs

Arbeitswiderstand und Zeitkonstante beim Zähl-rohrausgang

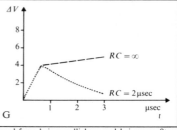

G

Impulsform bei unendlichem und bei angepaßtem Arbeitswiderstand

Die Impulsionisationskammern geben bei kleinen Teilchenenergien nur sehr kleine Signale ab, so daß man sehr hohe Nachverstärkung braucht. Dieser Nachteil wird durch den **Proportionalzähler** überwunden. Er besteht normalerweise aus einem zylindr. Rohr mit einem Anodendraht in der Mitte. Die Spannung wird so hoch gewählt, daß die bei der ersten Ionisation gebildeten Elektronen auf dem Weg zum Anodendraht so stark beschleunigt werden, daß sie weitere Ionisationen auslösen können. Es bildet sich dadurch eine Lawine aus, die zu einem wesentlich größeren Impuls an der Anode führt.

Gasverstärkungsfaktor

Beim Proportionalzähler ist der Spannungshub an der Anode gleich

$$\Delta V = A \cdot n \cdot \frac{e}{C},$$

n Anzahl der Ionenpaare, e Elementarladung, C Kapazität des Zählrohrs.

A ist der Gasverstärkungsfaktor, der von der Art des Füllgases, von der Geometrie des Zählrohrs und vor allem von der angelegten Spannung abhängt. Er ist jedoch unabhängig von der Anzahl n der primär gebildeten Ionenpaare.

In einem zylinderförmigen Zählrohr wächst das elektr. Feld in der Nähe des Anodendrahtes stark an. Die zur Anode wandernden Elektronen können nur dann weitere Ionisationen auslösen, wenn sie auf einer freien Weglänge zwischen zwei Stößen mit den Gasatomen mindestens die Ionisationsenergie erlangen. Der Ionisationswirkungsquerschnitt steigt von dieser Schwelle an etwa linear mit der Elektronenenergie an. Die Lawinenbildung geschieht daher nur in der Nähe des Anodendrahtes. Ihre äußere Grenze schiebt sich mit steigender Spannung nach außen. Die Zahl der gebildeten Elektronen und damit die Gasverstärkung wächst etwa exponentiell mit der Entfernung dieser Grenze vom inneren Draht und daher auch exponentiell mit der angelegten Spannung bei einem Zählrohr. Dabei ist vorausgesetzt, daß

1. *keine Photonen* auftreten, die neue Elektronen im Gas oder in der Wand auslösen,
2. die *Rekombination* von Ionen nur gering ist,
3. keine Auslösung von Elektronen durch die positiven Ionen an der Kathode auftritt,
4. das elektr. Feld durch die positiven Ionen nicht verändert wird.

Proportionalitätsbereich

Bei Edelgasen und reinen zweiatomigen Gasen erreicht man i. a. nur Gasverstärkungen bis etwa 100 und sehr schnelles Anwachsen mit sinkendem Druck oder steigender Spannung, wodurch hohe Anforderungen an die Konstanz der Spannungsquelle gestellt werden. Der Grund ist die Bildung von Photonen, die Sekundärelektronen an der Zählrohrwand auslösen.

Durch Zusatz von mehratomigen organ. Gasen (z. B. Methan) kann man erreichen, daß diese Photonen absorbiert werden und so den Proportionalitätsbereich bis etwa $A = 10^4$ ausdehnen mit geringerer Abhängigkeit von der angelegten Spannung. Bei diesen Verstärkungen kann man die Energie weicher Betastrahlung zwischen ca. 1 und 100 keV gut messen. Zur Eichung der Zählrohre verwendet man dabei RÖNTGENstrahlen bekannter Energie, die durch den Photoeffekt im Zähler Elektronen auslösen.

Beschränkter Proportionalitätsbereich

Bei zu hohen Spannungen am Zählrohr wachsen die Impulse schwacher Primärionisation (z. B. schnelle Elektronen) stärker mit der Spannung als im Proportionalitätsbereich, während die Impulse starker Ionisation (z. B. Alphateilchen) im Verhältnis dazu zu klein sind. Das ist einerseits auf die Bildung von Photonen im Zählgas, andererseits bei starker Ionisationsdichte auf die Abschirmung des elektr. Feldes durch die positiven Ionen zurückzuführen.

Impulsform

Die wesentliche Ladungstrennung geschieht im Proportionalzähler nicht am Ort der Primärionisation, sondern in der Lawine in unmittelbarer Nähe des Anodendrahtes. Daher ist der Elektronenanteil am Impuls, ähnlich wie bei der zylindr. Ionisationskammer,

$$\Delta V_e = A \cdot \frac{n \cdot e}{C} \cdot \frac{\ln \frac{r_0}{r_i}}{\ln \frac{r_a}{r_i}}.$$

r_0 ist hier aber der Abstand des Lawinenschwerpunkts vom Anodendraht und unabhängig vom Durchgangsort des primären Teilchens. Man kann daher direkt den Elektronenanteil zur Ionisationsmessung ausnutzen. Er macht wegen des kleinen r_0 nur einige Prozent des gesamten Impulses aus, sein Anstieg ist sehr schnell (ca. 10^{-7} sec).

Wählt man den Arbeitswiderstand R so, daß die Zeitkonstante RC (C ist die Zählerkapazität) größer als die Elektronenimpulslänge, aber klein gegen die Ionenimpulslänge ist, so mißt man an diesem Arbeitswiderstand nur den Elektronenimpuls.

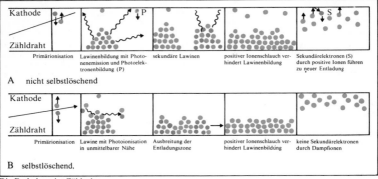

A nicht selbstlöschend

B selbstlöschend,

Die Entladung im Zählrohr

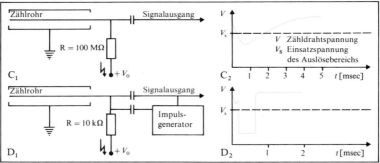

Löschschaltungen für Zählrohre

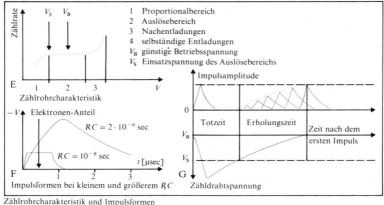

Zählrohrcharakteristik und Impulsformen

Auslösebereich

In einem Proportionalzähler breitet sich die Entladungslawine vom Entstehungsort der primären Ïonisation in Richtung der Feldlinien zum Anodendraht hin aus. Erhöht man die Zählrohrspannung weiter, so werden zunehmend mehr Photonen gebildet. Diese Photonen bewirken durch Bildung von Photoelektronen und damit von weiteren Entladungszentren im Zählrohr eine seitl. Ausbreitung der Entladung über das ganze Zählrohr. Die bei der Entladung transportierte Ladungsmenge ist dann nur noch eine Funktion der Zählrohrspannung und der Zählrohrdimension, aber nicht mehr abhängig von der Zahl der primär gebildeten Ionen. Der Vorteil dieser Betriebsart ist die Möglichkeit, sehr schwache Ionisierungen bis hinab zu einem einzelnen Ionenpaar nachzuweisen, der Nachteil ist, daß die Information über den Energieverlust des Teilchens im Zähler verloren geht.

Nicht selbstlöschende Zähler

Bei den gewöhnlichen GEIGER-MÜLLER-Zählrohren besteht die Gasfüllung aus einatomigen oder zweiatomigen Gasen, d. h. Edelgasen, Luft, Wasserstoff oder dgl. In diesen Gasen haben die gebildeten Photonen eine sehr große Reichweite, und die Photoelektronen werden hauptsächlich in den Wänden des Zählrohres ausgelöst. Die Entladung breitet sich dann sehr schnell über das gesamte Zählrohr aus. Da die Lawinen sich nur in der Nähe des Anodendrahtes ausbilden, wird nach kurzer Zeit der Zähldraht von einem Schlauch positiver Ionen eingehüllt. Dieser verhindert zunächst durch Abschirmung des elektr. Feldes ein weiteres Ansteigen der Entladung. Wenn jedoch die positiven Ionen zur Kathode gewandert sind, können sie dort Sekundärelektronen auslösen, die dann am jetzt wieder freien Zähldraht zu neuen Entladungen führen würden. Ohne äußere Eingriffe würde daher ein nicht selbstlöschendes Zählrohr nach der ersten Ionisation sich dauernd weiter entladen. Zur Löschung der Entladung kann man entweder einen sehr großen Widerstand an den Zähldraht legen, so daß die Spannung zusammenbricht, oder nach jedem registrierten Impuls die Spannung kurz erniedrigen, so daß sie unter die Grenzspannung des Auslösebereichs sinkt. Im ersten Falle wird der Impuls sehr lang (großes *RC*), im zweiten Fall muß man in Kauf nehmen, daß das Zählrohr während der Sammelzeit der positiven Ionen abgeschaltet ist.

Selbstlöschende Zähler

Eine wesentliche Verbesserung des Auslösezählrohres wird erreicht durch den Zusatz mehratomiger Dämpfe zum Zählgas (z. B. Alkohol). In diesen Dämpfen werden Photonen sehr stark absorbiert, die mittlere Reichweite beträgt bei einem Druck von 15 Torr Alkoholdampf nur 0,8 mm. Dadurch geschieht die Bildung von Photoelektronen nur ganz in der Nähe der primären Lawine und die Entladung pflanzt sich nur längs des Zähldrahts fort.

Die Ausbreitungsgeschwindigkeit des Entladungsschlauchs beträgt etwa 10^6 bis 10^7 cm/sec. Wenn die Entladung sich über den ganzen Zähler ausgebreitet hat, verhindern die positiven Ionen das weitere Ansteigen der Entladung. Im Gegensatz zu den nicht selbstlöschenden Zählern können bei Zählern mit Dampfzusatz die an die Kathode gelangenden Ionen keine Sekundärelektronen auslösen. Die bis zur Kathode gelangenden Ionen sind im wesentlichen Ionen des Dampfzusatzes, da die ein- und zweiatomigen Ionen des Füllgases ihre Ladung bei Zusammenstößen auf dem Weg vom Zähldraht zur Kathode an die Dampfmoleküle abgeben. Die ionisierten Dampfmoleküle sind zu schwer, um Elektronen auszulösen.

Zählrohrcharakteristik

Als Zählrohrcharakteristik bezeichnet man die Kurve der Impulszahl gegen die angelegte Spannung. Vom Anfang des Auslösebereichs an ist die Impulszahl über einen mehr oder weniger weiten Spannungsbereich konstant und steigt dann an. Diesen konstanten Bereich nennt man das **Plateau**, mit einer Spannung möglichst in der Mitte dieses Bereichs wird das Zählrohr betrieben. Der Anstieg bei größeren Spannungen wird durch **Nachentladungen** bewirkt. Ist die Spannung höher als die Plateauspannung, so besteht eine gewisse Wahrscheinlichkeit dafür, daß auch bei selbstlöschenden Zählrohren durch die Ionen Sekundärelektronen ausgelöst werden. Diese Wahrscheinlichkeit steigt schnell mit wachsender Spannung, so daß die Impulsrate jenseits des Plateaus stark ansteigt. Bei noch höheren Zählrohrspannungen setzt schließlich eine Dauerentladung ein.

Impulsform

Die Entladung im Auslösezählrohr breitet sich mit einer annähernd konstanten Geschwindigkeit längs des Zähldrahtes aus. Während der Ausbreitung wird durch die Bewegung der Elektronen ein kurzer Spannungsimpuls auf dem Zähldraht induziert, während die Ionen sich noch kaum bewegen. Der anschließende langsamere Impulsanstieg kommt dadurch zustande, daß die positiven Ionen zur Kathode abfließen. Dadurch werden die auf den Zähldraht durch die positive Ladung der Ionen festgehaltenen Elektronen frei und fließen über den Arbeitswiderstand ab. Der Anstieg des Ionenanteils ist abhängig vom Ort der primären Ionisation. Er ist wesentlich langsamer für Entstehungsorte am Rand als in der Mitte des Zählrohrs.

Totzeit und Erholungszeit

Nach einem Impuls ist ein Auslösezählrohr für eine kurze Zeit unempfindlich, da sich in dem positiven Ionenschlauch keine neue Lawine ausbilden kann. Danach sind für eine weitere Zeit, die Erholungszeit, die Impulse kleiner als normal, bis alle Ionen an der Kathode gesammelt sind. Die Totzeit beträgt etwa 10^{-5} sec und wird geringer mit wachsender Spannung.

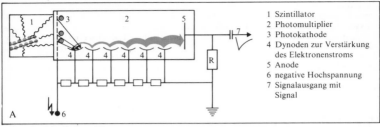

1 Szintillator
2 Photomultiplier
3 Photokathode
4 Dynoden zur Verstärkung des Elektronenstroms
5 Anode
6 negative Hochspannung
7 Signalausgang mit Signal

A
Aufbau des Szintillationszählers

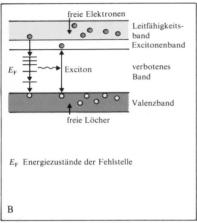

freie Elektronen

Leitfähigkeitsband
Excitonenband

E_F ⟿ Exciton

verbotenes Band

Valenzband

freie Löcher

E_F Energiezustände der Fehlstelle

B
Bändermodell für organische Szintillatoren

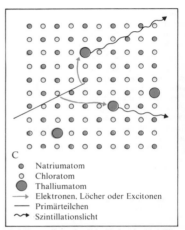

C
● Natriumatom
○ Chloratom
● Thalliumatom
→ Elektronen, Löcher oder Excitonen
— Primärteilchen
⟿ Szintillationslicht

Modellvorstellung der Szintillation im NaJ(Tl)

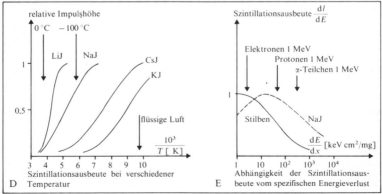

relative Impulshöhe

0 °C   − 100 °C

LiJ   NaJ   CsJ   KJ

flüssige Luft

$\frac{10^3}{T\,[\,K\,]}$

D
Szintillationsausbeute bei verschiedener Temperatur

Szintillationsausbeute $\frac{dI}{dE}$

Elektronen 1 MeV
Protonen 1 MeV
α-Teilchen 1 MeV

Stilben   NaJ

$\frac{dE}{dx}$ [keV cm²/mg]

E
Abhängigkeit der Szintillationsausbeute vom spezifischen Energieverlust

Szintillationsausbeute

Arbeitsweise

Die Wirkung der **Szintillationszähler** beruht darauf, daß gewisse durchsichtige Festkörper, Flüssigkeiten oder Gase durch ionisierende Strahlung zur Emission von kurzen Lichtimpulsen angeregt werden. Diese Lichtimpulse in Zinksulfid wurden schon von RUTHERFORD benutzt, um Alphateilchen nachzuweisen.

Zu einer für die Kernphysik brauchbaren Meßmethode sind die Szintillationszähler erst durch die Entwicklung hochempfindlicher Nachweisgeräte für schwache Lichtimpulse, sog. **Photomultiplier**, geworden.

Ein moderner Szintillationszähler besteht aus einem Szintillator, der einen Lichtblitz aussendet, dessen Intensität eine Funktion der abgegebenen Energie ist, einem Photomultiplier, der den Lichtblitz zu einem Spannungs- oder Stromimpuls umformt und gleichzeitig verstärkt, und den nachfolgenden Verstärkern und Zählgeräten. Da der Ausgangsimpuls dem Lichtsignal proportional ist, ist der Szintillationszähler wie der Proportionalzähler als Spektrometer verwendbar.

Die Vorteile des Szintillationszählers sind:
1. Die Lichtimpulse im Szintillator sind sehr schnell, man kann mit guten Szintillatoren Zeitmessungen bis zu einer Genauigkeit von etwa 10^{-10} sec durchführen gegenüber etwa 10^{-6} sec bei Proportionalzählern.
2. Durch die hohe Dichte des Szintillatormaterials kann man Teilchen sehr hoher Energie und schwacher Ionisation noch ganz im Detektor abbremsen. Man hat bereits Szintillatoren von mehr als einem Kubikmeter Inhalt gebaut. Ein weiterer Vorteil ist, daß der Detektor jede beliebige Form haben kann, ohne daß die Impulsform wesentlich beeinflußt wird.
3. Unentbehrlich ist der Szintillationszähler zum Nachweis und zur Spektrometrie von Gammastrahlung. Durch die große Reichweite energiereicher Gammastrahlung ist die Absorptionswahrscheinlichkeit in einem Gaszähler für Meßzwecke meistens zu gering.
4. Der zeitliche Verlauf der Szintillation ist in vielen Szintillatoren von der Ionisationsdichte abhängig. Man kann daher bei einer einzelnen Szintillation aus der Impulshöhe die Energie und aus dem Zeitverlauf die Teilchenart des auslösenden Teilchens messen.

Theorie der Szintillation

Über die Vorgänge, die von der Anregung oder Ionisation eines Szintillator-Atoms zur Emission eines oder mehrerer Photonen führen, kann man sich bisher nur modellmäßige Vorstellungen machen. Eine exakte Theorie, die es gestatten würde, die Eigenschaften eines Szintillators vorauszuberechnen, gibt es bisher nicht.

Man teilt wegen der sehr verschiedenen Vorgänge die Szintillatoren in zwei Gruppen ein, nämlich die anorgan. Ionenkristalle und die organ. Szintillatoren (Plastik, Flüssigkeiten, organ. Kristalle).

Ionenkristalle

Das Verhalten der Ionenkristalle wird durch das Bändermodell beschrieben. Die Elektronen können sich nur in bestimmten erlaubten Energiebändern aufhalten. Das oberste vollbesetzte Band, das Valenzband, ist vom untersten freien Band durch ein verbotenes Band von etwa 7 eV Breite getrennt. Durch ein geladenes Teilchen werden Elektronen vom Valenz- in das Leitungsband gehoben. Die zurückbleibenden Löcher und die Elektronen im Valenzband können sich frei bewegen. Die Vereinigung eines freien Elektrons mit einem Loch mit Emission von Licht ist sehr unwahrscheinlich, da nur möglich, wenn beide gleiche Impulse haben. Das Szintillationslicht wird vorwiegend an Gitterfehlstellen oder **Aktivatorzentren** emittiert, d. h. an Lücken im Gitter oder Fremdatomen. Durch diese Fehlstellen werden Elektronenniveaus innerhalb der verbotenen Zone zwischen Valenz- und Leitungsband erzeugt, die die Elektronen aus dem Leitfähigkeitsband einfangen und unter Emission von Licht in das Valenzband entlassen.

Zusätzlich zu den Elektron-Loch-Paaren werden sog. **Excitonen** gebildet, das sind Paare, die etwas weniger Energie haben und dadurch noch aneinander gebunden sind. Excitonen können auch ohne Fehlstelle rekombinieren und dabei ultraviolette Strahlung aussenden.

Nach diesen Modellvorstellungen lassen sich mit befriedigender Genauigkeit die Abhängigkeit der Lichtausbeute von der spezif. Ionisation und der Temperatur sowie die Abhängigkeit der Szintillationsdauer von der Temperatur berechnen. Die am häufigsten benutzten Ionenkristalle sind die Alkalijodide LiJ, NaJ, KJ, CsJ mit Thallium oder Europium aktiviert. Bei allen Kristallen steigt die Lichtintensität und fällt die Szintillationsdauer mit fallender Temperatur.

Organische Szintillatoren

Bei organischen Szintillatoren ist das Kristallgitter nur wenig an der Szintillation beteiligt, so daß die Szintillationseigenschaften weitgehend unabhängig davon sind, ob es sich um einen Kristall, eine Flüssigkeit oder einen Plastikstoff handelt. In organ. Kristallen sind die Energieniveaus so wenig verbreitert, daß die Emissionsspektren der Szintillatoren noch den Molekülspektren ähnlich sind.

Für die Übertragung der Energie vom Anregungsort zum ausstrahlenden Molekül werden zwei versch. Mechanismen angenommen:
1. Die Übertragung geschieht durch Strahlung, die an versch. Stellen des Szintillators emittiert und absorbiert wird.

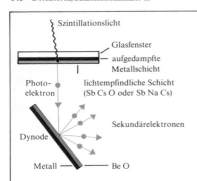

Szintillationslicht
Glasfenster
aufgedampfte Metallschicht
Photoelektron
lichtempfindliche Schicht (Sb Cs O oder Sb Na Cs)
Sekundärelektronen
Dynode
Metall ——— Be O

F Umformung von Lichtimpulsen in elektrische Signale im Photomultiplier

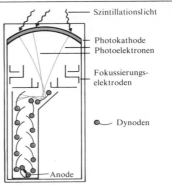

Szintillationslicht
Photokathode
Photoelektronen
Fokussierungselektroden
Dynoden
Anode

G Aufbau eines Photomultipliers (RCA 8850)

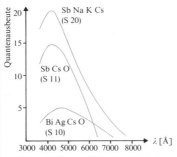

H Quantenausbeute (Elektronen pro Photon × 100) für verschiedene Photokathoden

Sb Na K Cs (S 20)
Sb Cs O (S 11)
Bi Ag Cs O (S 10)

Quantenausbeute

λ [Å]

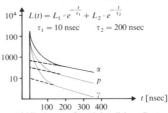

$$L(t) = L_1 \cdot e^{-\frac{t}{\tau_1}} + L_2 \cdot e^{-\frac{t}{\tau_2}}$$

$\tau_1 = 10$ nsec $\tau_2 = 200$ nsec

α
p
γ

t [nsec]

I Abklingkurven für Alphateilchen, Protonen und Gammas in Stilben

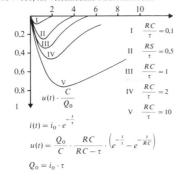

I $\frac{RC}{\tau} = 0{,}1$

II $\frac{RS}{\tau} = 0{,}5$

III $\frac{RC}{\tau} = 1$

IV $\frac{RC}{\tau} = 2$

V $\frac{RC}{\tau} = 10$

$u(t) \cdot \dfrac{C}{Q_0}$

$$i(t) = i_0 \cdot e^{-\frac{t}{\tau}}$$

$$u(t) = \frac{Q_0}{C} \cdot \frac{RC}{RC - \tau} \cdot \left(e^{-\frac{t}{\tau}} - e^{-\frac{t}{RC}} \right)$$

$$Q_0 = i_0 \cdot \tau$$

K Form und Höhe des Ausgangsimpulses des Szintillationszählers bei verschiedenem Verhältnis von RC des Ankopplungsgliedes zur Abklingzeit τ des Szintillators

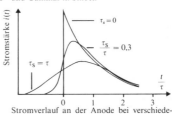

Stromstärke $i(t)$

$\tau_s = 0$
$\dfrac{\tau_S}{\tau} = 0{,}3$
$\tau_S = \tau$

$\dfrac{t}{\tau}$

J Stromverlauf an der Anode bei verschiedenem Verhältnis von Laufzeitstreuung τ_S und Abklingzeit τ des Szintillators

$i(t)$ Anode

C_A C_e R_e R_V $u(t)$

$$RC = \frac{R_e \cdot R_V}{R_e + R_V} (C_e + C_A)$$

C_A Kapazität der Anode gegen Erde
C_e Kondensator
R_e Widerstand
R_V Eingangswiderstand des Verstärkers

L Ankopplungsglied des Photomultipliers an den Verstärker

2. Die Übertragung geschieht strahlungslos durch Diffusion oder elektr. Dipolwechselwirkung zwischen den Molekülen.

Die Lichtausbeute organ. Szintillatoren ist wesentlich geringer als die von Alkalihalogeniden. Ihr Vorteil ist die sehr kurze Abklingzeit der Szintillation, die exakte Zeitmessungen ermöglicht.
Die Abhängigkeit der Lichtausbeute von der Ionisationsdichte kann bei organ. Szintillatoren sehr groß sein, offenbar, da sich Ionisation und Lichtemission auf engem Raum abspielen.

Flüssigkeitsszintillatoren sind organ. Lösungen. Die durch die Strahlung auf die Flüssigkeit übertragene Energie regt zunächst die Moleküle des normalerweise nicht szintillierenden Lösungsmittels an. Die Anregungsenergie wird dann auf die Moleküle eines in geringer Konzentration darin gelösten anderen Stoffes übertragen, von wo aus ein Teil der Energie als Licht ausgestrahlt wird. Dadurch wird das Szintillationslicht nicht vom Lösungsmittel absorbiert.

Plastikszintillatoren sind ebenfalls Lösungen, wobei das Lösungsmittel eine feste polymerisierte Substanz ist. Ihre Eigenschaften sind daher denen der Flüssigkeitsszintillatoren sehr ähnlich.

Photomultiplier

Der Photomultiplier dient dazu, aus den schwachen Lichtblitzen des Szintillators elektr. Impulse zu machen. Er besteht aus einer Photokathode, 8—14 Dynoden und einer Anode, die sich in einer Hochvakuumröhre befinden.

Die **Photokathode** besteht aus Mischoxiden wie z. B. SbCsO oder BiAgCsO, aus denen sich durch den lichtelektr. Effekt besonders leicht Elektronen lösen können. Diese lichtempfindl. Schicht befindet sich auf einer dünnen durchsichtigen Metallschicht, durch die die Elektronen nachgeliefert werden, um positive Aufladung zu verhindern. Die Metallschicht ist meistens direkt auf das Eintrittsfenster für das Szintillationslicht aufgedampft.

Die **Dynoden** dienen zur Verstärkung des Elektronenstroms durch Emission von Sekundärelektronen. Wenn ein im elektr. Feld zwischen Dynode und Kathode oder zwischen zwei Dynoden beschleunigtes Elektron auf die Dynode trifft, so löst es dort mehrere Elektronenemissionen aus. An jeder Dynode wird so der Elektronenstrom um den Faktor der ausgelösten Sekundärelektronen verstärkt (etwa 3—4), so daß bei einem 10-Dynoden-Multiplier etwa eine Verstärkung um den Faktor 10^6 bewirkt wird.

An der **Anode** werden die Elektronen gesammelt und erzeugen einen negativen Spannungsimpuls. Ausgelöste Sekundärelektronen von der Anode können diese nicht mehr verlassen, da sie durch das positive Potential festgehalten werden.

Impulsform

Die Form der elektr. Impulse am Ausgang eines Szintillatorzählers hängt von drei Größen ab:
1. dem zeitl. Verlauf des eigentl. Szintillations-Lichtblitzes,
2. den Laufzeiten und Laufzeitstreuungen der Elektronen auf dem Weg durch den Photomultiplier,
3. dem Ankopplungsglied vom Photomultiplier zum nachfolgenden Verstärker, d. h. von der Zeitkonstante $\tau = RC$, die durch den Anodenwiderstand und parallelen Verstärker-Eingangswiderstand R und die Kapazität der Anode gegen Erde an einem eventuell parallel gelegten Kondensator gegeben ist.

Der Lichtblitz setzt sofort in voller Höhe ein und fällt normalerweise exponentiell ab:

$$L(t) = L_0 \cdot e^{-\frac{t}{\tau}}.$$

$L(t)$ ist die Lichtintensität zur Zeit t, L_0 die Anfangsintensität und τ die Abklingzeit, die für den Szintillator charakteristisch ist. Die Abklingzeiten reichen von einigen Nanosekunden (10^{-9} sec) für Plastik-Szintillatoren bis zu einigen Mikrosekunden (10^{-6} sec) für organ. Kristalle.
Manche Kristalle haben auch zwei verschiedene Abklingzeiten:

$$L(t) = L_1 \cdot e^{-\frac{t}{\tau_1}} + L_2 \cdot e^{-\frac{t}{\tau_2}}.$$

Dabei kann das Verhältnis der Intensitäten L_1/L_2 noch von der Teilchenart des Primärteilchens abhängen. Diese Eigenschaft wird zur Unterscheidung z. B. von Neutronen und Gammastrahlung in Stilben verwendet.

Die Laufzeitstreuung der Elektronen im Photomultiplier führt dazu, daß an der Anode der Stromimpuls nicht genau die gleiche Form hat wie der Lichtblitz, sondern verschmiert wird.

Das Ankopplungsglied am Ausgang des Photomultipliers bestimmt die Form des Spannungsimpulses, der durch den Stromimpuls erzeugt wird. Bei großem RC, d. h. großem Widerstand oder großer Kapazität oder beidem, fließt der Strom hauptsächlich auf den Kondensator, während durch den Widerstand im Verlauf des Lichtblitzes so gut wie nichts abfließt. Die Spannung über dem Kondensator ist proportional zur Gesamt-Ladung. Diese großen Zeitkonstanten sind am besten geeignet zur Energiemessung. Bei kleinem RC fließt der Strom während des Szintillationsblitzes über den Widerstand ab, so daß die Spannung proportional zum Elektronenstrom ist und damit zur momentanen Lichtintensität. Diese Schaltungen sind hauptsächlich geeignet für schnelle Zeitmessungen.

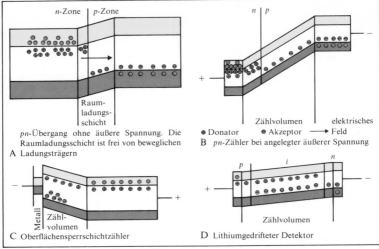

A pn-Übergang ohne äußere Spannung. Die Raumladungsschicht ist frei von beweglichen Ladungsträgern

B pn-Zähler bei angelegter äußerer Spannung

⊙ Donator   ⊙ Akzeptor   ⟶ Feld

C Oberflächensperrschichtzähler

D Lithiumgedrifteter Detektor

Bändermodelldarstellung von Halbleiterzählern

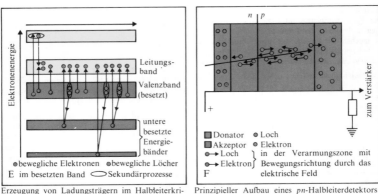

E im besetzten Band   ⊂⊃Sekundärprozesse

⊙bewegliche Elektronen   ⊙bewegliche Löcher

Erzeugung von Ladungsträgern im Halbleiterkristall nach dem Bändermodell

F

■ Donator   ⊙ Loch
■ Akzeptor   ⊙ Elektron
⊙⟶ Loch   } in der Verarmungszone mit
⊙⟶ Elektron   } Bewegungsrichtung durch das elektrische Feld

Prinzipieller Aufbau eines pn-Halbleiterdetektors

G

1 BNC-Buchse
2 Montageteller
3 Aluminiumschicht
4 Siliziumscheibchen
5 Goldschicht
6 Leitsilber
7 Kontaktdraht
8 Lötfahne

Montage eines Oberflächensperrschichtzählers

Halbleiterzähler wirken im Prinzip genauso wie eine Ionisationskammer, d. h. durch ein geladenes Teilchen werden im Zählervolumen positive und negative Ladungsträger freigesetzt, die durch ein angelegtes elektr. Feld zu den Elektroden am Rand des Zählervolumens strömen und dort einen Spannungsimpuls erzeugen, dessen Höhe proportional zur Anzahl der freigesetzten Ladungsträger und damit zur Energie ist. Der Unterschied zur Ionisationskammer besteht darin, daß

1. das Zählervolumen von einem Festkörper gebildet wird und daher die Reichweiten geladener Teilchen bei gleicher Energie wesentlich kleiner sind, und
2. die Ladungsträger nicht wie bei der Gasionisationskammer aus Elektronen und Ionen, sondern aus Elektronen und frei beweglichen Löchern (unbesetzten Elektronenzuständen) im Kristall bestehen.

Die Vorteile sind:

1. sehr gute Energieauflösung. Die notwendige Energie zur Freisetzung eines Elektrons im Szintillationszähler beträgt ca. 1 keV, zur Freisetzung eines Ionenpaares in Gasen ca. 30 eV, zur Freisetzung eines Elektron-Loch-Paares jedoch nur 3,6 eV. Die Zahl der Ladungsträger ist daher bei gleicher Teilchenenergie im Halbleiterzähler wesentlich höher als bei allen anderen Zählern.
2. gute Zeitauflösung. Durch die geringen Dimensionen des Zählers sind die Sammelzeiten der Ladungsträger klein, was schnelle Impulsanstiege zur Folge hat.
3. geringe Größe. Wegen der kurzen Reichweite geladener Teilchen in Festkörpern kann man in kleinen Zählern noch sehr hohe Energien nachweisen, wobei gleichzeitig der Ort des Teilchens durch die Zählergröße noch gut definiert ist.

Bändermodell

Die Wirkungsweise eines Halbleiterzählers kann durch das Bändermodell der Kristalle erklärt werden (s. S. 53). Danach können sich die Elektronen nur in bestimmten Energiebändern aufhalten, während die Energien dazwischen für ein Elektron nicht möglich sind. Das oberste vollbesetzte Band nennt man das **Valenzband**, das unterste leere Band das Leitfähigkeitsband (bzw. **Leitungsband**). Zwischen beiden liegt eine Lücke (**verbotenes Band**) von der Breite 1,1 eV für Silizium bzw. 0,66 eV für Germanium.
Durch Verunreinigungen im Kristall kann die natürliche Konzentration der Elektronen im Valenzband (Donatoren, n-Leiter) oder die Zahl der Löcher im Leitungsband (Akzeptoren, p-Leiter) und damit die Leitfähigkeit erhöht werden.

pn-Übergänge

An einer Grenzschicht zwischen einer p-leitenden und einer n-leitenden Zone eines Kristalls diffundieren die Majoritäts-Ladungsträger (Elektronen im

n-Gebiet, Löcher im p-Gebiet) in die andere Zone und rekombinieren mit den Majoritätsträgern dieser Zone. Durch die zurückbleibenden Störstellen (Akzeptoren bzw. Donatoren) baut sich eine Raumladungsdoppelschicht auf, die ein elektr. Feld in der Umgebung der Grenzschicht erzeugt, das die frei beweglichen Ladungsträger absaugt. Die Raumladungszone wird dadurch frei von bewegl. Ladungen und leitet daher keinen Strom.
Legt man von außen an den Kristall eine zusätzl. positive Spannung auf der n-Seite an, so muß diese ebenfalls ganz über die Grenzschicht abfallen, da der übrige Kristall gegen die Verarmungszone eine hohe Leitfähigkeit hat. Die Ladungsdichte in der Verarmungszone kann nicht höher werden als die Störstellendichte, deshalb muß bei höherer Spannung die Verarmungszone breiter werden. Die

Breite der Verarmungszone wächst mit $\sqrt{\dfrac{U}{N}}$, wenn

U die Spannung und N die Störstellendichte ist.
Werden in der Verarmungsschicht bewegl. Ladungen durch ein schnelles geladenes Teilchen freigesetzt, so werden diese durch das elektr. Feld abgesogen und wie in der Ionisationskammer als Spannungsimpuls an den Kristallelektroden registriert.

Oberflächensperrschichten

Außer einem pn-Übergang kann auch ein Halbleiter-Metall-Kontakt zur Ausbildung einer Sperrschicht führen. Der Abbruch der Kristallstruktur an den Grenzen des Halbleiters erzeugt Akzeptorstörstellen in der Grenzschicht. Bringt man durch Aufdampfen eine dünne Metallschicht auf n-leitendes Material, so bildet sich ebenfalls direkt unter der Metallschicht eine ladungsträgerfreie Sperrschicht aus, die als Ionisationskammer wirkt. Der Vorteil dieser Anordnung ist das sehr genau definierte dünne Eintrittsfenster für die Strahlung, das durch die Dicke der Metallschicht gegeben ist.

Lithiumgedriftete Detektoren

In pn-Übergängen kann man große Dicken der empfindlichen Zone nur durch Anlegen einer hohen Spannung erreichen. Wesentlich größere Dicken kann man erreichen, wenn die Störstellendichte gering ist. Um das zu erreichen, läßt man in n-leitendes Bor-dotiertes Silizium oder Germanium Lithium eindiffundieren. Die Lithiumionen erzeugen Akzeptorstörstellen, welche die Donatorstörstellen des Bors gerade kompensieren, so daß der Kristall praktisch störstellenfrei ist und sich bei angelegter Spannung die Verarmungszone fast über den ganzen Kristall ausbreitet. Diese Strukturen nennt man auch pin-Übergänge.

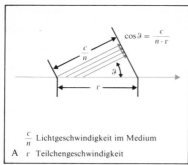

$$\cos \vartheta = \frac{c}{n \cdot v}$$

$\frac{c}{n}$ Lichtgeschwindigkeit im Medium

A $\quad v$ Teilchengeschwindigkeit

CHERENKOV-Beziehung

B
1 Teilchenstrahl, 2 Radiator, 3 Radiator in dünnwandigem, lichtdichtem Kasten mit innen diffus reflektierenden Wänden, 4 Photomultiplier

Schwellen-CHERENKOV-Zähler mit diffus reflektierenden Wänden

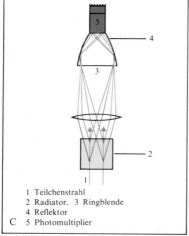

1 Teilchenstrahl
2 Radiator, 3 Ringblende
4 Reflektor
C 5 Photomultiplier

Optisches System für differentiellen CHERENKOV-Zähler: Fokussierung in einen Ring

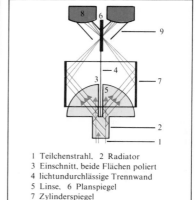

1 Teilchenstrahl, 2 Radiator
3 Einschnitt, beide Flächen poliert
4 lichtundurchlässige Trennwand
5 Linse, 6 Planspiegel
7 Zylinderspiegel
8 Photomultiplier
9 Reflektor aus Glas, innen mit Al
D   verspiegelt

Differentieller CHERENKOV-Zähler mit gespaltener Linse

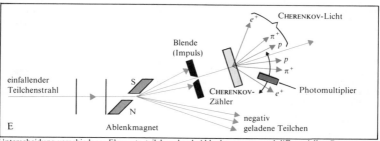

E

Unterscheidung verschiedener Elementarteilchen durch Ablenkmagneten und differentiellen CHERENKOV-Zähler

CHERENKOV-Zähler nutzen die von schnellen geladenen Teilchen in einem Medium mit einem opt. Brechungsindex größer als 1 erzeugte CHERENKOV-Strahlung zum Nachweis und zur Spektrometrie dieser Teilchen (s. S. 129). Die CHERENKOV-Zähler bestehen im wesentlichen aus dem Radiator, der von den Teilchen durchflogen wird und in dem das Licht erzeugt wird, dem opt. System, welches das Licht auffängt und sammelt, und einem oder mehreren Photomultipliern, die das Licht in elektr. Impulse umwandeln, die in üblicher Weise elektronisch gezählt werden können.
Durch die CHERENKOV-Beziehung

$$\cos \vartheta = \frac{c}{n \cdot v},$$

die den Winkel des ausgestrahlten Lichtes ϑ mit der Geschwindigkeit v verknüpft, (n ist der Brechungsindex, c die Lichtgeschwindigkeit im Vakuum) kann man mit CHERENKOV-Zählern direkt die Geschwindigkeit der geladenen Teilchen messen. Die Beschränkung auf hohe Energien ergibt sich daraus, daß die CHERENKOV-Strahlung nur dann ausgesandt wird, wenn das Produkt aus Brechungsindex und Geschwindigkeit größer als die Lichtgeschwindigkeit im Vakuum ist; die kinet. Energie der Teilchen muß daher etwa der Ruhenergie $m_0 c^2$ der Teilchen entsprechen.

Man kann die CHERENKOV-Zähler in zwei Gruppen einteilen, in **dünne** und **totalabsorbierende** Zähler. In dünnen Zählern sollen die Teilchen nur einen sehr geringen Teil ihrer Energie verlieren, so daß man davon ausgehen kann, daß sie an jedem Ort des Zählers die gleiche Energie haben. In totalabsorbierenden CHERENKOV-Zählern sollen die Teilchen ihre gesamte Energie abgeben. Die insgesamt ausgesandte Lichtintensität ist dann ein Maß für die Energie des Teilchens. CHERENKOV-Zähler haben dabei den Vorteil vor Szintillationszählern, daß sie aus jedem beliebigen durchsichtigen Material, z. B. Wasser, bestehen können und daher bei großen Ausmaßen sehr billig sein können.

Bei dünnen CHERENKOV-Zählern unterscheidet man die einfachen CHERENKOV-Zähler, die nur Teilchen registrieren, die **Schwellendetektoren**, die Teilchen ab einer bestimmten Geschwindigkeitsschwelle registrieren und die **differentiellen CHERENKOV-Zähler**, die Teilchen innerhalb eines vorgegebenen Geschwindigkeitsintervalls registrieren.

Die größte Bedeutung haben die Schwellenzähler und differentiellen Zähler, mit denen man bei Elementarteilchenexperimenten die Art des registrierten Teilchens bestimmen kann. Lenkt man nämlich einen gebündelten Strahl geladener Teilchen durch einen Magneten ab, so haben die in den gleichen Winkel abgelenkten Teilchen alle den gleichen Impuls, unabhängig davon, um was für Teilchen es sich handelt (Hyperonen, Protonen, Mesonen oder Elektronen). Teilchen verschiedener

Masse haben jedoch bei gleichem Impuls verschiedene Geschwindigkeiten (Impuls = Masse mal Geschwindigkeit). Registriert man also im abgelenkten Strahl die Teilchen mit einem differentiellen CHERENKOV-Zähler, so kann man aus dem CHERENKOV-Winkel die Teilchenart bestimmen.

Schwellenzähler

Bei einem Schwellen-CHERENKOV-Zähler wird der Brechungsindex n des Zählermaterials so gewählt, daß c/n gerade gleich der Grenzgeschwindigkeit v_s ist, die gerade noch registriert werden soll. Der Zähler ist von einem lichtdichten Kasten umgeben, der nach innen reflektiert. Seitlich zum einfallenden Teilchenstrahl ist der Photomultiplier angebracht, der das CHERENKOV-Licht, eventuell erst nach mehreren Reflexionen, einfängt und registriert. Der Vorteil dieser Anordnung ist, daß der einfallende Teilchenstrahl nicht scharf gebündelt zu sein braucht. Auch Schwellenzähler lassen sich zur Teilchenunterscheidung einsetzen, wenn man mehrere verwendet und in Antikoinzidenz schaltet, so daß zum Beispiel der erste Zähler alle Teilchen registriert, die leichter als ein K-Meson sind, der zweite alle, die leichter als ein π-Meson. Spricht der erste an und der zweite nicht, so handelt es sich um ein π-Meson.

Differentielle CHERENKOV-Zähler

Ein differentieller CHERENKOV-Zähler soll nur das Licht registrieren, das unter einem definierten Winkel zum Teilchenstrahl ausgesandt wird. Dazu muß die Einfallsrichtung der Teilchen scharf definiert sein. Das unter dem gewünschten Winkel emittierte Licht wird durch ein optisches System fokussiert, dabei kann auch das Zählervolumen selbst als opt. System verwendet werden. Das hat den Vorteil, daß man zusätzliche CHERENKOV-Strahlung in eventuell verwendeten Linsen vermeidet.

Durch eine Linse, deren Achsrichtung in der Teilchenstrahlrichtung liegt, wird das Licht auf einem Kreis um den Teilchenstrahl fokussiert. Durch einen zylindr. Spiegel kann man erreichen, daß· es auf einem Punkt auf der Strahlachse zusammenläuft, von dem aus es zum Photomultiplier gelangen kann.

Aus dem Abstand zwischen Linsenbrennebene und Leuchtpunkt kann man den CHERENKOV-Winkel und damit die Geschwindigkeit berechnen.

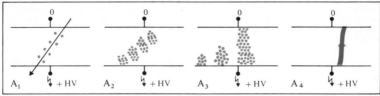

Ausbildung des Zündfunkens in der Funkenkammer

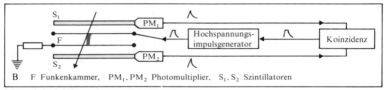

B   F Funkenkammer, PM_1, PM_2 Photomultiplier, S_1, S_2 Szintillatoren

Schematische Schaltung einer gepulsten Funkenkammer

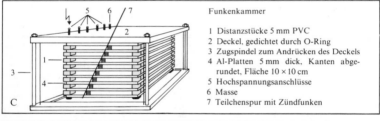

Funkenkammer

1 Distanzstücke 5 mm PVC
2 Deckel, gedichtet durch O-Ring
3 Zugspindel zum Andrücken des Deckels
4 Al-Platten 5 mm dick, Kanten abgerundet, Fläche 10×10 cm
5 Hochspannungsanschlüsse
6 Masse
7 Teilchenspur mit Zündfunken

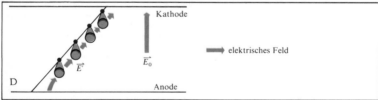

Ausbildung des Zündfunkens entlang der Teilchenspur

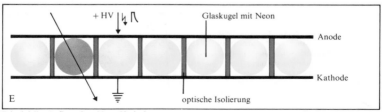

Prinzipieller Aufbau eines Neon-Hodoskops

Funkenkammern

Funkenkammern sind elektron. Zähler, die es gestatten, gleichzeitig die Bahn eines elektrisch geladenen Teilchens und die Zeit seines Durchgangs durch den Zähler zu messen. Sie beruhen auf der Tatsache, daß eine Funkenentladung zwischen zwei Elektroden, zwischen denen eine Hochspannung liegt, durch die Ionisation entlang einer Teilchenspur begünstigt wird.

Funkenzähler

Die Vorläufer der heute benutzten Funkenkammern waren die Funkenzähler, die aus dünnen Drahtanoden bestanden, die einer plattenförmigen über einen Widerstand geerdeten Kathode gegenüberstanden. Beim Durchgang eines Teilchens zwischen Draht und Kathode schlägt ein Funke über, der so lange ansteht, bis der aus den Elektroden bestehende Kondensator weitgehend entladen ist, d. h. Draht und Kathode fast auf gleicher Spannung liegen. Funkenzähler haben hauptsächlich den Vorteil, sehr große Impulse mit schnellen Anstiegszeiten zu liefern, die nicht nachverstärkt zu werden brauchen.

Gepulste Funkenkammern

Eine wesentl. Verbesserung wurde erzielt durch den Einsatz gepulster Funkenkammern. In ihnen wird der Durchgang eines Teilchens durch die Kammer nicht von der Kammer selbst angezeigt, sondern durch außerhalb der Kammer liegende GEIGER-MÜLLER-Zähler oder durch Szintillationszähler, die in Koinzidenz geschaltet sind. Zeigen die außen liegenden Zähler den Durchgang eines Teilchens an, so wird ein kurzer Impuls sehr hoher Spannung auf die Kammer gegeben. Die Kammer selbst besteht aus zwei gegenüberliegenden Platten, zwischen denen im Ruhezustand nur eine geringe Spannung liegt, um das Kammervolumen frei von Elektronen zu halten. Beim Anlegen des Hochspannungsimpulses springt der Entladungsfunke an der Stelle über, wo das Teilchen die Kammer durchsetzt hat. Dieser Entladungsfunke wird photographiert, wodurch der Teilchenort auf etwa 0,1—0,2 mm genau lokalisiert werden kann.

Durch den Aufbau mehrerer Kammern übereinander, wobei aufeinanderfolgende Platten abwechselnd an Erde oder am Hochspannungsimpulsgenerator liegen, kann die gesamte Bahn eines geladenen Teilchens durch den aus den vielen einzelnen Funkenkammern gebildeten Detektor sichtbar gemacht werden. Es ist dabei möglich, auch mehrere Teilchen gleichzeitig in einem Detektor zu photographieren und auf diese Weise Schauer zu beobachten.

Funkenbildung

Die Funkenkammern sind gewöhnlich mit Edelgasen (Neon oder Argon) gefüllt, um eine Anlagerung der bei der Primärionisation gebildeten Elek-

tronen an die Gasatome zu verhindern. Der Zündfunke kommt nämlich dadurch zustande, daß die Elektronen beim Anlegen des Hochspannungsimpulses so stark beschleunigt werden, daß sie sehr schnell weitere Elektronen-Ionen-Paare erzeugen, die längs der Teilchenbahn eine hohe Leitfähigkeit des sonst isolierenden Gases erzeugen. Dabei bildet sich aus jedem primär erzeugten Ionenpaar eine Lawine, in der die Elektronen sich zur Anodenseite bewegen. Ein Funkendurchschlag wird dann erreicht, wenn sich in der Lawine etwa 10^8 Elektronen bilden können, ehe sie die Anode erreicht hat.

Kammern mit großem Abstand

In Kammern mit großem Plattenabstand bilden sich die sog. »Streamer«, d. h. Lawinen mit mehr als 10^8 Elektronen lange vor Erreichen der Anode aus. Dadurch wird zwischen den einzelnen Streamern das elektr. Feld durch die Raumladungen in Richtung der Teilchenbahn ausgerichtet und die Lawinen entwickeln sich weiter entlang dieser Bahn, so daß man in *einer* Kammer die Teilchenrichtung messen kann.

Streamer-Kammern

Streamer-Kammern sind Funkenkammern, an die so kurze Hochspannungsimpulse gelegt werden, daß die Lawinen sich in der zur Verfügung stehenden Zeit weder mit der Anode noch untereinander verbinden können. Es kommt nicht zu einem wirklichen Funkendurchschlag, sondern nur zu einer Leuchtspur, die entsteht, wenn die in den Streamern gebildeten Ionen und Elektronen rekombinieren.

Hodoskope

Auf einem ähnl. Prinzip wie die Funkenkammern beruhen die Hodoskop-Detektoren, die zur Erforschung der Struktur von Schauern der kosmischen Strahlung benutzt werden. In ihnen liegt zwischen zwei Elektroden ein Gitter aus neongefüllten Glaskugeln, die optisch voneinander isoliert sind. Beim durch andere Detektoren angezeigten Durchgang eines Schauers durch das Hodoskop wird an die Elektroden ein Hochspannungsimpuls angelegt, durch den sich in den Kugeln, die von einem oder mehreren Teilchen getroffen wurden, eine Lawine ausbildet, wodurch sie aufleuchten. Eine Elektrode besteht gewöhnlich aus einem Drahtgitter, durch das die aufleuchtenden Kugeln photographiert werden können. Im Unterschied zu den Funkenkammern kann sich jedoch kein Entladungsfunke ausbilden, da die Glaskugeln eine Elektroden enthalten und das ionisierte Neon gegen die Platten isolieren.

156 Detektoren/Koinzidenztechnik

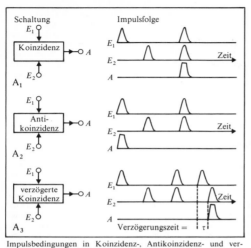

Schaltung — Impulsfolge

A_1 Koinzidenz → A; E_1, E_2

A_2 Antikoinzidenz → A; E_1, E_2

A_3 verzögerte Koinzidenz → A; E_1, E_2

Verzögerungszeit = τ

Impulsbedingungen in Koinzidenz-, Antikoinzidenz- und verzögerten Koinzidenzschaltungen

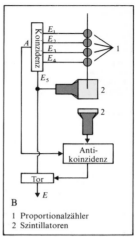

B
1 Proportionalzähler
2 Szintillatoren

Messung von Richtung und Energie eines Teilchens

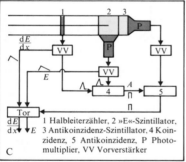

C
1 Halbleiterzähler, 2 »E«-Szintillator, 3 Antikoinzidenz-Szintillator, 4 Koinzidenz, 5 Antikoinzidenz, P Photomultiplier, VV Vorverstärker

Koinzidenzteleskop zur gleichzeitigen Messung von Energie E und dE/dx

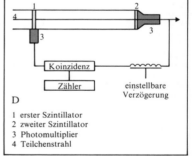

D
1 erster Szintillator
2 zweiter Szintillator
3 Photomultiplier
4 Teilchenstrahl

Anordnung zur Laufzeitmessung

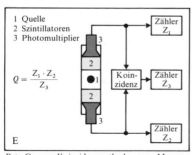

E
1 Quelle
2 Szintillatoren
3 Photomultiplier

$$Q = \frac{Z_1 \cdot Z_2}{Z_3}$$

Beta-Gamma-Koinzidenzmethode zur Messung von Quellstärken

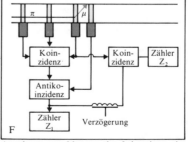

F

Anordnung zur Messung der Lebensdauer des π-Mesons

Die Koinzidenztechnik gestattet es, mit verschiedenen Zählern mehrere Parameter desselben kernphysikal. Ereignisses zu messen. In einer Koinzidenzschaltung wird ein elektr. Impuls dann und nur dann abgegeben, wenn innerhalb einer kurzen Zeit, der sog. **Auflösungszeit**, zwei oder mehrere Impulse gleichzeitig an den Eingängen registriert wurden. In einem Koinzidenzexperiment werden nur die Ergebnisse der einzelnen Detektoren verwertet, bei denen gleichzeitig ein Koinzidenzimpuls registriert wird.

Prinzipiell kann man Koinzidenzexperimente unterscheiden in solche, bei denen alle Detektoren auf dasselbe geladene Teilchen ansprechen, das genügend Energie hat, um mehrere Detektoren zu durchsetzen, und solche, die auf zwei (oder mehr) verschiedene Teilchen reagieren, die von einem kernphysikal. Ereignis herrühren, z. B. einem Betazerfall mit sofort nachfolgendem Gammazerfall.

Antikoinzidenz und verzögerte Koinzidenz

Antikoinzidenzexperimente sind solche, bei denen nur die Ereignisse verwertet werden, bei denen ein Detektor anspricht und ein oder mehrere andere nicht; verzögerte Koinzidenzen dienen dazu, Prozesse zu erfassen, bei denen ein Detektor eine einstellbare Zeit nach dem anderen anspricht. Mit den letzteren kann man Zeitabstände zwischen zwei zueinander gehörenden Ereignissen messen.

Teleskopzähler

Unter Teleskopzählern versteht man Aufbauten aus verschiedenen Detektoren, die mit Hilfe von Koinzidenz- und Antikoinzidenzschaltungen mehrere Messungen an einem geladenen Teilchen vornehmen.

Beispiele:
1. Mit einem dünnen Proportional- oder Halbleiterzähler kann man den spezif. Energieverlust eines Teilchens $\frac{\mathrm{d}E}{\mathrm{d}x}$ messen (s. S. 124f.), der von der Masse und der Gesamtenergie des Teilchens abhängt, mit einem nachfolgenden Szintillationszähler die Gesamtenergie und mit einem weiteren Zähler kann man nachweisen, daß das Teilchen wirklich im zweiten Zähler steckengeblieben ist. Zähler 1 und 2 sind in Koinzidenz, Zähler 3 in Antikoinzidenz. Aus den Meßwerten erhält man die Masse und die Energie des Teilchens.
2. Mit mehreren dünnen Proportionalzählrohren in einer Reihe kann man die Flugrichtung eines Teilchens messen und in einem nachfolgenden Szintillationszähler die Energie.
3. Die Geschwindigkeit eines hochenerget. Teilchens kann mit einem Schwellen-CHERENKOV-Zähler gemessen werden, die Energie mit einem großen Szintillationszähler; aus der Kombination beider Meßwerte erhält man die Masse des nachgewiesenen Teilchens.

4. Laufzeiten von Teilchen über eine Strecke zwischen zwei sehr schnell ansprechenden Detektoren (Szintillatoren) können mit einer verzögerten Koinzidenz gemessen werden, wobei man Zeitauflösungen bis zu 10^{-10} sec erreichen kann, was einem Lichtweg von 3 cm entspricht.

Koinzidenzen an mehreren Teilchen

Wesentliche Aufschlüsse über kernphysikal. Prozesse erhält man häufig dadurch, daß man von demselben Prozeß mehrere ausgesandte Teilchen nachweist. Beispiele:

1. **Beta-Gamma-Koinzidenz** zur Messung von Quellstärken. Mit den meisten Zählern kann man die absolute Quellstärke eines Betastrahlers nicht bestimmen, da man das Ansprechvermögen und die Absorption zwischen Quelle und Detektor nur ungenau abschätzen kann. Man mißt deshalb mit zwei Zählern erstens eine Beta-Zählrate $Z_\beta = A_\beta \cdot Q$, zweitens eine Gamma-Zählrate $Z_\gamma = A_\gamma \cdot Q$ und drittens eine Koinzidenz-Zählrate $Z_{\beta\gamma} = A_\beta \cdot A_\gamma \cdot Q$, wobei die Faktoren A_β und A_γ die Ansprechwahrscheinlichkeiten der einzelnen Zähler sind. Man erhält dann die Quellstärke

$$Q = \frac{Z_\beta \cdot Z_\gamma}{Z_{\beta\gamma}}.$$

2. **Lebensdauern von Pi-Mesonen.** Durch eine Koinzidenz-Antikoinzidenz-Anordnung von vier Zählern weist man nach, daß ein Pi-Meson zwei Zähler durchdrungen hat und im dritten steckengeblieben ist (vierter Zähler in Antikoinzidenz). Durch eine verzögerte Koinzidenz mit einstellbarer Verzögerung zwischen dem Zähler 3 und dem Koinzidenzimpuls von Zähler 1—3 weist man nach, daß nach der Verzögerungszeit ein weiteres Teilchen im Zähler 3 entstanden ist. Die Zählrate der verzögerten Koinzidenzen, geteilt durch die Anzahl der einfallenden Teilchen (erste Koinzidenz) in Abhängigkeit von der Verzögerungszeit ergibt die Lebensdauer.

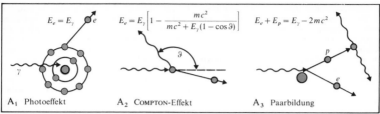

A_1 Photoeffekt

$E_e = E_\gamma$

A_2 COMPTON-Effekt

$E_e = E_\gamma \left[1 - \dfrac{mc^2}{mc^2 + E_\gamma(1 - \cos\vartheta)} \right]$

A_3 Paarbildung

$E_e + E_p = E_\gamma - 2mc^2$

Die Erzeugung von Elektronen durch Gammastrahlen

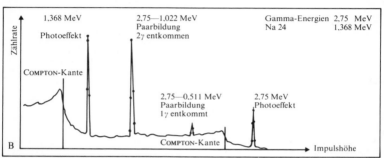

Mit einem Halbleiterdetektor aufgenommenes Elektronenspektrum, das durch Gammastrahlung von Na 24 erzeugt wird

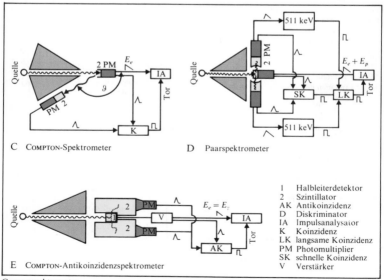

C COMPTON-Spektrometer

D Paarspektrometer

E COMPTON-Antikoinzidenzspektrometer

1   Halbleiterdetektor
2   Szintillator
AK Antikoinzidenz
D   Diskriminator
IA Impulsanalysator
K   Koinzidenz
LK langsame Koinzidenz
PM Photomultiplier
SK schnelle Koinzidenz
V   Verstärker

Gammaspektrometer

Alle Detektoren sprechen direkt nur auf geladene Teilchen an. Zum Nachweis von Gammaquanten kann man daher nur die von ihnen erzeugten Elektronen im Detektor verwenden. Es gibt drei Erzeugungsmechanismen für Elektronen durch Gammastrahlung: den Photoeffekt, den COMPTON-Effekt und die Paarbildung. Beim Photoeffekt erhält das Elektron die Gesamtenergie des Gammaquants, beim COMPTON-Effekt nur einen vom Streuwinkel abhängigen Anteil der Energie und bei der Paarbildung erhalten die beiden Teilchen (Elektron und Positron) zusammen genau 1,022 MeV weniger, als das Gammaquant gehabt hat. Diese Energie wird zum Aufbau der Ruhmasse der beiden Teilchen verwendet.

Ansprechvermögen

Ein weiterer Unterschied zur Messung geladener Teilchen besteht darin, daß geladene Teilchen immer, wenn sie in den Detektor gelangen, ein Signal auslösen, Gammaquanten dagegen nur mit einer gewissen Wahrscheinlichkeit im Detektor eine Reaktion auslösen, die dann zu einem Detektorsignal führt. Diese Wahrscheinlichkeit ist abhängig von der Dicke des Detektors und von der Energie des Gammaquants. Sie muß also für alle Gamma-Energien bekannt sein, wenn man die Anzahl der Gammaquanten messen will, die durch den Detektor hindurchgegangen sind. Da die *freien Weglängen* (mittleren Entfernungen, die ein Gammaquant ohne Reaktion durchdringt) in Gasen viele Meter, in Festkörpern nur einige Zentimeter betragen, benutzt man als Gammadetektoren im wesentlichen Festkörperdetektoren, d. h. Halbleiter- und Szintillationszähler.

Als reine Anzeigeinstrumente werden auch Zählrohre benutzt, bei denen die Elektronen in der Wand ausgelöst werden.

Gammaspektrometer

Zur Messung der Gamma-Energie genügt es nicht, nur die Energie des gebildeten Elektrons zu messen, da man nicht weiß, durch welche der Reaktionen das Elektron gebildet worden ist. Man muß daher i. a. durch weitere Messungen sicherstellen, daß nur die von einer einzigen Reaktion erfaßt werden.

Spektrometrie von Gammalinien

Der einfachste Fall von Spektrometrie liegt dann vor, wenn die Gammastrahlung nur bei einigen diskreten Energien ausgesandt wird, wie etwa beim Zerfall radioaktiver Kerne, wo die Gamma-Energie durch den Abstand der Kernniveaus gegeben ist. Die Aufgabe besteht dann darin, die Energie und die Intensität der einzelnen Linien zu bestimmen. In diesem Falle kann man Szintillationszähler aus Natriumjodid oder mit weit besserer Auflösung Halbleiterzähler aus Germanium verwenden. Da die Elektronen aus dem Photoeffekt alle die gleiche Energie haben, nämlich die volle Gamma-Energie, mißt man bei dieser Energie sehr viele Elektronen, während sich die COMPTON-Elektronen über ein sehr breites Energiegebiet verteilen, so daß man in einem schmalen Energieintervall nur wenige mißt. Die Photoeffekt-

linien erheben sich daher in einem Diagramm, in dem man die Elektronenintensität über der Energie aufträgt, weit über die breite COMPTON-Verteilung, so daß man sie gesondert auswerten kann. Die Paareffekte bilden dabei zwar auch Linien, da man aber die Differenzenergie zu der Photoeffektlinie kennt, kann man diese Linien aussondern. Diese Methoden der Spektrometrie versagen, wenn ein kontinuierl. Spektrum oder sehr viele Linien vorliegen. Man muß dann durch andere Methoden den gewünschten Effekt aussondern.

COMPTON-Spektrometer

Ein COMPTON-Spektrometer arbeitet mit zwei Detektoren. Im ersten wird die Energie des Elektrons gemessen, im zweiten wird das gestreute Gammaquant in Koinzidenz mit dem Elektron nachgewiesen. Aus dem Streuwinkel (Winkel zwischen Einfallsrichtung der Gammaquanten und der Verbindungsachse beider Detektoren) und der Elektronenenergie kann man die Gamma-Energie berechnen.

Paarspektrometer

Das Paarspektrometer besteht aus drei in Koinzidenz geschalteten Detektoren. Im mittleren wird die Energie eines gebildeten Elektron-Positron-Paares gemessen. Wenn das Positron im Detektor zur Ruhe gekommen ist, wird es von einem Elektron des Detektors eingefangen und die beiden Gammaquanten der Vernichtungsstrahlung von je 511 keV werden in den beiden äußeren Detektoren nachgewiesen. Die beiden äußeren Detektoren bilden zusammen einen Ring um den inneren Detektor. Paarspektrometer kann man nur oberhalb von 1,2 MeV verwenden, da unterhalb die Energie zur Paarbildung nicht ausreicht.

In modernen COMPTON- und Paarspektrometern besteht gewöhnlich der erste Detektor, in dem die Elektronenenergie gemessen wird, aus einem lithiumgedrifteten Germaniumzähler und die äußeren Nachweisdetektoren aus Szintillationszählern. Der Nachteil beider Spektrometertypen liegt in dem geringen Ansprechvermögen, da sich die Ansprechvermögen der einzelnen Detektoren von jeweils wenigen Prozent multiplizieren.

Andere Spektrometertypen

Totalabsorptionsspektrometer bestehen aus so großen Szintillatoren, daß die Gammaquanten mit großer Wahrscheinlichkeit die gesamte Energie in ihnen abgeben, gleichgültig, ob durch Photoeffekt oder mehrere COMPTON-Streuungen oder beides.

COMPTON-Antikoinzidenzspektrometer bestehen aus einem inneren Detektor und einem sehr großen äußeren in Antikoinzidenz geschalteten Szintillator, der alle Ereignisse unterdrückt, bei denen ein Teilchen vom inneren in den äußeren Detektor gestreut wird. Beide haben hohes Ansprechvermögen, aber schlechte Auflösung und erhebl. Untergrund.

Schließlich kann man noch die Wellenlänge von Gammastrahlung durch BRAGG-Reflexion an Einkristallen bestimmen (s. S. 62 f.).

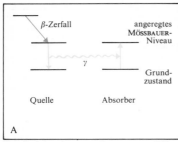

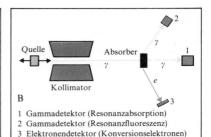

A

Energieniveauschema zur Anregung von Möss-
bauer-Linien

B

1 Gammadetektor (Resonanzabsorption)
2 Gammadetektor (Resonanzfluoreszenz)
3 Elektronendetektor (Konversionselektronen)

Methoden zum Nachweis des Mössbauer-Effekts

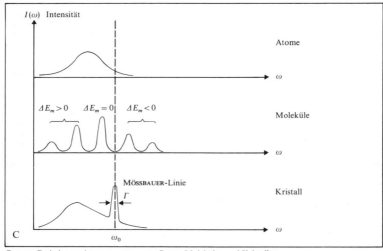

C

Gamma-Emissionsspektren von atomaren Gasen, Molekülen und Kristallen

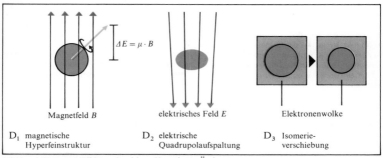

D_1 magnetische
Hyperfeinstruktur

D_2 elektrische
Quadrupolaufspaltung

D_3 Isomerie-
verschiebung

Mit dem Mössbauer-Effekt nachweisbare Kernniveau-Änderung

Detektoren/MÖSSBAUER-Effekt

Der MÖSSBAUER-Effekt ermöglicht eine äußerst genaue Methode zur Messung von Gammaspektren in der Nähe einer Gammalinie, die vom angeregten Zustand eines Kerns in dessen Grundzustand führt. Er beruht auf der Kernresonanzfluoreszenz (s. S. 90f.).

Gewöhnlich wird die Resonanzfluoreszenz nicht in voller Stärke beobachtet, da die Emissions- und Absorptionslinien

1. durch die Eigenbewegung der Kerne infolge der therm. Bewegung verbreitert und
2. durch den Rückstoß, der mit dem Impuls des Gammaquants verbunden ist, verschoben sind.

In *atomaren Gasen* ergibt sich im Emissionsspektrum eine zu niederen Energien verschobene, stark verbreiterte Linie. In großen *Molekülen* ergibt sich eine Serie von Linien, die etwas zu niedrigen Energien verschoben ist, und bei der die Abstände der einzelnen Linien durch die Energieniveauabstände im Molekül gegeben sind.

In *Kristallen* ergibt sich auch eine verbreiterte Linie bei niedrigen Energien, der aber eine Linie der natürlichen, durch die Kerneigenschaften gegebenen Linienbreite überlagert ist. Die Intensität in dieser Linie ist von der Temperatur abhängig; sie ist um so größer, je niedriger die Temperatur ist. Sie kommt dadurch zustande, daß der Rückstoßimpuls an den ganzen Kristall übertragen wird. Man nennt sie nach ihrem Entdecker die MÖSSBAUER-Linie.

Natürliche Linienbreite

Als natürl. Linienbreite Γ bezeichnet man die Energieunschärfe der Gammalinie, die durch die Kerneigenschaften gegeben ist. Es ist gleichzeitig die Breite der MÖSSBAUER-Linie. Sie hängt zusammen mit der Lebensdauer τ des angeregten Zustandes durch die Unschärferelation

$$\Gamma \tau = h.$$

Experimenteller Nachweis

Zum Nachweis der MÖSSBAUER-Linie braucht man neben der Quelle einen Absorber, der die gleiche Isotopenart enthält wie die Quelle und wie diese als Kristall vorliegt. Da die MÖSSBAUER-Linie auch im Absorptionsspektrum auftritt, wird die Kernresonanzfluoreszenz in voller Stärke beobachtet. Bewegt man die Quelle auf den Absorber zu oder von ihm weg, so erleiden die Gammaquanten der MÖSSBAUER-Linie eine Frequenzverschiebung. Bezeichnet man die Frequenz der MÖSSBAUER-Linie mit ω_0 und die Geschwindigkeit der Quelle mit v, so ist die von der bewegten Quelle ausgestrahlte Frequenz

$$\omega = \omega_0 \left(1 + \frac{v}{c}\right)$$

und ihre Energie

$$E = \hbar\omega = \hbar\omega_0 \left(1 + \frac{v}{c}\right).$$

Die natürliche Linienbreite ist so gering, daß man schon durch Geschwindigkeiten der Größe cm/sec erreicht, daß keine Resonanzabsorption mehr stattfindet. Das Eintreten der Resonanzabsorption kann auf versch. Weisen nachgewiesen werden:

1. In einem Gammazähler hinter dem Absorber sinkt die Zählrate durch die Resonanzabsorption;
2. seitlich vom Absorber kann man die vom Absorber emittierte Gammastrahlung oder Konversionselektronen nachweisen (Kernresonanzfluoreszenz). Die Zählrate in den Detektoren ist von der Geschwindigkeit der Quelle abhängig. Trägt man sie über der Geschwindigkeit auf, so kann man aus dem Ergebnis die Linienbreite und das Emissionsspektrum in der Nähe der Linie ablesen. Man erzielt dabei Auflösungen von bis zu 10^{-9} eV.

Anwendungen

Der MÖSSBAUER-Effekt mit seiner sehr hohen Auflösung kann dazu benutzt werden, Aufspaltungen der Kernniveaus zu messen, die durch die geringen Kräfte der Atomhülle oder der benachbarten Atomkerne zustande kommen. Dabei handelt es sich um magnetische Hyperfeinstrukturaufspaltung, elektr. Quadrupolaufspaltung und die Isomerieverschiebung.

Magnetische Hyperfeinstrukturaufspaltung tritt auf, wenn der Kern ein magnet. Dipolmoment besitzt und am Kernort ein magnet. Feld herrscht. Dieses Magnetfeld kann von den zum Kern gehörenden Elektronen, von den Nachbaratomen oder von äußeren Magneten herrühren.

Elektrische Quadrupolaufspaltung liegt vor, wenn das elektr. Feld, das die umliegenden Atome und die Elektronen am Kernort erzeugen, dort inhomogen ist und der Kern ein elektr. Quadrupolmoment hat, so daß seine Energie von seiner Ausrichtung im Feld abhängt.

Isomerieverschiebung tritt auf, wenn die Energie der Atomelektronen, die vom der Ladungsverteilung im Kern abhängt, sich bei dem MÖSSBAUER-Übergang ändert. Diese Energieänderung, die eine Verschiebung der MÖSSBAUER-Linie bewirkt, hängt von der chem. Bindung der Quelle oder des Absorbers ab; man spricht daher in der angelsächs. Literatur von »chemical shift«.

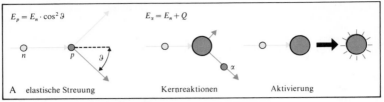

$$E_p = E_n \cdot \cos^2 \vartheta \qquad E_\alpha = E_n + Q$$

A elastische Streuung   Kernreaktionen   Aktivierung

Wechselwirkungen zum Nachweis von Neutronen

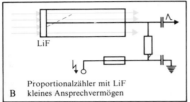

LiF

B Proportionalzähler mit LiF
kleines Ansprechvermögen

Neutronendetektor mit äußerem Konverter

LiJ

PM Photomultiplier

C LiJ-Szintillator
hohes Ansprechvermögen

Neutronendetektor mit Konverter identisch

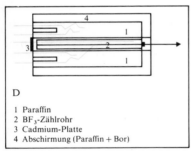

D
1 Paraffin
2 BF$_3$-Zählrohr
3 Cadmium-Platte
4 Abschirmung (Paraffin + Bor)

Long Counter

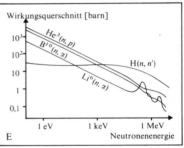

Wirkungsquerschnitt [barn]

$He^3(n,p)$, $B^{10}(n,\alpha)$, $H(n,n')$, $Li^6(n,\alpha)$

1 eV   1 keV   1 MeV

E Neutronenenergie

Wirkungsquerschnitte der wichtigsten Reaktionen zum Nachweis von Neutronen

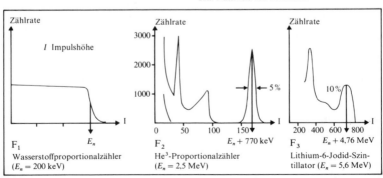

F$_1$ Wasserstoffproportionalzähler
($E_n = 200$ keV)

F$_2$ He^3-Proportionalzähler
($E_n = 2,5$ MeV)

F$_3$ Lithium-6-Jodid-Szintillator ($E_n = 5,6$ MeV)

Impulshöhenspektren in verschiedenen Neutronenspektrometern bei fester Neutronenenergie

Der Nachweis von Neutronen ist nur möglich durch geladene Teilchen, die von ihnen durch Wechselwirkung mit Materie ausgelöst werden. Anders als Gammaquanten reagieren Neutronen nur mit den Atomkernen, nicht mit den Elektronen. Die Eigenschaften der Atomkerne des Konvertermaterials sind also wesentlich für seine Verwendung. Als Umwandlungsprozesse zur Erzeugung geladener Teilchen werden die folgenden Erscheinungen ausgenutzt:

1. Elast. Streuung von Neutronen an leichten Kernen, wobei der gestoßene Kern genügend Energie aufnimmt, um als geladenes Teilchen gemessen zu werden (Rückstoßzähler).
2. Kernreaktionen, die durch Neutronen ausgelöst werden und in denen Alphateilchen oder Protonen emittiert werden oder auch neutroneninduzierte Kernspaltungen.
3. Kernreaktionen, die zu Radioisotopen führen. Die Aktivität des gebildeten Isotops ist ein Maß für die Anzahl der auf die Probe gefallenen Neutronen.

Ansprechvermögen

Ebenso wie Gammadetektoren haben auch Neutronendetektoren ein begrenztes Ansprechvermögen, d.h. nur mit einer Wahrscheinlichkeit, die kleiner als 1 ist, wird ein in den Detektor fallendes Neutron registriert. Diese Wahrscheinlichkeit ist gleich der vom Wirkungsquerschnitt und der Dicke des Konvertermaterials abhängigen Wahrscheinlichkeit, daß eine Reaktion stattfindet, mal der Wahrscheinlichkeit, daß das geladene Teilchen auch in den eigentl. Zähler für geladene Teilchen gelangt. Die größten Ansprechvermögen erhält man, wenn das Konvertermaterial und der eigentl. Zähler identisch sind, z. B. in Szintillatoren aus Lithiumjodid, in dem die Reaktion $Li^6 (n, \alpha) H^3$ zur Konversion in geladene Teilchen verwendet wird, oder in Gaszählern mit Wasserstofffüllung (Rückstoßzähler).

Neutronenzähler

Zum reinen Nachweis von Neutronen ohne Energiemessung versucht man meistens zu erreichen, daß die nachzuweisenden Neutronen erst auf therm. Energie (0,025 eV) gebracht werden, da bei dieser Neutronenenergie die Wirkungsquerschnitte sehr groß sind und daher die Dicke des Konvertermaterials klein sein kann. Alle reinen Neutronenzähler sprechen hauptsächlich auf therm. Neutronen an. Zum Nachweis schneller Neutronen werden sie mit Paraffinschichten umgeben, in denen der Wasserstoff durch elast. Stöße dafür sorgt, daß das Neutron vor Erreichen des Zählers seine Energie verliert.

Die am häufigsten benutzten Zähler sind:

1. Das BF_3-Zählrohr. Die verwendete Reaktion ist: $B^{10}(n, \alpha) Li^7$.
   Das Bor 10 bildet in Form von Bortrifluorid das Zählgas eines Proportionalzählrohres. Die Zählrohre haben wegen des großen B^{10}-Wirkungsquerschnittes ein hohes Ansprechvermögen für Neutronen und sind praktisch unempfindlich gegen

andere Strahlung, da α- und β-Teilchen von den Wänden aufgefangen werden und Gammastrahlung nur Elektronen auslöst, die im Zählrohr nur einen geringen Teil ihrer Energie abgeben.

2. Lithium-6-haltige Szintillatoren. Die verwendete Reaktion ist $Li^6(n, \alpha) H^3$. Bei der Reaktion wird eine Energie von 4,65 MeV frei, die sich auf das α-Teilchen und das Triton (H^3) verteilt. Diese hohe Energie erleichtert die Unterscheidung von anderen Strahlenarten.
3. Spaltkammern. Die verwendete Reaktion ist die Spaltung sehr schwerer Kerne (Uran, Plutonium, Neptunium, Thorium) durch Neutronen. Die Spaltbruchstücke haben zusammen eine Energie von 250 MeV und werden in einer Pulsionisationskammer nachgewiesen. Ihre hohe Energie und der hohe spezif. Energieverlust im Zählgas der Ionisationskammer sorgt für leichte Unterscheidung der Neutronenreaktionen von anderen Strahlungsarten.

Neutronenspektrometer

Die Neutronenspektrometer kann man in zwei ganz unterschiedl. Gruppen einteilen: Bei schnellen Neutronen (etwa oberhalb 100 keV) ist es möglich, die Energie des erzeugten geladenen Teilchens als Impulshöhe in einem Detektor zu messen. Bei langsamen Neutronen ist diese Energie viel zu klein, und man kann nur noch nachweisen, daß die Neutronen zu einer bestimmten Zeit an einem bestimmten Ort sind.
Ihre Energie muß unabhängig vom Nachweisdetektor bestimmt werden.

Spektrometer für schnelle Neutronen

Die im Aufbau einfachsten Spektrometer sind einfache Szintillatoren oder Proportionalzähler, die das Konversionsmaterial, d.h. die Kerne, an denen die Neutronen geladene Teilchen erzeugen, in sich enthalten. Man verwendet dazu Proportionalzählrohre mit Wasserstoff- oder Methanfüllung (Umwandlungsreaktion: Elast. Neutronenstreuung am Proton) oder mit Helium-3-Füllung [Umwandlungsreaktion: He^3 (n, p) H^3 + 770 keV]. Als Szintillatoren verwendet man organ. Kristalle oder Flüssigkeiten mit möglichst viel Wasserstoffgehalt, z. B. Stilben oder Toluol mit Zusätzen zur Erhöhung der Lichtausbeute (Umwandlungsreaktion: Elast. Neutronenstreuung am Proton), oder Lithiumjodidkristalle in denen das Lithium mit dem Isotop Li^6 angereichert ist [Umwandlungsreaktion: $Li^6(n, \alpha) H^3$ + 4,76 MeV].
In allen Spektrometern mit so einfachem Aufbau ist die bei einem Einzelimpuls gemessene Energie des geladenen Teilchens nicht der gesuchten Neutronenenergie eindeutig zugeordnet, es gibt vielmehr zu jeder Neutronenenergie eine ganze Energieverteilung der geladenen Teilchen. Im Protonenrückstoß-Spektrometer z. B. sind alle Energien des gestoßenen Protons zwischen der Neutronenenergie und der Energie Null gleich wahrscheinlich. Im Lithiumjodid-

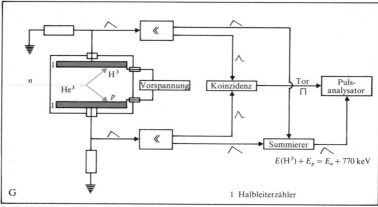

G   1 Halbleiterzähler

Sandwich-Halbleiterspektrometer mit Helium 3 für Neutronen

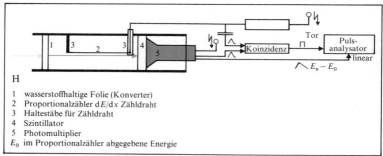

H

1 wasserstoffhaltige Folie (Konverter)
2 Proportionalzähler dE/dx Zähldraht
3 Haltestäbe für Zähldraht
4 Szintillator
5 Photomultiplier
E_0 im Proportionalzähler abgegebene Energie

Protonenrückstoß-Teleskop

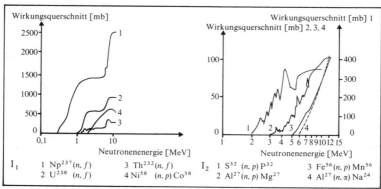

I_1 1 Np^{237}(n,f)   3 Th^{232}(n,f)
       2 U^{238} (n,f)   4 Ni^{58} (n,p)Co^{58}

I_2 1 S^{32} (n,p) P^{32} 3 Fe^{56}(n,p)Mn^{56}
       2 Al^{27}(n,p)Mg^{27} 4 Al^{27}(n,α)Na^{24}

Wirkungsquerschnitte einiger häufig als Schwellwertdetektoren benutzter Reaktionen

spektrometer ist die gemessene Impulshöhe davon abhängig, ob mehr Energie auf das entstehende Alphateilchen oder mehr auf den H^3-Kern übertragen wird; zusätzlich werden bei hohen Energien andere Reaktionen möglich. Im Helium-3-Spektrometer werden bei größeren Neutronenenergien auch Helium-Rückstoßkerne von elast. Neutronenstreuung gemessen.

Aus diesen Gründen muß· man die gemessenen Spektren der geladenen Teilchen durch komplizierte Rechenverfahren in die gesuchten Neutronenspektren umrechnen, was in den meisten Fällen nur durch den Einsatz von Computern möglich ist. Eine einfache Analyse der Spektren ist, wie bei der Gammaspektrometrie, nur möglich, wenn das Spektrum aus wenigen Linien besteht. Der Vorteil dieser Spektrometer besteht außer dem einfachen Aufbau in dem sehr hohen Ansprechvermögen.

Teleskopzähler

Zur direkten Messung der Energie eines einzelnen Neutrons genügt es nicht, nur die Energie des erzeugten geladenen Teilchens zu messen. Man muß daher durch Koinzidenztechniken mehrere Parameter messen, etwa den Streuwinkel des gestoßenen Protons, oder man muß sicherstellen, daß alle registrierten Ereignisse nur von einer bestimmten Reaktionsart kommen. Zu diesem Zweck braucht man mehrere Detektoren für geladene Teilchen und man kann das Konversionsmaterial, das im ersten Detektor enthalten sein kann (aber nicht muß), nur so dünn machen, daß die geladenen Teilchen es noch verlassen können. Alle Teleskopzähler haben deshalb ein sehr geringes Ansprechvermögen.

Sandwich-Halbleiter-Spektrometer

Im Halbleiter-Neutronen-Spektrometer nutzt man die Reaktionen $Li^6(n, \alpha) H^3$ oder $He^3(n, p) H^3$ aus. Das Konversionsmaterial (Lithium-6-Fluorid oder Helium-3-Gas) befindet sich zwischen zwei gegenüberstehenden Oberflächensperrschichtzählern. Bei der Reaktion eines Neutrons mit einem Kern des Konversionsmaterials werden zwei geladene Teilchen erzeugt, die in entgegengesetzte Richtungen auseinanderfliegen, so daß beide Sperrschichtzähler gleichzeitig einen Impuls registrieren. Die Summe der beiden in Koinzidenz registrierten Impulshöhen gibt die Gesamtenergie des Neutrons. Dabei muß das Konversionsmaterial so dünn sein, daß die geladenen Teilchen in ihm keine nennenswerte Energie verlieren.

Rückstoßteleskope

Beim elastischen Stoß eines Neutrons wird die Energie $E = E_0 \cdot \cos^2 \vartheta$ auf das Proton übertragen, wenn E_0 die Neutronenenergie und ϑ der Winkel zwischen der Bahn des Protons und der des Neutrons ist. Man kann daher die Energie eines einzelnen Neutrons messen, wenn man gleichzeitig den Winkel und die Protonenenergie mißt. Dies geschieht

in Rückstoßteleskopen: Ein ausgeblendeter Neutronenstrahl fällt auf eine dünne Plastikfolie, wo einige der Neutronen Protonen auslösen. Alle Protonen, die in Richtung des Neutronenstrahls ausgesandt werden, haben die volle Neutronenenergie übernommen. Sie durchlaufen zunächst einen Proportionalzähler, in dem der spezif. Energieverlust $\frac{dE}{dx}$ gemessen wird, und treffen dann auf einen Szintillator oder Halbleiterzähler, wo sie absorbiert werden und ihre Restenergie gemessen wird. Protonen, die seitwärts gestreut werden, erreichen nicht den zweiten Zähler und werden ausgeschieden. Der $\frac{dE}{dx}$-Zähler hat die Aufgabe, Elektronen, die durch Gammastrahlung ausgelöst werden, auszuscheiden und den Untergrund herabzusetzen. In modernen Rückstoßteleskopen besteht er häufig auch aus einem dünnen Halbleiterzähler. Die Anwendung der Rückstoßteleskope ist auf Energien oberhalb von 1 bis 2 MeV beschränkt, da die Reichweite der Protonen groß genug sein muß, um

1. die Folie zu verlassen, ohne nennenswert Energie zu verlieren;
2. den ersten Zähler noch mit meßbarer Energie zu verlassen.

Das Ansprechvermögen ist gering, da man nur dünne Konversionsfolien verwenden kann, damit der Fehler, der durch den unbekannten Energieverlust der Protonen in der Folie entsteht, nicht zu groß wird. Eine Verbesserung des Ansprechvermögens kann man erzielen, wenn man als Konverter ebenfalls einen wasserstoffreichen Szintillator verwendet und damit den Energieverlust im Konverter mißt.

Schwellwertdetektoren

Es gibt zahlreiche durch Neutronen bewirkte Kernreaktionen, die erst oberhalb einer Schwellenergie möglich sind, und bei denen Radioisotope entstehen. Ist der Wirkungsquerschnitt dieser Reaktionen bekannt, so kann man sie ausnutzen, um bei hohen Intensitäten, z. B. in Reaktoren, die Spektren zu messen. Man bestrahlt eine Anzahl versch. Elemente und berechnet hinterher aus den Aktivitäten der einzelnen Isotope das Neutronenspektrum.

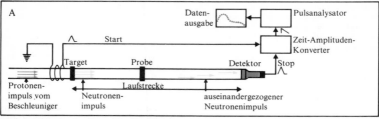

Laufzeitspektroskopie mit gepulsten Beschleunigern

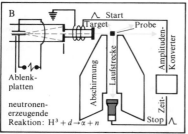

Laufzeitspektroskopie gestreuter Neutronen mit Gleichstrombeschleunigern

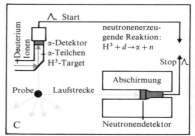

Laufzeitspektroskopie gestreuter Neutronen nach der Methode des begleitenden Teilchens

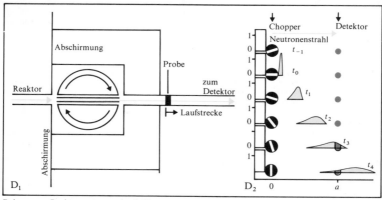

Pulsung von Reaktorneutronen durch Chopper

Prinzip des mechanischen Geschwindigkeitsselektors

Bei kleinen Neutronenenergien kann man nicht mehr die Energie eines gebildeten geladenen Teilchens messen, um die Energie des Neutrons zu bestimmen. Gerade bei Neutronen ist jedoch der gesamte Energiebereich von 0,01 eV bis in den MeV-Bereich von höchstem Interesse: Da die ladungslosen Neutronen nur mit den Atomkernen reagieren und nicht von den elektromagnet. Feldern innerhalb des Atoms beeinflußt werden, können sie dazu dienen, die Bewegung der Kerne im Molekül, oder auch die Energieniveaus der Kerne selbst zu erforschen. Sie können im Gegensatz zu allen geladenen Teilchen auch bei geringer Energie bis in die Reichweite der Kernkräfte vordringen, während alle positiv geladenen Teilchen (α-Teilchen, Protonen usw.) von der positiven Kernladung vorher abgelenkt werden, und Elektronen, die einzigen stabilen negativ geladenen Teilchen (außer den Antiteilchen) von den Kernkräften nicht beeinflußt werden.

Ein weiterer Grund für das Interesse an der Spektroskopie langsamer Neutronen ist, daß die Wirkungsquerschnitte gerade im niederenerget. Bereich das Verhalten von Kernreaktoren wesentlich beeinflussen.

Flugzeitmethode

Eine Möglichkeit, die Energie von Neutronen zu messen, besteht darin, ihre Geschwindigkeit oder die Laufzeit zwischen zwei Punkten zu messen. Den einen Punkt bildet dabei der Detektor (meistens ein lithiumhaltiger Szintillator), der ein genaues Zeitsignal abgibt, wenn ein Neutron ankommt. Das zweite Zeitsignal erhält man entweder dadurch, daß man gepulste Quellen verwendet, oder dadurch, daß man die Neutronen über eine Reaktion erzeugt, bei der gleichzeitig ein geladenes Teilchen entsteht, dessen Registrierung als Startsignal verwendet wird.

Beschleunigertechnik

Intensive, zeitlich kurze Neutronenpulse kann man mit gepulsten Beschleunigern erzeugen. Verwendet werden:

1. der Elektronen-Linearbeschleuniger, bei dem die Elektronen an einem Quecksilbertarget Bremsstrahlungsquanten erzeugen, die wieder über (n, γ)-Reaktionen Neutronen erzeugen.
2. das Zyklotron, mit dem Protonen hoher Energie auf schwere Kerne geschossen werden, so daß aus der Kernmaterie Neutronen verdampfen. In beiden Beschleunigern ist der Strahl geladener Teilchen in kurze Impulse (1 Mikrosekunde) zerhackt.
3. Gleichspannungsbeschleuniger für Deuteriumionen, die über die Reaktionen $H^3(d, n)He^4$ oder $H^2(d, n)He^3$ Neutronen auslösen. Bei diesen Beschleunigern wird der Ionenstrahl durch eine Wechselspannung vor einer Blende abgelenkt, so daß er nur für kurze Zeit, etwa beim Nulldurchgang der Wechselspannung, durch die Blende auf das Deuterium(H^2)- oder Tritium(H^3)-Target gelangt.

Verwendet man die $H^3(d, n)He^4$-Reaktion, so haben die gebildeten Elektronen bei kleinen Beschleunigerspannungen eine Energie von etwa 14 MeV und der Heliumkern etwa 3,5 MeV. Dieser Kern kann mit Halbleiterdetektoren nachgewiesen werden. Man mißt dann durch die Laufzeit die Energie, die die Neutronen nach einer Streuung an einer Probe noch haben. Da man weiß, daß sie vorher die Energie 14 MeV gehabt haben, kann man damit die an die Kerne abgegebene Energie, d. h. deren Energieniveaus, messen.

Reaktortechniken

Die stärksten Neutronenquellen, die dem Physiker zur Verfügung stehen, sind die Kernreaktoren. Die gewöhnl. Forschungsreaktoren können nicht im Impulsbetrieb betrieben werden, so daß der Neutronenstrahl außerhalb vom Reaktor in kurze Impulse zerhackt werden muß. Dies geschieht durch sog. Chopper, das sind Kugeln aus einem Material, das sehr gut Neutronen absorbiert, durch die entlang einem waagerechten Durchmesser schmale Schlitze laufen. Die Kugel dreht sich mit hohen Tourenzahlen um eine senkrechte Achse, so daß der aus dem Reaktor herausgeführte Neutronenstrahl bei jeder Umdrehung zweimal durch die Schlitze in der Kugel laufen kann. Zu diesem Zeitpunkt wird durch einen kleinen Magneten oder einen Spiegel auf der Rotorachse ein Startsignal abgegeben. Die Laufstrecken bei Chopper-Spektrometern betragen etwa 100 m. Damit wird ein Auflösungsvermögen von etwa 1% bis zu Energien von einigen keV erzielt.

Geschwindigkeitsselektoren

Beim Chopper ist der Neutronenstrahl nur zu einem geringen Teil der Meßzeit offen, in dem aber alle Neutronen, unabhängig von ihrer Energie, hindurchgelassen und gemessen werden können. Man kann, bes. bei Neutronen geringer Energie, den umgekehrten Weg gehen und den Strahl nahezu immer offen halten, dafür jedoch nur Neutronen einer vorgegebenen wählbaren Geschwindigkeit hindurch lassen.

Dazu setzt man vor den Neutronenstrahl einen zylindr. Rotor mit schraubenförmigen Nuten auf dem Mantel. Durch die Drehung des Rotors können nur die Neutronen die Nuten durchlaufen, deren Geschwindigkeit gerade so groß ist, daß die Nut immer gerade rechtzeitig in den Neutronenstrahl gedreht wird. Durch die Drehgeschwindigkeit des Rotors kann die Geschwindigkeit der durchgelassenen Neutronen gewählt werden.

Neben der Laufzeitmessung ist auch die Messung der Energie von langsamen Neutronen durch Bestimmung der Wellenlänge weit verbreitet. Man benutzt dazu die kohärente Neutronenstreuung an Einkristallen (s. S. 136 f.).

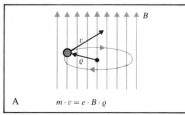

A
$$m \cdot v = e \cdot B \cdot \varrho$$

Teilchenbahn im Magnetfeld (negativ geladene Teilchen)

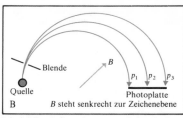

B B steht senkrecht zur Zeichenebene

Prinzipieller Aufbau eines magnetischen Spektrographen mit Photoplattenregistrierung

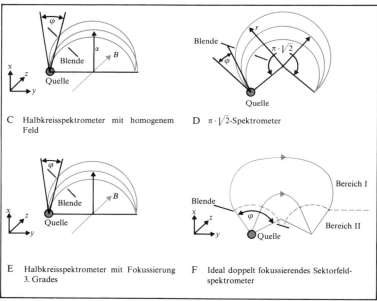

C Halbkreisspektrometer mit homogenem Feld

D $\pi \cdot \sqrt{2}$-Spektrometer

E Halbkreisspektrometer mit Fokussierung 3. Grades

F Ideal doppelt fokussierendes Sektorfeldspektrometer

Spektrometertypen mit transversaler Fokussierung

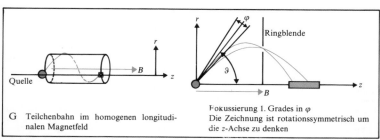

G Teilchenbahn im homogenen longitudinalen Magnetfeld

Fokussierung 1. Grades in φ
Die Zeichnung ist rotationssymmetrisch um die z-Achse zu denken

Prinzip des longitudinal fokussierenden Spektrometers

Bewegung geladener Teilchen im Magnetfeld

Ein geladenes Teilchen, das sich mit der Geschwindigkeit v bewegt, stellt einen Strom der Größe $e \cdot v$ dar (e ist die Elementarladung). Auf diesen wirkt nach den Gesetzen der Elektrodynamik in einem Magnetfeld B die ablenkende Kraft $B \cdot e \cdot v$, das Teilchen beschreibt daher eine gekrümmte Bahn. Der Krümmungsradius ϱ ist gerade so groß, daß die Zentrifugalkraft gleich der elektromagnet. Ablenkungskraft ist, d. h.

$$\frac{mv^2}{\varrho} = B \cdot e \cdot v, \qquad mv = e \cdot B \cdot \varrho.$$

Der *Krümmungsradius* mal der Magnetfeldstärke ist proportional zum *Impuls* des Teilchens. Diese Ablenkung kann man dazu benutzen, um den *Impuls* geladener Teilchen zu messen und damit bei bekannter Masse auch ihre Energie. Die Methode wird vorwiegend zur Spektrometrie von Betateilchen verwendet.

Prinzipieller Aufbau

Ein **magnetisches Spektrometer** besteht aus einer möglichst punktförmigen Strahlenquelle, einer Blende, dem Magnetfeld, in dem die Teilchen mit versch. Impuls in versch. Richtungen abgelenkt werden, und dem Detektor, in dem die Teilchen registriert werden. Dieser kann aus einer Photoplatte oder aus einem Proportional- oder Szintillationszähler mit Blende bestehen.

Fokussierung

Der Krümmungsradius der Teilchenbahn wird durch die drei Meßpunkte Quelle, erste Blende und Detektorblende bestimmt. Will man mit hoher Genauigkeit den Impuls bestimmen, so muß man sehr enge Blenden wählen und kann damit nur einen sehr kleinen Winkelbereich der emittierten Strahlung verwenden. Um die im Strahler verfügbare Intensität besser nutzen zu können, verwendet man fokussierende Felder, in denen die Teilchen mit einem bestimmten Impuls aus einem größeren Raumwinkelbereich alle wieder in einem Punkt zusammentreffen.

Es gibt zwei Typen der Fokussierung: **transversale** und **longitudinale Fokussierung**. Bei der ersten ist die Richtung des magnet. Feldes senkrecht zur Verbindungslinie Quelle—Detektor und die Teilchenbahnen liegen in einer Ebene senkrecht zum Feld. Bei der longitudinalen Fokussierung ist die Feldrichtung parallel zur Verbindungslinie Quelle—Detektor. Die Teilchenbahnen haben etwa die Form einer Schraubenlinie.

Man unterscheidet außerdem zwischen *langer* und *kurzer Fokussierung*, je nachdem, ob sich das magnet. Feld über die gesamte Entfernung Quelle—Detektor erstreckt oder nur auf einen Teil davon, und zwischen *einfacher* und *doppelter Fokussierung*, je nachdem, ob die Punktquelle auf eine Linie oder wieder auf einen Punkt abgebildet wird.

Fokussierungsgrad

Jedes Fokussierungssystem stellt nur eine angenäherte Abbildung der Quelle auf den Detektor dar, d. h. mit größer werdendem Öffnungswinkel φ, der durch die Punktquelle und die erste Blende gebildet wird, wird auch die Bildunschärfe δ größer. Allgemein kann man die Abhängigkeit der Bildunschärfe vom Öffnungswinkel als Reihe darstellen:

$$\delta = a_1 \varphi + a_2 \varphi^2 + \cdots a_n \varphi^n + \cdots.$$

Die Öffnungswinkel φ sind immer klein, so daß nur das Reihenglied mit der geringsten Potenz in φ berücksichtigt zu werden braucht. Es kann durch spezielle Form der magnet. Felder erreicht werden, daß einige der Koeffizienten a_n gleich 0 sind. Man spricht von Fokussierung 1. Grades, wenn $a_1 = 0$ ist, oder allgemein von Fokussierung n-ten Grades, wenn alle Koeffizienten bis hin zu a_n gleich 0 sind.

Spektrometertypen, transversale Fokussierung

Das **Halbkreisspektrometer** hat lange transversale Fokussierung 1. Grades bei homogenem Feld und 3. Grades bei der speziellen Form des Feldes

$$B_z = B_0 \left[1 - \frac{3}{4} \left(\frac{r - a}{a} \right)^2 \right].$$

r Abstand von der Mitte der Quelle-Detektor-Linie, a Radius des Kreises durch die Mitte der 1. Blende, z-Richtung senkrecht zu den Teilchenbahnen, die Teilchen durchlaufen einen Halbkreis.

Das $\pi \cdot \sqrt{2}$-**Spektrometer** hat Fokussierung 3. Grades in φ und 1. Grades in ψ bei spezieller Form des Magneten. Die Teilchen durchlaufen einen Kreisbogen der Länge $\pi \cdot \sqrt{2}$. Das Magnetfeld hat außerhalb der Mittelebene eine Komponente in r-Richtung.

Ideale Fokussierung für φ und ψ kann man mit einem **Sektorfeldspektrometer** (kurze Fokussierung) erhalten, bei dem das Feld in der Nähe von Quelle und Detektor gleich 0 ist und in einem begrenzten Gebiet mit der Entfernung x von der Quelle-Detektor-Linie etwa wie $\dfrac{1}{x}$ abfällt.

Longitudinale Fokussierung

Beim Spektrometer mit longitudinaler Fokussierung liegt ein homogenes Feld parallel zur Quelle-Detektor-Achse. Alle Teilchen mit dem gewünschten Impuls, die mit einem Winkel ϑ zur Achse die Quelle verlassen, durchsetzen eine in fester Entfernung angebrachte Ringblende und gelangen auf den Detektor. An der Ringblende findet eine Fokussierung 1. Ordnung (für die Abweichung von ϑ) statt. Longitudinal fokussierende Spektrometer haben höhere Transmissionen, da alle Teilchen in der Nähe eines Kegelmantels und nicht nur in der Nähe einer Achsrichtung fokussiert werden (größerer verfügbarer Raumwinkel).

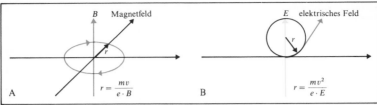

Ablenkung von Teilchen im magnetischen (A) und elektrischen (B) Feld

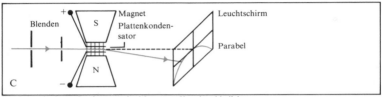

Parabelmethode zur Bestimmung der Masse von Kanalstrahlteilchen

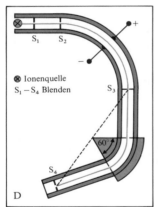

NIERsches Massenspektrometer mit Sektorfeld

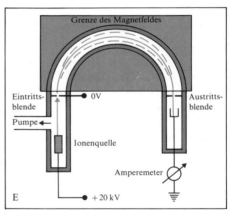

DEMPSTERsches Massenspektrometer zur Untersuchung der Isotopenhäufigkeit

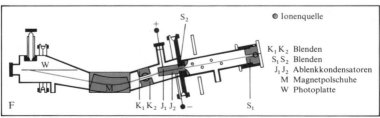

Schema eines Massenspektrographen von ASTON

Massenspektrometer dienen dazu, die Massen von Ionen oder genauer gesagt, das Verhältnis von Masse und Ladung zu messen. Sie erfüllen zweierlei Aufgaben:

1. Die Messung der Häufigkeit einzelner Isotope desselben Elements einerseits bei den in der Natur vorkommenden Elementen, zum anderen bei Produkten von Kernreaktionen. Zu diesen Messungen braucht man Spektrometer von geringer Auflösung, die nur Massenunterschiede von der Größenordnung einer atomaren Masseneinheit trennen müssen.
2. Die genaue Messung der Gewichte der einzelnen Isotope.

Nach EINSTEIN sind Masse und Energie verbunden durch die Gleichung
$$E = mc^2.$$
Aus der genauen Messung der Masse eines Isotops kann man daher seine Bindungsenergie B ableiten
$$B = (Z m_p + (A - Z) m_n - m) c^2.$$
Darin ist m die Masse des Isotops, Z seine Ladungszahl und A die Zahl seiner Nukleonen. m_p und m_n sind die Massen des Protons und des Neutrons. Zu diesen Messungen braucht man Geräte sehr hoher Auflösung (etwa $\Delta m/m = 10^{-7}$ sind bis heute erreicht).

Ablenkung in elektrischen und magnetischen Feldern
Das Prinzip, das der Messung zugrunde liegt, ist die verschieden starke Ablenkung von Strahlen geladener Teilchen in elektr. und magnet. Feldern. Im elektr. Feld E wirkt auf das Teilchen der Ladung e eine Kraft
$$K_e = e \cdot E,$$
die unabhängig von seiner Bewegung ist und in Richtung des Feldes weist. Im magnet. Feld B wirkt auf dasselbe Teilchen die Kraft
$$K_B = e \cdot B \cdot v,$$
die proportional zu seiner Geschwindigkeit ist und senkrecht auf ihr und der Feldrichtung steht.

Der *Krümmungsradius* einer Teilchenbahn, die senkrecht zum Feld verläuft, ist bei magnet. Feldern proportional zum *Impuls*, bei elektr. Feldern proportional zur *Energie*. Aus der Bahn eines Teilchens, das elektr. und magnet. Felder durchläuft, kann man daher die Masse berechnen.

Parabelmethode
Die älteste Methode zur Messung von Ionenmassen beruht auf der Ablenkung in parallelen elektr. und magnet. Feldern. Die Ablenkung nach unten geschieht durch das elektr. Feld und ist gleich
$$y = \frac{e E l^2}{2 m v^2}.$$

Die Ablenkung zur Seite durch das magnet. Feld ist
$$x = \frac{e B l^2}{2 m v}.$$

Aus den beiden Gleichungen ergibt sich für jede Masse m eine Parabel
$$y = \frac{2 E}{l^2 B^2} \cdot \frac{m}{e} \cdot x^2.$$
Als Ionenquelle dienten Kanalstrahlen und als Ionendetektor ein Fluoreszenzschirm, auf dem die auftreffenden Ionen leuchtende Parabeln erzeugten.

Fokussierung
Man unterscheidet zwischen Richtungsfokussierung und Geschwindigkeitsfokussierung.
Die **Richtungsfokussierung** bedeutet, daß die Ionen aus einem kleinen Raumbereich um die Mittelachse der Austrittsblenden noch auf einen Punkt abgebildet werden (s. S. 168 f.).
Die **Geschwindigkeitsfokussierung** ist dann notwendig, wenn man mit so hoher Auflösung messen will, daß die Genauigkeit, mit der die Energie beim Verlassen der Ionenquelle bekannt ist, nicht ausreicht. Sie bewirkt, daß Ionen aus einem kleinen Geschwindigkeitsbereich alle auf einen Punkt abgebildet werden.
Massenspektrometer mit Richtungsfokussierung wurden von DEMPSTER und von NIER konstruiert.
DEMPSTER benutzte zur Richtungsfokussierung das Prinzip des Halbkreisspektrometers. Als Ionenquelle dient eine Metallelektrode, die Elektronen aussendet, durch die Dämpfe des zu untersuchenden Metalls werden Ionen. Die Ionen haben bei ihrer Entstehung wenig Energie. Durch eine angelegte elektr. Spannung werden sie auf bekannte Energie beschleunigt und treten anschließend ins Magnetfeld ein. Nach dem Durchlaufen des Magnetfelds kommen sie an einem Schlitz wieder zusammen und können mit einem Elektrometer registriert werden.
NIER benutzte im Prinzip dieselbe Anordnung als Ionenquelle. Das Magnetfeld war bei seinem Spektrometer ein Sektorfeld, das sich über einen Kreissektor von 60° erstreckte, dessen Mittelpunkt in einer Ebene mit der Eintritts- und Austrittsblende lag. Zur besseren Bestimmung der Energie lag zwischen Ionenquelle und Eintrittsblende ein Energiefilter, der aus zwei konzentrisch kreisförmig gebogenen Kondensatorplatten bestand. Dieser Kondensator läßt nur Ionen der Energie $m v^2 = e \cdot E \cdot r$ durch.
Ein Massenspektrometer mit Geschwindigkeits- und Richtungsfokussierung wurde von ASTON und MATTAUCH konstruiert. Die Ionen durchlaufen nacheinander ein elektr. und ein dazu senkrecht stehendes magnet. Sektorfeld. Die Ablenkung im elektr. Feld ist genau halb so groß wie die im Magnetfeld. Dadurch gleichen sich geringe Unterschiede in der Geschwindigkeit aus. Die Eintrittsblende zum Magnetfeld und der Auffangschirm, der beim MATTAUCHschen Spektrometer aus einem photographischen Film besteht, liegen in einer Ebene.

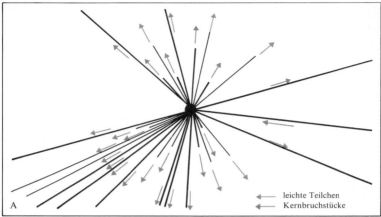

Kernemulsionsaufnahme der Wechselwirkung eines hochenergetischen Atomkerns mit einem Kern der Emulsion

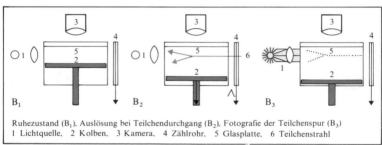

Ruhezustand (B_1), Auslösung bei Teilchendurchgang (B_2), Fotografie der Teilchenspur (B_3)
1 Lichtquelle, 2 Kolben, 3 Kamera, 4 Zählrohr, 5 Glasplatte, 6 Teilchenstrahl

Arbeitsprinzip der Expansionsnebelkammer

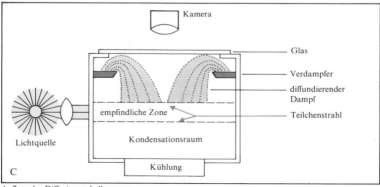

Aufbau der Diffusionsnebelkammer

Ein schnelles geladenes Teilchen erzeugt in der Materie entlang seiner Bahn eine Spur von Ionen und Elektronen. In **Teilchenbahndetektoren** wird diese mikroskopisch feine Spur durch geeignete Verfahren sichtbar gemacht. Aus ihrer Dicke und Länge, ihrer Krümmung in Magnetfeldern und bes. aus ihren Verzweigungen, die durch Kernreaktionen entstehen, kann man Rückschlüsse auf die Eigenschaften des auslösenden Teilchens ziehen.

Kernemulsionen

Kernemulsionen sind Schichten von Photoemulsion (in Gelatine gelöstes kristallines Silberbromid) von bis zu 2 mm Dicke. Sie enthalten wesentlich mehr Silberbromid als normale Emulsion auf photographischen Filmen und sind dadurch hochempfindlich für ionisierende Teilchen. Diese Teilchen ionisieren entlang ihrer Bahn die Silberbromid-Moleküle, so daß bei der anschließenden Entwicklung entlang der Teilchenbahn eine schwarze Spur von atomarem Silber entsteht. Die Emulsionen werden nur so lange entwickelt, wie die an den einzelnen Ionen entstehenden feinen Silbertröpfchen noch nicht ineinander verlaufen. Dadurch kann man bei der Auswertung unter dem Mikroskop die Anzahl der Ionen pro Spurlänge abzählen.

Bei einer Messung mit Kernemulsionen im Bereich hoher Teilchenenergien wird gewöhnlich ein Stapel von vielen einzelnen Emulsionsschichten der Strahlung ausgesetzt. Die einzelnen Schichten sind sehr genau markiert, damit man die Spur eines Teilchens durch mehrere Schichten verfolgen kann.

Der einzige starke Nachteil der Kernemulsionen ist, daß man der Spur nicht ansehen kann, wann sie gebildet worden ist. Sie sind daher nicht lagerfähig, da sich durch die kosmische Strahlung in kurzer Zeit in ihnen ein erheblicher Untergrund von Spuren bildet.

Expansionsnebelkammer

Die Expansionsnebelkammer wurde 1912 von C. T. R. WILSON erfunden. Sie beruht auf dem folgenden Prinzip. Warme Luft kann mehr Feuchtigkeit lösen als kalte. In der Nebelkammer wird die enthaltene Luft mit Wasserdampf gesättigt bei der Temperatur der Umgebung. Zur Messung wird die Luft durch einen Kolben sehr plötzlich ausgedehnt, wobei sie sich abkühlt. Der Wasserdampf braucht zum Kondensieren sog. Kondensationskerne, die durch Staubteilchen, aber auch durch in der Kammer vorhandene Ionen gebildet werden können. Ist die Kammer staubfrei, und sorgt man durch zwei Elektroden an den Kammerwänden, an die eine geringe Spannung angelegt wird, dafür, daß einmal gebildete Ionen langsam abgesogen werden, so bilden sich bei der Expansion die Kondensationströpfchen nur entlang der Bahn der Teilchen, die kurz vorher die Kammer durchsetzt haben. Diese Tröpfchenspuren werden unmittelbar nach der Expansion photographiert.

Durch ein Magnetfeld in der Kammer kann man die gewonnene Information noch erhöhen. Aus dem Krümmungsradius und der Richtung der Krümmung der Teilchenspur kann man den Impuls und das Ladungsvorzeichen des Teilchens bestimmen. Meistens löst man den Expansionsvorgang aus, wenn durch elektron. Teilchendetektoren außerhalb der Kammer angezeigt wird, daß Teilchen der Art, die man gerade untersucht, die Kammer durchsetzt haben.

Die geringe Dichte in der Kammer hat Vor- und Nachteile. Einerseits kann man durch die geringe Wechselwirkungswahrscheinlichkeit der Teilchen ihre Krümmungen im Magnetfeld besser bestimmen, andererseits ist die Wahrscheinlichkeit, daß in der Kammer eine Kernwechselwirkung stattfindet, die man analysieren kann, gering. Diese Wahrscheinlichkeit kann man dadurch erhöhen, daß man in die Kammer Platten aus schwerem Material einbringt, in denen die Wechselwirkungen stattfinden.

Für Beschleuniger-Experimente, bei denen in kurzer Zeit viele Spuren gemessen werden sollen, erweist es sich außerdem als Nachteil, daß die Kammer nach einer Expansion mindestens etwa eine Minute braucht, bis die Luftfeuchtigkeit wieder im Gleichgewicht ist und die Kammer für eine neue Messung bereit ist.

Diffusionsnebelkammern

In der Diffusionsnebelkammer wird eine Zone unterkühlten Dampfes dadurch erzeugt, daß man große Temperaturunterschiede innerhalb der Kammer aufrecht erhält. In der oberen warmen Zone verdampft die Feuchtigkeit. Der warme Dampf diffundiert nach unten in die kältere Zone und kommt dabei durch das empfindliche Gebiet der Kammer, in dem er an den Teilchenspuren kondensiert. Am unteren Ende der Kammer schlägt sich die kondensierte Flüssigkeit nieder und kann zum Ausgang zurückgepumpt werden.

In der Kammer bildet sich eine Zone aus, die immer für Spurenbildung empfindlich ist. Damit werden die langen Totzeiten der Expansionsnebelkammer vermieden.

Moderne Diffusionsnebelkammern werden bei etwa 30 Atmosphären Wasserstoff-Gas mit Alkohol-Dampf betrieben und werden zur Untersuchung der Wechselwirkung hochenerget. Teilchen mit Protonen (Wasserstoffkernen) verwendet.

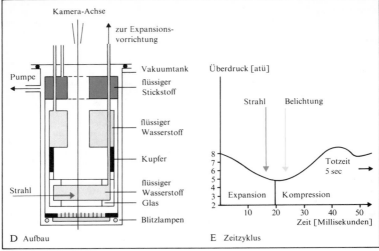

D Aufbau

E Zeitzyklus

Blasenkammer

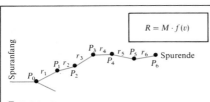

$$R = M \cdot f(v)$$

F Reichweite
Die Koordinaten aller Punkte P_0 bis P_6 werden gemessen, daraus die Spurabschnitte r_1—r_6 berechnet und summiert

$$\frac{dE}{dR} = f(v)$$

G Korndichte
Die Spur wird in gleichlange Abschnitte eingeteilt, auf denen die Körner abgezählt werden

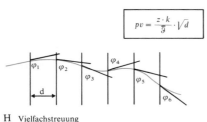

$$pv = \frac{z \cdot k}{\vartheta} \cdot \sqrt{d}$$

H Vielfachstreuung
Die Steigung φ der Tangenten in gleichmäßigen Abständen d wird gemessen. Der Unterschied zweier aufeinander folgender Steigungen ist ϑ. Der Mittelwert aller gemessenen ϑ ist $\overline{\vartheta}$

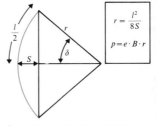

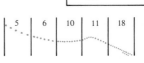

$$r = \frac{l^2}{8S}$$

$$p = e \cdot B \cdot r$$

I Krümmung im Magnetfeld B
Die Größen $l/2$ und S werden gemessen

Meßwerte von Teilchenspuren

Blasenkammern

Blasenkammern vereinigen die Vorteile von Kernemulsionen und Nebelkammern. Die Dichte in ihnen ist so groß, daß schnelle Teilchen ganz abgebremst werden, so daß man ihre Spurlänge messen kann; außerdem ist die Wahrscheinlichkeit einer Wechselwirkung hochenerget. Teilchen groß. Sie enthalten nur eine Sorte von Atomkernen (meistens Wasserstoff oder Deuterium), so daß man die Ergebnisse besser deuten kann als in Kernemulsionen, wo man nicht weiß, an welchem Kern die Wechselwirkung stattgefunden hat. Andererseits ist die Ausdehnung des empfindl. Volumens größer als in Nebelkammern, so daß man Bahnkrümmungen im Magnetfeld messen kann. Die große Ausdehnung bewirkt außerdem, daß kurzlebige neutrale Teilchen (z. B. Π^0 oder Λ^0) in der Kammer entstehen und auch wieder zerfallen können. Dadurch wird es möglich, die Eigenschaften dieser Teilchen, die selber keine Spur erzeugen, zu erforschen.

Die Blasenkammer ist gefüllt mit einer Flüssigkeit, die leicht über den Siedepunkt bei Normaldruck erwärmt wird. Die Flüssigkeit steht, solange die Kammer nicht arbeitet, unter Überdruck, so daß sie nicht sieden kann. Soll eine Teilchenspur registriert werden, so wird der Druck kurzzeitig plötzlich erniedrigt. Das Sieden setzt nicht überall gleichzeitig ein, sondern zuerst an den Ionen der Teilchenspur. Kurz nach dem Durchgang des Teilchens wird der Druck wieder erhöht, um das einsetzende starke Sieden im gesamten Kammervolumen zu vermeiden. Die gebildeten Bläschen entlang der Teilchenspuren können jetzt photographiert werden. Der einzige schwerwiegende Nachteil der Blasenkammer ist, daß sie nicht wie die Nebelkammer durch außen liegende Zählrohre gestartet werden kann. In der Zeit, die vom Zählrohrimpuls bis zur Expansion der Kammer vergeht, ist die Energie, die in der Teilchenspur gespeichert ist, längst an die Umgebung abgegeben.

Die Blasenkammer-Expansion muß kurz vor dem Durchgang des ionisierenden Teilchens gestartet werden. Das ist nur möglich beim Einsatz vor großen Hochenergiebeschleunigern, bei denen man den genauen Zeitpunkt kennt, zu dem der Strahl durch die Kammer gelenkt wird.

Auswertung von Teilchenspuren

Die eigentliche Arbeit der Identifizierung von Teilchen und Messung ihrer Eigenschaften beginnt erst, wenn die fertigen Photographien von Nebel- oder Blasenkammern vorliegen oder wenn die entwickelten Kernemulsionen unter dem Mikroskop untersucht werden.

Kernemulsionsmessungen

Bei den Kernemulsionen kann man die folgenden Werte messen: Reichweite (wenn das Spurende

innerhalb des Emulsionsstapels liegt), Korndichte und Vielfachstreuung.

Reichweite-Messungen sind die genaueste Methode, um die Energie eines identifizierten Teilchens zu messen. Dazu muß die Spur, die unregelmäßig gekrümmt durch die Streuung an den Atomen der Emulsion durch mehrere Schichten läuft, stückweise unter dem Mikroskop ausgemessen werden. Die Reichweite ist eine eindeutige Funktion der Masse und der Energie des Teilchens (s. S. 124 f.). Ist das Teilchen identifiziert, ist seine Masse bekannt und damit auch seine Energie.

Korndichte-Messungen geben Auskunft darüber, wie viel Energie das Teilchen pro Weglänge verliert. Der spezif. Energieverlust ist eine Funktion der Ladung und der Geschwindigkeit

$$\frac{dE}{dR} = z^2 f(v).$$

z ist die Ladung, v die Geschwindigkeit. Die Ladung ist immer plus oder minus 1 (in Elementarladungen), so daß aus der Korndichte die Geschwindigkeit abgelesen werden kann.

Vielfachstreuung

Beim Durchgang durch die Materie wird das geladene Teilchen an jedem einzelnen Atom, an dem es vorbeikommt, um einen kleinen Winkel abgelenkt. Die einzelnen Ablenkungen kann man nicht messen, wohl aber den mittleren Winkel, um den es auf einer vorgegebenen Wegstrecke d (meistens 0,1—1 mm) abgelenkt wird. Dieser mittlere Winkel ist

$$\vartheta = \frac{k \cdot z}{p \cdot v} \cdot \sqrt{d},$$

z ist die Ladung des Teilchens, p der Impuls, v die Geschwindigkeit und k eine Konstante, die vom Material der Emulsion abhängt. Aus der mittleren Ablenkung α pro 0,1 mm Wegstrecke erhält man daher das Produkt

$$p \cdot v = \frac{z k}{\alpha}.$$

An jeder Teilchenspur, die ausgewertet wird, müssen mindestens zwei der genannten Messungen entlang der gesamten verfügbaren Teilchenspur vorgenommen werden, um die Masse und Energie des Teilchens zu bestimmen.

Kommt das Teilchen in der Emulsion zur Ruhe, so mißt man die Reichweite und die Korndichte. Zur Auswertung benutzt man die Tatsache, daß der Quotient Reichweite durch Masse allein eine Funktion der Geschwindigkeit ist, die wieder proportional zur Korndichte ist. Hat man bei zwei Spuren Orte mit gleicher Korndichte gefunden, so ist das Verhältnis ihrer Rest-Reichweiten gleich ihrem Massenverhältnis:

$$\frac{R_A}{R_B} = \frac{M_A}{M_B}.$$

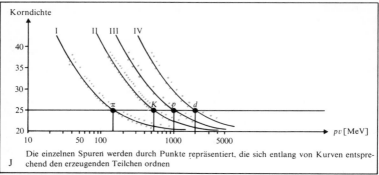

J Die einzelnen Spuren werden durch Punkte repräsentiert, die sich entlang von Kurven entsprechend den erzeugenden Teilchen ordnen

Ergebnis von Vielfachstreuung-Korndichte-Messungen

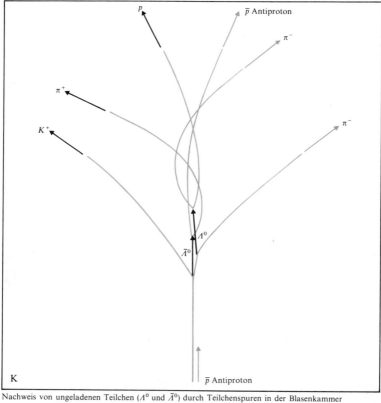

Nachweis von ungeladenen Teilchen (Λ^0 und $\bar{\Lambda}^0$) durch Teilchenspuren in der Blasenkammer

Meistens hat man eine Anzahl bekannter Teilchen (Protonen oder α-Teilchen) auf der Platte, so daß man nach dieser Methode die Massen unbekannter Teilchen bestimmen kann.

Kommt das Teilchen in der Emulsion nicht zur Ruhe, so mißt man die Größen $p \cdot v$ und v (Vielfachstreuung und Korndichte). Zwischen der Größe $p \cdot v$ und der Geschwindigkeit v besteht die relativist. Gleichung

$$p \cdot v = M_0 \cdot \frac{v^2}{\sqrt{1 - \dfrac{v^2}{c^2}}}.$$

Bei gleicher Geschwindigkeit, d. h. bei gleicher Korndichte zweier Spuren ist die Größe $p \cdot v$ proportional zur Ruhmasse des Teilchens. So kann man anhand der immer vorhandenen bekannten Teilchen die Massen unbekannter Teilchen bestimmen. In prakt. Fällen trägt man in einem $pv - v$-Diagramm jede gefundene Spur als einen Punkt ein. Man findet dann, daß die Punkte sich entlang von mehreren Kurven häufen, die die Teilchen verschiedener Masse repräsentieren.

Nebel- und Blasenkammern

An Nebel- und Blasenkammern wird von außen ein starkes homogenes magnet. Feld angelegt. In diesem Feld bewegen sich die Teilchen auf einer Kreisbahn mit dem Radius

$$r = \frac{p}{e \cdot B}.$$

p ist der Impuls, B die Magnetfeldstärke und e die Ladung des Teilchens. Aus der Krümmungsrichtung und dem Krümmungsradius liest man daher den Impuls und die Ladung des Teilchens ab. Korndichte-Messungen sind in Nebel- und Blasenkammern schlecht möglich, da pro Wegstrecke zu wenig Blasen gebildet werden, um genaue Aussagen zu bekommen, und da meistens die Drücke und Temperaturen nicht genau genug stabil gehalten werden können, um eine eindeutige Zuordnung von Korndichte und Geschwindigkeit zu ermöglichen. In Blasenkammern kann man jedoch bei vielen Teilchen die Reichweite messen und so die Masse der Teilchen bestimmen.

Entdeckung von Elementarteilchen

Die Teilchenspurdetektoren, und unter ihnen bes. die Blasenkammer, sind die wichtigsten Hilfsmittel zum Nachweis der kurzlebigen Elementarteilchen und zur Messung ihrer Eigenschaften. Diese Teilchen entstehen bei der Wechselwirkung hochenerget. Teilchen mit Atomkernen und zerfallen nach kurzer Lebensdauer in leichtere Teilchen. Ihre Entdeckung wird möglich, wenn die Wechselwirkung innerhalb der Kammer stattfindet und die dabei gebildete Spurverzweigung vollständig vermessen wird, d. h. von allen ausgehenden sichtbaren Spuren die La-

dung, die Masse und der Impuls des Teilchens bestimmt wird.

Häufig wird dabei festgestellt, daß die Summe der Impulse der ausgehenden Teilchen nicht gleich dem Impuls des ankommenden Teilchens ist. In diesem Falle ist ein neutrales Teilchen gebildet worden, das keine Spur hinterläßt. Wenn das neutrale Teilchen innerhalb der Kammer wieder zerfällt, so kann man den Zerfallsort finden, da dort wieder ein oder mehrere geladene Teilchen entstehen. Aus der zurückgelegten Wegstrecke kann man die Lebensdauer berechnen, aus den Spuren, die vom Zerfallsort ausgehen, die Art der beim Zerfall gebildeten Teilchen und ihre Energie. Hat man alle Energien und Impulse der sichtbaren Teilchen bei der Entstehung und beim Zerfall des neutralen Teilchens genau bestimmt, so kann man aus den Erhaltungssätzen für Energie und Impuls auch seine Energie und seinen Impuls berechnen und damit seine Ruhmasse.

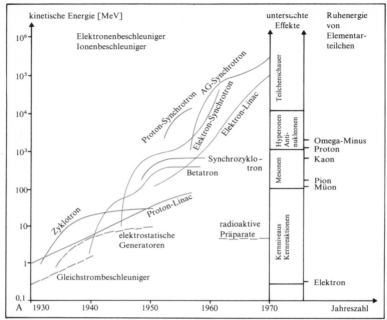

Entwicklung der Beschleuniger bis 1970

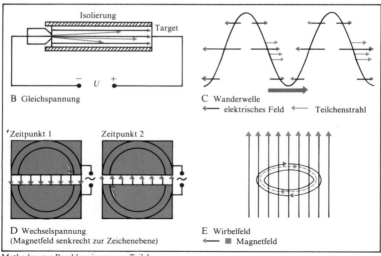

Methoden zur Beschleunigung von Teilchen

Die Erforschung der inneren Struktur der Atome, der Atomkerne und der Elementarteilchen ist eng verknüpft mit der Entwicklung von Strahlenquellen für Teilchen hoher Energie. Je feiner die Struktur ist, die durch das Experiment aufgelöst werden soll, desto höher muß die Energie der Teilchen sein. Zur Untersuchung der inneren Schalen des Atoms reichen noch RÖNTGEN- oder Elektronenstrahlen mit einer Energie von maximal etwa 100 keV. Zur Untersuchung der Energieniveaus der Kerne braucht man bereits Teilchen mit einigen MeV, während die Untersuchung der Elementarteilchen, ihrer Entstehung und ihrer Wechselwirkung, Teilchenenergien von über 100 MeV erfordert.

Natürliche Strahlenquellen
Die ersten Quellen energet. Teilchen, die für Untersuchungen der Kernstruktur verwendet wurden, waren die in der Natur vorkommenden radioaktiven Präparate, die Alphateilchen bis zu einer Energie von maximal etwa 8 MeV und Elektronen (Betateilchen) und Gammastrahlung bis zu einer Energie von etwa 3 MeV aussenden. Mit ihnen konnte man daher die unteren angeregten Kernniveaus erforschen. Die Erzeugung neuer radioaktiver Isotope, die in der Natur nicht vorkommen, war nur sehr begrenzt möglich, da die Intensität, d. h. die Anzahl der pro Sekunde ausgesandten Teilchen, dazu nicht ausreicht.
Die Erforschung der Mesonen und Hyperonen erfordert wesentlich höhere Energie. Diese hohe Teilchenenergie wird in der Natur nur von der kosmischen Strahlung, die aus dem Weltraum auf die Erde trifft, erreicht. Die Teilchen der kosm. Strahlung erreichen Energien bis zu etwa 10^{15} MeV, also wesentlich höhere, als mit Beschleunigern heute oder in naher Zukunft erreicht werden kann. Diese Teilchen verlieren ihre Energie jedoch schon durch Wechselwirkungen mit den Luftmolekülen der oberen Atmosphäre; zudem sind die Intensitäten der hochenerget. Teilchen so gering, daß die Meßwerte, die aus Experimenten mit der kosm. Strahlung gewonnen werden, lückenhaft und schwer interpretierbar sind. Es ergab sich daher schon bald die Notwendigkeit, energiereiche Teilchen mit hoher Intensität direkt im Labor zu erzeugen. Diese Aufgabe haben die Beschleuniger. Neben dieser Aufgabe als reines Hilfsmittel des Kernphysikers haben sie jedoch auch große Bedeutung erhalten als Therapiegeräte der Medizin in der Krebsbekämpfung sowie bei vielen Aufgaben der Werkstoffprüfung und der Herstellung von radioaktiven Isotopen für chem. und techn. Untersuchungen.

Prinzipieller Aufbau eines Beschleunigers
Ein Beschleuniger besteht aus einer Elektronen- oder Ionenquelle, aus der die Teilchen mit geringer Energie austreten, aus dem eigentl. Beschleunigungsraum, in dem ein elektr. Feld im Hoch-

vakuum die Teilchen auf die gewünschte Energie beschleunigt, und dem Target, in dem die hochenerget. Teilchen eingefangen werden und ihre Reaktionen, die man untersuchen will, erzeugen.
In einem elektr. Feld der Feldstärke $\mathfrak{E}$ erhält ein geladenes Teilchen der Ladung e (Elementarladung) auf seinem Weg die kinet. Energie

$$E = e \int_0^s \mathfrak{E} \cdot ds \,.$$

Dabei erstreckt sich die Integration über den ganzen Weg, den das Teilchen innerhalb des elektr. Feldes zurücklegt. Hohe Energien erreicht man durch hohe Feldstärken oder durch lange Laufwege entlang der Feldlinien. Das elektr. Feld kann entweder durch eine Gleichspannung U zwischen Ionenquelle und Target erzeugt werden, die erreichte Energie ist dann

$$E = e \cdot U \,,$$

oder durch elektromagnet. Wechselfelder, bei denen die geladenen Teilchen auf Kreisbahnen in magnet. Feldern laufen und das elektr. Feld immer parallel zur momentanen Bahnrichtung der Teilchen zeigt. Eine dritte Möglichkeit, die zur Beschleunigung von Elektronen im Betatron genutzt wird, ist die Erzeugung von elektr. Wirbelfeldern, bei denen die elektr. Feldlinien geschlossen sind und kreisförmig um ein Zentrum laufen. Die Elektronen laufen ebenfalls auf Kreisbahnen und daher immer parallel zu den Feldlinien, so daß sie fortlaufend beschleunigt werden. Eine vierte Möglichkeit besteht in der Erzeugung elektr. Wanderwellen, bei denen die geladenen Teilchen auf der Vorderfront der Welle reiten und so immer eine Feldstärke in Richtung ihrer Bewegung vorfinden.
In den meisten Beschleunigern werden entweder Elektronen oder die leichtesten Ionen (Proton, Deuteron oder Alphateilchen) beschleunigt. Durch Wechselwirkung des beschleunigten Teilchens mit dem Target gelingt es aber, Strahlen von anderen Elementarteilchen wie Pionen, Kaonen und Hyperonen oder auch Neutronen und Gammastrahlung herzustellen. Da die Ausbeute bei den Umwandlungsprozessen häufig gering ist, muß man Beschleuniger für sehr hohe Intensitäten entwickeln. Die stärksten Linearbeschleuniger erreichen heute schon bis zu 10 Ampere bei über 100 MeV Elektronenenergie. Derartige Strahlleistungen (1000 Megawatt) können natürlich nur für kurze Impulse aufrecht erhalten werden, da sie nach kürzester Zeit das Target verdampfen würden.

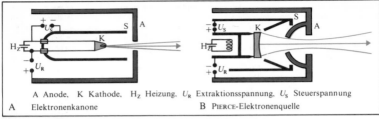

A Anode, K Kathode, H_Z Heizung. U_R Extraktionsspannung, U_S Steuerspannung

A   Elektronenkanone   B PIERCE-Elektronenquelle

Elektronenquellen

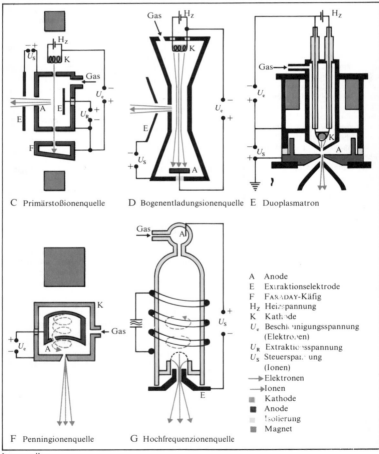

C Primärstoßionenquelle   D Bogenentladungsionenquelle E Duoplasmatron

A   Anode
E   Extraktionselektrode
F   FARADAY-Käfig
H_Z Heizspannung
K   Kathode
U_e Beschleunigungsspannung
      (Elektronen)
U_R Extraktionsspannung
U_S Steuerspannung
      (Ionen)
→   Elektronen
→   Ionen
▨   Kathode
■   Anode
▫   Isolierung
▨   Magnet

F Penningionenquelle   G Hochfrequenzionenquelle

Ionenquellen

Elektronenquellen

Elektronenbeschleuniger stellen an die Elektronenquelle i.a. hohe Anforderungen: hohe Stromdichte, kleine Strahlöffnungswinkel, lange Lebensdauer unter konstanten Betriebsbedingungen und Impuls-Belastbarkeit. Die Herstellung des Elektronenstrahls erfolgt in zwei Schritten. Zuerst werden die Elektronen aus einem Metall oder in selteneren Fällen aus einer Gasentladung freigesetzt und dann durch Hochspannungselektroden beschleunigt und fokussiert.

Die Elektronenerzeugung aus Metallen ist sehr einfach. In den Metallen sind die Elektronen des Leitungsbandes frei beweglich. Führt man dem Elektron einen bestimmten Energiebetrag, die Austrittsarbeit w, zu, so kann es aus der Oberfläche austreten. Diese Energie w kann es durch Aufheizung des Metalls gewinnen. Der pro Fläche austretende Strom wird durch die RICHARDSON-Formel beschrieben

$$j = A \cdot T^2 \cdot e^{-\frac{w}{kT}},$$

T ist die Temperatur, k die BOLTZMANN-Konstante. Man braucht daher Metalle mit kleiner Austrittsarbeit, die man auf möglichst hohe Temperaturen aufheizen kann. In den meisten Fällen wird dafür Wolfram verwendet.

Zur Erzeugung eines Elektronenstrahles aus den aus der Oberfläche abgedampften Elektronen werden diese durch eine positive Elektrode (Anode) beschleunigt. Wichtig ist dabei, daß man einen gut gebündelten Strahl erhält. Man erreicht das durch eine zusätzl. Steuerelektrode, die negativ gegen die Kathode aufgeladen und so geformt ist, daß die Elektronen nur zum Anodenfenster hin beschleunigt werden.

Ionenquellen

Die Anforderungen an Ionenquellen sind im wesentlichen die gleichen wie an die Elektronenquellen. Da jedoch die Ionen meistens in Gasentladungen erzeugt werden, kommt die Forderung hinzu, daß möglichst wenig neutrales Gas austritt, damit das Vakuumsystem des Beschleunigers nicht zu sehr belastet wird.

Ionenerzeugung in Gasen

In Gasen können Ionen durch Einstrahlung von kurzwelligem Licht, durch Stoßionisation mit Elektronen oder Ionen oder durch Stöße von neutralen Atomen durch therm. Bewegung entstehen. Der fast ausschließlich verwendete Prozeß ist die Stoßionisation durch Elektronen in Gasentladungen.

Primärstoßionenquelle

In dieser Ionenquelle wird ein Elektronenstrahl durch ein Gas bei sehr niedrigem Druck ($3 \cdot 10^{-4}$ bis 10^{-3} Torr) geleitet. Dabei finden praktisch nur Stöße zwischen den Elektronen und dem Gas statt, Rekombinationen und Stöße der Ionen untereinander sind wegen der geringen Teilchendichte selten. Die Ionen

werden durch eine positive Elektrode durch das Austrittsfenster gedrückt und von einer Nachbeschleunigungselektrode abgesaugt. Zur Verlängerung des Laufweges der Elektronen bringt man ein Magnetfeld parallel zum Elektronenstrahl an, das die Elektronen schraubenförmig umlaufen.

Bogenentladungsquellen

Erhöht man in der Primärstoßionenquelle den Druck, so beginnt ein Lichtbogen zu brennen, d. h. zu den primären Elektronen kommt ein wesentlich größerer Strom durch die bei der Ionisation erzeugten Elektronen hinzu.

Plasmatronionenquellen

Die Plasmatronionenquelle ist eine Weiterentwicklung der Bogenentladungsquelle, bei der man durch eine zusätzliche negativ vorgespannte Steuerelektrode sowie beim **Duoplasmatron** durch ein zusätzliches Magnetfeld ein Plasma mit bes. hoher Ionendichte zwischen der Anode und der Steuerelektrode erreicht und damit ein bes. günstiges Verhältnis von Ionenstrom zu austretendem Gas. Das Duoplasmatron liefert Ionenströme bis zu einigen Ampere und ist damit die leistungsfähigste bekannte Ionenquelle. Ein Nachteil ist, daß der Anteil der Molekülionen gegenüber den einatomigen Ionen hoch ist.

Penningionenquellen

Bei genügend hoher elektr. Feldstärke zündet auch zwischen zwei kalten Elektroden eine Gasentladung. Die ionisierenden Elektronen stammen aus vorhergehenden Ionisationen oder werden beim Aufschlag von Ionen aus der Kathode gelöst. In der Penningionenquelle wird dieser Effekt ausgenutzt, wobei durch ein axiales Magnetfeld der Laufweg der Elektronen im verdünnten Gas verlängert wird. Der Vorteil ist eine lange Lebensdauer der Ionenquelle, da die empfindl. Glühkathode fortfällt.

Hochfrequenzionenquellen

Bei der Hochfrequenzionenquelle wird die elektr. Energie dem Gas nicht in Form einer Gleichspannung zugeführt, sondern in Form von elektromagnet. Wellen. Das Gas befindet sich in einem Gefäß aus nichtleitendem Material, das von einer Senderspule oder einem Schwingkreiskondensator umgeben ist. Die Elektronen führen in dem elektromagnet. Wechselfeld Schwingungen aus. Sie gewinnen Energie, wenn sie synchron mit der Feldumkehr elast. Stöße mit Neutral-Gasteilchen erleiden. Die Gleichspannungselektroden dienen nur zur Extraktion der Ionen. Hochfrequenzionenquellen haben einen sehr hohen Anteil atomarer Ionen, da die Rekombination zu Molekülionen, die vorwiegend an Metallwänden stattfindet, in ihnen nicht möglich ist.

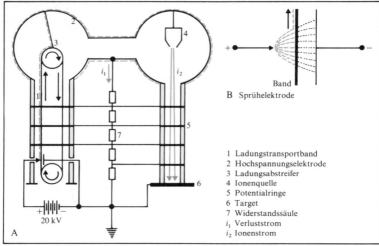

B Sprühelektrode

1 Ladungstransportband
2 Hochspannungselektrode
3 Ladungsabstreifer
4 Ionenquelle
5 Potentialringe
6 Target
7 Widerstandssäule
i_1 Verluststrom
i_2 Ionenstrom

VAN-DE-GRAAFF-Generator für positive Ionen

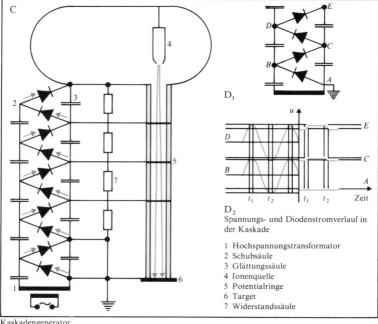

D_2
Spannungs- und Diodenstromverlauf in
der Kaskade

1 Hochspannungstransformator
2 Schubsäule
3 Glättungssäule
4 Ionenquelle
5 Potentialringe
6 Target
7 Widerstandssäule

Kaskadengenerator

Gleichspannungsbeschleuniger sind die einfachsten Geräte zur künstl. Erzeugung von Kerngeschossen mit Energien bis zu einigen MeV. In ihnen liegt die Ionen- bzw. Elektronenquelle auf Hochspannungspotential. Die geladenen Teilchen werden durch einmaliges Durchlaufen der Potentialdifferenz zwischen der Hochspannungselektrode und der Quelle mit dem Target auf Erdpotential auf ihre Endenergie beschleunigt. Ein Teilchen der Ladung e erhält dabei die Energie $e \cdot u$, wenn u die Hochspannung ist.

Die erreichbare Energie wird bei diesen Beschleunigern durch die Spannungsfestigkeit der Hochspannungselektrode begrenzt. Es kommt bei zu hohen Spannungen zu Koronaentladungen in die umgebende Luft und zu Funkenentladungen in die Erde oder naheliegende Wände. Aus diesen Gründen kann man mit frei stehenden Gleichspannungsbeschleunigern etwa Energien bis zu 2 MeV erreichen, mit Drucktankanlagen bis zu maximal 10 MeV.

Der Beschleuniger besteht aus einem Generator zur Erzeugung der Hochspannung, aus der Teilchenquelle, dem eigentl. Beschleunigungsrohr, dem Target und den Hilfseinrichtungen wie Vakuumanlage, Meßgeräte usw. Die verschiedenen Typen von Gleichspannungsbeschleunigern unterscheiden sich im wesentlichen durch die verschiedenen Methoden zur Erzeugung der Hochspannung.

VAN-DE-GRAAFF-Generatoren

Beim VAN-DE-GRAAFF-Generator oder Bandgenerator wird auf ein schnell umlaufendes Band aus Isoliermaterial aus einer Spitzenelektrode Ladung in Form von Elektronen oder Ionen aufgesprüht. Die Ladungen bleiben an dem Band haften und werden von ihm zur Hochspannungselektrode transportiert. Diese besteht aus einer äußeren Kugel von etwa 1 m Durchmesser aus Metall mit einem Durchbruch, durch den das Band über eine im Inneren angebrachte Rolle läuft. An dieser Rolle im feldfreien Inneren der Hochspannungselektrode werden die Ladungen durch eine Metallbürste vom Band abgestreift und fließen auf die äußere Kugel ab, wodurch sich diese auf hohe Spannungen auflädt.

Der maximal erreichbare Strom im Bandgenerator wird begrenzt durch die Ladungsdichte, die man auf das Band aufbringen kann und durch dessen Geschwindigkeit. Man erreicht bis zu etwa 1000 Mikroampere. Von diesem Strom wird ein Teil in den Spannungsteilern der Beschleunigungsröhre verbraucht, so daß für den eigentl. Teilchenstrahl maximal etwa 500 Mikroampere zur Verfügung stehen.

Kaskadengeneratoren

Kaskadengeneratoren erreichen i. a. etwas niedrigere Spannungen als Bandgeneratoren, dafür jedoch wesentlich höhere Ströme. In ihnen wird durch Hintereinander- und Parallelschaltung von Gleichrichtern und Kondensatoren eine Vervielfachung der von einem Hochspannungstransformator gelieferten Wechselspannung erreicht. Eine Seite der Sekundärspule des Hochspannungstransformators ist geerdet, die andere schwankt zwischen den Potentialen $+u$ und $-u$. An dieser Seite liegen die hintereinander geschalteten Kondensatoren der *Schubsäule*, an der geerdeten Seite liegt die *Glättungssäule*. Beide Säulen sind durch Gleichrichterdioden verbunden. Wird die Wechselspannung eingeschaltet, so leiten während der negativen Halbwelle die Dioden Strom von der Glättungs- zur Schubsäule, während der positiven Halbwelle von der Schubsäule zur Glättungssäule. Das geht so lange, bis die Glättungssäule auf die Spannung $2n \cdot u$ aufgeladen ist, wenn n die Anzahl der Stufen ist. Ist die Kaskade belastet durch den Teilchenstrom, so fließt jeweils, während die Wechselspannung die Scheitelwerte erreicht, ein Strom durch die Dioden. Der Kaskadengenerator war das erste zur Beschleunigung von Protonen eingesetzte Gerät und wird nach seinen Konstrukteuren auch COCKROFT-WALTON-Generator genannt.

Beschleunigungsrohr

Das Beschleunigungsrohr besteht aus isolierendem Material, häufig Keramik. In ihm durchlaufen die Ionen oder Elektronen im Hochvakuum die Potentialdifferenz zwischen der Hochspannungselektrode und dem geerdeten Target. Damit sich in ihm ein möglichst gleichmäßiges elektr. Feld ausbildet, enthält es sog. Potentialringe. Diese Ringe aus Metall sind über hochohmige Widerstände mit der Hochspannungselektrode und der Erde verbunden, so daß man ihr Potential genau einstellen kann. Die Kette dieser hochohmigen Widerstände verbraucht einen Teil des Generatorstroms. Beim Kaskadengenerator sind die Potentialringe mit den Stufen der Glättungssäule verbunden.

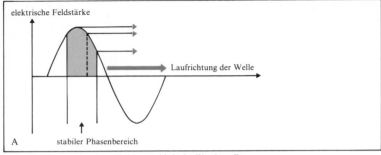

elektrische Feldstärke

Laufrichtung der Welle

A   stabiler Phasenbereich

Phasenlage des beschleunigten Teilchenstrahls in der Wanderwelle

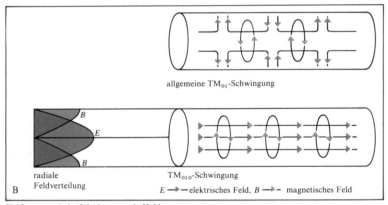

allgemeine TM_{01}-Schwingung

B

E

B

radiale
Feldverteilung

TM_{010}-Schwingung

B $E \longrightarrow$ elektrisches Feld, $B \longrightarrow$ magnetisches Feld

Elektromagnetische Schwingungen in Hohlraumresonatoren

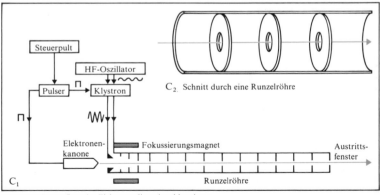

Steuerpult

HF-Oszillator

Pulser   Klystron

C_2 Schnitt durch eine Runzelröhre

Elektronen-
kanone

Fokussierungsmagnet

Austritts-
fenster

C_1

Runzelröhre

Schematischer Aufbau des Elektronenlinearbeschleunigers

Die Beschleunigung von geladenen Teilchen mit elektrostat. Feldern auf Energien über 10 MeV ist aus techn. Gründen wegen der benötigten Spannungen von über 10 Millionen Volt nicht möglich. Zur Erzeugung größerer Teilchenenergien benutzt man daher elektromagnet. Wechselfelder, die synchron mit den geladenen Teilchen über die Beschleunigungsstrecke laufen, so daß das Teilchen sich zu jedem Zeitpunkt in einem nach vorne gerichteten beschleunigenden elektr. Feld befindet.

Im **Linearbeschleuniger** wird im Gegensatz zu den Kreisbeschleunigern die Beschleunigungsstrecke von den Teilchen nur einmal durchlaufen. Man braucht daher elektromagnet. Wellen mit den folgenden Eigenschaften:
a) Die Welle muß entlang einer *vorgegebenen Richtung* im Beschleunigungsrohr laufen.
b) Die Welle muß möglichst *hohe elektrische Feldstärken* in Richtung des Teilchenstrahls haben. Das bedeutet, daß sie sehr *hohe Leistung* haben muß.
c) Die *Phasengeschwindigkeit* der Welle muß überall im Beschleunigungsrohr gleich der *Geschwindigkeit der Teilchen* sein.
d) Die Leistung der elektromagnet. Welle soll mit *hohem Wirkungsgrad* auf den Teilchenstrahl übertragen werden, damit die Verlustleistung und damit die Erwärmung des Beschleunigers in Grenzen gehalten wird.

Phasenlage und Phasenstabilität
Die Endenergie, die das Teilchen erreicht, ist proportional zur elektr. Feldstärke, die entlang der Beschleunigungsstrecke auf das Teilchen eingewirkt hat. Wenn das Teilchen überall mit der gleiche Geschwindigkeit wie die Welle hat, bleibt seine Phasenlage innerhalb der Welle konstant. Ist seine Geschwindigkeit etwas größer oder geringer, so verschiebt sich die Phasenlage nach vorne bzw. nach hinten. Solange die Teilchengeschwindigkeit mit der Energie wächst, kann man daher eine Phasenbündelung der Teilchen erreichen, wenn man die Phasengeschwindigkeit der Welle und die Sollgeschwindigkeit der Teilchen so einstellt, daß zurückbleibende Teilchen eine höhere beschleunigende Feldstärke und vorauseilende eine geringere Feldstärke vorfinden. Die Phasenlage der Teilchen mit der Sollgeschwindigkeit (stabile Phasenlage) ist dann *vor* der maximalen elektr. Feldstärke. Die Phasenbündelung ist nur möglich, solange die kinet. Energie der Teilchen noch nicht wesentlich größer als die Ruheenergie $m_0 c^2$ der Teilchen ist. Bei größeren Energien wird nämlich die Teilchengeschwindigkeit gleich der Lichtgeschwindigkeit und unabhängig von der Energie. Aus diesem Grunde unterscheiden sich die Linearbeschleuniger für Elektronen und Ionen ganz wesentlich:
Elektronen erreichen schon bei einer Energie von 1 MeV praktisch die Lichtgeschwindigkeit, Protonen erst bei kinet. Energien von 1000 bis 2000 MeV

(1 bis 2 GeV). Protonenlinearbeschleuniger bis zu so hohen Energien sind bisher nicht gebaut worden. Bei Elektronenbeschleunigern braucht man daher nach einer Phasenbündelungsstrecke am Anfang eine Beschleunigungsstrecke mit gleichbleibender Wellengeschwindigkeit, die gleich der Lichtgeschwindigkeit ist; bei Ionenbeschleunigern braucht man eine Beschleunigungsstrecke, in der die Wellengeschwindigkeit entlang der Teilchenbahn zunimmt.

Hohlraumresonatoren
Zur Erzeugung der elektromagnet. Wellen entlang der Beschleunigungsstrecke benutzt man sog. Hohlraumresonatoren:
In Hohlräumen mit elektrisch gut leitenden Wänden bilden sich elektromagnet. Schwingungen aus, deren Feldverteilung durch die Form der Wände und die Frequenz bestimmt wird. Sie ergibt sich aus den MAXWELLschen Gleichungen der Elektrodynamik mit der Randbedingung, daß das elektr. Feld auf der leitenden Wand gleich 0 ist. In Beschleunigern wird die sog. TM_{010}-Schwingung in zylinderförmigen Resonatoren verwendet. Sie hat die folgenden Eigenschaften: Das elektr. Feld hat nur eine Komponente in axialer Richtung. Es hat seinen höchsten Wert auf der Achse und fällt zum Rand auf den Wert 0 ab. Das magnet. Feld hat nur die Winkelkomponente und ist am stärksten auf dem Rand. Die Phasengeschwindigkeit der TM_{010}-Schwingung ist unendlich groß, d. h. der ganze Resonator schwingt in Phase. Da zur Beschleunigung die Phasengeschwindigkeit der Welle am Teilchenort gleich der Teilchengeschwindigkeit sein muß, wird bei Elektronenbeschleunigern die Beschleunigungsstrecke aus vielen phasenverschobenen Resonatoren zusammengesetzt, bei Protonenbeschleunigern das Feld in der Weise abgeschirmt, daß es nur während der beschleunigenden Phase auf den Strahl einwirken kann. Die TM_{010}-Schwingung wird angeregt, wenn der Radius des Resonators $R = 2,045 \dfrac{c}{\omega}$ ist. ω ist die Kreisfrequenz der eingespeisten Hochfrequenzwelle und c die Lichtgeschwindigkeit.

Elektronenlinearbeschleuniger
Als Beschleunigungsrohre in Elektronenlinearbeschleunigern werden sog. **Runzelröhren**, Metallrohre mit periodisch angeordneten metall. Blenden, verwendet. Jeder Abschnitt der Runzelröhre wirkt als Hohlraumresonator, der in der TM_{010}-Schwingung angeregt ist. Die einzelnen Resonatoren sind durch die Öffnungen und leitenden Wände in der Weise gekoppelt, daß sie mit der richtigen Phasenverzögerung zueinander schwingen. Auf der Achse bildet sich so eine fortlaufende Welle aus, deren Phasengeschwindigkeit durch die inneren Öffnungen bestimmt und gleich der Lichtgeschwindigkeit ist.
Die Runzelröhre wird an einem Ende durch ein **Klystron** (Mikrowellenverstärker) mit Mikrowellen von normalerweise 3000 Megahertz angeregt. Die

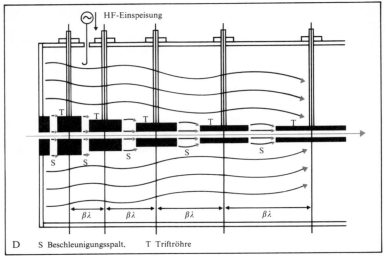

D   S Beschleunigungsspalt,   T Triftröhre

Hohlraumresonator eines Ionenbeschleunigers

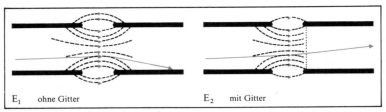

E_1 ohne Gitter E_2 mit Gitter

Radiale Ablenkung im Beschleunigungsspalt

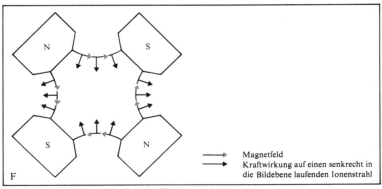

F

→ Magnetfeld
→ Kraftwirkung auf einen senkrecht in
die Bildebene laufenden Ionenstrahl

Fokussierung durch magnetische Quadrupollinsen

Leistung des Klystrons beträgt bis zu 30 Megawatt während eines Pulses. Wegen der hohen benötigten Leistungen können alle Elektronenlinearbeschleuniger nur gepulst betrieben werden.

Am gleichen Ende wie der Mikrowelleneingang liegt die Elektronenquelle und der sog. **Buncher,** eine Runzelröhre mit einer besonderen Struktur, in der erreicht wird, daß möglichst viele Elektronen in der richtigen Phase zur Beschleunigung zusammenkommen. Am hinteren Ende der Runzelröhre verlassen die Elektronen die Beschleunigungsstrecke durch ein Fenster. Große Linearbeschleuniger sind aus vielen einzelnen Sektionen zusammengesetzt, wobei jede Sektion von einem Klystron gespeist wird. Alle Klystrons werden von einem gemeinsamen Muttersender angesteuert. Damit erreicht man die Phasenanpassung der einzelnen Sektionen.

Elektronenlinearbeschleuniger haben gegenüber den Kreisbeschleunigern, mit denen annähernd gleiche Energie erreicht werden kann, die folgenden Vorteile:

Die Energie kann über die eingespeiste Leistung in einem weiten Bereich variiert werden.

Die Mikrowellenleistung wird mit hohem Wirkungsgrad auf den Strahl übertragen, man kann hohe Ströme erreichen.

Durch die gradlinige Bewegung treten keine Strahlungsverluste auf, die in Kreisbeschleunigern die erreichbare Endenergie begrenzen.

Die Extraktion des Strahls am Beschleunigerende ist besonders einfach.

Der einzige Nachteil ist, daß in der Runzelröhre die Maße sehr genau eingehalten werden müssen, da sie direkt die Phasengeschwindigkeit der Welle und damit die Phasenlage der Teilchen beeinflussen. Eine Abweichung führt sofort zu einer erheblichen Verringerung der Energie. Diese hohen Anforderungen an die Genauigkeit haben hohe Kosten zur Folge.

Elektronenlinearbeschleuniger werden heute für einen weiten Bereich von Energien und für die verschiedensten Anwendungen gebaut. Die größte Anlage ist der Stanford-Beschleuniger (bei San Francisco) mit einer Länge von 3200 Metern und einer Elektronenenergie von 40 000 MeV. Er erreicht einen maximalen Impulsstrom von etwa 100 Milliampere.

Ionenlinearbeschleuniger

Der Ionenlinearbeschleuniger hat eine ganz andere Struktur als der für Elektronen, da die Geschwindigkeit der Ionen mit zunehmender Energie wächst. Ionen erreichen die Lichtgeschwindigkeit erst bei Energien von 2000 MeV, die größten Linearbeschleuniger für Ionen reichen aber nur bis 1000 MeV. Aus diesen Gründen ist die Verwendung der Runzelröhre nicht möglich.

Die heutige Form der Ionenbeschleuniger wurde, nach voraufgegangenen Versuchen von WIDERØE, von ALVAREZ entwickelt. Der Ionenstrahl bewegt sich entlang der Achse in einem zylindr. Hohlraumresona-

tor, der in der TM_{010}-Schwingung angeregt ist. Die Ionen können den ganzen Resonator nicht während einer Schwingungsperiode durchlaufen, das elektr. Feld muß daher abgeschirmt werden während der Halbperiode, in der es dem Ionenstrahl entgegenläuft und bremsend wirken würde. Dazu sind entlang der Strahlachse mit der Außenwand verbundene **Triftröhren** angebracht, in denen kein elektr. Feld herrscht. Die Länge der Triftröhren nimmt entlang der Strahlachse zu, so daß die Ionen bei steigender Geschwindigkeit immer die gleiche Zeit in der Röhre bleiben. Sie durchlaufen den Beschleunigungsspalt zwischen den Triftröhren immer synchron mit der beschleunigenden Phase des elektr. Feldes. Wegen der Zunahme der Geschwindigkeit mit der Energie wirken Ionenbeschleuniger auf der ganzen Strecke phasenfokussierend, d. h. sie sammeln alle Ionen aus einem vorgegebenen Phasenbereich in die stabile Phase.

Radiale Stabilität

Das elektr. Feld im Beschleunigungsspalt wird durch die Triftröhren verformt, so daß die Ionen im vorderen Teil des Spalts nach innen und im hinteren Teil nach außen abgelenkt werden. Da das Feld während des Durchlaufens des Spalts zunimmt (der Strahl wird von der laufenden Welle überholt), werden die Ionen mehr nach außen abgelenkt und würden ohne zusätzl. Fokussierungsmaßnahme aus der Achsenlage entweichen.

Um den Strahl auf der Achse stabil zu halten, benutzt man entweder **Gitter** am Eingang der Triftröhre oder **magnetische Quadrupollinsen.** Gitter führen zu Verlusten an Intensität durch die Absorption an den Drähten und werden deshalb nur bei Beschleunigern mit wenigen Spalten angewandt. Quadrupollinsen wirken immer nur in einer Richtung (senkrecht oder waagerecht) fokussierend und in der anderen defokussierend. Man verwendet daher in den Spalten abwechselnd senkrecht und waagerecht fokussierende Linsen. Da der fokussierende Effekt etwas größer als der defokussierende ist, erreicht man durch die Reihe von Linsen einen stabilen Strahl. Diese Fokussierung nennt man wegen des abwechselnden magnet. Feldgradienten AG(alternating gradient)-Fokussierung.

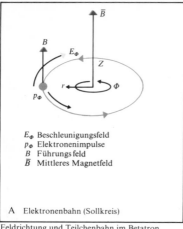

E_Φ Beschleunigungsfeld
p_Φ Elektronenimpulse
B Führungsfeld
$\bar{B}$ Mittleres Magnetfeld

A   Elektronenbahn (Sollkreis)

Feldrichtung und Teilchenbahn im Betatron

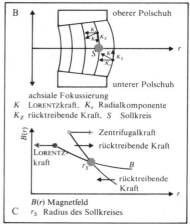

achsiale Fokussierung
K LORENTZkraft, K_r Radialkomponente
K_Z rücktreibende Kraft, S Sollkreis

$B(r)$ Magnetfeld
C r_S Radius des Sollkreises

Fokussierung im Betatron

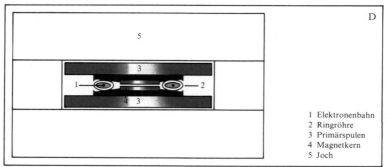

1 Elektronenbahn
2 Ringröhre
3 Primärspulen
4 Magnetkern
5 Joch

Querschnitt durch das Betatron

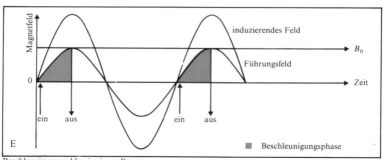

Beschleunigungszyklus in einem Betatron

Kreisbeschleuniger

Schnelle geladene Teilchen beschreiben in einem Magnetfeld Kreisbahnen senkrecht zum Feld. Das eröffnet die Möglichkeit, kreisförmige Beschleuniger zu konstruieren, die von demselben Teilchen viele Male durchlaufen werden, wobei das Teilchen bei jedem Umlauf beschleunigt wird. Dabei kann die Beschleunigung bei einem einzelnen Umlauf, und damit das angelegte elektr. Feld, gering sein, wenn nur die Anzahl der Umläufe groß genug ist, damit eine hohe Endenergie erreicht wird.

Bei Kreisbeschleunigern treten gegenüber Geradeausbeschleunigern zusätzl. Probleme auf:

Die Strahlführung und Fokussierung muß sehr genau sein, da die Teilchen im Beschleuniger sehr lange Strecken zurücklegen.

Aus dem gleichen Grund erfordern diese Beschleuniger ein wesentlich besseres Vakuum, so daß die Streuwahrscheinlichkeit auf dem gesamten Weg etwa gleich groß wird wie im Geradeausbeschleuniger.

Bei sehr hohen Energien wird schließlich die Energiezufuhr ausgeglichen durch die Abstrahlung elektromagnet. Wellen durch die rotierenden Teilchen.

Betatron

Das Prinzip des Betatrons ist das gleiche wie das des Transformators: Ein zeitlich veränderl. Magnetfeld ist von einem elektr. Wirbelfeld umgeben. An der Stelle der Sekundärspule des Transformators befindet sich eine evakuierte Ringröhre, in der Elektronen beschleunigt werden. Das durch die Primärspule erregte Feld erfüllt gleichzeitig zwei Aufgaben: Einmal dient es als Führungsfeld, das die Elektronen auf der Kreisbahn hält, zum anderen erzeugt es durch sein Anwachsen das elektr. Wirbelfeld, das die Elektronen entlang der Kreisbahn beschleunigt.

½-Bedingung

1928 wurde von WIDEROE die entscheidende ½-Bedingung für stabile Bahnen gefunden:

$$B = \tfrac{1}{2}\, \bar{B}\,.$$

B ist die magnet. Kraftflußdichte des Führungsfeldes; $\bar{B}$ ist die mittlere Kraftflußdichte innerhalb der Elektronenbahn; sie muß doppelt so hoch sein wie die auf der Elektronenbahn.

Fokussierungsbedingung

Damit die Teilchen bei den ca. 10^6 Umläufen im Betatron auf ihrer Sollbahn bleiben, müssen sie fokussiert werden, d. h. um ein geringes abweichende Teilchen müssen zum Sollkreis zurückgetrieben werden.

Zur Fokussierung in axialer Richtung genügt es, daß die magnet. Flußdichte nach außen hin abnimmt. Da das Magnetfeld quellenfrei ist, bedeutet das, daß die Feldlinien nach außen gekrümmt sind, so daß axial abweichende Elektronen eine radiale Feldkomponente vorfinden, die sie auf den Sollkreis zurücktreibt.

Zur Fokussierung in radialer Richtung ist notwendig, daß die magnet. Flußdichte nach außen hin schwächer abfällt als die Zentrifugalkraft und nach innen hin schwächer ansteigt. Da auf dem Sollkreis LORENTZkraft und Zentrifugalkraft gleich groß sind, überwiegt innen die nach außen treibende Zentrifugalkraft, außen die nach innen treibende LORENTZkraft. Mathematisch bedeuten die beiden Bedingungen:

$$0 > \frac{r}{B}\,\frac{dB}{dr} > -1\,.$$

Sind diese Bedingungen erfüllt, so führen die Elektronen gedämpfte Schwingungen um den Sollradius aus.

Beschleunigungszyklus

Das Betatron besteht aus einem großen Elektromagneten, der so geformt ist, daß auf der Ringröhre die ½-Bedingung und die Fokussierungsbedingungen erfüllt sind. Der Magnet wird mit einem sinusförmigen Wechselstrom angeregt, so daß B und Φ den folgenden Verlauf haben:

$$B = B_0 \cdot \sin \omega t \qquad \Phi = \Phi_0 \cdot \sin \omega t\,,$$

ω ist die Wechselstromfrequenz, t die Zeit, Φ der magnet. Kraftfluß.

Beim Nulldurchgang wird ein starker Elektronenimpuls in die Ringröhre eingeschleust. Diese Elektronen werden während der Anstiegsphase des magnet. Feldes beschleunigt. Ihre Endenergie T kann aus der Stabilitätsbedingung, daß die LORENTZkraft $e \cdot v \cdot B$ gleich der Zentrifugalkraft $p \cdot \dfrac{v}{r}$ ist, abgelesen werden:

$$p = e \cdot B \cdot r$$
$$T = p \cdot c = e \cdot c \cdot B_0 \cdot r\,.$$

Schreibt man für die Energie $T = e \cdot U$ (wobei U die Spannung ist, die das Teilchen durchlaufen müßte, um die gleiche Energie zu erhalten), so ergibt sich die einfache Beziehung

$$U = c \cdot B \cdot r\,.$$

Man erreicht bei einem Radius von 80 cm und einer Spitzenfeldstärke von 4000 Gauß die Energie von 100 MeV.

Diese letzten Gleichungen gelten nur dann, wenn das Teilchen fast auf seinem ganzen Weg relativist. Geschwindigkeit hat, d. h. seine kinet. Energie groß gegen die Ruheenergie mc^2 ist. Für schwere Teilchen ist die kinet. Energie

$$T = \frac{p^2}{2m}$$

und man erhält

$$U = \frac{e \cdot B^2 \cdot r^2}{2m}\,.$$

Für Protonen würde das gleiche Betatron nur ca. 100 keV ergeben. Das ist der Grund dafür, daß nur Elektronen im Betatron beschleunigt werden können.

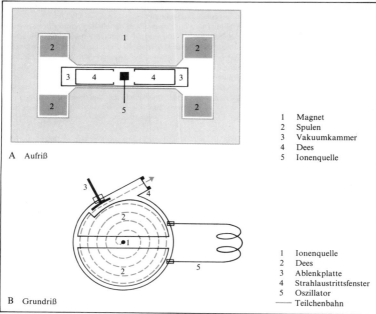

1   Magnet
2   Spulen
3   Vakuumkammer
4   Dees
5   Ionenquelle

A   Aufriß

1   Ionenquelle
2   Dees
3   Ablenkplatte
4   Strahlaustrittsfenster
5   Oszillator
——   Teilchenbahn

B   Grundriß

Aufbau des Zyklotrons

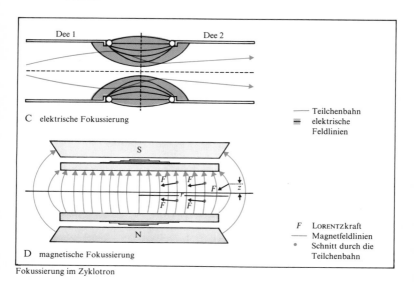

Dee 1   Dee 2

C   elektrische Fokussierung

——   Teilchenbahn
≡   elektrische Feldlinien

S

N

D   magnetische Fokussierung

F LORENTZkraft
——   Magnetfeldlinien
●   Schnitt durch die Teilchenbahn

Fokussierung im Zyklotron

Das **Zyklotron** ist ein Kreisbeschleuniger für Protonen und schwere Ionen, in dem die Teilchen in einem örtlich und zeitlich konstanten Magnetfeld umlaufen und bei jedem Umlauf zweimal von einem elektr. Hochfrequenzfeld beschleunigt werden. Das klass. Zyklotron arbeitet nur bei nichtrelativist. Energie, d.h. nur bei einer Energie, die klein gegen die Ruhenergie $m_0 c^2$ des zu beschleunigenden Teilchens ist. Die Beschleunigung von Elektronen nach dem Zyklotronprinzip ist daher nicht sinnvoll, da deren Ruhenergie nur 512 keV beträgt.

Aufbau des Zyklotrons

Durch einen großen Gleichstrommagneten wird zwischen zwei kreisförmigen Polschuhen ein starkes homogenes Magnetfeld erzeugt. Zwischen den Polschuhen befindet sich die Hochvakuumkammer, in deren Innerem zwei elektrisch voneinander isolierte halbkreisförmige Dosen sind. Diese Dosen werden wegen ihrer Form **Dees** genannt. Zwischen ihnen wird die beschleunigende Hochfrequenzspannung angelegt.
Im Zentrum des Kreises zwischen den beiden Dees liegt die Ionenquelle, am äußersten Rand eines Dee eine Strahlablenkelektrode, die die Ionen, die die Endenergie und damit die größte Umlaufbahn erreicht haben, nach außen hin ablenkt.

Arbeitsweise: Ein Teilchen der Ladung e und Masse m_0 mit dem Impuls p bewegt sich in einem Magnetfeld B auf einer Kreisbahn vom Radius

$$r = \frac{p}{B \cdot e}.$$

Der Impuls eines nicht relativist. Teilchens ist
$$p = m_0 \cdot v,$$
v ist die Geschwindigkeit.
Seine Umlaufzeit ist
$$t = \frac{2r\pi}{v} = \frac{2\pi m_0}{B \cdot e}$$
und ist unabhängig von der Energie des Teilchens. Wenn die Wechselspannungsfrequenz der Beschleunigungsspannung gleich der konstanten Umlaufsfrequenz des Teilchens ist, werden die umlaufenden Teilchen immer in Vorwärtsrichtung beschleunigt. Die Kreisfrequenz ω der Beschleunigungsspannung muß also die Resonanzbedingung erfüllen:
$$\omega = \frac{2\pi}{t} = \frac{B \cdot e}{m_0}.$$
Damit erreicht man die Endenergie bei dem Radius des Magneten R:
$$T = \frac{e^2 R^2 B^2}{2m_0} = \frac{m_0}{2} \omega^2 R^2.$$

Hochfrequenzsystem

Das HF-System besteht aus einem Oszillator und den beiden Dees. Diese bilden einen Hohlraumresonator, der mit derselben Frequenz schwingt wie der Oszillator. Die elektromagnet. Energie wird über zwei Hohlleiter vom Oszillator den Dees zugeführt. Die

Scheitelspannung des Beschleunigungsfeldes beträgt meistens etwa 50—100 kV. Die erreichbare Endenergie der Teilchen hängt im Prinzip von der Scheitelspannung nicht ab, sondern ist nur durch den Radius der Teilchenbahnen und die Stärke des Magnetfeldes bestimmt. Bei kleineren Beschleunigungsspannungen braucht das Teilchen mehr Umläufe, um die gleiche Energie zu erreichen.

Beschleunigung verschiedener Teilchen

Mit einem Zyklotron kann man durch Einsatz entsprechender Ionenquellen verschiedene Teilchen (Protonen, Alphateilchen, Deuteronen) beschleunigen. Da man die Frequenz der Beschleunigungsspannung wegen der vorgegebenen Anordnung der Dees nicht variieren kann, muß man das Magnetfeld B proportional zur Teilchenmasse erhöhen. Dann wächst auch die Endenergie proportional zur Teilchenmasse.

Fokussierung

Da die Ionen das Zyklotron mehrmals durchlaufen und dabei im ganzen Wege von ca. 100 m zurücklegen, müssen sie in axialer Richtung fokussiert werden, d.h. man braucht einen Feldverlauf, der axial abweichende Teilchen in die Mittelebene der Dees zurücktreibt. Dazu gibt es zwei Möglichkeiten:

Die **elektrische Fokussierung** durch die Form des elektrischen Feldes zwischen den Dees und die **magnetische Fokussierung** durch die Abnahme des Magnetfeldes zum Rand des Zyklotrons und entsprechende Verformung der Magnetfeldlinien.

Das elektr. Beschleunigungsfeld im Spalt zwischen den Dees wirkt in der ersten Hälfte fokussierend und in der zweiten Hälfte defokussierend. Welcher Anteil überwiegt, hängt davon ab, in welcher Phase des elektr. Feldes das Teilchen den Spalt durchläuft. Bleibt die Spannung während des Durchgangs konstant, so überwiegt die fokussierende Wirkung, da das Teilchen im zweiten Abschnitt mehr Energie hat als im ersten und daher weniger abgelenkt wird. Wenn jedoch das Teilchen der Hochfrequenzphase vorauseilt und die Spannung zwischen den Dees während des Durchgangs stark ansteigt, so überwiegt die defokussierende Wirkung. Mit zunehmender Energie der Teilchen wird die fokussierende Wirkung des elektr. Feldes immer kleiner, man bes. in den achsenfernen Gebieten des Zyklotrons magnetisch fokussieren muß.
Die magnet. Fokussierung mit abnehmender Feldstärke bei größeren Radien widerspricht der Forderung, daß die Umlauffrequenz der Teilchen auf der gesamten Bahn gleich der konstant gehaltenen Hochfrequenz der Beschleunigungsspannung sein soll. Nimmt das Feld zum Rand des Zyklotrons ab, so laufen die hochenerget. Teilchen langsamer um und bleiben dadurch gegenüber der Phase des Hochfrequenzfeldes langsam zurück. Sie dürfen jedoch nur so weit zurückbleiben, daß die Hochfrequenz sie

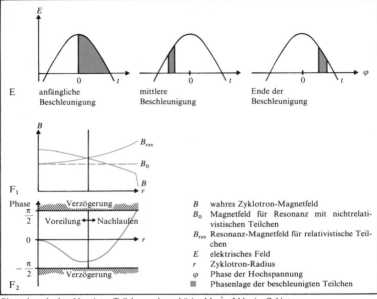

E   anfängliche Beschleunigung   mittlere Beschleunigung   Ende der Beschleunigung

B wahres Zyklotron-Magnetfeld

B_0 Magnetfeld für Resonanz mit nichtrelativistischen Teilchen

B_{res} Resonanz-Magnetfeld für relativistische Teilchen

E elektrisches Feld

r Zyklotron-Radius

φ Phase der Hochspannung

■   Phasenlage der beschleunigten Teilchen

Phasenlage der beschleunigten Teilchen und zugehörige Magnetfelder im Zyklotron

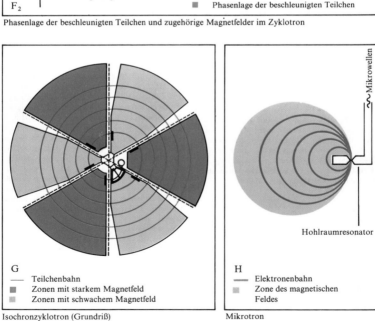

G

— Teilchenbahn

■ Zonen mit starkem Magnetfeld

■ Zonen mit schwachem Magnetfeld

Isochronzyklotron (Grundriß)

H

— Elektronenbahn

■ Zone des magnetischen Feldes

Mikrotron

auf den äußersten Bahnen noch beschleunigt, andernfalls würde das Teilchen nach Erreichen einer Maximalenergie langsam auf Spiralbahnen wieder in das Innere des Zyklotrons zurücklaufen.

Relativistische Massenzunahme

Mit dem Erreichen großer Energie nimmt nach der Relativitätstheorie die Masse der Teilchen zu und daher ihre Umlauffrequenz ab:

$$\omega = \frac{eB}{m_0\left(1 + \dfrac{T}{m_0 c^2}\right)}.$$

Um die Resonanzbedingung zu erfüllen, müßte also eigentlich das Magnetfeld nach außen hin zunehmen und nicht abnehmen, wie es die Fokussierung fordert. Die Massenzunahme bewirkt also zusätzlich ein Zurückbleiben der Teilchen gegenüber der Hochfrequenzphase.

Praktisch baut man die Zyklotrons so, daß bei kleinen Radien das Magnetfeld größer ist als von der Resonanzbedingung gefordert und bei großen Radien kleiner. Die Teilchen eilen also zunächst der Hochfrequenzphase voraus und bleiben weiter außen zurück. Dadurch erhält man im Gebiet der maximalen Voreilung eine elektr. Defokussierung durch das ansteigende Beschleunigungsfeld, die durch die magnet. Fokussierung ausgeglichen werden muß. Durch hohe Feldstärken der Beschleunigungsspannung erreicht man, daß nicht zu viele Umläufe gebraucht werden und dadurch die Phasenverschiebung in Grenzen gehalten wird. Die maximal erreichbare Energie für Protonen mit dem Zyklotron ist ca. 10 MeV.

Isochronzyklotron (AVF-Zyklotron)

Um eine konstante Umlauffrequenz der Teilchen bei relativist. Massenzunahme zu erhalten, muß man am Rand des Zyklotrons die Magnetfeldstärke erhöhen, was der Fokussierungsforderung widerspricht. Es reicht jedoch aus, daß im Mittel von einem Umlauf zum anderen die Feldstärke wächst. Durch Aufteilung der Umlaufkreise in Sektoren mit abwechselnd starken und nach außen zunehmenden und schwachen nach außen abnehmenden Feldern kann man diese Forderung erfüllen und gleichzeitig während eines Umlaufs im ganzen noch eine Fokussierung erreichen. Das Teilchen durchläuft dann immer abwechselnd fokussierende und defokussierende Sektoren und behält durch das im Mittel zunehmende Magnetfeld noch bis zu wesentlich höheren Energien (ca. 50 MeV für Protonen) eine konstante Umlauffrequenz. Die Abkürzung AVF bedeutet *azimuthally varying field*.

Mikrotron

Das Mikrotron ist ein Kreisbeschleuniger für Elektronen, der ebenso wie das Zyklotron ein konstantes Magnetfeld und eine konstante Frequenz der Beschleunigungsspannung hat. Die Beschleunigungsspannung ist so groß, daß das Elektron bei jedem Umlauf genau seine Ruhenergie $m_0 c^2$ gewinnt. Nach

der Zyklotron-Resonanzbedingung ist die Umlaufszeit

$$t = \frac{2\pi}{B \cdot e} \cdot m.$$

m ist die mit der Energie T wachsende Masse des Elektrons

$$m = m_0\left(1 + \frac{T}{c^2}\right).$$

Ist die bei einem Umlauf zugeführte Energie gleich $m_0 c^2$, so hat das Elektron nach n Umläufen außerhalb der Beschleunigungsstrecke die Energie

$$T = n m_0 c^2$$

und seine Umlaufszeit ist:

$$t = \frac{2\pi}{B \cdot e} m_0 (n + 1),$$

Sie beträgt also immer ein ganzzahliges Vielfaches der Umlaufszeit eines Elektrons, das noch keine relativist. Massenzunahme hat. Dadurch trifft das Elektron immer in der gleichen Phase der Beschleunigungsspannung auf den Beschleunigungsspalt, wenn die folgende Resonanzbedingung erfüllt ist:

$$\omega = \frac{B \cdot e}{m_0}.$$

Wegen der kleinen Ruhmasse m_0 des Elektrons und der dadurch erforderlichen hohen Frequenz verwendet man einen durch Mikrowellen erregten Hohlraumresonator als Beschleunigungsstrecke.

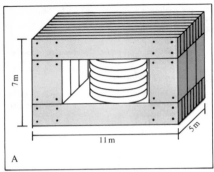

A

Synchrozyklotronmagnet

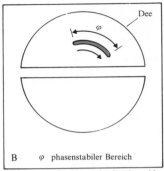

B φ phasenstabiler Bereich

Mit Ionen erfüllter Raum im Synchrozyklotron

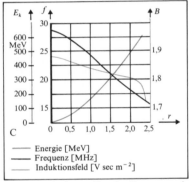

C

— Energie [MeV]
— Frequenz [MHz]
— Induktionsfeld [V sec m^{-2}]

Radialer Verlauf von Energie, Frequenz und Induktion

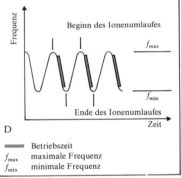

D

▬▬ Betriebszeit
f_{max} maximale Frequenz
f_{min} minimale Frequenz

Frequenzmodulation der Beschleunigungsspannung

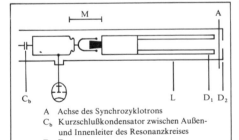

A   Achse des Synchrozyklotrons
C_b Kurzschlußkondensator zwischen Außen-
    und Innenleiter des Resonanzkreises
D_1 Dee
D_2 Gegenelektrode anstatt des zweiten Dee
K   Kopplung zum Oszillator
L   geerdeter Außenleiter
M   Stimmgabelmodulator

Stimmgabelmodulator beim CERN-Synchrozyklotron

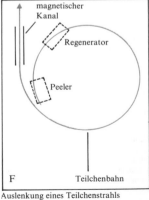

F

Auslenkung eines Teilchenstrahls

Das klass. Zyklotron ist in der Energie auf den nicht-relativist. Bereich beschränkt, da durch die Massen-zunahme bei höheren Energien die Resonanzbedin-gung nicht mehr erfüllt ist. Diese Bedingung ist für höhere Energien:

$$\omega = \frac{B \cdot e}{m}.$$

Dabei ist m die mit der Energie zunehmende Masse.

Die Resonanz zwischen Umlaufszeit und beschleunigender Hochfrequenz kann aufrecht erhalten werden, wenn man entweder mit steigender Energie auch die Induktion B erhöht oder die Frequenz der Beschleu-nigungsspannung erniedrigt. Das erste geschieht im Isochronzyklotron, das zweite im **Synchrozyklotron**. In diesen Geräten wird durch Frequenzmodulation der Beschleunigungsspannung erreicht, daß die Reso-nanzbedingung zu jedem Zeitpunkt erfüllt ist, wobei gleichzeitig auch die aus Fokussierungsgründen not-wendige Abnahme des Induktionsfeldes zum Rand ausgeglichen wird. Die erreichbare Energie wird dann praktisch nur noch durch die Kosten des Synchro-zyklotron-Magneten begrenzt, dessen Radius pro-portional zur Wurzel der Endenergie ansteigt.

Intensität im Strahl

Das Zyklotron kann gleichzeitig Ionen jeder belie-bigen Energie beschleunigen; in ihm sind die Dees von der Mitte bis zum Rand vollständig mit um-laufenden Ionen erfüllt. Im Synchrozyklotron sind zu jeder Zeit nur Ionen *einer* bestimmten Energie in Resonanz mit der Beschleunigungsspannung; es ist jeweils nur *ein* eng begrenzter Ring in den Dees mit umlaufenden Ionen erfüllt und dieser wandert mit der Phase der Modulationsfrequenz nach außen. Aus diesem Grund ist die Strahlintensität im Synchro-zyklotron etwa um den Faktor 100 kleiner als im Zyklotron.

Frequenzmodulation

Die Frequenzmodulation im Synchrozyklotron dient dazu, die Frequenz der Wechselspannung an den Dees der jeweiligen Umlauffrequenz der Ionen anzu-passen. Man verwendet i. a. einen sinusförmigen Fre-quenzverlauf. Kurz nach dem Erreichen der Maxi-malfrequenz starten die Ionen in der Mitte und ge-langen kurz vor Erreichen der Minimalfrequenz an den äußeren Rand der Dees mit ihrer Maximal-energie. Der erforderliche Modulationshub, d. h. der Unterschied zwischen Maximal- und Minimalfre-quenz, hängt von der Endenergie der Ionen ab. Bei großem Modulationshub ist es außerdem mög-lich, mit derselben Maschine bei Ausnutzung des maximalen Induktionsfeldes Ionen verschiedener Masse und verschiedenen $\frac{e}{m}$-Verhältnisses zu be-schleunigen. (Protonen, Deuteronen, Alphateilchen). Die Periode der Modulationsfrequenz ist abhängig von der Zeit, die das Ion braucht, um auf seine maxi-male Energie zu kommen, d. h. von der Gesamtzahl seiner Umläufe. Man verwendet i. a. niedrige Fre-quenzen zwischen 50 und 2000 Hz und eine ent-sprechend große Anzahl von Umläufen. Die Dee-Spannung kann deshalb im Synchrozyklotron klein sein (ca. 3–20 kV) verglichen mit dem klass. Zyklotron.

Die erforderl. Frequenzmodulation bereitet große techn. Schwierigkeiten, da der durch die Dees ge-bildete Hohlraumresonator auf die modulierte Hoch-frequenz abgestimmt sein muß; man muß also seine Eigenfrequenz durch eine variable Kapazität der mo-dulierten Hochfrequenz anpassen. Das erreicht man durch riesige Drehkondensatoren oder wie in Genf durch eine Stimmgabel mit einer Zinkenbreite von 2 m, bei der eine Zinke die eine Platte eines variablen Kondensators bildet. Die andere Platte des Konden-sators bildet die Rückseite des Dees.

Fokussierungsschwingungen

Die Ionen im Synchrozyklotron können drei Arten von Schwingungen um die Soll-Umlaufbahn aus-führen:
1. die Schwingung um die axiale Mittellage, die bei allen Kreisbeschleunigern auftritt (s. S. 191 ff.);
2. radiale Schwingungen um die Soll-Umlaufbahn (s. S. 189);
3. die Phasenschwingung um die Soll-Phase der Hochfrequenz.

Das Synchrozyklotron wird immer so betrieben, daß die Ionen den Dee-Spalt in der Phase abnehmender elektr. Feldstärke durchqueren. Teilchen, die den Spalt zu früh erreichen, bekommen daher eine etwas zu große Energie und damit etwas längere Umlaufs-zeit und bleiben zurück. Auf diese Weise führen alle Teilchen Schwingungen um die Soll-Phase aus, die mit radialen Schwingungen gekoppelt sind. Wenn die radialen Schwingungen mit den axialen in Resonanz kommen, kann die gesamte Schwingungsenergie auf die axiale Schwingung übertragen werden und der Strahl geht durch Absorption an den Dee-Wänden verloren.

Strahlablenkung

Da die Umlaufbahnen im Synchrozyklotron sehr nahe zusammen liegen, verwendet man keine elek-trostat. Ablenkung am Ende des Beschleunigungsvor-gangs, sondern vergrößert durch den *Peeler* und den *Regenerator*, Gebiete mit gestörtem Magnetfeld, die radialen Schwingungen. Dadurch gelangen die Teil-chen in einen magnetisch abgeschirmten Kanal und können den Beschleuniger verlassen.

Synchrozyklotrons sind gebaut worden bis zu End-energien von 700 MeV und dienen im wesentlichen der Erforschung der Mesonen.

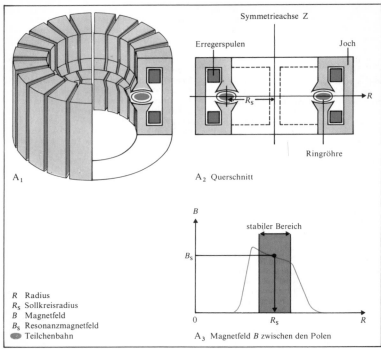

R   Radius
R_S Sollkreisradius
B   Magnetfeld
B_S Resonanzmagnetfeld
⬭ Teilchenbahn

A_3 Magnetfeld B zwischen den Polen

Aufbau des Synchrotrons

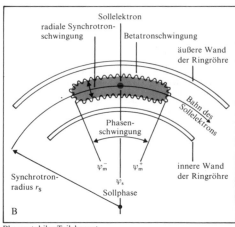

B

Phasenstabiler Teilchenort

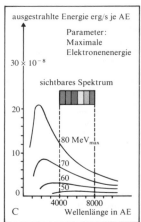

C

Spektrum der Synchrotronstrahlung

Synchrotron

Das **Synchrotron** ist ein Kreisbeschleuniger für höchste Energien, bei dem die Teilchen auf einem fest vorgegebenen Radius wie beim Betatron umlaufen. Die Form des magnet. Feldes, das die Teilchen auf der Bahn hält, ist dort genauso wie beim Betatron.

Die eigentliche Beschleunigung wird jedoch wie beim Zyklotron durch ein Hochfrequenzfeld synchron mit dem Teilchenumlauf vorgenommen und nicht durch das elektr. Wirbelfeld, das durch den Anstieg des magnet. Kraftflusses durch das Innere des Kreises entsteht. Dadurch kann das starke magnet. Führungsfeld auf die eigentl. Teilchenbahn konzentriert werden und braucht nicht im gesamten Inneren des Ringes aufrecht erhalten zu werden wie bei den bisher besprochenen Beschleunigern.

Gleichgewichts- und Resonanzbedingung

Ebenso wie bei den anderen Beschleunigern gelten die Bedingungen, daß die Zentrifugalkraft in jedem Moment gleich der LORENTZkraft sein muß:

$$p = m \cdot v = e \cdot B \cdot r$$

und daß die Frequenz der Beschleunigungsspannung gleich der Umlauffrequenz der Teilchen sein muß:

$$\omega = \frac{v}{r}, \qquad \omega = \frac{B \cdot e}{m}.$$

Dabei ist p der Impuls, m die relativist. Masse, v die Geschwindigkeit der Teilchen, e die Elementarladung, B das magnet. Induktionsfeld, r der Bahnradius und ω die Winkelfrequenz der Beschleunigungsspannung. Im allgemeinen muß daher im Synchrotron im Verlauf der Beschleunigung mit wachsender Teilchenenergie sowohl das Magnetfeld B als auch die Frequenz ω zunehmen. Bei Elektronen wird die Konstruktion des Synchrotrons dadurch wesentlich einfacher, daß schon bei Energien von 2 MeV die Teilchen praktisch Lichtgeschwindigkeit besitzen und daher die Frequenz ω konstant gehalten werden kann, wenn man die Elektronen mit dieser Energie in den Beschleunigerring einschießt. Das ist bei Protonen erst ab einer Energie von 4000 MeV (4 GeV) möglich, einer Energie, die nur durch das Synchrotron erreicht werden kann. Beim Protonensynchrotron muß man daher neben dem Magnetfeld immer auch die Frequenz variieren.

Phasenstabilität

Eine wichtige Eigenschaft des Synchrotrons ist, daß es die geforderte Proportionalität zwischen Gesamtenergie der Teilchen und magnet. Führungsfeld automatisch aufrecht erhält. Da der Energiegewinn beim Durchlaufen der Beschleunigungsstrecke abhängig von der Hochfrequenzphase ist und jeden beliebigen Wert zwischen 0 und der Maximalspannung annehmen kann, gibt es sicher eine »Soll-Phase«, bei der er gerade so groß ist, daß er dem Anstieg des Führungsfeldes entspricht. Diese Soll-Phase liegt im absteigenden Ast der Beschleunigungsspannung. Teilchen, die zu früh den Spalt passieren, erhalten eine höhere Energie, damit eine größere Umlaufbahn und bei gleicher Geschwindigkeit (Lichtgeschwindigkeit) eine längere Umlaufszeit, so daß sie sich der Soll-Phase nähern. Teilchen, die zu spät den Spalt passieren, werden weniger beschleunigt und nähern sich dabei ebenfalls der Soll-Phase. Dadurch sammelt sich die Wolke der beschleunigten Teilchen im Laufe der Beschleunigung bei der Soll-Phase der Hochfrequenz, die bei etwa $\frac{2}{3}$ der Maximalspannung liegt.

Das gleiche gilt für die Phasenabweichung eines Teilchens. Durchläuft es den Spalt während der Soll-Phase mit zu großer Energie, so wird es ebenfalls beim nächsten Umlauf zurückbleiben und nach einigen Umläufen die richtige Energie, aber eine Phasenverzögerung haben. Es bilden sich daher gedämpfte Schwingungen aus, bei denen die Teilchen abwechselnd eine Energie- und eine Phasenabweichung haben. Die Frequenz dieser Schwingungen ist etwa 100 mal kleiner als die Umlauffrequenz. Mit diesen Schwingungen gekoppelt ist eine Schwingung des Bahnradius um den Soll-Kreis mit der gleichen Frequenz. Die Teilchen sammeln sich dabei in einer wurstförmigen Zone um den Ort des Soll-Teilchens. Den Phasenschwingungen überlagert ist die hochfrequente Schwingung, die durch die Fokussierungskräfte des Betatronfeldes ausgelöst wird.

Synchrotronstrahlung

Die umlaufenden Teilchen im Synchrotron strahlen wie alle bewegten elektr. Ladungen elektromagnet. Wellen ab. Die Energie dieser Wellen wird der Teilchenenergie entzogen. Der Energieverlust je Umlauf ist

$$\Delta E = \frac{e^2}{3\varepsilon_0 R} \cdot \left(\frac{E}{m_0 c^2}\right)^4.$$

e Ladung des Teilchens, ε_0 Dielektrizitätskonstante des Vakuums, R Bahnradius der Umlaufbahn, $m_0 c^2$ Ruheenergie des Teilchens. Für Elektronen, bei denen die Abstrahlung wegen der kleinen Ruhenergie weitaus größer ist als bei schweren Teilchen ergibt sich die Formel:

$$\Delta E = 88,5 \cdot \frac{E^4}{R}.$$

Dabei wird E in GeV, ΔE in keV und R in Metern gemessen. Dadurch können größere Energien nur durch Vergrößerung des Radius erreicht werden, da sonst die Abstrahlung durch die zugeführte Energie nicht mehr ausgeglichen werden kann. Die abgestrahlte Synchrotronstrahlung hat ein breites Energiespektrum, das das Gebiet des sichtbaren Lichts enthält. Sie ist scharf gebündelt in der Bewegungsrichtung des Elektrons, d. h. tangential zur Umlaufbahn. Die Intensität des ausgesandten Lichts ist so groß, daß von einer Elektronenenergie von 30 MeV ab eine direkte Wahrnehmung mit dem Auge möglich ist. Bei 35 MeV sieht man durch ein Fenster in der Ringröhre einen roten Fleck, der mit zunehmender Energie heller wird und

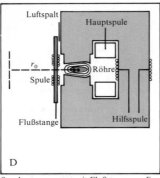

Synchrotronmagnet mit Flußstange zur Erzeugung des Betatronstarts

Injektionsstart beim Protonensynchrotron

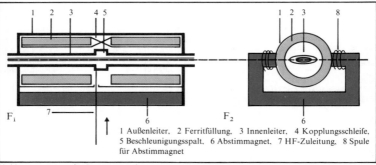

1 Außenleiter, 2 Ferritfüllung, 3 Innenleiter, 4 Kopplungsschleife,
5 Beschleunigungsspalt, 6 Abstimmagnet, 7 HF-Zuleitung, 8 Spule
für Abstimmagnet

Hohlraumresonator für Protonensynchrotron

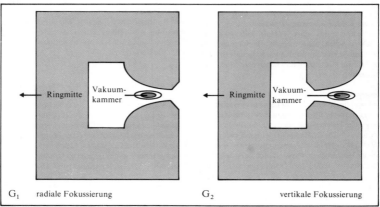

Polschuhprofil von AG-Magneten

seine Farbe zu kürzeren Wellenlängen verschiebt. Dieses Licht kann ausgenutzt werden, um die Lage der Umlaufbahn genau zu bestimmen und das Synchrotron zu justieren.

Start des Beschleunigungsvorgangs

Der Umlauf der Teilchen auf konstantem Radius im Synchrotron ist nur dann möglich, wenn man entweder die Frequenz moduliert oder die Teilchen praktisch Lichtgeschwindigkeit haben. Im Elektronensynchrotron verwendet man keine Frequenzmodulation, man muß daher die Elektronen vor dem Start der Synchrotronbeschleunigung auf mindestens 2 MeV beschleunigen.

Betatronstart

Eine Möglichkeit der Vorbeschleunigung ist der Betatronstart. Der magnet. Fluß, der das elektr. Wirbelfeld zur Vorbeschleunigung induziert, wird in gesonderten Eisenstangen erzeugt, die sich im Inneren des Ringes von Synchrotronmagneten befinden. Diese Eisenstangen erreichen ihre Sättigungsmagnetisierung kurz nachdem die Elektronen ausreichend Energie gewonnen haben, um von der HF-Spannung im Synchrotron beschleunigt zu werden.

Injektion

Die zweite Startmöglichkeit besteht darin, die Teilchen in einem vom eigentl. Synchrotron getrennten Beschleuniger vorzubeschleunigen und den Teilchenstrahl über ein Strahlrohr mit entsprechenden Ablenkmagneten tangential in die Ringröhre einzuschleusen. Die Einschleusung muß genau zu dem Zeitpunkt geschehen, wo die Endenergie des Vorbeschleunigers mit der momentanen, durch die Größe des Magnetfeldes gegebene Energie der Teilchen im Synchrotron übereinstimmt.

Dieser Start wird bei allen Protonensynchrotrons, wo kein Betatronstart möglich ist, aber auch bei den modernen Hochenergiesynchrotrons für Elektronen verwendet. Als Vorbeschleuniger ist am besten ein Linearbeschleuniger wegen seiner hohen Strahlströme im Impulsbetrieb geeignet.

HF-System

Das Hochfrequenzbeschleunigungssystem ist beim Elektronensynchrotron wesentlich einfacher als beim Protonensynchrotron. Beim Elektronensynchrotron besteht es einfach aus einem Hohlraumresonator, der mit der festen Frequenz

$$\omega = \frac{c}{R}$$

angeregt wird. c ist die Lichtgeschwindigkeit, R der Synchrotron-Radius. Der Energiegewinn beträgt nur einige keV pro Umlauf, so daß man mit Spitzenspannungen von etwa 10 kV auskommt.
Beim Protonensynchrotron muß dagegen die Frequenz der momentanen Umlaufgeschwindigkeit und

dem momentanen Magnetfeld angepaßt werden, um einen konstanten Bahnradius und damit kleine Abmessungen der Vakuumröhre zu erhalten. Die Frequenz der HF-Schwingungen wird von einem Oszillator gesteuert, dessen Induktivität einen Ferritkern enthält, der bis zur Sättigung magnetisiert wird. Der Sättigungsstrom wird durch das ansteigende Magnetfeld der Synchrotronmagneten gesteuert.

Magnet

Die Magneten des Synchrotrons haben die Form eines C, d. h. die Kraftlinien haben nur auf der äußeren Seite des Ringes einen Eisenschluß, von innen ist die Ringröhre zugänglich. In den Magneten wird während des Beschleunigungsvorgangs eine gewaltige magnet. Energie gespeichert, die nicht direkt aus dem Stromversorgungsnetz entnommen werden kann und vor allem nicht nach der Beschleunigung, wenn das Magnetfeld auf 0 zurückgehen muß, wieder abgeführt werden kann. Man entnimmt deshalb die Energie einem riesigen Schwungrad, das über einen Generator den Magnetstrom liefert. Nach dem Überschreiten des Spitzenmagnetfeldes treibt der aus den Spulen zurückfließende Strom den Generator als Motor an und führt so dem Schwungrad die Energie wieder zu.

AG-Fokussierung

In modernen Synchrotrons wird nicht mehr das normale Betatronmagnetfeld verwendet, sondern immer abwechselnd ein Magnet, in dem das Feld wie üblich nach außen hin abfällt, und einer, in dem das Feld nach innen abfällt (AG = *Alternating Gradient*, abwechselnde Steigung). Man erhält dadurch abwechselnd starke axiale und radiale Fokussierung, so daß die Betatronschwingungen kleinere Amplituden haben und die Vakuumkammer und die Polschuhe der Magneten kleinere Abmessungen haben können.

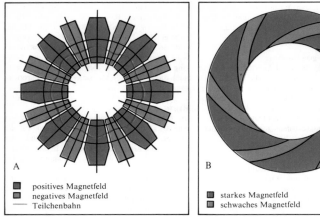

A
■ positives Magnetfeld
■ negatives Magnetfeld
— Teilchenbahn

FFAG-Synchrotron

B
■ starkes Magnetfeld
■ schwaches Magnetfeld

Spiralrücken-FFAG-Magnet

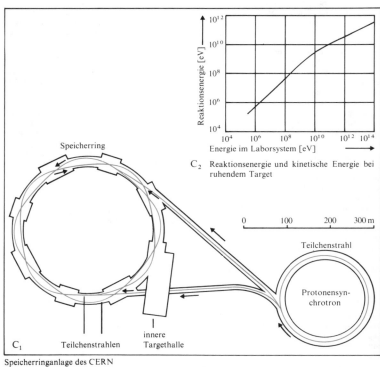

C_2 Reaktionsenergie und kinetische Energie bei ruhendem Target

Speicherring

C_1 Teilchenstrahlen   innere Targethalle

Teilchenstrahl

Protonensynchrotron

Speicherringanlage des CERN

Die neueren Entwicklungen von Teilchenbeschleunigern haben zwei wesentliche Zielrichtungen:
1. die Erzeugung hoher Strahlintensitäten, um auch seltene Ereignisse nachweisen zu können;
2. die Erzeugung noch höherer Teilchenenergien, um die Physik der Elementarteilchen auch in den Energiebereichen noch erforschen zu können, in denen die Ruhenergie klein ist gegen die kinet. Energie. Man verspricht sich davon Aufschlüsse über die innere Struktur dieser Teilchen.

Die Erzeugung hoher Strahlintensitäten ist mit den bisher beschriebenen Methoden bis zu Energien um ca. 100 MeV möglich. Im Elektronen-Linac erreicht man Spitzenströme im Impuls von einigen Ampere und mittlere Ströme bis zu 10^{-3} Ampere. Die größte Stromausbeute für Ionen zwischen 20 und 100 MeV liefert das AVF-Zyklotron mit etwa 10^{-3} Ampere. Bei noch kleineren Teilchenenergien, die mit Gleichspannungsbeschleunigern erreichbar sind, kann man sogar Dauerströme bis zu einem Ampere und Elektronenspitzenströme im Impuls bis zu 10^6 Ampere erzielen.

FFAG-Beschleuniger

Ein neuer Typ von Beschleunigern für große Strahlströme ist der FFAG-Beschleuniger (*Fixed Field Alternating Gradient*), der Energien bis zu einigen GeV für Protonen erreichen soll. Er ist ein Kreisbeschleuniger mit einem zeitlich konstanten Magnetfeld, das radial nach außen stark zunimmt. Der Magnet besteht aus einzelnen Sektoren, in denen die vertikale Feldrichtung von Sektor zu Sektor wechselt, wodurch die Teilchenbahnen einmal nach außen und dann wieder nach innen gekrümmt werden. Die nach innen krümmenden Magneten sind stärker als die nach außen krümmenden, so daß die Teilchen auf einer geschlossenen Bahn umlaufen können, wobei sie vertikal fokussiert werden. Die Vakuumkammer hat die Form eines breiten Ringes, die Protonen werden in einem Zyklotron vorbeschleunigt und am inneren Rand der Kammer eingeschleust. Im Laufe der Beschleunigung erreichen sie den äußeren Rand, wo sie ausgeschleust werden.

Diesem Konzept ähnlich, aber wahrscheinlich wesentlich teurer wegen der hohen Genauigkeit, mit der die Polschuhe bearbeitet werden müssen, ist der FFAG-Beschleuniger mit spiralrückenförmigen Polschuhen. Bei diesem wechselt das Magnetfeld azimutal nicht das Vorzeichen, sondern nur den Betrag der Feldstärke.

Bei beiden Geräten nimmt die mittlere Feldstärke B des magnet. Führungsfeldes mit dem Radius nach der folgenden Gleichung zu:

$$B = B_0 \cdot \left(\frac{r}{r_0}\right)^K .$$

Dabei ist r_0 ein beliebiger Radius, bei dem normiert wird, und B_0 die Feldstärke bei diesem Radius, r ist der variable Radius. Der Exponent K ist immer wesentlich größer als 1.

Beim FFAG-Beschleuniger wird die Frequenz der elektr. Beschleunigungsspannung moduliert, um die Resonanz- und Gleichgewichtsbedingungen zu erfüllen:

$$\omega = \frac{v}{r} = \frac{eB}{m} , \quad mv = e \cdot B \cdot r .$$

Solange die Teilchen keine relativist. Energie haben, nimmt im wesentlichen die Geschwindigkeit zu, während die Masse konstant bleibt. Dabei nimmt der Radius und die Frequenz zu.

Bei hohen relativist. Energien ist die Geschwindigkeit gleich c und die Masse nimmt zu. Dann nimmt der Radius noch zu, die Frequenz jedoch ab. Das Maximum der Frequenz wird bei der kinet. Energie erreicht:

$$E = \sqrt{K+1} \cdot E_0 .$$

Dabei ist E_0 die Ruhenergie des Teilchens.

Speicherringe

Im FFAG-Synchrotron kann man die Teilchen aus mehreren Einschleusungsimpulsen speichern. Nachdem die Frequenz ihr Maximum überschritten hat, werden die Teilchen im Synchrotron zunächst weiter beschleunigt, bis die Frequenz das nächste Minimum erreicht und ein neuer Impuls eingeschleust wird. Während die neu eingeschleusten Teilchen bei ansteigender Frequenz beschleunigt werden, werden die vorhandenen abgebremst, so daß sich beim Erreichen der Maximalfrequenz beide Teilchenbündel vereinigen. Dieser Zyklus kann bis zu einigen 100mal wiederholt werden, wodurch man sehr hohe Strahlströme im Synchrotronring erreicht.

Die größten Beschleuniger, die nach diesem Prinzip gebaut wurden, sind das Teratron im Fermilab bei Chicago für Protonen bis zu 1000 GeV und der Speicherring LEP bei CERN in Genf. Beide Maschinen nutzen supraleitende Magnete, um den Energieverbrauch in vertretbaren Grenzen zu halten.

Der Vorteil ist, daß bei Reaktionen zwischen gegeneinander laufenden Teilchen die volle Energie von 40 GeV als Reaktionsenergie zur Verfügung steht, während bei Reaktionen mit ruhenden Target-Protonen nach der Relativitätstheorie die Reaktionsenergie durch die folgende Formel beschrieben wird:

$$w_r = w_0 \left(\sqrt{4 + \frac{2w}{w_0}} - 2 \right).$$

w_0 ist die Ruhenergie $m_0 c^2$ und w die kinet. Energie der beschleunigten Protonen. Um eine Reaktionsenergie von 40 GeV zu erreichen, müßte w gleich 950 GeV sein. Der Nachteil ist natürlich, daß in einem ruhenden Target (flüssiger Wasserstoff) die Dichte der Teilchen und damit die Reaktionswahrscheinlichkeit ungleich viel höher ist als im Teilchenstrahl.

	σ_{Sp}	σ_a	v	η
U 233	524	69	2,49	2,31
U 235	582	107	2,48	2,08
U 238	0	2,74	—	—
U$_{nat}$	4,2	3,5	2,48	1,32
Pu 239	729	303	2,90	2,03
Pu 241	1060	380	3,00	2,22

σ_a Absorptionsquerschnitt (ohne Spaltung)
σ_{Sp} Spaltquerschnitt
v Anzahl der freigesetzten Neutronen pro Spaltung
η Anzahl der freigesetzten Neutronen pro eingefangenem Neutron

A

Wirkungsquerschnitt und Ausbeuten für thermische Neutronen

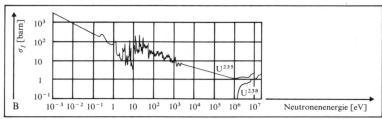

B

Abhängigkeit des Spaltquerschnitts von U^{235} und U^{238} von der Neutronenenergie

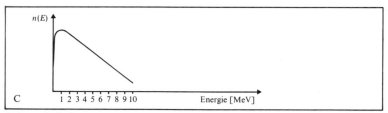

C

Spektrum der Spaltneutronen

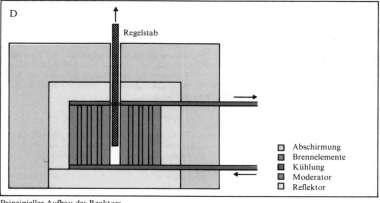

Prinzipieller Aufbau des Reaktors

Die wirtschaftlich bedeutsamste und auch spektakulärste Entwicklung, die aus der Kernphysik hervorgegangen ist, sind die **Kernreaktoren** und die sog. **Atombombe** (S. 231), die beide auf dem gleichen Prinzip, der Kettenreaktion der Uranspaltung, beruhen (s. S. 97).

Kettenreaktion

Die wichtigste Eigenschaft, durch die die Kernspaltung geeignet ist zur Energiegewinnung in großem Maßstab, ist, daß bei der Spaltung etwa 2 bis 3 Neutronen frei werden, und daß genau diese Teilchen gebraucht werden, um eine neue Spaltung eines anderen Kernes auszulösen. Die Voraussetzung dafür, daß sich eine Kettenreaktion selbständig erhält, ist, daß von den bei einer Spaltung erzeugten Neutronen im Mittel mindestens eins eine neue Spaltung auslöst. Diese Anzahl von Neutronen aus einer Spaltung, die für eine neue Spaltung in der nächsten Generation zur Verfügung stehen, nennt man den Vermehrungsfaktor k. Ist $k < 1$, erlischt die Kettenreaktion, ist $k = 1$, so ist sie stationär (d. h. die Anzahl der Spaltungen pro Sekunde im Reaktor bleibt zeitlich konstant), ist $k > 1$, so nimmt die Zahl der Spaltungen dauernd zu.

Neutronengleichgewicht

Der Wert des Vermehrungsfaktors k wird durch die Wahrscheinlichkeiten bestimmt, mit denen die vier häufigsten Prozesse der Neutronen im Reaktor eintreten:
1. Einfang im Brennstoff mit anschließender Spaltung und Freisetzung neuer Neutronen,
2. Einfang ohne Spaltung im Brennstoff (Resonanzeinfang),
3. Einfang in anderen Materialien des Reaktors,
4. Entweichen aus dem Reaktor.

Diese Wahrscheinlichkeiten hängen stark von den Wirkungsquerschnitten für die einzelnen Prozesse ab, die Wahrscheinlichkeit des Entweichens auch von der Größe des Reaktors, da sie proportional zum Oberflächen-zu-Volumen-Verhältnis ist.

Brennmaterialien

Geeignet zum Betrieb von Reaktoren sind nur solche Materialien, bei denen die Bindungsenergie eines Neutrons ausreicht, um eine Spaltung zu verursachen, bei denen die Neutronen also keine kinet. Energie mehr mitzubringen brauchen. Die heute verwendeten Brennstoffe sind:

Uran 235, das in natürlichem Uran zu 0,715% enthalten ist,

Uran 233, das durch Neutroneneinfang durch Thorium 232 in Reaktoren gewonnen wird,

Plutonium 239, das durch Neutroneneinfang von Uran 238 in Reaktoren entsteht.

Materialien, die nur durch schnelle Neutronen gespalten werden können, wie z. B. Uran 238 oder

Wismut, sind als Brennmaterialien alleine ungeeignet, da die Neutronen, die durch Streuung Energie verlieren, nicht mehr zum Vermehrungsfaktor beitragen können.

Moderation

Bei therm. Neutronenenergien (mittlere Energie des Neutrons = 0,025 eV) ist der Spaltquerschnitt und damit die Wahrscheinlichkeit für den Prozeß besonders groß. Die bei der Spaltung emittierten Neutronen haben jedoch wesentlich höhere Energien (mittlere Energie 2 MeV). Deshalb enthalten die meisten Reaktoren außer dem Brennstoff noch einen **Moderator**, der die Aufgabe hat, die Neutronen möglichst schnell auf niedrige Energie zu bringen. Der Moderator muß die folgenden Eigenschaften haben:
a) möglichst geringes Atomgewicht, da die bei einem Stoß übertragene Energie um so größer ist, je leichter der Kern ist,
b) möglichst geringen Absorptionsquerschnitt, da der Einfang im Moderator den Vermehrungsfaktor verschlechtert.

Die am häufigsten benutzten Moderatoren sind: Wasser, schweres Wasser (Wasser, das statt des gewöhnlichen Wasserstoffs das schwerere Isotop Deuterium enthält) und Kohlenstoff (Graphit).

Komponenten des Reaktors

Ein Reaktor besteht im wesentlichen aus den folgenden Teilen:
1. Dem eigentl. Brennstoff oder Spaltstoff, meistens in Form von stab- oder plattenförmigen **Brennelementen.**
2. Dem Moderator, in den die Brennelemente eingebettet sind. Moderator und Brennstoff bilden zusammen den **Reaktorkern.**
3. Dem **Reflektor,** der den Kern umgibt, und der die Aufgabe hat, die aus dem Kern entweichenden Neutronen zum Teil zurückzustreuen.
4. Den **Regelstäben.** Sie bestehen aus einem Material, das Neutronen absorbiert. Durch Herausziehen oder Hineinschieben in den Reaktorkern kann man den Vermehrungsfaktor beeinflussen.
5. Der **Strahlenabschirmung,** in der die entweichenden Neutronen und die entstehende Gammastrahlung absorbiert werden.
6. Dem **Kühlkreislauf,** in dem die bei der Spaltung entstehende Wärme aus dem Reaktorkern abgeführt wird.

schnelle
Spaltung

Entweichen
schneller
Neutronen

$n \cdot \varepsilon \cdot v$ Spaltneutronen

$n \cdot v$ Spaltneutronen

n thermische Spaltungen

kritische Bedingung
$\varepsilon \cdot \eta \cdot p \cdot f \cdot P_S \cdot P_R \cdot P_{th} = 1$

thermische Spaltungen
$n \cdot \varepsilon \cdot \eta \cdot p \cdot f \cdot P_S \cdot P_R \cdot P_{th}$

Einfänge im Brennstoff
$n \cdot \varepsilon \cdot v \cdot p \cdot f \cdot P_S \cdot P_R \cdot P_{th}$

$n \cdot \varepsilon \cdot v \cdot P_S$
schnelle Neutronen

$n \cdot \varepsilon \cdot v \cdot p \cdot P_S$

Resonanz-
Absorption

$n \cdot \varepsilon \cdot v \cdot p \cdot f \cdot P_S \cdot P_R \cdot P_{th}$

$n \cdot \varepsilon \cdot v \cdot p \cdot P_S \cdot P_R$
langsame
Neutronen

Einfang
thermischer
Neutronen
nicht im Brennstoff

$n \cdot \varepsilon \cdot v \cdot p \cdot P_S \cdot P_R \cdot P_{th}$

Entweichen von
Resonanzneutronen

Entweichen
thermischer Neutronen

ε Schnellspaltfaktor
η Regenerationsfaktor
p Resonanzentkommwahrscheinlichkeit
f Thermische Nutzung
v Anzahl der Neutronen pro Spaltung
p_S Verbleibwahrscheinlichkeit schneller Neutronen
p_R Verbleibwahrscheinlichkeit für Resonanzneutronen
p_{th} Verbleibwahrscheinlichkeit für thermische Neutronen

Zyklus der Neutronen im kritischen Reaktor

Die kritische Bedingung

Wenn der Reaktor mit zeitlich konstanter Leistung betrieben werden soll, so muß der Vermehrungsfaktor k gleich 1 sein. Man bezeichnet den Reaktor dann als **kritisch**. Ein wirklicher Reaktor muß in der Lage sein, bei gezogenem Regelstab etwas höhere Werte des Vermehrungsfaktors als den kritischen Wert 1 zu erreichen, damit während des Anfahrens die Spaltrate pro Sekunde ansteigen kann bis auf die gewünschte Leistung. Wenn sie erreicht ist, muß durch Einfahren des Regelstabes der Vermehrungsfaktor wieder genau auf 1 geregelt werden. Den Wert

$$\frac{k-1}{k}$$

nennt man die **Reaktivität** des Reaktors. Sie ist positiv beim Anfahren des Reaktors, negativ beim Abschalten und gleich 0, wenn der Reaktor kritisch ist.

Der unendliche Multiplikationsfaktor

Zur Berechnung des Multiplikationsfaktors k eines Reaktors wird dieser aufgespalten in

$$k = k_\infty \cdot P \, .$$

k_∞ ist der unendliche Multiplikationsfaktor, d. h. der Multiplikationsfaktor, den der Reaktor haben würde, wenn er sich nach allen Richtungen unendlich weit ausdehnen würde und daher keine Neutronen aus dem Reaktor entweichen könnten. P ist die Wahrscheinlichkeit dafür, daß ein Neutron nicht entweicht; in einem krit. Reaktor ist diese Wahrscheinlichkeit immer etwas kleiner als 1, d. h. der wirkl. Vermehrungsfaktor ist immer kleiner als k_∞.

Der unendl. Multiplikationsfaktor setzt sich aus vier Faktoren zusammen:

$$k_\infty = \varepsilon \cdot \eta \cdot p \cdot f \, .$$

Die Größen dieser als **Vier-Faktor-Formel** bezeichneten Gleichung sind wie folgt definiert:
Der **Regenerationsfaktor** η ist die mittlere Anzahl der Spaltneutronen geteilt durch die Anzahl der im Brennstoff absorbierten Neutronen.
Der **Schnellspaltfaktor** ε ist die Anzahl der schnellen Neutronen geteilt durch die Anzahl der schnellen Neutronen aus therm. Spaltungen.
Die **Resonanzentkommwahrscheinlichkeit** p ist der Bruchteil der schnellen Neutronen, der während der Abbremsung im Moderator nicht absorbiert wird.
Die **thermische Nutzung** f ist die Anzahl der im Brennstoff absorbierten therm. Neutronen geteilt durch die Anzahl der insgesamt absorbierten therm. Neutronen.

Auch die **Verbleibwahrscheinlichkeit** P kann man aus drei Faktoren zusammensetzen:

$$P = P_S \cdot P_R \cdot P_{th} \, .$$

Dabei ist P_S die Wahrscheinlichkeit, daß das Neutron als schnelles Neutron nicht entweicht, P_R die, daß es als Resonanzneutron (1 eV bis 10 keV) nicht

entweicht, und P_{th} die, daß es als therm. Neutron nicht entweicht.
Die kritische Bedingung ist dann:

$$\varepsilon \cdot \eta \cdot p \cdot f \cdot P_S \cdot P_R \cdot P_{th} = 1 \, .$$

Regenerationsfaktor

Der Faktor η wird bestimmt durch die Anzahl der bei einer Spaltung erzeugten Neutronen v mal der Wahrscheinlichkeit, daß ein Einfang im Brennstoff zu einer Spaltung führt. Diese ist durch die Wirkungsquerschnitte und die Isotopenzusammensetzung des Brennstoffs bestimmt. In einem Reaktor mit einem Gemisch aus dem spaltbaren Isotop U 235 und dem nicht spaltbaren U 238 ist die Wahrscheinlichkeit

$$W_{Sp} = \frac{N_{235} \cdot \sigma_{Sp\,235}}{N_{235}\,\sigma_{Sp\,235} + N_{235}\,\sigma_{a\,235} + N_{238}\,\sigma_{a\,238}} \, .$$

N_{235} bzw. N_{238} sind die relativen Anteile von Uran 235 bzw. Uran 238, σ_{Sp} der Spaltquerschnitt, σ_a der Absorptionsquerschnitt (ohne Spaltung). Der Regenerationsfaktor $\eta = v \cdot W_{Sp}$, das Verhältnis von Spaltungen zu Einfängen ist gleich $W_{Sp} = \dfrac{\eta}{v}$.

Der Regenerationsfaktor kann erhöht werden, wenn man Uran verwendet, in dem das Isotop U 235 angereichert ist. Dann wird der letzte Summand im Nenner von W_{Sp} kleiner. Für natürliches Uran (U-235-Anteil 0,71%) ist $\eta = 1,34$, für angereichertes Uran mit einem U-235-Anteil von 5% wird schon fast das η von reinem Uran 235 erreicht.

Thermische Nutzung

Der Faktor f hängt von der Zusammensetzung des Reaktormaterials ab:

$$f = \frac{N_U \sigma_U}{N_U \sigma_U + N_M \sigma_M + N_B \sigma_B} \, .$$

N_U ist die Anzahl der Uranatome, N_M die der Moderatoratome, N_B die Atome sonstiger Bauteile und des Regelstabes. In einem nicht homogenen Reaktor ist die Nutzung natürlich vom Ort abhängig, d. h. sie ist in der Nähe des Regelstabes z. B. geringer als im Brennelement. Zur Berechnung des Multiplikationsfaktors muß ein Mittelwert genommen werden, für dessen Berechnung wiederum die Kenntnis der Verteilung der Neutronen im Reaktor notwendig ist. Aus der Gleichung sieht man, daß f immer kleiner als 1 ist.

Schnellspaltfaktor

Der Faktor ε ist bei therm. Reaktoren wegen des geringen Wirkungsquerschnitts für schnelle Spaltung und des hohen Moderatoranteils ziemlich genau gleich 1.

Resonanzentkommwahrscheinlichkeit

Der Faktor p hängt davon ab, ob das Neutron, während es bei der Abbremsung den Energiebereich der Resonanzen durchläuft, auf ein Uranatom trifft. Er wird daher bestimmt durch die Energie- und Ortsverteilung der Neutronen im Reaktor. Er ist definitionsgemäß immer kleiner als 1.

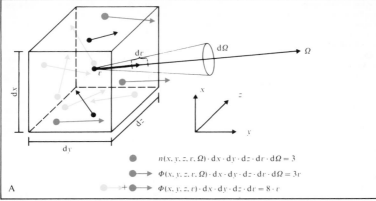

$$n(x, y, z, r, \Omega) \cdot dx \cdot dy \cdot dz \cdot dr \cdot d\Omega = 3$$

$$\Phi(x, y, z, r, \Omega) \cdot dx \cdot dy \cdot dz \cdot dr \cdot d\Omega = 3r$$

$$\Phi(x, y, z, r) \cdot dx \cdot dy \cdot dz \cdot dr = 8 \cdot r$$

A

Definition von Neutronendichte, Neutronenfluß und skalarem Fluß

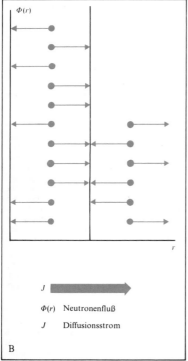

$\Phi(r)$

r

J

$\Phi(r)$ Neutronenfluß

J Diffusionsstrom

B

Diffusionsstrom J zwischen Gebieten mit unterschiedlichem Fluß

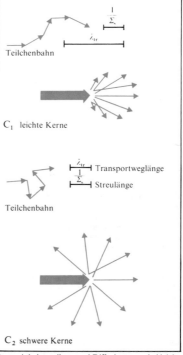

$\frac{1}{\Sigma_s}$

λ_{tr}

Teilchenbahn

C_1 leichte Kerne

λ_{tr} Transportweglänge

$\frac{1}{\Sigma_s}$ Streulänge

Teilchenbahn

C_2 schwere Kerne

Streuwinkelverteilung und Diffusionswege bei leichten und schweren Kernen

Während die Faktoren f und η der Vier-Faktor-Formel nur von den Eigenschaften des Brennstoffs und Moderators bestimmt werden, setzt die Berechnung der Resonanzentkommwahrscheinlichkeit p und der Leckverluste die genaue Kenntnis der räumlichen und energetischen Verteilung der Neutronen im Reaktor voraus.

Definition der Begriffe:

Neutronendichte $n(x, y, z, v, \vec{\Omega})$ nennt man die Anzahl der Neutronen pro Kubikzentimeter, pro Raumwinkel und pro Geschwindigkeitsintervall; d. h. zu jedem Satz von Werten $x, y, z, v, \vec{\Omega}$ ist eine Anzahl n von Neutronen definiert, die am Ort x, y, z sind, die die Geschwindigkeit v haben und in die Richtung $\vec{\Omega}$ fliegen. Mathematisch genauer muß man sagen, eine Zahl dn von Neutronen ist definiert, die sich zwischen x und $x + \mathrm{d}x$, y und $y + \mathrm{d}y$, z und $z + \mathrm{d}z$ aufhalten, Geschwindigkeiten zwischen v und $v + \mathrm{d}v$ haben und in einem Raumwinkel d$\vec{\Omega}$ rund um $\vec{\Omega}$ fliegen. Dann ist

$$\frac{\mathrm{d}n}{\mathrm{d}x\,\mathrm{d}y\,\mathrm{d}z\,\mathrm{d}v\,\mathrm{d}\vec{\Omega}} = n(x, y, z, v, \vec{\Omega}).$$

Vektorfluß der Neutronen nennt man das Produkt aus Neutronendichte mal Geschwindigkeit

$$\Phi(x, y, z, v, \vec{\Omega}) = v \cdot n(x, y, z, v, \vec{\Omega}).$$

Skalaren Neutronenfluß nennt man das Integral über die Raumwinkel des Vektorflusses

$$\Phi(x, y, z, v) = \int_{4\pi} \mathrm{d}\vec{\Omega} \cdot \Phi(x, y, z, v, \Omega).$$

Unter dem skalaren Fluß kann man sich die Gesamtlänge aller Spuren vorstellen, die in einer Sekunde in einem Kubikzentimeter von Neutronen der Geschwindigkeit v durchlaufen werden.

Makroskopischen Wirkungsquerschnitt Σ nennt man das Produkt aus der Anzahl der Atome eines Stoffes pro Kubikzentimeter mal deren Wirkungsquerschnitt

$$\Sigma = N \cdot \sigma.$$

Der makroskop. Wirkungsquerschnitt ist wie der mikroskop. Wirkungsquerschnitt von der Neutronengeschwindigkeit abhängig. Ebenso wie beim mikroskop. Wirkungsquerschnitt definiert man den makroskop. Streuquerschnitt

$$\Sigma_s = N \sigma_s$$

und den makroskop. Absorptionsquerschnitt

$$\Sigma_a = N \sigma_a.$$

Sind in einem Volumen mehrere Atomarten enthalten, so addieren sich die makroskop. Wirkungsquerschnitte der einzelnen Atomarten zum makroskop. Querschnitt des Gemischs.

Durch den makroskop. Querschnitt und den Fluß in einem Volumen ist die Anzahl der Streuungen N_s und Absorptionen N_a von Neutronen der Geschwindigkeit v in diesem Volumen bestimmt:

$$N_s(v) = \Sigma_s(v) \cdot \Phi(v), \qquad N_a(v) = \Sigma_a(v) \cdot \Phi(v).$$

Da man die makroskop. Wirkungsquerschnitte der Materialien im Reaktor kennt, stellt das eigentliche Problem die Berechnung der Flußverteilung dar.

BOLTZMANNsche Transportgleichung

Die Flußverteilung der Neutronen wird durch die BOLTZMANNsche Transportgleichung bestimmt, die eine Gewinn- und Verlustbilanz der Neutronendichte in einem Volumenelement darstellt. Sie hat die Form:

$$\frac{\partial n}{\partial t} = -\operatorname{div} \vec{\Omega} \cdot \Phi - \Sigma \Phi$$
$$+ \int \mathrm{d}v'\,\mathrm{d}\vec{\Omega}'\, \Sigma_s(v')\, \Phi(v', \vec{\Omega}')\, g(v', v, \vec{\Omega}', \Omega) + S$$

Die linke Seite ist die Zunahme der Neutronendichte.

Der erste Summand der rechten Seite sind die nach außen aus dem Volumenelement strömenden Neutronen,

der zweite Summand die durch Streuungen und Absorptionen verlorengehenden,

der vierte Summand die äußeren Quellen

und der dritte Summand erfaßt alle die Neutronen, die aus anderen Winkel- und Energiebereichen in den gerade betrachteten Bereich eingestreut werden.

$g(v', v, \vec{\Omega}', \vec{\Omega})$ ist darin die Wahrscheinlichkeit, daß ein Neutron, das mit der Geschwindigkeit v' und dem Flugwinkel $\vec{\Omega}'$ eine Streuung macht, hinterher die Geschwindigkeit v und die Flugrichtung $\vec{\Omega}$ hat.

Die allgemeine Transportgleichung ist nicht exakt lösbar; man muß deshalb Näherungsverfahren suchen, die das Verhalten eines Reaktors vorauszusagen. Dazu denkt man sich das Schicksal der Neutronen nach ihrer Entstehung in zwei Phasen aufgeteilt:

1. Die **Bremsung** auf therm. Energien, die in relativ kurzen Zeiträumen vor sich geht und bei der die Neutronen gleichzeitig ihren Ort und ihre Energie verändern. Die Vorgänge während der Bremsung bestimmen das Spektrum der Reaktorneutronen.

2. Die **Diffusion** der therm. Neutronen, bei der diese nicht mehr ihre Energie verändern.

Diffusionsgleichung

Bei der Diffusionsnäherung wird angenommen, daß alle Neutronen die gleiche Energie haben. Man muß dann nur noch den skalaren Fluß Φ berechnen, der nicht mehr von der Geschwindigkeit abhängt. Die Diffusionsgleichung ist wieder eine Bilanz der Gewinne und Verluste in einem Volumenelement. Sie enthält die folgenden Größen:

1. den Diffusionsstrom, der dadurch entsteht, daß aus einem Volumenelement mit hohem Neutronenfluß mehr ausströmt, als aus einem solchen mit kleinem Fluß; dabei durchlaufen die einzelnen Neutronen ungeregelte Bahnen mit vielen Stößen;

2. den Verlust durch Absorption, der gleich $\Sigma_a \cdot \Phi$ ist;

3. den Gewinn durch die Neutronen, die in dem Volumen thermisch werden. Er wird als Brems-

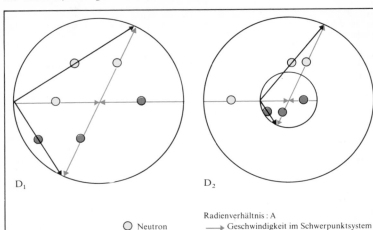

D_1 D_2

⚪ Neutron   Radienverhältnis : A
⚫ Kern   ⟶ Geschwindigkeit im Schwerpunktsystem
              ⟶ Geschwindigkeit im Laborsystem

Wasserstoff   schwerer Kern
Große Energieübertragung auf den   Geringe Energieübertragung auf den Kern,
Kern, bevorzugte Vorwärtsstreuung schwach bevorzugte Vorwärtsstreuung
des Neutrons

Streuung im Labor- und Schwerpunktsystem

Nuklid	A	ξ	ν
H^1	1	1,000	18
H^2	2	0,725	25
He^4	4	0,425	43
Li^7	7	0,268	67
Be^9	9	0,209	86
C^{12}	12	0,158	114
O^{16}	16	0,120	150

A Massenzahl
ξ mittlerer Lethargiegewinn
ν Anzahl der Stöße bis zu thermischer Energie

E_1 Streueigenschaften der leichten Kerne

	ϱ g/cm³	N 10^{24} cm⁻³	Σ_a cm⁻¹	$\xi \Sigma_s$ cm⁻¹	$\xi \cdot \dfrac{\sigma_s}{\sigma_a}$
Wasser	1,00	0,0334	0,0220	1,50	69
schweres Wasser (99,75 % D_2O)	1,10	0,0334	0,000085	0,18	21000
Beryllium	1,84	0,1229	0,0011	0,16	150
Berylliumoxid	2,96	0,0713	0,0006	0,11	180
Graphit	1,60	0,0803	0,00037	0,063	170

ϱ Dichte
N Moleküle pro cm³
Σ_a Absorptionsquerschnitt
$\xi \Sigma_s$ Bremsvermögen
$\xi \cdot \dfrac{\sigma_s}{\sigma_a}$ Bremsverhältnis

E_2 Daten der wichtigsten Moderatoren

Moderatoreigenschaften

dichte für thermische Neutronen q bezeichnet und muß bei der Neutronenbremsung berechnet werden.

Die Diffusionsgleichung ist eine Differentialgleichung der Form

$$- D \cdot \Delta \Phi + \Sigma_a \Phi = q \, .$$

Die Größe D ist die Diffusionskonstante; sie hängt vom Streuquerschnitt und mittleren Streuwinkel des Materials ab. Die Formel für D ist:

$$D = \frac{1}{3 \Sigma_s \left(1 - \dfrac{2}{3A}\right)} \, .$$

Die Größe $\lambda_{tr} = 3D$ bezeichnet man als Transportweglänge. Zusammen mit den Randbedingungen, daß der Neutronenstrom in den Reaktor hinein am Rande gleich 0 ist, und der Bremsdichteverteilung im Reaktor kann man aus dieser Gleichung die Neutronenverteilung berechnen.

Bremsung von Neutronen

Die Theorie der Neutronenbremsung hat zwei Aufgaben: Einmal die Neutronenspektren im Reaktor zu berechnen und daraus die Anzahl der Absorptionen, bevor die Neutronen thermisch werden, und zweitens die Diffusionsbewegung der Neutronen während der Abbremsung zu berechnen. Bei der Berechnung der Spektren kann man mit guter Näherung davon ausgehen, daß das Spektrum überall im Reaktor das gleiche ist, wie bei einem unendlich ausgedehnten Reaktor, wenn auch der Fluß zum Rande hin stark abnimmt.

Der elastische Stoß

Die Abbremsung der schnellen Neutronen geschieht im wesentlichen durch elast. Stöße an den Atomkernen des Moderators. Den Energieverlust bei einem Stoß kann man berechnen. Es gilt nämlich:

1. Der Energiesatz: Die Energie des Neutrons vor dem Stoß ist gleich der Summe der Energien von Neutron und gestoßenem Kern nach dem Stoß.
2. Der Impulssatz: Der Impuls des Neutrons vor dem Stoß ist gleich der Summe der Impulse nach dem Stoß, wobei unter der Impuls-Summe die Summe der Vektoren verstanden werden muß.
3. Die Winkelverteilung ist im Schwerpunktsystem, d.h. in dem bewegten Koordinatensystem, das seinen Bezugspunkt im gemeinsamen Schwerpunkt von Neutron und Atomkern hat, isotrop.

Daraus kann man die in der BOLTZMANN-Gleichung verwendeten Wahrscheinlichkeiten $g(E', E)$ dafür, daß ein Neutron der Energie E' bei einem Stoß die Energie E erhält:

$$g(E', E) = \frac{1}{1 - \alpha} \cdot \frac{1}{E'} \quad \text{für} \quad \alpha E' < E < E' \, .$$

Der mittlere Streuwinkel im Laborsystem (ruhenden Koordinatensystem) ist:

$$\overline{\cos \varphi} = \frac{2}{3A} \, .$$

Dabei ist A die Massenzahl des Kerns und

$$\alpha = \left(\frac{A - 1}{A + 1}\right)^2 \, .$$

Für Wasserstoff ist $\alpha = 0$, für schwere Kerne wächst es bis zum Grenzwert 1.

Lethargie

Gewöhnlich führt man statt der Energie die Lethargie als Variable ein, die folgendermaßen definiert ist:

$$u = \ln \frac{E_0}{E} \, .$$

E_0 ist die Anfangsenergie der Spaltneutronen. Dann erhält man

$$g(u', u) = \frac{1}{1 - \alpha} e^{-(u - u')} \, .$$

Der mittlere Lethargiegewinn bei einem Stoß (entspricht einem Energieverlust) ist:

$$\xi = 1 + \frac{\alpha}{1 - \alpha} \ln \alpha \, .$$

Er ist also unabhängig von der Lethargie selber, d.h. für jedes Lethargieintervall zwischen Spaltneutronen und therm. Neutronen werden gleich viele Stöße gebraucht. Die mittlere Anzahl der Stöße, die gebraucht werden, um von einer Lethargie u_1 zu einer höheren u_2 zu kommen, ist einfach

$$v = \frac{u_1 - u_2}{\xi} \, .$$

Die Anzahl der Stöße, die insgesamt gebraucht werden, damit ein Spaltneutron (Lethargie nach Definition = 0) thermisch wird (Lethargie 18) ist:

$$v = \frac{18}{\xi} \, .$$

Bei leichten Kernen ist ξ am größten und damit die Anzahl der Stöße am kleinsten.

Bremsvermögen und Bremsverhältnis

Ein guter Moderator muß gleichzeitig einen großen Streuquerschnitt (viele Stöße werden gemacht) und einen großen mittleren Lethargiegewinn haben (wenig Stöße werden gebraucht). Außerdem muß der Absorptionsquerschnitt klein sein (trotz vieler Stöße wird nichts absorbiert). Das Produkt $\xi \cdot \Sigma_s$ nennt man Bremsvermögen, den Wert $\dfrac{\xi \cdot \Sigma_s}{\Sigma_a}$ nennt man Bremsverhältnis. Beide müssen möglichst hoch sein bei einem guten Moderator. Der beste bekannte Moderator ist demnach schweres Wasser. Ein guter Moderator ist auch Graphit, obwohl es wegen seines kleinen Bremsvermögens große Reaktoren beansprucht.

Bremsdichte

Als Bremsdichte $q(E)$ oder $q(u)$ definiert man die Anzahl der Neutronen, die in einem Kubikzentimeter pro Sekunde von Energien größer als E zu Energien kleiner als E abgebremst werden, die also an der Energie E vorbeigebremst werden. In einem stationär laufenden Reaktor ohne Absorption und Leckverluste ist die Bremsdichte für alle Energie außer

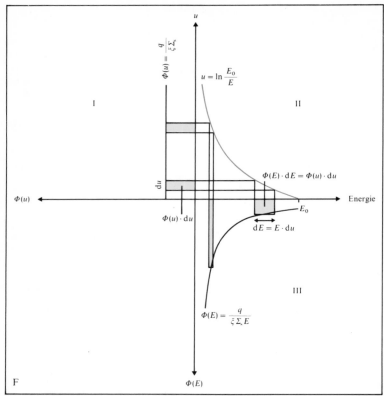

$$\Phi(u) = \frac{q}{\Sigma_s \xi}$$

$$u = \ln \frac{E_0}{E}$$

I

II

$$\Phi(E) \cdot dE = \Phi(u) \cdot du$$

du

$\Phi(u)$ — Energie

$\Phi(u) \cdot du$

E_0

$dE = E \cdot du$

III

$$\Phi(E) = \frac{q}{\xi \Sigma_s E}$$

F

$\Phi(E)$

Umrechnung von Energie auf Lethargie und Zusammenhang zwischen Fluß pro Lethargie (I) und Fluß pro Energie (III)

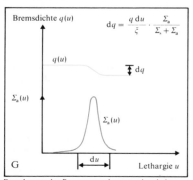

$$dq = \frac{q \, du}{\xi} \cdot \frac{\Sigma_a}{\Sigma_s + \Sigma_a}$$

G

Berechnung der Resonanzentkommwahrscheinlichkeit

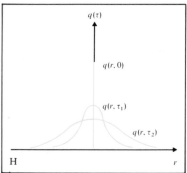

H

Die räumliche Verteilung der Bremsdichte von einer Flächenquelle nach der Altersgleichung

im therm. Bereich gleich der Entstehungsrate von Neutronen. Durch die Leckverluste und Absorption verringert sich die Bremsdichte laufend mit steigender Lethargie oder fallender Energie.

Bei fehlender Absorption kann man einen Zusammenhang zwischen Bremsdichte und Fluß herstellen: Die Zahl der Stöße, die ein Neutron braucht, um ein beliebiges Lethargieintervall der Breite du zu durchlaufen, ist

$$v = \frac{du}{\xi}.$$

Die Zahl der Neutronen, die dieses Intervall pro Sekunde durchlaufen ist $q(u)$, also werden in diesem Energieintervall $v \cdot q(u)$ Stöße pro Sekunde gemacht. Die Zahl der Stöße ist aber auch gleich $\Phi \cdot \Sigma_s \cdot du$ und man erhält daher den Zusammenhang

$$\frac{q(u)\,du}{\xi} = \Phi \Sigma_s du,$$

$$\Phi(u) = \frac{q(u)}{\xi \Sigma_s}.$$

In einem absorptionsfreien Reaktor ist der Fluß pro Lethargieintervall eine Konstante, wenn der Streuquerschnitt Σ_s konstant ist.
Der Fluß pro Energieintervall ist

$$\Phi(E) = \Phi(u) \cdot \frac{du}{dE} = \frac{q(E)}{\xi \Sigma_s E}.$$

Das Energiespektrum hat also einen $\frac{1}{E}$-Verlauf.

Dieser Verlauf ist auch in wirklichen Reaktoren gut realisiert.

Resonanzentkommwahrscheinlichkeit
Die Resonanzentkommwahrscheinlichkeit p kann man durch die Bremsdichte ausdrücken:

$$p = \frac{q(u_{\text{therm}})}{q(u_0)} = \frac{q(u_{\text{therm}})}{q(0)}$$

u_0 ist die Lethargie der Spaltneutronen, die gleich 0 gesetzt wurde.

Man kann p berechnen, wenn man annimmt, daß sich die Bremsdichte nur durch Absorption ändert. Dann ist die Änderung der Bremsdichte gleich der Zahl der Stöße in einem Lethargieintervall mal der Wahrscheinlichkeit, daß ein Stoß zur Absorption führt:

$$dq = - \frac{du}{\xi} \cdot q \cdot \frac{\Sigma_a}{\Sigma_s + \Sigma_a}$$

und

$$p = \exp\left[- \int\limits_0^u \frac{1}{\xi} \frac{\Sigma_a}{\Sigma_s + \Sigma_a}\, du \right],$$

wobei für die obere Grenze u die Lethargie der therm. Neutronen einzusetzen ist. Die Resonanzentkommwahrscheinlichkeit wird etwas höher, wenn man berücksichtigt, daß die Bremsdichte innerhalb des Lethargieintervalls, wo die Absorption stattfindet, absinkt und daher die Zahl der Stöße nicht mehr gleich $q\,\frac{du}{\xi}$ ist.

Alterstheorie nach FERMI
Nachdem man mit der Diffusionsgleichung die Verteilung des therm. Neutronenflusses und mit der Näherung des unendl. Reaktors die Resonanzentkommwahrscheinlichkeit und damit den Vermehrungsfaktor k_∞ berechnen kann, verbleibt noch die Aufgabe, die räumliche Bremsdichteverteilung $q(r, u)$ bei gegebener Quelldichte der Spaltneutronen $q(r, 0)$ zu berechnen. In der Alterstheorie nach FERMI wird das dadurch gemacht, daß man die Variable u, die Lethargie, durch eine andere Variable, das FERMI-Alter τ ersetzt. Das geht dann, wenn die Abbremsung in so vielen Stößen passiert, daß sie als kontinuierlich angesehen werden kann, also nur bei verhältnismäßig schweren Moderatoren (z. B. Kohlenstoff). Die Variable τ ist gleich der Zeit seit der Entstehung des Neutrons, multipliziert mit der über die Zeit gemittelten Diffusionskonstanten, und gleich einem Sechstel des Quadrats der mittleren Entfernung, das das Neutron seit der Entstehung zurückgelegt hat.
Für die Bremsdichte $q(r, \tau)$ gilt die FERMIsche Gleichung

$$\Delta q = \frac{\partial q}{\partial \tau}.$$

Die Randbedingungen dieser Gleichung sind
1. daß die Bremsdichte außerhalb des Reaktorvolumens gleich 0 sein muß und
2. die vorgegebene Quellstärke der Spaltneutronen $q(r, 0)$.

Mehrgruppen-Diffusionsmethode
Bei Reaktoren mit leichten Moderatoren, d. h. Wasser oder schwerem Wasser, kann man die Alterstheorie nicht anwenden, ebenso liefert sie keine Ergebnisse bei sehr heterogenen Reaktoren, bei denen die Brennstoff-Moderator-Zusammensetzung örtlich sehr stark verschieden ist, beispielsweise durch einen dicken Reflektor, eine Zone reinen Moderators, die den eigentl. Reaktorkern umgibt.
Ein Weg zur Berechnung des Bremsvorgangs in diesen Reaktoren ist die Gruppendiffusionsmethode. Bei dieser Methode teilt man den Lethargiebereich von 0 bis zur therm. Lethargie in eine Zahl von Intervallen auf und berechnet in jedem einzelnen Lethargieintervall den Neutronenfluß nach der gewöhnl. Diffusionsgleichung. Man tut dabei so, als ob die Neutronen so lange ohne Lethargiegewinn in einem Intervall diffundieren, bis sie die erforderl. Anzahl von Stößen gemacht haben, um das nächste Intervall zu erreichen. Die Streuverluste in einem Lethargieintervall sind jeweils die Quellstärken im nächsten.

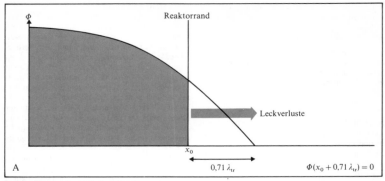

A

Randbedingung der Diffusionstheorie

$\Phi(x_0 + 0{,}71\,\lambda_{tr}) = 0$

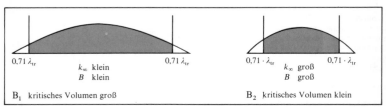

B_1 kritisches Volumen groß

B_2 kritisches Volumen klein

Flußverteilung in einem kritischen Reaktor bei kleinem und großem unendlichen Vermehrungsfaktor

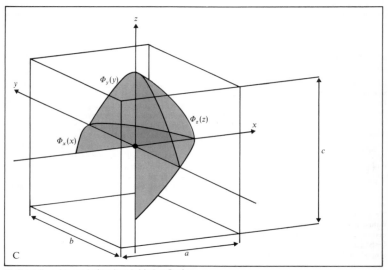

C

Flußverteilung im quaderförmigen kritischen Reaktor

Durch die Kombination der Gleichungen für die Diffusion der therm. Neutronen und für die Bremsung und die Verteilung der Bremsdichte kann man die Leckverluste eines Reaktors und daraus die minimale Größe berechnen, bei der ein stationärer Betrieb möglich ist. Diese Größe nennt man das **kritische Volumen.**

Eine einfache mathemat. Behandlung erhält man, wenn man die Alterstheorie anwenden kann, und der Reaktor keinen Reflektor hat. Dann sind die Differentialgleichungen zu lösen:
1. Die Diffusionsgleichung

$$\Delta \Phi - \frac{1}{L^2} \Phi = \frac{q_{th}}{D}.$$

In der Gleichung ist die Größe $\frac{\Sigma_a}{D}$ durch L^2 ersetzt. L nennt man die **Diffusionslänge.**
2. Die Altersgleichung

$$\Delta q(r, \tau) = \frac{\partial q(r, \tau)}{\partial \tau}.$$

Dazu kommen die Anfangs- und Randbedingungen:
1. Die Quellstärke der Spaltneutronen ist proportional zum Fluß der therm. Neutronen, d. h. alle schnellen Neutronen ($\tau = 0$) kommen aus Spaltungen:

$$q(r, 0) = \varepsilon \cdot \eta \cdot f \cdot \Sigma_a \cdot \Phi.$$

2. Die Quellstärke q_{th} in der Diffusionsgleichung ist gleich der aus der Altersgleichung berechneten Bremsdichte für therm. Energien mal der Resonanzentkommwahrscheinlichkeit.

$$q_{th} = p \cdot q(r, \tau_{th}).$$

3. Der Neutronenstrom am Rande des Reaktors nach innen ist gleich 0. Das kann man dadurch beschreiben, daß der Fluß im Abstand von $0{,}71 \cdot \lambda_{tr}$ außerhalb des Reaktors gleich 0 wird. Dieselbe Randbedingung setzt man für die Bremsdichte an.
Man erhält eine Lösung der Altersgleichung dadurch, daß man annimmt, die Bremsdichte q sei eine reine Funktion des Ortes mal einer reinen Funktion der Zeit. Diese Annahme beinhaltet, daß die räumliche Verteilung der Bremsdichte für jedes Alter die gleiche ist.
Der Ansatz

$$q(r, \tau) = V(r) \cdot T(\tau)$$

ergibt die Gleichungen:

$$\Delta V + B^2 V = 0$$

und

$$q(r, \tau_{th}) = V \cdot e^{-B^2 \tau_{th}}$$

und damit aus der ersten und zweiten Anfangsbedingung

$$q_{th} = p \cdot \varepsilon \cdot \eta \cdot f \cdot \Sigma_a \cdot e^{-B^2 \tau_{th}}.$$

Die Vier-Faktor-Formel besagt:

$$k_\infty = p \cdot \varepsilon \cdot \eta \cdot f.$$

Damit erhält man aus der Diffusionsgleichung die Verteilung des Neutronenflusses:

$$\Delta \Phi + \frac{k_\infty \cdot e^{-B^2 \tau_{th}} - 1}{L^2} \Phi = 0.$$

Damit gilt für Φ und für V, d. h. für den Neutronenfluß und für die räuml. Verteilung der Bremsdichte, die gleiche Differentialgleichung und die gleichen Randbedingungen. In dieser Differentialgleichung gibt es nur dann eine Lösung, wenn der Faktor B^2 bzw. der Faktor von Φ ganz bestimmte durch die Geometrie vorgegebene Werte annimmt. Diese Werte nennt man die Eigenwerte der Gleichung. Die Eigenwerte der Gleichungen für V und Φ stimmen überein:

$$B^2 = \frac{k_\infty \cdot e^{-B^2 \tau_{th}} - 1}{L^2}$$

oder

$$k_{eff} = \frac{k_\infty \cdot e^{-B^2 \tau_{th}}}{1 + L^2 B^2} = 1.$$

k_{eff} nennt man den effektiven Vermehrungsfaktor, die Gleichung nennt man die **kritische Bedingung.**
Die Größe B nennt man das »Buckling«. Sie kann einmal aus der krit. Bedingung berechnet werden und hängt nur von der Materialzusammensetzung ab. Man nennt die so berechnete Größe das »**Material-Buckling**«.
Zweitens muß B^2 auch Eigenwert der Differentialgleichung für die Fluß- oder Bremsdichte-Verteilung sein. In einem quaderförmigen Reaktor mit den Längen a, b, c erhält man z. B.

$$B^2 = \pi^2 \left(\frac{1}{a^2} + \frac{1}{b^2} + \frac{1}{c^2} \right).$$

Den aus der Differentialgleichung berechneten Eigenwert für B nennt man das **geometrische Buckling.** Die krit. Bedingung kann man auch so formulieren: *Material-Buckling und geometrisches Buckling müssen übereinstimmen.* Ist der Reaktor zu klein, so wird B zu groß und k_{eff} kleiner als 1 und umgekehrt. Durch die Materialkonstanten L, τ_{th} und k_∞ ist also das »kritische Volumen«, dasjenige Volumen, bei dem $k_{eff} = 1$ wird, vorgegeben.
In dem quaderförmigen Reaktor kann man die Fluß- und Bremsdichte-Verteilung aus der Differentialgleichung berechnen,

$$\Phi(x, y, z) = \Phi_0 \cdot \cos\left(\frac{\pi}{a} x\right) \cos\left(\frac{\pi}{b} y\right) \cos\left(\frac{\pi}{c} z\right).$$

Φ_0 ist eine beliebige Konstante, die die Gesamtleistung angibt.

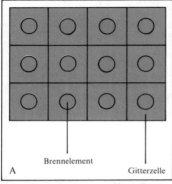

A

Brennelement · Gitterzelle

Aufbau des Reaktorkerns aus Gitterzellen

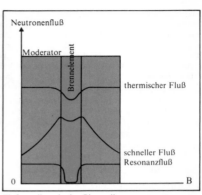

B

Flußverteilung in der Gitterzelle

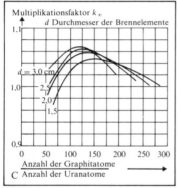

C

Multiplikationsfaktor für heterogene Uran-Graphit-Gitter

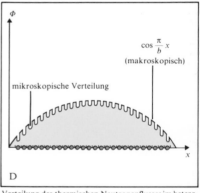

D

Verteilung des thermischen Neutronenflusses im heterogenen Reaktor

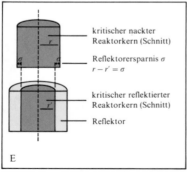

E

Reflektorersparnis beim zylindrischen Reaktor

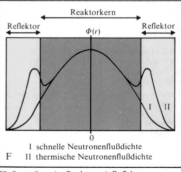

F I schnelle Neutronenflußdichte
II thermische Neutronenflußdichte

Flußverteilung im Reaktor mit Reflektor

In den meisten Reaktoren bilden Brennstoff und Moderator kein homogenes Gemisch, sondern der Brennstoff ist in Form von Stäben oder Platten in den Moderator eingebettet. Dadurch sind die Materialeigenschaften und mit ihnen die Größen ε, p und f nicht mehr vom Ort im Reaktor unabhängig.

Gitterzelle

Der Kern eines Reaktors ist aus vielen, in ihrem Aufbau gleichen Gitterzellen aufgebaut, die jeweils ein Brennelement enthalten. Die Zahl der Zellen hängt ab von der Art des Moderators und Brennstoffs; sie beträgt etwa 20 für einen schwerwassermoderierten Reaktor mit hochangereichertem Uran und bis zu einigen Tausend bei Natururan-Graphit-Reaktoren. Die Theorien, die für homogene Reaktoren gelten, können auch auf heterogene Reaktoren angewandt werden, wenn man für die Größen ε, p, f geeignete Mittelwerte über eine Zelle verwendet.

Thermische Nutzung

Die thermische Nutzung f ist beim heterogenen Reaktor geringer als beim homogenen. Der Grund dafür ist, daß der therm. Fluß im Inneren des Brennelements durch die hohe Absorption des Brennstoffs absinkt. Dadurch herrscht im Mittel im Moderator ein höherer therm. Fluß als im Brennstoff und damit ein etwas höheres Verhältnis von Moderator-Absorptionen zu Brennstoff-Absorptionen als im homogenen Reaktor.

Schnellspaltfaktor

Durch die Vereinigung des Brennstoffs in einem Brennelement erhöht sich die Wahrscheinlichkeit, daß ein Spaltneutron beim ersten Stoß wieder ein Uranatom trifft. Der Schnellspaltfaktor ε wird daher desto größer, je dicker das Brennelement ist.

Resonanzentkommwahrscheinlichkeit

Der größte Effekt, der den Vermehrungsfaktor k_∞ erhöht, ist der Anstieg der Resonanzentkommwahrscheinlichkeit p bei heterogenen Reaktoren. Diese Erhöhung ist auf zwei Ursachen zurückzuführen:

1. Ein Teil der Neutronen verbleibt während der gesamten Abbremsung im Moderator, so daß es zu keinem Resonanzeinfang, der nur im Brennstoff stattfindet, kommen kann.

2. Die Neutronen, die mit der Resonanzenergie auf ein Brennelement treffen, werden bereits an der Oberfläche absorbiert. Da im Brennelement selbst keine Abbremsung stattfindet, können im Inneren des Brennelements keine Resonanzneutronen vorhanden sein. Der Fluß von Resonanzneutronen im Inneren des Brennelements ist so klein, daß der größte Teil des Brennstoffs zur Resonanzabsorption nicht beiträgt.

Vermehrungsfaktor

Insgesamt kann man durch heterogene Anordnung erreichen, daß der unendl. Vermehrungsfaktor k_∞ größer wird als bei homogener Anordnung. Dabei gibt es normalerweise eine optimale Dicke der Brennelemente, bei der k_∞ am größten wird.

Neutronenfluß

Die Verteilung des Neutronenflusses folgt genau aus den gleichen Überlegungen wie beim homogenen Reaktor. Die Ergebnisse, die man dabei erhält, sind jedoch als Mittelwerte über die Gitterzelle zu verstehen. Innerhalb der Gitterzelle schwankt der Neutronenfluß um diesen Mittelwert.

Reflektor

Das kritische Volumen eines Reaktors kann dadurch vermindert werden, daß man den Reaktorkern mit einem Mantel aus Moderator-Material umgibt, der dafür sorgt, daß der größte Teil der aus dem Kern austretenden Neutronen in diesen zurückgestreut wird. Dadurch kann man die Leckverluste wesentlich verkleinern.

Reflektorersparnis

Durch die Verringerung der Leckverluste bei gleichen Abmessungen des Reaktorkerns bei einem Reaktor mit Reflektor kann man das kritische Volumen kleiner halten als bei einem nackten Reaktor. Als »Reflektorersparnis« bezeichnet man die halbe Abnahme einer Lineardimension des kritischen Volumens, bei einem zylindr. Reaktor z.B. den Unterschied der Radien mit und ohne Reflektor. Die Reflektorersparnis ist bei dünnen Reflektoren etwa gleich der Dicke des Reflektors, bei dicken Reflektoren etwa eine Diffusionslänge.

Flußverteilung

Durch den Reflektor haben die schnellen und die therm. Neutronen eine ganz unterschiedliche räumliche Flußverteilung. Für schnelle Neutronen haben der Reaktorkern und der Reflektor etwa die gleichen Absorptionsquerschnitte, daher fällt der Fluß im Reflektor stetig nach außen hin ab, da in ihm keine Neutronen entstehen. Für therm. Neutronen ist jedoch der Absorptionsquerschnitt im Reaktorkern sehr viel höher als im Reflektor. Dadurch kann der therm. Fluß im Reflektor höher sein als im Kern, da auch im Reflektor therm. Neutronen aus schnellen entstehen. Dadurch wird die Flußdichte am Rand des Reaktors gegenüber der Mitte erhöht, was zu einem sehr erwünschten gleichmäßigeren Abbrand des Brennstoffs führt.

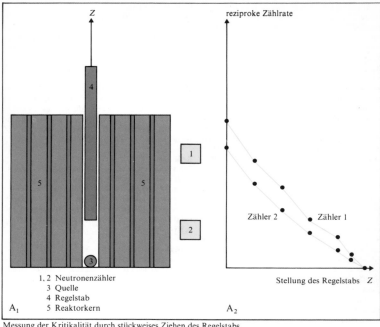

1, 2 Neutronenzähler
3 Quelle
4 Regelstab
5 Reaktorkern

A_1

A_2

Messung der Kritikalität durch stückweises Ziehen des Regelstabs

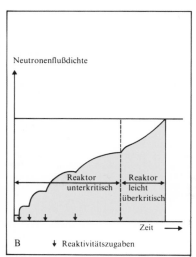

B   ↓ Reaktivitätszugaben

Zeitlicher Anstieg der Neutronenzählrate beim Anfahren des Reaktors

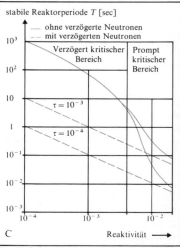

C   Reaktivität ⟶

Der Einfluß der verzögerten Neutronen auf die Reaktorperiode

Die **Reaktordynamik** beschäftigt sich mit dem zeitl. Verhalten der Neutronenflußdichte in Reaktoren, deren Vermehrungsfaktor k_{eff} nicht genau gleich 1 ist. Als Maß für die Abweichung vom stationären Verhalten gilt die

Reaktivität $\varrho = \dfrac{k_{eff}-1}{k_{eff}}$.

Das zeitl. Verhalten wird durch drei Größen bestimmt: Die Reaktivität, die Lebensdauer der Neutronen von der Entstehung bis zum Einfang und den Anteil der verzögerten Neutronen.

Die Lebensdauer des Neutrons hängt von der Zusammensetzung des Reaktors und vom therm. Leckfaktor ab. Wegen der geringen Geschwindigkeit der therm. Neutronen und der dadurch bedingten wesentlich längeren Dauer zwischen zwei Stößen, wird die Lebensdauer fast nur durch die Verweilzeit als therm. Neutron im Reaktor bestimmt. Diese Verweilzeit kann man aus der Bedingung des krit. Reaktors bestimmen, daß die Verluste an therm. Neutronen gleich der therm. Quellstärke sind. Die Verluste sind gleich der Anzahl der Neutronen geteilt durch die Lebensdauer

$$\frac{n}{\tau} = q_{th}.$$

In einem kritischen Reaktor ist

$q_{th} = (1 + L^2 B^2) \cdot \Sigma_a \cdot n \cdot v$.

Aus den beiden Gleichungen kann man die Lebensdauer berechnen:

$$\tau = \frac{1}{\Sigma_a \cdot v(1 + L^2 B^2)}.$$

Reaktorperiode

In einem Reaktor, in dem $k_{eff} \neq 1$ ist, ändert sich die Anzahl der insgesamt vorhandenen Neutronen N 1. durch die Vermehrung von einer Generation zur anderen und 2. durch äußere Quellen S. Das wird ausgedrückt durch die Differentialgleichung

$$dN = \frac{k_{eff}-1}{\tau} dt \cdot N + S \cdot dt.$$

Die Größe $\dfrac{\tau}{k_{eff}-1}$ nennt man die Reaktorperiode T. Sie ist positiv für überkrit. Reaktoren und negativ für unterkritische. Beim krit. Reaktor ist sie unendlich.

Die Gleichung $\dfrac{dN}{dt} - \dfrac{1}{T} N = S$ hat die Lösungen

$N = N_0 \cdot e^{\frac{t}{T}} - S \cdot T$.

Unterkritische Reaktoren

Eine stationäre Lösung gibt es nur dann, wenn der Reaktor unterkritisch ist, d.h. wenn $T < 0$. Dann ist $N = -T \cdot S$.

Da das Glied $N_0 \cdot e^{\frac{t}{T}}$ mit der Zeit schnell kleiner wird, stellt sich bei jedem unterkrit. Reaktor mit einer konstanten Neutronenquelle nach kurzer Zeit die stationäre Neutronenzahl ein. Daher kann man in unterkrit. Reaktoren den Vermehrungs-faktor leicht messen. Die Zahl der pro Sekunde austretenden Neutronen ist nämlich

$$n = \frac{N}{\tau} = \frac{T}{\tau} \cdot S = \frac{1}{k_{eff}-1} \cdot S.$$

Die Verstärkung der konstanten Quelle um den Faktor $\dfrac{1}{k_{eff}-1}$ kann mit einem Neutronenzähler leicht gemessen werden. Das wird ausgenutzt, um beim Anfahren des Reaktors bei stückweisem Herausziehen der Regelstäbe die Annäherung an den krit. Zustand zu messen.

Kritischer Reaktor

Ist der Reaktor genau kritisch und enthält eine konstante Quelle, so lautet die Differentialgleichung

$$\frac{dN}{dt} = S.$$

Sie hat die Lösung $N = N_0 + S \cdot t$, d.h. die Anzahl der Neutronen steigt linear mit der Zeit an. Das ist leicht verständlich, denn jedes im Reaktor vorhandene Neutron erzeugt genau ein neues und die Quellneutronen kommen dazu. Der lineare Anstieg der Leistung mit der Zeit wird benutzt, um im krit. Experiment die genaue krit. Größe eines Reaktors zu bestimmen.

Verzögerte Neutronen

Die Leistung eines überkrit. Reaktors würde nach dem bisher Gesagten in der Reaktorperiode T um den Faktor $e = 2,7183$ ansteigen. Die Lebensdauer der Neutronen beträgt nur 10^{-4} sec, so daß dieser Anstieg selbst bei einer geringen Überschußreaktivität von 1 ‰ schon in 0,1 sec stattfinden würde. Die Regelung des Reaktors wird jedoch dadurch erleichtert, daß ein geringer Teil der Neutronen nicht spontan, sondern erst eine geringe Zeit nach der Spaltung freigesetzt werden. Diese Neutronen nennt man die verzögerten Neutronen. Sie haben einen wesentl. Einfluß auf die Periode des Reaktors.

Gewöhnlich gibt es mehrere Gruppen von verzögerten Neutronen aus versch. hochangeregten Spaltprodukten, die mit versch. Häufigkeit und versch. Zerfallskonstanten λ_i auftreten. Der Zusammenhang zwischen der Periode T, der Reaktivität ϱ, der Lebensdauer der Neutronen τ und den Anteilen β_i und Zerfallskonstanten λ_i der versch. Gruppen wird durch die »**inhour-Gleichung**« gegeben: $\varrho = \dfrac{\tau}{k_{eff} \cdot T} + \sum_i \dfrac{\beta_i}{1 + \lambda_i T}$.

Der zweite Term in dieser Gleichung, der ohne Berücksichtigung der verzögerten Neutronen fehlt, bewirkt, daß die Periode bei kleinen Reaktivitäten durch das Produkt aus der Lebensdauer mal dem Anteil der verzögerten Neutronen anstatt durch die Lebensdauer der freien Neutronen im Reaktor bestimmt ist. Diesen Reaktivitätsbereich nennt man *verzögert kritisch* im Gegensatz zum *prompt kritischen* Bereich, wo die Lebensdauer τ die Periode bestimmt.

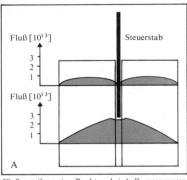

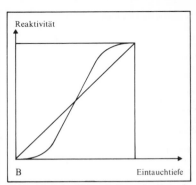

Flußverteilung im Reaktor bei halb gezogenem Steuerstab

Abhängigkeit der Wirksamkeit von der Eintauchtiefe des Steuerstabs

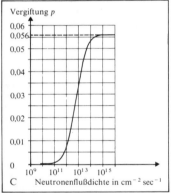

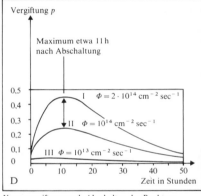

Gleichgewichts-Xenonvergiftung als Funktion der Neutronenflußdichte

Xenonvergiftung nach Abschalten des Reaktors

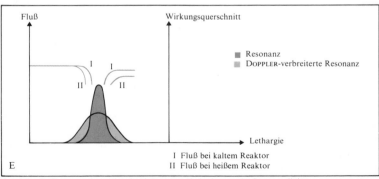

Zunahme der Resonanzabsorption durch DOPPLER-Verbreiterung der Resonanzlinien

Für den prakt. Betrieb eines Reaktors muß die Reaktivität steuerbar sein. Zum Anfahren und zur Erhöhung der Leistung muß er überkritisch, zum Abschalten unterkritisch gemacht werden. Während des Betriebes kann sich die Reaktivität aus mehreren Gründen ändern:

1. durch den »Abbrand«, d. h. den Verbrauch an spaltbarem Material;
2. durch die **Vergiftung**, d. h. durch die Erzeugung von Spaltprodukten mit einem hohen Einfangquerschnitt für Neutronen;
3. durch den **Temperaturkoeffizient** der Reaktivität, d. h. durch die Änderung der Reaktivität bei erhöhter Temperatur;
4. durch das **Brüten**, d. h. durch die Erzeugung von neuen spaltbaren Kernen durch Neutroneneinfang in Kernen, die sonst durch therm. Neutronen nicht spaltbar sind;
5. durch Experimente, die am Reaktor gemacht werden und eventuell Neutronen verbrauchen.

Für diese Änderungen während des Betriebes muß der Reaktor von vornherein über eine gewisse Überschuß-Reaktivität verfügen, die durch die Steuerelemente ausgeglichen wird.

Steuerelemente

Als Steuerelemente werden überwiegend röhren- oder plattenförmige Stäbe verwendet, die Cadmium oder Bor als starke Neutronenabsorber enthalten. Man unterscheidet

1. die Abschaltstäbe, die dazu dienen, den Reaktor bei Gefahr möglichst schnell abzuschalten und während des Betriebes ganz aus dem Reaktor herausgezogen sind;
2. die Grobsteuerstäbe, die die langzeitigen Änderungen der Reaktivität durch den Abbrand, die Vergiftung und das Brüten ausgleichen.
3. die Feinsteuerstäbe, die dazu dienen, durch dauernde Regelung den Reaktor bei konstanter Leistung zu halten.

Wirksamkeit von Steuerstäben

Ein Steuerstab ist um so wirksamer, je mehr Neutronen er absorbiert. Die verwendeten Absorbermaterialien absorbieren schon in sehr dünnen Schichten alle auftreffenden Neutronen. Um die Wirksamkeit zu erhöhen, muß man die Oberfläche möglichst groß machen und den Stab im Bereich größter Flußdichte anbringen. Durch die Absorption des Stabes selbst sinkt in der Umgebung der Neutronenfluß, so daß er bei teilweise gezogenem Steuerstab ungleichmäßig im Reaktor verteilt ist. Für den Feinsteuerstab ist es wichtig, daß er bei kleinen Bewegungen möglichst große Reaktivitätsänderungen bewirkt. Deshalb werden die Grobsteuerstäbe immer so eingestellt, daß der Feinsteuerstab etwa halb gezogen ist, so daß er im Bereich des größten Flusses in der Reaktormitte die Absorption verändern kann.

Abbrand

Durch den Betrieb des Reaktors wird der Spaltstoff Uran 235 verbraucht. Dabei nimmt der Vorrat nicht nur durch Spaltungen, sondern auch durch die Einfangreaktion U 235 + $n \rightarrow$ U 236 ab. Andererseits wird durch den Einfang im Uran 238 durch die Reaktion U 238 + $n \rightarrow$ U 239 $\rightarrow$ Np 239 $\rightarrow$ Pu 239 Plutonium gebildet, das wieder spaltbar ist. Den Abbrand mißt man entweder durch die Energie, die pro Tonne Spaltstoff gewonnen wurde (Megawatt-Tage pro Tonne, MWd/t) oder durch den Prozentsatz der gespaltenen U-235-Atome. Die Umrechnung ist etwa

1 % Abbrand = 9500 MWd/t.

Vergiftung

Als Vergiftung definiert man die Größe Σ_p/Σ_u, wenn Σ_p den makroskop. Wirkungsquerschnitt des Giftes und Σ_u den des Brennstoffs bedeutet. Für den Reaktorbetrieb sind zwei Gifte von prakt. Bedeutung: Xenon 135 und Samarium 149. Xenon 135 entsteht im wesentlichen durch den Zerfall des bei der Spaltung gebildeten Tellur 135 nach der Zerfallskette

Te 135 $\rightarrow$ J 135 $\rightarrow$ Xe 135 $\rightarrow$ Cs 135 $\rightarrow$ Ba 135.

Das Jod 135 hat eine Halbwertszeit von 6,7 Stunden, Xenon 135 eine Halbwertszeit von 9,2 Stunden. Die Halbwertszeit von Tellur beträgt nur 2 Minuten, so daß das Jod praktisch sofort entsteht; die Halbwertszeit von Caesium beträgt $2 \cdot 10^6$ Jahre, es kann daher praktisch als stabil angesehen werden.

Die Xenonkonzentration wird sowohl durch den Zerfall als auch durch Neutroneneinfang abgebaut. Bei hohem Neutronenfluß überwiegt die Einfangreaktion, so daß die Gleichgewichtskonzentration, bei der Abbau und neues Entstehen sich die Waage halten, vom Fluß unabhängig ist. Bei niedrigem Fluß überwiegt der Zerfall und die Gleichgewichtskonzentration ist vom Fluß abhängig. Nach dem Abschalten des Reaktors steigt die Xenonvergiftung noch an, da noch Jod zerfällt und wegen des fehlenden Einfangs weniger Xenon abgebaut wird.

Samarium 149 entsteht durch die Zerfallskette

Nd 149 $\rightarrow$ Pm 149 $\rightarrow$ Sm 149 .

Da es stabil ist, wird es nur durch Neutroneneinfang abgebaut; seine Gleichgewichtskonzentration bewirkt eine Vergiftung von 1,1 %.

Temperaturkoeffizient

Als Temperaturkoeffizient β definiert man die Größe $\beta = \dfrac{d\varrho}{dT}$, wobei ϱ die Reaktivität und T die Temperatur bedeuten. Den größten Effekt zum Temperaturkoeffizient bringt die DOPPLER-Verbreiterung der Resonanzlinien und damit die Verringerung der Resonanzentkommwahrscheinlichkeit p. Dadurch wird der Temperaturkoeffizient negativ, d. h. mit steigender Temperatur nimmt die Reaktivität ab. Das ist günstig für die Regelung des Reaktors, da ein Leistungsanstieg durch zu große Reaktivität durch den Temperaturanstieg und die dadurch entstehende Reaktivitätsabnahme begrenzt wird.

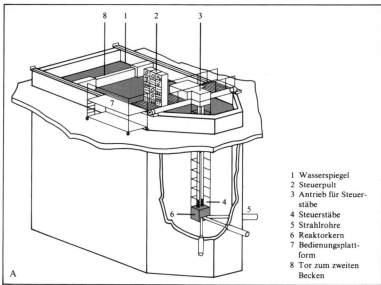

1 Wasserspiegel
2 Steuerpult
3 Antrieb für Steuer-
   stäbe
4 Steuerstäbe
5 Strahlrohre
6 Reaktorkern
7 Bedienungsplatt-
   form
8 Tor zum zweiten
   Becken

Schwimmbad-Reaktor

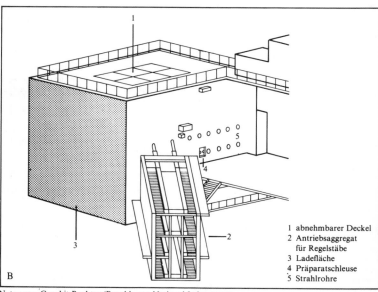

1 abnehmbarer Deckel
2 Antriebsaggregat
   für Regelstäbe
3 Ladefläche
4 Präparatschleuse
5 Strahlrohre

Natururan-Graphit-Reaktor (Brookhaven National Laboratory)

Forschungsreaktoren dienen dem Wissenschaftler als äußerst intensive Strahlungsquelle. Die beim Betrieb des Reaktors anfallende Leistung ist im allgemeinen nur ein unerwünschtes Nebenprodukt. Die Anforderungen an einen Forschungsreaktor sind: möglichst hohe Neutronen- und Gammastrahlungsintensität und Zugang zum Reaktorkern für Experimente. Die Temperatur des Reaktors wird dabei aus techn. Gründen möglichst niedrig gehalten (unter 100° C). Um die Leistung und damit den Kühlkreislauf möglichst klein zu halten bei gegebenem Neutronenfluß, muß der Reaktorkern, d.h. das kritische Volumen, klein gehalten werden. Deshalb verwendet man im allgemeinen angereichertes Uran, um die therm. Nutzung zu erhöhen. Außerdem ist es günstig, wegen des großen Bremsvermögens leichte Moderator-Kerne, d.h. Wasser oder schweres Wasser, zu verwenden. Moderne Forschungsreaktoren erreichen Neutronenflüsse bis zu 10^{15} Neutronen pro cm^2 und Sekunde.

Schwimmbad-Reaktor
Eine technisch besonders einfache Ausführung eines Forschungsreaktors ist der Schwimmbad-Reaktor. Bei diesem Typ wird der Reaktorkern, der aus plattenförmigen Brennelementen zusammengesetzt ist, an einem Gerüst in ein Becken mit voll entsalztem Wasser gehängt. Das Wasser dient gleichzeitig als Moderator, Reflektor und Kühlmittel. Bis zu einer Leistung von 100 kW ist die Kühlung durch die natürl. Konvektion des Wassers im Becken ausreichend, bei höheren Leistungen muß das Wasser durch einen Kühlkreislauf gepumpt werden, wo die Wärme abgegeben wird. Damit kann man bis zu etwa 20 Megawatt oder $3 \cdot 10^{13}$ Neutronen pro cm^2 und Sekunde erreichen.

Schwerwassertankreaktor
In diesem Reaktortyp dient schweres Wasser als Moderator, Reflektor und Kühlmittel. Das hat den Vorteil, daß die krit. Masse sehr klein wird und der Neutronenfluß im Reflektor nur langsam abfällt, da die Absorption des schweren Wassers fast gleich 0 ist. Dadurch steht viel Platz im Reaktor für Bestrahlungen zur Verfügung.
Wegen des hohen Preises von schwerem Wasser kann man keinen Schwimmbad-Reaktor mit schwerem Wasser bauen, sondern muß das schwere Wasser in einem geschlossenen Kreislauf umpumpen und den Reaktor mit Reflektor in einen allseits dichten Tank einbauen. Mit Schwerwassertankreaktoren erreicht man die höchsten Neutronenflüsse.

Natururan-Graphit-Reaktor
In diesem Reaktortyp dient natürliches Uran als Brennstoff und Graphit als Moderator. Gekühlt wird der Reaktor mit Gas. Diese Reaktoren haben ein sehr großes krit. Volumen und müssen daher zur Erzielung hoher Neutronenflüsse mit hoher

Leistung betrieben werden. Ihr einziger Vorteil ist, daß sie einer sehr großen Anzahl von Experimenten Platz bieten und daß sie kein angereichertes Uran brauchen. Aus diesem Grunde war auch der erste überhaupt in Betrieb genommene Reaktor der Welt, der CP 1 in Chicago (1942) von diesem Typ. Damals gab es weder angereichertes Uran noch ausreichende Mengen schweren Wassers.

Experimentiereinrichtungen
Ein Reaktor kann zur Bestrahlung von Materialien und zur Herstellung von gebündelten Gamma- oder Neutronenstrahlen verwendet werden. Zur Bestrahlung von Materialien dienen Bestrahlungskapseln, die entweder durch Rohre oder beim Schwimmbad-Reaktor direkt durch das Wasser über dem Reaktor in den Reaktorkern gebracht werden. Ein Schwimmbad-Reaktor bietet dabei den Vorteil, daß auch größere Gegenstände, wie z.B. Abschirmplatten, durch Versenken im Wasserbecken direkt an den Reaktorkern gebracht werden können. Dabei dient die 7—8 m dicke Wasserschicht über dem Reaktor gleichzeitig als Abschirmung. Auch Bestrahlungen mit reiner Gammastrahlung können im Schwimmbad-Reaktor durchgeführt werden, wenn man ein zweites Becken zur Verfügung hat, in das gebrauchte hochaktive Brennelemente gebracht werden können.
Zur Herstellung von Neutronenstrahlen dienen die Strahlrohre. Das sind zylindrische oder rechteckige Aluminiumrohre, die von außen durch die Abschirmung bis an den Reaktorkern heranführen, oder im Reflektor an der Stelle des höchsten therm. Neutronenflusses enden. Zur Herstellung von therm. Neutronenstrahlen führt man die Strahlrohre tangential am Kern vorbei und läßt sie im Reflektor enden. Eine besondere Form ist die Thermische Säule, ein breiter mit Graphit ausgefüllter Durchbruch in der Abschirmung und im Reflektor. Dieses Graphit können langsame Neutronen fast ungehindert durchdringen, während es schnelle Neutronen und Gammastrahlung abschirmt.

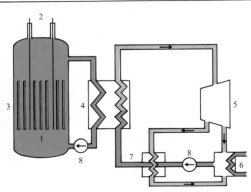

1 Reaktorkern
2 Regelstäbe
3 Druckbehälter
4 Wärmeaustauscher
5 Turbine
6 Kondensator
7 Vorwärmer
8 Pumpen

9 Ventile
10 Wasser-Abscheider
11 Überlaufleitung

■ Brennelemente
▢ CO_2
▨ Dampf
■ Wasser

A   Wärmekreislauf des Druckwasserreaktors

B   Wärmekreislauf des Siedewasserreaktors

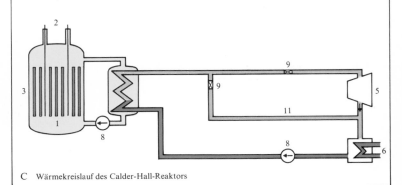

C   Wärmekreislauf des Calder-Hall-Reaktors

Wärmekreislauf von Leistungsreaktoren

Die Erfahrungen beim Bau von Reaktoren sind seit dem Bau des ersten Reaktors 1942 so weit fortgeschritten, daß es möglich ist, Leistungsreaktoren zu bauen, die elektr. Energie zu vergleichbaren Preisen liefern wie konventionelle mit Öl oder Kohle betriebene Kraftwerke. Es hat sich dabei gezeigt, daß Kernkraftwerke nur in großen Einheiten (etwa ab 500 Megawatt) konkurrenzfähig sind. Antriebsreaktoren für Schiffe oder Landfahrzeuge sind i. a. zu teuer wegen der wesentlich geringeren benötigten Leistung; eine Ausnahme bilden hier die militär. Anwendungen in Unterseebooten oder Flugzeugträgern, bei denen der Vorteil der großen Aktionsradien und der Unabhängigkeit von der Sauerstoffzufuhr ausgenutzt werden kann. Die wesentl. Vorteile der Kernkraftwerke gegenüber konventionellen Kraftwerken beruhen auf zwei Tatsachen:

1. Bei der Verbrennung von 1 kg Kohlenstoff zu CO_2 werden nur etwa 9,3 kWh therm. Energie freigesetzt, bei der Spaltung von 1 kg U 235 jedoch $2,9 \cdot 10^7$ kWh. Selbst bei den hohen Kosten des Urans ist der Brennstoffpreis pro kWh bei Kernreaktoren etwa um den Faktor 5 geringer als bei konventionellen Kraftwerken.

2. Kernkraftwerke sind wesentlich weniger schädlich für die Umwelt, da sie wenig gasförmige und feste Abfallprodukte freisetzen. Gegen die gefährliche Strahlung kann man sich verhältnismäßig leicht schützen. Wegen des schlechteren Wirkungsgrades brauchen sie allerdings etwas mehr Kühlleistung und können nur dort gebaut werden, wo diese zur Verfügung steht, z. B. an großen Flüssen oder am Meer.

Es sind im wesentlichen drei Typen, die sich als wirtschaftl. Leistungsreaktoren durchgesetzt haben: der Druckwasserreaktor, der Siedewasserreaktor und der gasgekühlte Graphitreaktor.
Eine weitere große Verbesserung der Wirtschaftlichkeit soll in Zukunft der schnelle Brüter (s. S. 224f.) bringen. Außer den Graphitreaktoren werden fast alle Leistungsreaktoren mit angereichertem Uran (2—10% U 235) betrieben. Die etwas höheren Kosten des angereicherten Brennstoffs fallen gegenüber den Einsparungen an den Anlagekosten nicht ins Gewicht.

Druckwasserreaktor
Bei diesem Reaktortyp dient Wasser oder auch schweres Wasser als Moderator und Kühlmittel; es werden feste Brennelemente verwendet. Das Wasser wird in einem geschlossenen Kreislauf durch den Reaktor und durch einen Wärmeaustauscher gepumpt und steht unter so hohem Druck, daß es nicht sieden kann. Auf der Sekundärseite des Wärmeaustauschers wird Sattdampf erzeugt, der die Turbine betreibt. Der Vorteil dieses Typs ist sein günstiges Regelverhalten bei Laständerungen:
Wird von der Turbine mehr Dampf beansprucht, so sinkt der Dampfdruck und damit die Temperatur auf der Sekundärseite des Wärmeaustauschers. Damit

sinkt auch die Temperatur des Primärkreislaufs, d. h. des Moderators, und durch den negativen Temperaturkoeffizienten steigt die Reaktivität und dadurch die Leistung, bis der Reaktor seine Leistung der Last angepaßt hat und dadurch das Gleichgewicht wiederhergestellt ist.

Siedewasserreaktor
Dieser Reaktor hat ebenfalls feste Brennelemente und Wasser als Kühlmittel und Moderator. Im Gegensatz zum Druckwasserreaktor wird jedoch der Dampf direkt im Reaktor erzeugt, der dabei unter wesentlich geringerem Druck steht. Mit diesem Dampf kann ohne Wärmeaustauscher die Turbine betrieben werden. Bei solch einer Konstruktion verwendet man nur leichtes Wasser als Moderator, da die Verluste an schwerem Wasser zu teuer würden.
Die Regelung des Siedewasserreaktors ist nicht so einfach, da bei einem erhöhten Dampfverbrauch der Druck im Reaktor sinken, damit die Blasenbildung ansteigen und die Reaktivität und die Leistung sinken würden. Bei den heutigen Siedewasserreaktoren wird im Reaktor ein Zwangsumlauf des Kühlwassers durch Pumpen im Druckgefäß eingestellt. Bei erhöhter Dampfentnahme wird der Umlauf erhöht, so daß Druck und Blasenanteil konstant bleiben.

Graphitreaktoren
Reaktoren dieses Typs sind in Calder Hall in England gebaut worden und dienen neben der Erzeugung elektr. Energie auch der Erzeugung von Plutonium für militär. Zwecke. Sie enthalten Graphit als festen Moderator, in dem Stäbe aus Natururan als Brennstoff eingelagert sind. Das Kühlmittel ist CO_2, das in einem Wärmeaustauscher Dampf erzeugt.
Bei diesen Reaktoren besteht keine automatische Regelung durch den Leistungsverbrauch; sie werden durch die Steuerstäbe auf konstante Temperatur geregelt. Schwankungen des Leistungsverbrauchs werden durch Änderung der Strömungsgeschwindigkeit des Gases im Primärkreislauf geregelt.
In der UdSSR hat man Reaktoren mit Graphit-Moderator und Siedewasser-Kühlung gebaut. Sie haben den Nachteil, daß bei steigender Leistung durch den Blasenanteil die Absorption abnimmt, die Moderation jedoch nicht. Dadurch haben diese Reaktoren einen positiven Leistungs- und Temperaturkoeffizienten. Dies hat bei dem Reaktor von Tschernobyl zu dem katastrophalen Unfall durch prompte Überkritikalität und einen dadurch verursachten extrem starken Leistungsanstieg geführt.

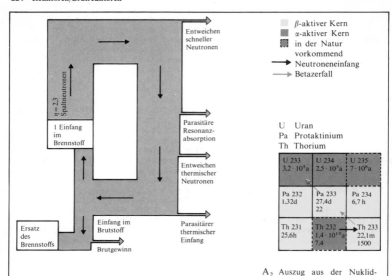

A₁ Thermischer Brüter, Neutronenkreislauf

A₂ Auszug aus der Nuklidkarte: Brutreaktionen

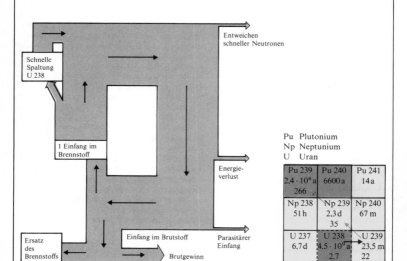

B₁ Schneller Brüter, Neutronenkreislauf

B₂ Auszug aus der Nuklidkarte: Brutreaktionen

Nur 0,7% des in der Natur vorkommenden Urans bestehen aus dem Isotop U 235, das als Brennstoff für Reaktoren verwendbar ist. Als spaltbares Material eignen sich jedoch noch zwei weitere Isotope, die in der Natur nicht vorkommen, aber durch Neutronenbestrahlung aus natürlichen Elementen gewonnen werden können. Diese beiden Isotope sind Plutonium 239 und Uran 233. Sie entstehen durch die Reaktionen

$$U\ 238 + n \rightarrow U\ 239 \rightarrow Np\ 239 \rightarrow Pu\ 239,$$
$$Th\ 232 + n \rightarrow Th\ 233 \rightarrow Pa\ 233 \rightarrow U\ 233.$$

Durch Bestrahlung mit Neutronen kann man also das Uran 238, aus dem 99,3% allen Urans besteht, und das Thorium in spaltbares Material für Reaktoren verwandeln. Die Vorräte auf der Erde an diesen beiden Materialien würden ausreichen, um den Energiebedarf der Erde für ca. 10000 Jahre zu decken.

Neutronenkreislauf

Bei jedem Einfang eines Neutrons im Spaltstoff eines Reaktors werden η Neutronen im Mittel freigesetzt. Von diesen η Neutronen wird genau 1 Neutron gebraucht, um den stationären Betrieb des Reaktors aufrecht zu erhalten, die restlichen $\eta - 1$ Neutronen gehen durch Resonanzeinfang, Einfangreaktionen im Absorber oder durch Leckverluste verloren. In einem Brutreaktor sorgt man dafür, daß möglichst viele der für die Kettenreaktion nicht benötigten Neutronen im sog. Brutmaterial, d.h. dem U 238 oder Th 232, eingefangen werden und neuen Brennstoff erzeugen. Ist die Zahl der überschüssigen Neutronen $\eta - 1 > 1$, so können im Prinzip mehr neue spaltbare Kerne erzeugt werden, als im Reaktor verbraucht werden, d.h. der Reaktor produziert während des Betriebes Brennstoff. Um einen nennenswerten Brutgewinn zu erzielen, muß η beträchtlich größer als 2 sein, da sich Verluste durch parasitären Einfang und Entweichen nicht völlig vermeiden lassen. Danach sind nur zwei echte Brutreaktoren technisch möglich: der thermische Brüter mit U 233 als Brennstoff und Th 232 als Brutstoff und der schnelle Brüter mit Pu 239 als Brennstoff und U 238 als Brutstoff.

Thermischer Brüter

Dieser Reaktortyp hat den Vorteil, daß man sich auf die bereits gut entwickelte Technik der therm. Leistungsreaktoren stützen kann. Die Vorteile eines therm. Reaktors sind außerdem:
1. leichte Steuerbarkeit, da genügend Materialien mit hohem Einfangsquerschnitt für therm. Neutronen vorhanden sind;
2. geringe krit. Masse spaltbaren Materials;
3. verhältnismäßig großes Volumen des Reaktorkerns und damit geringe Leistungsdichte, die die Probleme der Wärmeabfuhr erleichtert, und geringer Neutronenfluß und dadurch geringere Strahlungsschäden an den Strukturmaterialien des Reaktors.

Mit dem therm. Reaktor lassen sich jedoch nur geringe Brutgewinne erzielen aus folgenden Gründen:

1. die Verluste sind höher wegen der längeren Lebensdauer bis zum Einfang;
2. der hohe Einfangquerschnitt des Thorium 233 und die lange Halbwertszeit des Zwischenkerns Protaktinium 233 führen bei hohen Flußdichten zu erhebl. Verlusten durch Einfang in diesen Kernen, wodurch nichtspaltbares Material gebildet wird. Aus diesen Gründen setzt man den Brutstoff als Mantel um den Reaktorkern in eine Zone niedrigen Flusses.

Schneller Brüter

Dieser Reaktor verspricht den höchsten Brutgewinn. Man erwartet von den jetzt in der Konstruktion befindl. Reaktoren Verdopplungszeiten des Spaltstoffs von ca. 8—10 Jahren. Er bietet die folgenden Vorteile:
1. der Faktor η ist für schnelle Spaltung von Pu 239 gleich 2,64, also höher als bei allen anderen Spaltreaktionen (η ist hier nicht die therm. Nutzung, sondern die mittlere Anzahl der erzeugten Spaltneutronen pro Einfang im Spaltstoff);
2. der Brutstoff Uran 238 ist homogen mit dem Spaltstoff vermischt;
3. für die Neutronenökonomie ist nicht der Faktor η, sondern der Faktor $\varepsilon \cdot \eta$ maßgeblich, wobei der Schnellspaltfaktor ε die Vermehrung der Spaltneutronen durch schnelle Spaltung im Uran 238 angibt. Der Schnellspaltfaktor ist beim schnellen Brüter so hoch, daß er die Leckverluste in etwa ausgleicht, so daß etwa 0,7 Neutronen pro Spaltung für eine echte Vermehrung des Spaltstoffs zur Verfügung stehen.

Der Bau des schnellen Brüters mit großer Leistung bietet jedoch erhebl. techn. Schwierigkeiten:
1. Die Steuerung ist schwierig, da alle Materialien bei den hohen Neutronenenergien nur einen kleinen Absorptionsquerschnitt haben.
2. Als Kühlmittel müssen flüssige Metalle verwendet werden, da leichte Kerne im Reaktor dessen Eigenschaften wesentlich verschlechtern würden und da außerdem die Leistungsdichte im Reaktor mit 1000 kW/l enorm hoch ist, was eine entsprechende Kühlleistung verlangt. Durch die Verwendung der flüssigen Metalle (Natrium und Kalium) entstehen erhebliche Sicherheitsprobleme in Wärmeaustauscher und Dampferzeuger.
3. Die Wirkungsquerschnitte der verwendeten Materialien sind für hohe Neutronenenergie wesentlich ungenauer bekannt als für therm. Neutronen.

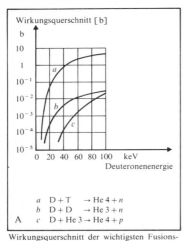

Wirkungsquerschnitt [b]

a D + T   → He 4 + n
b D + D   → He 3 + n
A   c D + He 3 → He 4 + p

Wirkungsquerschnitt der wichtigsten Fusionsreaktionen

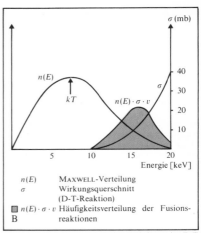

$n(E)$ MAXWELL-Verteilung
σ Wirkungsquerschnitt
              (D-T-Reaktion)
▨ $n(E) \cdot \sigma \cdot v$ Häufigkeitsverteilung der Fusionsreaktionen
B

Häufigkeitsverteilung der Fusionsreaktionen im D-T-Plasma (7,5 keV)

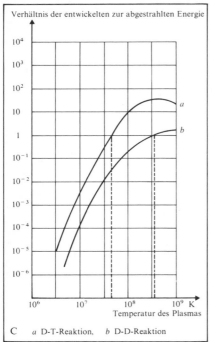

C   a D-T-Reaktion,   b D-D-Reaktion

Verhältnis von Strahlungsverlusten zu erzeugter Energie

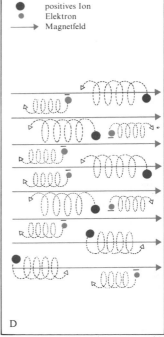

● positives Ion
● Elektron
→ Magnetfeld

D

Bewegung der Plasmateilchen im Magnetfeld

Außer durch die Spaltung von extrem schweren Atomkernen kann man Energie gewinnen durch die **Verschmelzung** sehr leichter Kerne. Die hierfür in Frage kommenden Reaktionen sind:

$$D + D \quad \rightarrow He^3 + n + \quad 3,25 \text{ MeV}$$
$$D + He^3 \rightarrow He^4 + p + 18,3 \text{ MeV}$$
$$D + D \quad \rightarrow T \quad + p + \quad 4 \quad \text{ MeV}$$
$$D + T \quad \rightarrow He^4 + n + 17,6 \text{ MeV}$$
$$D + Li^6 \rightarrow 2He^4 \quad + 22,4 \text{ MeV}$$
$$p + Li^7 \rightarrow 2He^4 \quad + 17,3 \text{ MeV}$$

D = Deuterium, T = Tritium, p = Proton, n = Neutron, He = Helium, Li = Lithium.

Die relative Energieausbeute ist bei diesen Reaktionen höher als bei der Kernspaltung, nämlich etwa 5 MeV pro Masseneinheit gegenüber 1 MeV bei der Spaltung. Würde es gelingen, die Fusionsreaktionen zur Gewinnung elektr. Energie wirtschaftlich zu nutzen, so wäre das Problem der Energieversorgung der Menschheit auf unabsehbare Zeit gelöst.

Bei allen **Fusionsreaktionen** handelt es sich um Reaktionen geladener Teilchen. Da diese Teilchen sich gegenseitig abstoßen, muß man dafür sorgen, daß sie mit so hoher Geschwindigkeit aufeinander zu fliegen, daß sie die COULOMB-Barriere, d. h. den Potentialwall der elektrostat. Abstoßung, überwinden und den Wirkungsbereich der Kernkräfte erreichen. Das kann man zwar dadurch erreichen, daß man z. B. Deuteriumionen mit einem Beschleuniger auf ein Deuteriumtarget schießt, jedoch ist für eine wirtschaftl. Nutzung der Energie Voraussetzung, daß die erforderl. kinet. Energie der Teilchen durch die vorangegangenen Reaktionen erzeugt wird. Das bedeutet, daß das Fusionsmaterial eine so hohe Temperatur haben muß, daß die einzelnen Atomkerne infolge ihrer therm. Bewegung genügend kinet. Energie haben, um die COULOMB-Barriere zu überwinden.

Plasma

Bei den für die Fusion erforderlichen hohen Temperaturen ist die kinet. Energie infolge der therm. Bewegung wesentlich höher als die Bindungsenergie zwischen Elektron und Kern der leichten Atome. Dadurch lösen sich durch Stoßionisation die Elektronen von den Kernen und die gesamte Materie besteht aus freien Kernen und Elektronen. Ein derart völlig ionisiertes Gas nennt man ein **Plasma.** Ist die Temperatur des Plasmas hoch genug, so kann eine Kettenreaktion einsetzen unter der Voraussetzung, daß die Energieproduktion größer ist als die Energieverluste. Der Neutronen-Ökonomie der Reaktoren entspricht hier eine Energie-Ökonomie, ganz analog wie bei einer chem. Verbrennung; auch dort erlischt die Flamme, wenn die Wärmeverluste durch Abstrahlung höher sind als die Wärmeproduktion. Das ist der Grund, warum ein einzelnes Koksstück nicht brennt, während ein mit Koks gefüllter Ofen sehr gut brennt. Eine Verschmelzungskettenreaktion mit leichten Kernen nennt man **thermonukleare Reaktion.**

Energieproduktion

Die Energieproduktion im Plasma wird bestimmt durch

1. die Temperatur,
2. die Wirkungsquerschnitte und
3. die Dichte.

Die Teilchen im Plasma haben nicht alle die gleiche Energie, sondern es herrscht eine Energieverteilung (die sog. MAXWELLsche Energieverteilung) mit einem Maximum bei $E = kT$ und einer mittleren Energie $\bar{E} = \frac{3}{2} kT$. Dabei ist k die BOLTZMANN-Konstante

$$k = 8,62 \cdot 10^{-5} \text{ eV/K} .$$

In der Fusionsforschung gibt man die Temperatur normalerweise in keV an, wobei der angegebene Wert die Energie $k \cdot T$ bedeutet. Es entspricht daher

$$1 \text{ keV} = 11,6 \cdot 10^6 \text{ K} .$$

Die Wirkungsquerschnitte für die aussichtsreichsten Reaktionen $D + T$, $D + D$, und $D + He^3$ erreichen erst bei etwa 20 keV ausreichend hohe Werte, um eine genügend hohe Reaktionsrate zu erhalten. Das bedeutet nicht unbedingt, daß das Plasma genau diese Temperatur von $23 \cdot 10^7$ Kelvin erreichen muß; es müssen jedoch genügend Teilchen am oberen Ende der Verteilung vorhanden sein, die die Energie von 20 keV erreichen. Die Reaktionsrate W ist gegeben durch

$$W = \sigma \cdot v \cdot n_1 \cdot n_2 , \quad \text{bzw.} \quad W = \tfrac{1}{2}\sigma \cdot v \cdot n^2 .$$

Dabei ist σ der Wirkungsquerschnitt, v die Geschwindigkeit und n die Dichten der beteiligten Kerne mit der Geschwindigkeit v. Die zweite Formel gilt, wenn es nur eine Sorte von Kernen gibt. Da der Wirkungsquerschnitt und die Geschwindigkeit mit der Energie zunehmen, finden die meisten Reaktionen bei sehr viel höher als der mittleren Teilchenenergie statt.

Die Gesamtzahl N der Reaktionen pro Kubikzentimeter und Sekunde ist dann

$$N = n_1 \cdot n_2 \cdot \langle \sigma \cdot v \rangle .$$

Dabei bedeutet $\langle \sigma \cdot v \rangle$ den statist. Erwartungswert des Produkts $\sigma \cdot v$ (Fläche der Häufigkeitsverteilung der Fusionsreaktionen geteilt durch die Fläche unter der MAXWELL-Verteilung).

Die dabei erzeugte Leistung ist

$$P = Q \cdot n_1 \cdot n_2 \cdot \langle \sigma \cdot v \rangle .$$

Q ist die freiwerdende Energie bei der Kernreaktion.

Energieverluste

Aus dem Reaktionsraum geht durch die folgenden Prozesse Energie verloren:

1. Entweichen von Neutronen,
2. Entweichen von Bremsstrahlung von den im Reaktionsraum enthaltenen freien Elektronen,
3. Entweichen von Ionen aus dem Reaktionsraum in die kalte Umgebung,
4. Aufheizung neuer Fusionsmaterie.

Die Strahlungsverluste aus dem Plasma steigen etwa mit der Wurzel der Temperatur, die Energieerzeugung steigt jedoch mit steigender Temperatur wesentlich stärker an. Dadurch gibt es eine Grenztempera-

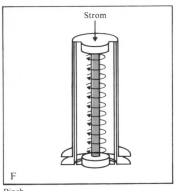

F

Pinch

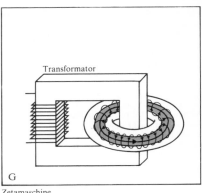

G

Zetamaschine

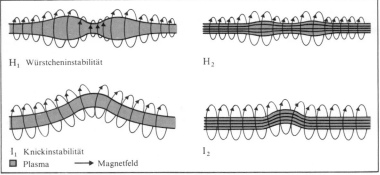

H_1 Würstcheninstabilität

H_2

I_1 Knickinstabilität

I_2

■ Plasma   ➝ Magnetfeld

Stabilisierung durch Längsfelder

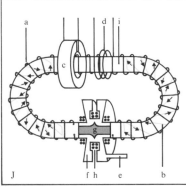

J

Stellarator

a Spule zum Erzeugen des magnetischen Längsfeldes

b weitere Spule zum Verdrillen der Magnetfeldlinien zwecks Verbesserung der Stabilität (der Strom in den benachbarten Windungen fließt jeweils entgegengesetzt)

c Eisenkern mit Spule zur OHMschen Erwärmung des Plasmas

d Spulen für die magnetische Pumpe

e Anschluß der Vakuumpumpe

f Divertor zum Abfangen der schweren Kerne aus der äußeren Schale des Plasmas und zur Entfernung von Verunreinigungen

g Plasma

h gegensinnig gewickelte Divertorspule

i Vakuumröhre aus nicht magnetischem Stahl

tur, die mindestens erreicht werden muß, damit die Energieproduktion höher ist als die Strahlungsverluste. Diese beträgt für die Reaktion:

$$D + D = 35 \text{ keV},$$
$$D + T = 4 \text{ keV}.$$

LAWSON-Kriterium

Um den Energieverlust durch Entweichen von Ionen genügend klein zu halten, muß dafür gesorgt sein, daß sie ausreichend lange in der Reaktionszone bleiben, um neue Reaktionen auszulösen. Die Zeiten τ, die dazu gebraucht werden, sind umgekehrt proportional zur Dichte des Plasmas, d. h. das Produkt $n \cdot \tau$ muß einen bestimmten Minimalwert überschreiten, damit die Reaktion aufrechterhalten werden kann. Dieser Minimalwert beträgt für die Reaktion

$$D + D : n \cdot \tau = 10^{16} \ \frac{\text{sec}}{\text{cm}^3},$$

$$D + T : \ n \cdot \tau = 10^{14} \ \frac{\text{sec}}{\text{cm}^3}.$$

Einschließung des Plasmas

Um die Bedingung des LAWSON-Kriteriums zu erfüllen, ist es nötig, das aufgeheizte Plasma genügend lange zusammenzuhalten. Das kann bei den hohen Temperaturen nicht durch mechan. Wände geschehen. Deshalb werden zwei Verfahren angewandt:
1. Aufheizung eines Volumens bei Festkörperdichte ($n = 5 \cdot 10^{22}$ Kerne pro cm³). Auf diesem Prinzip beruht die Wasserstoffbombe.
2. Einschließen des Plasmas bei geringer Dichte ($n = 10^{14}$ bis 10^{15}) durch magnet. Felder. Dabei müssen die Ionen trotz ihrer hohen Geschwindigkeit für Zeiten von etwa 1 Sekunde im Reaktionsraum gehalten werden. Es entstehen Leistungsdichten von etwa 100 Watt pro cm³ und Drücke von ca. 100 atü. Die Leistungsdichten entsprechen denen eines Kernreaktors. Dieses Verfahren hat bisher nicht zum Erfolg geführt, ist aber wohl das einzige, mit dem man, wenn überhaupt, eine kontrollierte Reaktion erhalten kann.

Magnetische Einschließung

Die magnetische Einschließung eines Plasmas beruht auf folgendem Prinzip: Da das Plasma nur aus geladenen Teilchen besteht, bewegen sich diese auf schraubenförmigen Bahnen um Kraftlinien des Magnetfeldes; sie können dabei nur längs der Feldlinie driften, aber nicht quer zu ihr. Verstärkt sich das Magnetfeld, so rücken die Feldlinien enger zusammen und das Plasma wird komprimiert.
Die Ströme, die das Magnetfeld erzeugen, können entweder im Plasma selbst fließen, das infolge der freien Ladungsträger eine hohe elektr. Leitfähigkeit hat, oder sie fließen durch äußere Spulen. Anordnungen der ersten Art sind der **Pinch** und die **Zeta-Maschine**. Beim Pinch wird das Plasma durch eine elektr. Lichtbogenentladung erzeugt. Die hohen Ströme im Lichtbogen bewirken ein kreisförmiges

Magnetfeld um die eigentl. Entladung herum, welches den Entladungskanal zusammendrückt und weiter aufheizt.
Bei der Zeta-Maschine befindet sich das Plasma in einem torusförmigen Rohr, das die Sekundärwicklung eines Transformators darstellt. Durch den Strom im Plasmatorus wird ein sekundäres Magnetfeld erzeugt, das den Entladungskanal komprimiert.

Plasmainstabilität

Die Anordnungen ohne äußere Spulen haben den Nachteil, daß die Kompression instabil ist. Verstärkt sich aus irgend einem Grund an einer Stelle das Magnetfeld gegenüber der Umgebung, so wird die Plasmazone dort eingeschnürt, was zu einem noch stärkeren Anwachsen des Feldes führt (**Würstcheninstabilität**). Ebenso verhält sich das Plasma instabil, wenn der Entladungskanal etwas krümmt, da dann das Feld an der Außenseite schwächer und an der Innenseite stärker wird und dadurch die Entladungszone abknickt (**Knickinstabilität**).

Stellarator

Eine Verbesserung der Stabilität kann man erreichen, wenn man durch äußere Spulen ein Längsfeld in den Plasmaschlauch einbringt. Das Längsfeld verstärkt sich bei einer Einschnürung oder beim Abknicken genau an den Stellen, wo sich das kreisförmige Feld, welches das Plasma komprimiert, abschwächt, und umgekehrt. Es wirkt somit der Instabilität entgegen. Dieses Prinzip wird beim Stellarator angewandt, der eine Zeta-Maschine mit zusätzlichem Längsfeld ist. Plasmamaschinen, bei denen das Feld nur durch äußere Spulen erzeugt wird, sind bisher wegen der hohen Verlustleistungen in den Spulen nicht verwirklicht worden, man erhofft sich jedoch Fortschritte durch Verwendung von supraleitenden Spulen.

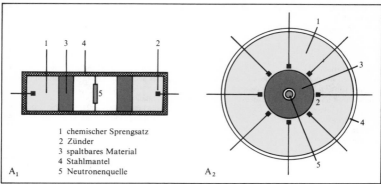

1 chemischer Sprengsatz
2 Zünder
3 spaltbares Material
4 Stahlmantel
5 Neutronenquelle

A_1 A_2

Aufbau von Spaltungsbomben

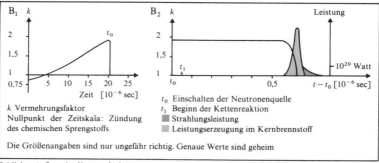

B_1 k

k Vermehrungsfaktor
Nullpunkt der Zeitskala: Zündung des chemischen Sprengstoffs

B_2 k Leistung

10^{20} Watt

t_0 Einschalten der Neutronenquelle
t_1 Beginn der Kettenreaktion
▨ Strahlungsleistung
▨ Leistungserzeugung im Kernbrennstoff

Die Größenangaben sind nur ungefähr richtig. Genaue Werte sind geheim

Zeitlicher Aufbau der Kernexplosion

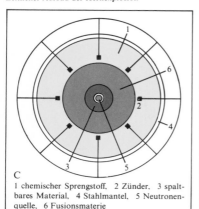

C
1 chemischer Sprengstoff, 2 Zünder, 3 spaltbares Material, 4 Stahlmantel, 5 Neutronenquelle, 6 Fusionsmaterie

Aufbau einer Fusionsbombe

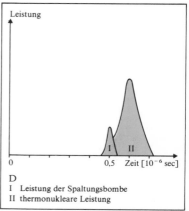

Leistung

0   0,5   Zeit [10^{-6} sec]

D
I Leistung der Spaltungsbombe
II thermonukleare Leistung

Zeitlicher Aufbau der Explosion einer Fusionsbombe

Bei den **Atombomben** unterscheidet man zwischen den Kernspaltungsbomben, die ihre Energie aus der Spaltung von Uran oder Plutonium beziehen, und den Fusionsbomben (**Wasserstoffbomben**), bei denen ein wesentl. Teil der Energie aus der Verschmelzung von Kernen des schweren Wasserstoffs zu Helium stammt. Alle Fusionsbomben enthalten eine kleine Spaltungsbombe, die einen Teil der Fusionsmaterie auf die erforderl. Temperaturen von ca. 10^8 Grad aufheizt, um den Prozeß der thermonuklearen Reaktion einzuleiten.

Kernspaltungsbombe

Die Kernspaltungsbombe ist im Prinzip ein schneller Reaktor mit sehr hoher Reaktivität ($k_{eff} \sim 1,5 - 2$). Eine solche Anordnung hat eine sehr kurze Periode T (s. S. 217):

1. durch den hohen Vermehrungsfaktor und
2. durch die kurze Lebensdauer der Neutronen bis zur Auslösung der nächsten Spaltung (etwa $5 \cdot 10^{-9}$ sec); das ergibt eine Periode von etwa 10^{-8} sec. Genauere Werte können nicht angegeben werden, da alle Daten geheim gehalten werden.

Äußerer Aufbau

In einer Kernspaltungsbombe muß das spaltbare Material (reines Uran 235 oder Plutonium 239) so angeordnet sein, daß es unterkritisch bleibt. Das geschieht entweder dadurch, daß die gesamte Masse in mehrere Teile aufgeteilt wird, die getrennt voneinander lagern, oder daß es bei geringer Dichte über ein großes Volumen verteilt wird. Zur Zündung der Kernexplosion wird das spaltbare Material durch eine konventionelle Bombe. Sprengladung zusammengepreßt, so daß auf engem Volumen sehr hoch überkrit. Masse vereinigt wird. Gleichzeitig wird eine Neutronenquelle eingeschaltet, die zum richtigen Zeitpunkt für die ersten Neutronen zur Einleitung der Kettenreaktion sorgt.

Ablauf der Explosion

Während das spaltbare Material komprimiert wird, darf noch keine Kernreaktion stattfinden, da ein Freiwerden von Energie im Brennstoff der Komprimierung entgegen wirken und dadurch das Erreichen einer ausreichend hohen Reaktivität verhindern würde. Die Komprimierung muß daher so schnell erfolgen, daß während dieser Zeit kein Neutron durch spontane Spaltung im Material entsteht.

Ist die volle Überschußreaktivität erreicht, so muß sehr schnell die Kettenreaktion einsetzen, da die spaltbare Masse nach der Explosion des chem. Sprengstoffs nur kurze Zeit im komprimierten Zustand verbleibt. Zur Einleitung der Kettenreaktion dient die Neutronenquelle.

Der Ablauf der eigentl. nuklearen Explosion ist sehr kompliziert, da bei ihr neutronenphysikal. und thermodynam. Prozesse eng gekoppelt sind. Die Neutronenflußverteilung beeinflußt die Leistungsfreisetzung und diese wieder über die Expansion und die Änderung der Reaktivität den Neutronenfluß.

Der Vorgang läßt sich grob in zwei Phasen einteilen:

In der ersten Phase (etwa $5 \cdot 10^{-7}$ sec) bleibt die Reaktivität im spaltbaren Material konstant, da nur verhältnismäßig wenig Energie erzeugt wird. Die Leistung steigt von der Anfangsleistung, die durch die Neutronenquelle gegeben ist (etwa $3 \cdot 10^{-4}$ Watt), bis auf eine Leistung von ca. 10^{15} bis 10^{16} Watt. Die Temperatur beträgt zu diesem Zeitpunkt etwa 50000 Kelvin und die freigesetzte Energie etwa 20 kWh. Zu diesem Zeitpunkt wird das Material nur noch durch die Trägheitskräfte zusammengehalten und beginnt unter der Einwirkung des sich aufbauenden hohen Druckes zu expandieren. Damit beginnt die zweite Phase der Explosion, in der die Reaktivität durch die Expansion abnimmt, die Leistung jedoch noch weiter zunimmt bis auf einen Spitzenwert von über 10^{20} Watt. Diese Phase dauert etwa 10^{-7} sec, danach wird die Anordnung unterkritisch und die Leistung fällt schnell ab. Nach weiteren 10^{-7} sec wird nur noch durch den Zerfall von Spaltprodukten Leistung abgegeben. Das Material der Bombe expandiert jetzt sehr schnell und heizt die Umgebung auf. Dabei bildet sich der bekannte Feuerball.

Fusionsbomben

In Fusionsbomben wird der größte Anteil der Energie durch eine thermonukleare Reaktion erzeugt. Es können dabei wesentlich größere Energien erreicht werden, da die Masse des Brennstoffs nicht durch die Forderung begrenzt ist, daß die Bombe vor der Zündung unterkritisch sein muß.

Eine Fusionsbombe besteht aus einer kleinen Kernspaltungsbombe, die vom Fusionsmaterial umgeben ist.

Reaktionsablauf

Nach der Zündung des chem. Sprengstoffs detoniert zuerst die Spaltungsbombe. Durch deren Energie wird ein Teil der Fusionsmaterie auf die erforderl. Temperatur zur Einleitung der thermonuklearen Reaktion aufgeheizt. Infolge des hohen Druckes breitet sich eine Stoßwelle durch das Material aus, die weitere Teile auf Fusionstemperaturen aufheizt. Das durch die Spaltungsbombe aufgeheizte Volumen muß so groß sein, daß die in ihm erzeugte Leistung ausreicht, um die von der Stoßwelle erreichte Materie auf Fusionstemperatur aufzuheizen.

Als Fusionsmaterial dient Deuterium und Tritium sowie Lithium, das über die Reaktionen

$$Li^6 + n \rightarrow T + He^4, \qquad Li^7 + n \rightarrow T + He^4 + n$$

Tritium erzeugt.

Sehr große Wasserstoffbomben haben außerhalb der Fusionsmaterie noch einen Mantel aus Uran 238, in dem die bei der Fusion erzeugten schnellen Neutronen durch Spaltung weitere Energie freisetzen. Jedes Neutron setzt dabei etwa 200 MeV frei gegenüber ca. 17 bei seiner Entstehung. Bei diesen Bomben entsteht also der größte Teil der Energie wieder durch Spaltung.

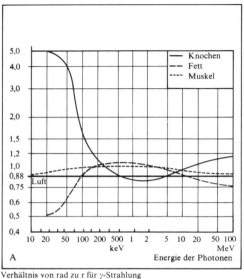

A Verhältnis von rad zu r für γ-Strahlung

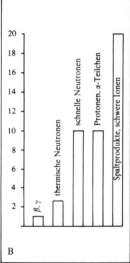

B RBE für verschiedene Strahlenarten

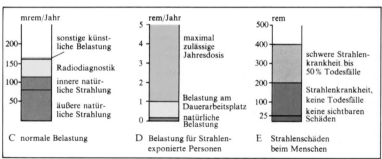

C normale Belastung

D Belastung für Strahlenexponierte Personen

E Strahlenschäden beim Menschen

Strahlenbelastung und Strahlenschäden

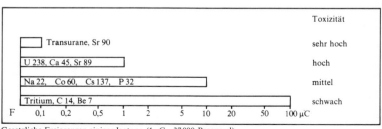

F Gesetzliche Freigrenzen einiger Isotope (1 μC = 37 000 Becquerel)

Jede energiereiche Strahlung kann Schäden im menschl. Gewebe dadurch hervorrufen, daß die Moleküle oder Atome der Gewebezellen ionisiert werden. Geladene Teilchen (α- und β-Strahlen) ionisieren direkt, RÖNTGEN- und Gammastrahlen sowie Neutronen erzeugen über Sekundärprozesse (COMPTON-Effekt, Photoeffekt, Streuung) geladene Teilchen im Gewebe. Zum Schutz vor diesen Strahlen müssen daher strenge Sicherheitsvorkehrungen getroffen werden.

Strahlungsdosen
Um für die biolog. Strahlenwirkungen brauchbare Maßeinheiten zu gewinnen, ist es zweckmäßig, sie durch physikal. Einheiten zu definieren.

Röntgen (R)
1 Röntgen ist die Intensität von RÖNTGEN- oder Gamma-Strahlung, die in 1 cm^3 Luft bei Normaldruck 1 elektrostat. Einheit Ionen und Elektronen erzeugt ($2,082 \cdot 10^9$ Ionenpaare in 1,293 mg Luft).
Nach dem neuen internat. System wird das Röntgen durch Coulomb pro Kilogramm ersetzt:
$$1\,R = 2,58 \cdot 10^{-4}\,C\;Rg^{-1}$$

Gray (Gy)
Das Gray ist das Maß für die aus der Strahlung absorbierte Energie in einem Stoff: 1 Gy = 1 J/kg aus der Strahlung absorbierte Energie. Noch gebräuchlich ist die alte Einheit rad: 1 rad = 0,01 Gy.

Die biolog. Wirksamkeit ist je nach Strahlenart verschieden, da außer der insgesamt absorbierten Energie pro Gramm (Dosis in rad) auch die Ionisationsdichte entlang der einzelnen Teilchenspuren eine Rolle spielt. Zur Beurteilung der Schädigung des Körpers durch radioaktive Strahlen hat man daher eine besondere, der Schädigung angepaßte Maßeinheit eingeführt, das Sievert (Sv). Weitgehend ist noch das rem gebräuchlich: 1 rem = 0,01 Sv.
Zur Berechnung der Dosis in rem werden die Energiedosen der verschiedenen Strahlungsarten jeweils mit dem Faktor der **biologischen Wirksamkeit** (RBE) multipliziert und danach addiert:
$$D(Sv) = \sum_i d_i(Gy) \cdot RBE_i \,.$$
Die Faktoren der RBE sind nach den Erfahrungen der Strahlenbiologen und Strahlenmediziner durch internationale Übereinkunft festgelegt (Abb. B).

Organdosis und Ganzkörperdosis
Die Strahlungsdosis kann in verschiedenen Körperteilen verschieden hoch sein. Je nachdem, ob nur ein einzelnes Organ oder der gesamte Körper betroffen ist, spricht man von **Organdosis** oder **Ganzkörperdosis**. Die verschiedenen Körperteile sind unterschiedlich empfindlich gegen radioaktive Strahlung. Hohe Empfindlichkeit findet man z. B. beim Embryo, in den Gonaden sowie den inneren Organen mit hoher Produktion neuer Zellen. Geringere Empfindlichkeit zeigen z. B. die Gliedmaßen. Zur Berechnung eines Ganzkörperdosis-Äquivalents wird

deshalb von der Internationalen Strahlenschutzkommission empfohlen, die einzelnen Körperdosen D_i, jeweils mit einem Gewichtsfaktor g_i multipliziert, zu addieren.
$$D\,(\text{Ganzkörper}) = \sum D_i \cdot g_i \,.$$
Dabei ist $\sum g_i = 1$.

Bestrahlungswege
Bei der Berechnung der Strahlungsdosen muß man unterscheiden zwischen äußerer Bestrahlung, die von außen in den Körper eindringt, und innerer Bestrahlung, die von radioaktiven Stoffen herrührt, die durch Nahrung oder Einatmen in den Körper gelangt sind.
Äußere Bestrahlung kann nur durch Strahlung mit großer Reichweite, hauptsächlich γ-Strahlung, verursacht werden. α- und β-Strahlung tragen bei äußerer Bestrahlung nur zur Hautdosis bei.
Zur **inneren Bestrahlung** tragen radioaktive Isotope bei, die über die Nahrung oder Atmung im Körper angereichert werden. Dabei hängt die Anreicherung nur von den chemischen Eigenschaften der radioaktiven Stoffe ab und ist deshalb ebenso hoch wie die Anreicherung der stabilen Isotope jeweils desselben Elements.
Die Wissenschaft über die Anreicherungswege radioaktiver Stoffe in der Umwelt und in der Nahrungskette heißt **Radioökologie**.

Die **Radiotoxität** kennzeichnet die Gefährlichkeit eines radioaktiven Stoffes. Sie wird durch die Energie und Art der ausgesandten Strahlung, durch die Halbwertszeit und durch die Fähigkeit zur Anreicherung und zum Verbleib im menschlichen Körper bestimmt. Hohe Radiotoxität haben alle Transurane sowie auch z. B. Sr90 und I 129, niedrige Toxität haben die β-aktiven Edelgase (Abb. F).
Zur Strahlenbelastung des Menschen trägt die natürliche Strahlung mit ca. 1,1 mSv pro Jahr den größten Teil bei, davon ca. 0,8 mSv durch äußere und 0,3 mSv durch innere Bestrahlung (hauptsächlich durch Radium). Die künstliche Bestrahlung beträgt ca. 0,55 mSv, wovon ca. 0,50 mSv auf medizinische Diagnostik fallen. Die Belastung durch kerntechnische Anlagen einschließlich der inneren Bestrahlung bleibt bisher weit unter 10 µSv (= 0,01 mSv) pro Jahr.

Gesetzliche Grenzwerte
Durch Gesetz ist festgelegt, mit welchen Strahlungsdosen maximal Personen belastet werden dürfen. Die Grenzwerte für beruflich exponierte Personen (50 mSv pro Jahr) sind so zu bemessen, daß das Berufsrisiko durch Strahlung deutlich geringer ist als sonstige Berufsrisiken. Die Grenzwerte für Personen in der Umgebung kerntechnischer Anlagen betragen 0,3 mSv Ganzkörper bzw. 0,9 mSv für einzelne Organe, wobei die ungünstigsten denkbaren Anreicherungswege für radioaktive Stoffe zu berücksichtigen sind. Tatsächliche Belastungen liegen daher normalerweise unter 0,01 mSv.

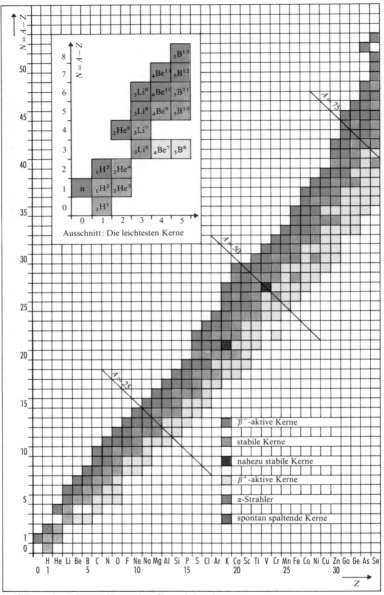

Ausschnitt: Die leichtesten Kerne

β^--aktive Kerne

stabile Kerne

nahezu stabile Kerne

β^+-aktive Kerne

α-Strahler

spontan spaltende Kerne

Nuklidkarte aller bekannten Kerne mit meßbaren Lebensdauern

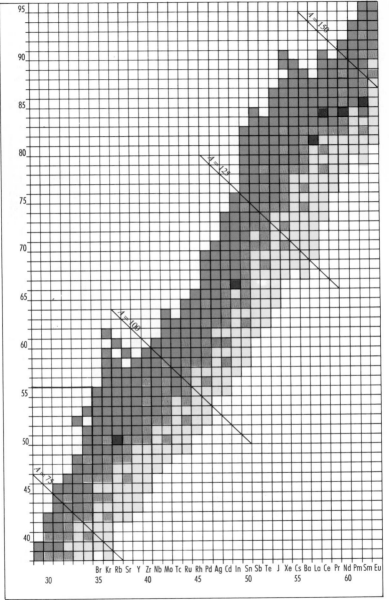

Nuklidkarte aller bekannten Kerne mit meßbaren Lebensdauern

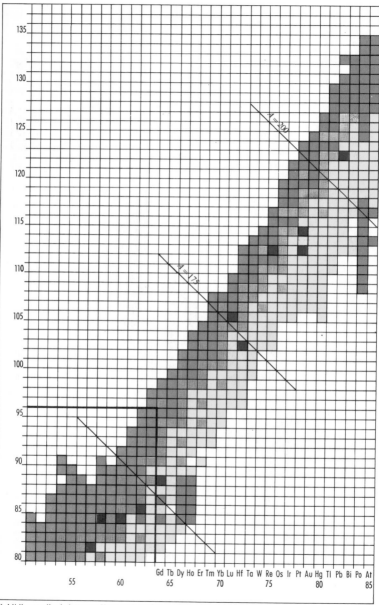

Nuklidkarte aller bekannten Kerne mit meßbaren Lebensdauern

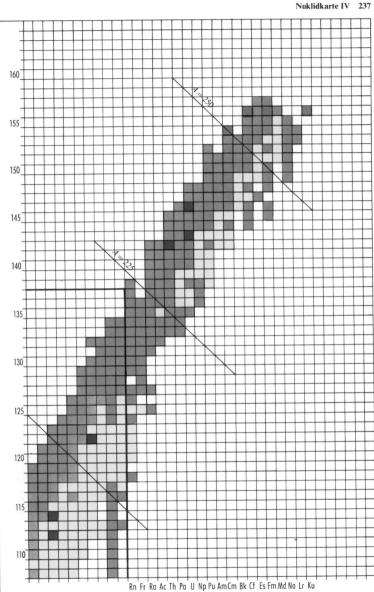

Nuklidkarte aller bekannten Kerne mit meßbaren Lebensdauern

Kerntabelle

Von $Z = 36$ an sind die radioaktiven (instabilen) Isotope nur noch in gekürzter Form angegeben, im Bereich der natürlich radioaktiven Elemente wieder ausführlicher.

Z	Element	Symbol	Stabile Isotope		Atommasse	Instabile Isotope		
			A	m		A	Strahlung	Halbwertszeit
1	Wasserstoff	H	1	1,007825	1,00797	3	β^-	12,3 a
			2	2,01410				
2	Helium	He	3	3,01603	4,0026	6	β^-	0,81 s
			4	4,0026		8	β^-	0,12 s
3	Lithium	Li	6	6,0151	6,941	8	β^-, α	0,84 s
			7	7,0160		9	β^-, n	0,171 s
4	Beryllium	Be	9	9,0122	9,0122	7	K	53 d
						10	β^-	$1,6 \cdot 10^6$ a
						11	β^-	14 s
5	Bor	B	10	10,0129	10,811	8	β^+, α	0,76 s
			11	11,0093		12	β^-, α	0,020 s
						13	β^-	0,017 s
6	Kohlenstoff	C	12	**12,00000**	12,01115	10	β^+	19 s
			13	13,0034		11	β^+	20,4 min
						14	β^-	5736 a
						15	β^-	2,3 s
						16	β^-	0,74 s
7	Stickstoff	N	14	14,0031	14,0067	12	β^+	0,012 s
			15	15,0001		13	β^+	10,0 min
						16	β^-	7,4 s
						17	β^-	4,17 s
						18	β^-	0,63 s
8	Sauerstoff	O	16	15,9949	15,9994	13	β^+	9 ms
			17	16,9991		14	β^+	70,6 s
			18	17,9992		15	β^+	2,1 min
						19	β^-	27 s
						20	β^-	14 s
9	Fluor	F	19	18,9984	18,9984	17	β^+	1,1 min
						18	β^+	1,9 h
						20	β^-	11 s
						21	β^-	4,4 s
						22	β^-	4,0 s
10	Neon	Ne	20	19,9924	20,179	18	β^+	1,7 s
			21	20,9938		19	β^+	17,7 s
			22	21,9914		23	β^-	38 s
						24	β^-	3,4 min
11	Natrium	Na	23	22,9898	22,9898	20	β^+	0,45 s
						21	β^+	23 s
						22	β^+	2,6 a
						24	β^-	15,0 h
						25	β^-	60 s
						26	β^-	1 s
12	Magnesium	Mg	24	23,985	24,305	23	β^+	11,6 s
			25	24,986		27	β^-	9,5 min
			26	25,983		28	β^-	21,1 h
13	Aluminium	Al	27	26,982	26,9815	24	β^+, α	2,1 s
						25	β^+	7,2 s
						26	β^+	$7 \cdot 10^6$ a
						28	β^-	2,3 min
						29	β^-	6,6 min
						30	β^-	3,3 s

Z	Element	Symbol	Stabile Isotope		Atom-masse	Instabile Isotope		
			A	m		A	Strahlung	Halbwertszeit
14	Silicium	Si	28	27,977	28,086	26	β^+	2,2 s
			29	28,976		27	β^+	4,1 s
			30	29,974		31	β^-	2,6 h
						32	β^-	280 a
15	Phosphor	P	31	30,974	30,9738	28	β^+	0,28 s
						29	β^+	4,4 s
						30	β^+	2,55 min
						32	β^-	14,30 d
						33	β^-	25 d
						34	β^-	12,4 s
16	Schwefel	S	32	31,972	32,064	30	β^+	1,2 s
			33	32,971		31	β^+	2,6 s
			34	33,968		35	β^-	87 d
			36	35,967		37	β^-	5,1 min
						38	β^-	2,87 h
17	Chlor	Cl	35	34,969	35,453	32	β^+	0,29 s
			37	36,966		33	β^+	2,5 s
						34	β^+	32 min
						36	β^-, K	$3 \cdot 10^5$ a
						38	β^-	37 min
						39	β^-	1 h
						40	β^-	1,4 min
18	Argon	Ar	36	35,968	39,948	35	β^+	1,8 s
			38	37,963		37	K	35 d
			40	39,962		39	β^-	269 a
						41	β^-	110 min
						42	β^-	33 a
19	Kalium	K	39	38,964	39,102	37	β^+	1,2 s
			41	40,962		38	β^+	7,6 min
						40	β^-, K	$1,3 \cdot 10^9$ a
						42	β^-	12,5 h
						43	β^-	22,4 h
						44	β^-	22 min
						45	β^-	16 min
						46	β^-	115 s
20	Calcium	Ca	40	39,963	40,08	38	β^+	0,44 s
			42	41,959		39	β^+	0,88 s
			43	42,959		41	K	$1,3 \cdot 10^5$ a
			44	43,955		45	β^-	165 d
			46	44,954		47	β^-	4,5 d
			48	47,952		49	β^-	8,8 min
21	Scandium	Sc	45	44,956	44,956	40	β^+	0,18 s
						41	β^+	0,6 s
						42	β^+	0,66 s
						43	β^+	3,92 h
						44	β^+	4,0 h
						46	β^-	84 d
						47	β^-	3,4 d
						48	β^-	44 h
						49	β^-	57 min
						50	β^-	1,74 min
22	Titan	Ti	46	45,953	47,90	43	β^+	0,5 s
			47	46,952		44	β^+, K	47,3 a
			48	47,948		45	β^+, K	3,08 h
			49	48,948		51	β^-	5,80 min
			50	49,945				

Z	Element	Symbol	Stabile Isotope		Atom-masse	Instabile Isotope		
			A	m		A	Strahlung	Halbwertszeit
23	Vanadium	V	50	49,947	50,942	47	β^+	32 min
			51	50,944		48	β^+, K	16 d
						49	K	330 d
						52	β^-	3,8 min
						53	β^-	1,6 min
						54	β^-	43 s
24	Chrom	Cr	50	49,946	51,996	46	β^+	0,26 s
			52	51,940		48	K	23 h
			53	52,941		49	β^+	41,9 min
			54	53,939		51	K	27,8 d
						55	β^-	3,5 min
						56	β^-	5,9 min
25	Mangan	Mn	55	54,938	54,938	50	β^+	0,29 s
						51	β^+	45 min
						52	β^+, K	5,7 d
						53	K	$3,7 \cdot 10^6$ a
						54	K	314 d
						56	β^-	2,59 h
						57	β^-	1,7 min
						58	β^-	1,1 min
26	Eisen	Fe	54	53,940	55,847	52	β^+	8 h
			56	55,935		53	β^+	8,9 min
			57	56,935		55	K	2,7 a
			58	57,933		59	β^-	45 d
						60	β^-	10^5 a
						61	β^-	6,0 min
27	Kobalt	Co	59	58,933	58,9332	54	β^+	1,5 min
						55	β^+	18,2 h
						56	β^+, K	77 d
						57	K	270 d
						58	β^+, K	71 d
						60	β^-	5,3 a
						61	β^-	1,65 h
						62	β^-	13,9 min
						63	β^-	27,5 s
						64	β^-	0,4 s
28	Nickel	Ni	58	57,935	58,71	56	K	6,1 d
			60	59,931		57	β^+	37 h
			61	60,931		59	K	$7,5 \cdot 10^4$ a
			62	61,928		63	β^-	100 a
			64	63,928		65	β^-	2,56 h
						66	β^-	55 h
29	Kupfer	Cu	63	62,930	63,546	58	β^+	3,2 s
			65	64,928		59	β^+	81 s
						60	β^+	23,4 min
						61	β^+	3,3 h
						62	β^+	10 min
						64	β^+, β^-, K	12,88 h
						66	β^-	5,1 min
						67	β^-	62 h
						68	β^-	32 s
30	Zink	Zn	64	63,929	65,37	60	β^+	2,1 min
			66	65,926		61	β^+	89 s
			67	66,927		62	K	9,1 h
			68	67,925		63	β^+	38 min
			70	69,925		65	K, β^+	245 d
						69	β^-	55 min
						71	β^-	2,2 min
						72	β^-	46,5 h

Z	Element	Symbol	Stabile Isotope		Atom-masse	Instabile Isotope		
			A	m		A	Strahlung	Halbwertszeit
31	Gallium	Ga	69	68,926	69,72	64	β^+	2,6 min
			71	70,925		65	K	15 min
						66	β^+	9,4 h
						67	K	78 h
						68	β^+	68 min
						70	β^-	21 min
						72	β^-	14,1 h
						73	β^-	4,8 h
						74	β^-	8,3 min
						75	β^-	2,0 min
						76	β^-	27 s
32	Germanium	Ge	70	69,924	72,59	65	β^+	31 s
			72	71,922		66		140 min
			73	72,923		67	β^+	19 min
			74	73,921		68	K	287 d
			76	75,921		69	β^+	39 h
						71	K	11 d
						75	β^-	83 min
						77	β^-	11,3 h
						78	β^-	1,3 h
33	Arsen	As	75	74,922	74,9216	68	β^+	2,7 min
						69	β^+	15 min
						70	β^+, K	53 min
						71	β^+, K	64 h
						72	β^+	26 h
						73	K	80,3 d
						74	β^+, β^-	17,8 d
						76	K, β^-	26,5 h
						77	β^-	39 h
						78	β^-	91 min
						79	β^-	8,2 min
						80	β^-	15,2 s
						81	β^-	33 s
						83	β^-	13,3 s
34	Selen	Se	74	73,922	78,96	70	β^+	39 min
			76	75,919		71	β^+	4,9 min
			77	76,920		72	K	8,5 d
			78	77,917		73	K, β^+	7,1 h
			80	79,917		75	K	120 d
			82	81,917		79	β^-	$6,5 \cdot 10^4$ a
						81	β^-	18 min
						83	β^-	22,4 min
						84	β^-	3,1 min
						85	β^-	33 s
						86	β^-	16,1 s
35	Brom	Br	79	78,918	79,904	74	β^+	42 min
			81	80,916		75	β^+, K	1,7 h
						76	β^+	16 h
						77	β^+, K	2,4 d
						78	β^+	6,4 min
						80	β^-, β^+	18 min
						82	β^-	35,3 h
						83	β^-	140 min
						84	β^-	32 min
						85	β^-	3,0 min
						86	β^-	54 s
						87	β^-	55,6 s
						88	β^-	16,2 s
						89	β^-	4,51 s
						90	β^-	1,6 s

Z	Element	Symbol	Stabile Isotope		Atommasse	Instabile Isotope		
			A	m		A	Strahlung	Halbwertszeit
36	Krypton	Kr	78	77,920	83,80	74	β^+	18 min
			80	79,916		75		4,5 min
			82	81,913		76	K	14,6 h
			83	82,914		77	β^+, K	1,2 h
			84	83,912		79	β^+, K	34,9 h
			86	85,911		81	K	$2,1 \cdot 10^5$ a
						85	β^-	10,6 a
						87...95	alle β^-	
37	Rubidium	Rb		84,912	85,47	79...83	β^+	
						84	β^+, K	33 d
						86	β^-	18,7 d
						87	β^-	$4,7 \cdot 10^{10}$ a
						88...95	alle β^-	
38	Strontium	Sr	84	83,913	87,62	80...83	K, γ	
			86	85,909		85, 87	K, γ	
			87	86,909		89...95	alle β^-	
			88	87,906		90	β^-	28,5 a
39	Yttrium	Y	89	88,905	88,905	82...88	β^+, K	
						90...97	β^-	
40	Zirkon	Zr	90	89,904	91,22	85, 86	K	
			91	90,905		87	β^+	
			92	91,905		88	K	
			94	93,906		89	β^+, K	
			96	95,908		93	β^-	$1,5 \cdot 10^6$ a
						95	β^-	64 d
						97...99	β^-	
41	Niob	Nb	93	92,906	92,906	88...92	β^+	
						94...101	β^-	
42	Molybdän	Mo	92	91,906	95,94	90, 91	β^+	
			94	93,905		93	K	$3,5 \cdot 10^3$ a
			95	94,906		99	β^-	66 h
			96	95,905		101...105	β^-	
			97	96,906				
			98	97,906				
			100	99,908				
43	Technetium	Tc	—		—	92...94	K, β^+	
						95, 96	K	
						97	K	
						98...105	β^-	
44	Ruthenium	Ru	96	95,908	101,07	93...95	K, β^+	
			98	97,906		97	K	$2,6 \cdot 10^6$ a
			99	98,906		103	β^-	
			100	99,903		105...108	β^-	
			101	100,904				
			102	101,904				
			104	103,906				
45	Rhodium	Rh	103	102,905	102,905	96...101	K, β^-	
						102	β^+, β^-	
						104...110	β^-	
46	Palladium	Pd	102	101,905	106,4	98...101	K, β^+	
			104	103,904		103	K	
			105	104,905		107	β^-	$6,5 \cdot 10^6$ a
			106	105,903		109	β^-	

Z	Element	Symbol	Stabile Isotope		Atom-masse	Instabile Isotope		
			A	m		A	Strahlung	Halbwertszeit
	Palladium (Fortsetzung)		108 110	107,904 109,904		111...115	β^-	
47	Silber	Ag	107 109	106,905 108,905	107,868	102...104 105 106 108 110 111...117	β^+ K β^+, K β^-, β^+ β^-, β^+ β^-	
48	Cadmium	Cd	106 108 110...112 114 116	105,906 107,904 115,905	112,40	103...105 107, 109 113 115 117...121	β^+, K K β^- β^- β^-	$9 \cdot 10^{15}$ a
49	Indium	In	113 (115	112,904 114,904)	114,82	106...109 110 111 112, 114 115 116...124	β^+ β^+, K K K, β^+, β^- β^- β^-	$6 \cdot 10^{14}$ a
50	Zinn	Sn	112 114 115 116 117 118 119 120 122 124	111,905 113,903 114,904 115,902 116,903 117,902 118,903 119,902 121,903 123,905	118,69	108...111 113 119 121 123 125...132	K K γ β^- β^- β^-	
51	Antimon	Sb	121 123	120,904 122,904	121,75	112...114 115...118 119 120 122 124...135	β^+ β^+, K K β^+, K β^-, β^+, K β^-	
52	Tellur	Te	120 122 124...126 128 130	119,905 127,905 129,907	127,60	114...118 119, 121 123 127, 129 131...135	β^+, K K K β^- β^-	$1,24 \cdot 10^{13}$ a
53	Jod	J	127	126,904	126,9044	117...119 120, 121 122 123 124 125 126 128 129 130...139	β^+ β^+, K β^+ K β^+, K K β^-, β^+, K β^+, β^-, K β^- β^-	$1,6 \cdot 10^7$ a
54	Xenon	Xe	124 126 128 129 130 131 132	123,906 125,904 127,904 128,905 129,904 130,905 131,904	131,3	121 122, 123 125, 127 133, 135 137...141 143, 144	β^+ K, β^+ K β^- β^- β^-	

Z	Element	Symbol	Stabile Isotope		Atom-masse	Instabile Isotope		
			A	m		A	Strahlung	Halbwertszeit
	Xenon (Forts.)	Xe	134 136	133,905 135,907	131,3			
55	Caesium	Cs	133	132,905	132,905	123...128 129 130 131 132 134 135 136...144	β^+, K K β^+, K, β^- K β^+, K, β^- β^-, β^+ β^- β^-	2,0 · 10⁶ a
56	Barium	Ba	130 132 134...138	129,906 131,905	137,34	123...129 131, 133 139...144	β^+, K K β^-	
57	Lanthan	La	(138 139	137,907) 138,906	138,91	126...137 138 140...144	K, β^+ K, β^- β^-	1,1 · 10¹¹ a
58	Cer	Ce	136 138 140 142	135,907 137,906 139,905 141,909	140,12	131, 132 133 134 135 137, 139 141 143...148	β^+ K, β^+ K β^+, K K β^- β^-	
59	Praseodym	Pr	141	140,907	140,907	135 136...140 142 143...148	β^+ K, β^+ β^-, K β^-	
60	Neodym	Nd	142 143 145 146 148 150	141,907 142,910 144,912 145,913 147,916 149,921	144,24	138 139 140 141 144 147, 149 151	β^+ K, β^+ K K, β^+ α β^- β	2,1 · 10¹⁵ a
61	Prome-thium	Pm	—		—	141, 142 143...145 146 147...154	β^+ K β^-, K β^-	145 : 18 a
62	Samarium	Sm	144 (147, 148) 149, 150 152 154	143,912 151,919 153,922	150,35	141...143 145 146 147 148 151 153 155...157	K, β^+ K α α α β^- β^- β^-	5 · 10⁷ a 1,3 · 10¹¹ a 7·10¹⁵ a
63	Europium	Eu	151 153	150,920 152,921	151,96	144 145...149 150, 152 154...160	β^+ K β^-, β^+, K β^-	
64	Gadolinium	Gd	 154 155 156 157	 153,921 154,923 155,922 156,924	157,25	145 146, 147 148 149 150, 152	K, β^+ K α K, α α	152 : 1,1·10¹⁴ a

Z	Element	Symbol	Stabile Isotope A	Stabile Isotope m	Atom-masse	Instabile Isotope A	Strahlung	Halbwertszeit
	Gadolinium (Forts.)	Gd	158 160	157,924 159,927	157,25	151, 153 159 161, 162	K β^- β^-	
65	Terbium	Tb	159	158,925	158,924	147, 148 149, 151 152...157 158 160...164	β^+ α, K K K, β^- β^-	
66	Dysprosium	Dy	156 158 160...164	155,924 157,924	162,50	149 150...153 154 155 157, 159 165 166, 167	K K, α α K, β^+ K β^- β^-	
67	Holmium	Ho	165	164,930	164,93	151...154 155 156, 158 159...163 164 166...170	α, K β^+ β^+ K K, β^- β^-	
68	Erbium	Er	162 164 166...168 170	161,929 163,929 169,935	167,26	158 160, 161 163, 165 169, 171 172	β^+ K K β^- β^-	
69	Thulium	Tm	169	168,934	168,934	161...168 170...176	K β^-	
70	Ytterbium	Yb	168 170...174 176	167,934 175,943	173,04	164, 165 166, 167 169 175, 177	β^+, K K K β^-	
71	Lutetium	Lu	175 (176	174,941 175,943)	174,97	167...173 174 176 177...180	K K, β^- β^- β^-	3,3 · 10¹⁰ a
72	Hafnium	Hf	176...180		178,49	168...170 171...173 174 175 181...184	β^+, K K α K β^-	2 · 10¹⁵ a
73	Tantal	Ta	180 181	179,948 180,948	180,948	172 173 174 175...177 178 179 182...186	β^+ K β^+ K K, β^+ K β^-	
74	Wolfram	W	180 182...184 186	179,947 185,954	183,85	176 177...179 181 185 187, 188	K, β^+ K K β^- β^-	
75	Rhenium	Re	185 (187	184,953 186,956)	186,2	177 178...184 186...191	β^+ K β^-	187 : 5 · 10¹⁰ a
76	Osmium	Os	184	183,953	190,2	181...183	K	

Z	Element	Symbol	Stabile Isotope A	Stabile Isotope m	Atom-masse	Instabile Isotope A	Strahlung	Halbwertszeit
	Osmium (Fortsetzung)	Os	187…190		190,2	185	K	
						186	α	$2 \cdot 10^{15}$ a
			192	191,96		191	β^-	
						193…195	β^-	
77	Iridium	Ir	191	190,96	192,2	182…190	K	
			193	192,96		192	β^-, K	
						194…198	β^-	
78	Platin	Pt			195,09	184…189	K	
			192	191,96		190	α	$7 \cdot 10^{11}$ a
			194…196			191…193	K	
			198	197,97		197	β^-	
						199…201	β^-	
79	Gold	Au	197	196,97	196,967	185…195	K	
						196	K, β^-	
						198…203	β^-	
80	Quecksilber	Hg	196	195,97	200,59	185…195	K	
			198…202			197	K	
			204	203,97		203	β^-	
						205, 206	β^-	
81	Thallium	Tl	203	202,97	204,37	191…202	K	
			205	204,97		204, 206	β^-	
						207	β^-	4,79 min (AcC″)
						208	β^-	3,1 min (ThC″)
						209	β^-	2,2 min
						210	β^-	1,32 min (RaC″)
82	Blei	Pb			207,19	194…203	K	
			206	205,97		204	α	$1,4 \cdot 10^{17}$ a
			207	206,98		205	K	$1,4 \cdot 10^7$ a
			208	207,98		209	β^-	3,3 h
						210	β^-	19,4 a (RaD)
						211	β^-	36,1 min (AcB)
						212	β^-	10,6 h (ThB)
						214	β^-	26,8 min (RaB)
83	Wismut	Bi	209	208,98	208,980	196, 199	K, α	
						200	K	35 min
						201	K, α	62 min
						202	K	95 min
						203	K, β^+	12 h
						204…208	K	
						210	β^-, α	5,0 d (RaE)
						211	β^-, α	2,15 min (AcC)
						212	β^-, α	60,5 min (ThC)
						213	β^-, α	47 min
						214	β^-, α	19,7 min (RaC)
						215	β^-	8 min
84	Polonium	Po	—			192…196	α	
						197…209	K, α	
						210	α	138,4 d (Po)
						211	α	0,5 s (AcC′)
						212	α	$3 \cdot 10^{-7}$ s (ThC′)
						213	α	$4,2 \cdot 10^{-6}$ s
						214	α	$1,6 \cdot 10^{-4}$ s (RaC′)
						215	α, β^-	$1,8 \cdot 10^{-3}$ s (AcA)
						216	γ	0,158 s (ThA)
						218	α, β^-	3,05 min (RaA)
85	Astatin	At	—			198, 200	α	
						201…208	K, α	
						209	K, α	5,5 h

Z	Element	Symbol	Stabile Isotope		Atom-masse	Instabile Isotope		
			A	m		A	Strahlung	Halbwertszeit
	Astatin (Forts.)	At				210	K, α	8,3 h
						211	K, α	7,2 h
						212	α	0,22 s
						214	α	$2 \cdot 10^{-6}$ s
						215	α	10^{-4} s
						216	α	$3 \cdot 10^{-4}$ s
						217	α, β^-	0,02 s
						218	α, β^-	1,3 s
						219	α, β^-	0,9 min
86	Radon	Rn	—		222	206...208	K, α	
						209	K, α	30 min
						210	α, K	2,4 h
						211	K, α	16 h
						212	α	23 min
						213	α	$2 \cdot 10^{-2}$ s
						215	α	10^{-6} s
						216	α	$4 \cdot 10^{-5}$ s
						217	α	$5 \cdot 10^{-4}$ s
						218	α	0,019 s
						219	α	3,92 s (An)
						220	α	54,5 s (Tn)
						221	β^-, α	25 min
						222	α	3,825 d (Rn)
						223, 224	β^-	
87	Francium	Fr	—		—	212	K, α	19 min
						214...221	α	
						222	β^-, α	14,8 min
						223	β^-, α	22 min (AcK)
88	Radium	Ra	—		226,05	213	α, K	2,7 min
						215	α	$1,6 \cdot 10^{-3}$ s
						219...222	α	
						223	α	11,68 d (AcX)
						224	α	3,64 d (ThX)
						225	β^-	14,8 d
						226	α	1620 a (Ra)
						227	β^-	41,2 min
						228	β^-	6,7 a (MsTh1)
						229	β^-	1 min
						230	β^-	1 h
89	Actinium	Ac	—		227	221, 222	α	
						223, 224	α, K	
						225	α	10,0 d
						226	β^-, K	29 h
						227	β^-, α	22 a (Ac)
						228	β^-	6,13 h (MsTh2)
						229...231	β^-	
90	Thorium	Th	(232	232,04)	232,038	223...226	α	
						227	α	18,17 d (RdAc)
						228	α	1,910 a (RdTh)
						229	α	7300 a
						230	α	$8,0 \cdot 10^4$ a (Io)
						231	β^-	25,64 h (UY)
						232	α	$1,4 \cdot 10^{10}$ a (Th)
						233	β^-	22,4 min
						234	β^-	24,10 d (UX 1)
						235	β^-	< 5 min
91	Protac-tinium	Pa	(231	231,04)	—	224...226	α	
						227...229	α, K	

Z	Element	Symbol	Stabile Isotope		Atom-masse	Instabile Isotope		
			A	m		A	Strahlung	Halbwertszeit
	Protac-tinium (Forts.)	Pa			—	230	K, β^+, β^-	17 d
						231	α	$3,25 \cdot 10^4$ a (Pa)
						232	β^-	1,31 d
						233	β^-	27,0 d
						234	β^-	$\begin{cases} 6,66 \text{ h (UZ)} \\ 1,2 \text{ min (UX 2)} \end{cases}$
						235...237	β^-	
92	Uran	U	(234 (235 (238	234,04) 235,04) 238,05)	238,03	227...229	α, K	
						230	α	20,8 d
						231	K, α	4,3 d
						232	α	73,6 a
						233	α	$1,62 \cdot 10^5$ a
						234	α	$2,52 \cdot 10^5$ a (UII)
						235	α	$7,1 \cdot 10^8$ a (AcU)
						236	α	$2,39 \cdot 10^7$ a
						237	β^-	6,75 d
						238	α	$4,51 \cdot 10^9$ a (UI)
						239	β^-	23,54 min
						240	β^-	14,1 h
93	Neptunium	Np	—		—	229...231	α	
						232...235	K	
						236	K, β^-	22 h
						237	α	$2,2 \cdot 10^6$ a
						238...241	β^-	
94	Plutonium	Pu	—		—	232...235	K, α	
						236	α	2,85 a
						237	K, α	45 d
						238	α	86,4 a
						239	α	$2,4 \cdot 10^4$ a
						240	α	$6,6 \cdot 10^3$ a
						241	β^-, α	13,0 a
						242	α	$3,8 \cdot 10^5$ a
						243	β^-	5,0 h
						244	α	$7,6 \cdot 10^7$ a
						245, 246	β^-	
95	Americium	Am	—		—	237...240	K	
						241	α	458 a
						242	β^-, K	152 a
						243	α	7400 a
						244...246	β^-	
96	Curium	Cm	—		—	238, 239	K	
						240	α	26,8 d
						241	K, α	35 d
						242	α	162,5 d
						243	α, K	35 a
						244	α	17,6 a
						245	α	9320 a
						246	α	5500 a
						247	α	$> 4 \cdot 10^7$ a
						248	α	$4,7 \cdot 10^5$ a
						249	β^-	64 min
						250	α, sp. Sp.	$1,1 \cdot 10^4$ a
97	Berkelium	Bk	—		—	243...245	K, α	
						246	K	1,8 d
						247	α	1380 a
						248...250	β^-	
98	Californium	Cf	—		—	242...244	α	
						245	K, α	44 min

Z	Element	Symbol	Stabile Isotope		Atom-masse	Instabile Isotope		
			A	m		A	Strahlung	Halbwertszeit
	Californium (Forts.)	Cf				246	α	35,7 h
						247	K	2,5 h
						248	α	333 d
						249	α	350 a
						250	α	13 a
						251		900 a
						252	α	2,6 a
						253	β^-	17 d
						254	spont. Spalt.	60 d
99	Einsteinium	Es	—			246	α	7,3 min
						248...251	K, α	
						252	α	401 d
						253	α	20 d
						254	α	276 d
						255	β^-	24 d
100	Fermium	Fm	—			245, 246	α	
						247	K, α	
						248	α	
						249	K, α	
						250	α	30 min
						251	K, α	5 h
						252	α	22 h
						253	K, α	3 d
						254	α	3,2 h
						255	α	21 h
						256	spont. Spalt.	2,6 h
						257	α	100,5 d
101	Mendele-vium	Md	—			252...254	K	
						255	K, α	30 min
						256	K	$\approx$ 1,5 h
						257	α	5 h
102	Nobelium	No	—			251...254	α	
						255	α	185 s
						256, 257	α	
103	Lawren-cium	Lr	—			255	α	22 s
						256	α	31 s
						257	α	0,6 s
104	Kurtschato-vium	Ku	—			257, 259	α	0,3 s
						260	spont. Spalt.	

Atomare Konstanten

Atomare Masseneinheit u

$= 1,66053 \cdot 10^{-27}$ kg
$= 931,502$ MeV

Elementarladung e

$= 1,602189 \cdot 10^{-19}$ C

Elektron

Ruhmasse m_e

$= 9,109534 \cdot 10^{-31}$ kg
$= 5,48592 \cdot 10^{-4}$ u

Ruhenergie $m_e c^2$ $= 0,511004$ MeV
Radius r_e $= 2,81794 \cdot 10^{-15}$ m
Spezifische Ladung e/m_e $= 1,758803 \cdot 10^{11}$ C kg^{-1}
COMPTON-Wellenlänge λ_C $= 2,42611 \cdot 10^{-12}$ m
Magnetisches Moment μ_e $= 1,001159596\, \mu_B$

Neutron

Ruhmasse m_n

$= 1,67492 \cdot 10^{-27}$ kg
$= 1,0086654$ u

Ruhenergie $m_n c^2$ $= 9,39553 \cdot 10^2$ MeV
Magnetisches Moment μ_n $= -1,913148\, \mu_N$

Proton

Ruhmasse m_p

$= 1,672614 \cdot 10^{-27}$ kg
$= 1,0072766$ u

Ruhenergie $m_p c^2$ $= 9,38259 \cdot 10^2$ MeV
Magnetisches Moment μ_p $= 2,792763\, \mu_N$
$= 1,41049 \cdot 10^{-26}$ A m^2
Spezifische Ladung e/m_p $= 9,579942 \cdot 10^7$ C kg^{-1}
COMPTON-Wellenlänge $\lambda_{C,\,p}$ $= 1,321441 \cdot 10^{-15}$ m

PLANCKsches Wirkungsquantum h $= 6,626196 \cdot 10^{-34}$ J s
Quantenmechanische Einheit des Drehimpulses
$\hbar = h/2\,\pi$ $= 1,054589 \cdot 10^{-34}$ J s
BOLTZMANNsche (Entropie-)Konstante k $= 1,38066 \cdot 10^{-23}$ J K^{-1}
BOHRsches Magneton μ_B $= 9,27408 \cdot 10^{-24}$ A m^2
Kernmagneton μ_N $= 5,0508 \cdot 10^{-27}$ A m^2
RYDBERG-Konstante R_∞ $= 1,0973731 \cdot 10^7$ m^{-1}
Feinstrukturkonstante α $= 7,29735 \cdot 10^{-3}$
SOMMERFELDsche Feinstrukturkonstante $1/\alpha$ $= 1,37036 \cdot 10^2$
STEFAN-BOLTZMANNsche Strahlungskonstante σ $= 5,6697 \cdot 10^{-8}$ W m^{-2} K^{-4}
BOHRscher Radius a_0 $= 5,29177 \cdot 10^{-11}$ m
ZEEMANNsche Aufspaltungskonstante $\mu_B/h\,c$ $= 4,66858 \cdot 10^1$ m^{-1} T^{-1}

Allgemeine Konstanten

Gravitationskonstante G $= 6,670 \cdot 10^{-11}$ N m^2 kg^{-2}
Normfallbeschleunigung g_n $= 9,80665$ m s^{-2}
Molares Normvolumen idealer Gase V_0 $= 2,24136 \cdot 10^{-2}$ m^3 mol^{-1}
Universelle Gaskonstante R $= 8,31434$ J K^{-1} mol^{-1}
LOSCHMIDT-Zahl L $= 6,022045 \cdot 10^{23}$ mol^{-1}
FARADAY-Konstante $F = N_A e$ $= 9,64867 \cdot 10^4$ C mol^{-1}
Vakuumlichtgeschwindigkeit c $= 2,997925 \cdot 10^8$ m s^{-1}
Elektrische Feldkonstante ε_0 $= 8,85419 \cdot 10^{-12}$ F m^{-1}
Magnetische Feldkonstante $\mu_0 = 4\,\pi \cdot 10^{-7}$ H/m $= 1,256637 \cdot 10^{-6}$ H m^{-1}

Register

Abbrand 219
Ablenkung, im elektrischen und magnetischen Feld 13
Absorptionskanten 43
Absorptionsspektren 59
Actiniden 37
AG-Fokussierung 199
Aktivatorzentrum 147
Akzeptor 53
Alkalien 37, 39
Alphastrahlung, Spektrum der 79
Alphateilchen 13
Alphazerfall 77, 79
Alterstheorie nach Fermi 211
Anion 13
Anode 13
Anomalie, magnetomechan. 45
Anregungsenergien, Messung von 57
Anregungszustände des Kerns 102
Ansprechvermögen 163
Antikoinzidenz 157
Antinukleonen 123
Antiteilchen 111, 123
Astonsche Isotopenregel 73
Atom 11
—, magnetische Eigenschaften 45
Atomabstände in Kristallen 11
Atombombe 231
Atommasse 11
Atomhülle 30—55
Atomradius 34
Aufenthaltswahrscheinlichkeit 109
Auflösungszeit 157
Ausgangskanal 95
Auslösebereich 145
Auslösezähler 145
Austauschkräfte 75
Auswahlregeln 39
AVF-Zyklotron 193
Avogadrosches Gesetz 10
Avogadro-Zahl (Loschmidt-Z.) 11, 250

Bahndetektoren 139
Balmer-Serie 31
Bandenspektren 49
Bändermodell 151
Baryonen 111, 113
Baryonenzahl 115
Becquerel 77
Bedingung, kritische 205, 213
Beschleuniger 201
—, Prinzip 179
Beschleunigungsrohr 183
Beschleunigungszyklus 189
Besetzungsdichte 55
Besetzungszahlen 29
Beta-Gamma-Koinzidenz 157
Beta-Gamma-Korrelation 87
Beta-Minus-Zerfall 81
Beta-Plus-Zerfall 81
Betatron 189
Betatronstart 199
Betazerfall 77, 81, 83

Betazerfall, Theorie nach Fermi 81
Beugung 17
—, Elektronen- 17
—, Licht an einem Spalt 19
Bindung, heteropolare 47
—, homöopolare 47
Bindungsenergie 73, 109
Blasenkammer 175, 177
Bogenentladungsquelle 181
Bohrsche Bahn 31
Bohrsches Atommodell 43
Bohrsches Magneton 45
Bohrsches Modell des Wasserstoffatoms 31
Bolometer 59
Boltzmann-Konstante 11, 250
Boltzmann-Statistik 27
Boltzmannsche Transportgleichung 207
Bose-Statistik 27
Boson 25
Brackett-Serie 31
Braggsches Gesetz 63
Bremsdichte 209
Bremsstrahlung 33, 43, 127
Bremsung von Neutronen 209
Bremsverhältnis 209
Bremsvermögen 125
Brennelement 203
Brennmaterialien 203
Brillouinsche Zonenbilder 53
Brownsche Molekularbewegung 11
Brüten 219
Brüter, schneller 225
—, thermischer 225
Buckling 213
Buncher 187

Cherenkov-Effekt 129
— -Strahlung 129
— -Zähler, differentieller 153
Chopper 167
C-Invarianz 119
Cockroft-Walton-Generator 183
Compoundkern 95
Compton-Antikoinzidenzspektrometer 159
Compton-Effekt 17, 131
Compton-Spektrometer 159
Compton-Wellenlänge 17
Coulomb-Barriere 95, 227
CP-Invarianz 119
CPT-Invarianz 119

De-Broglie-Welle 17, 19, 53
Dee 191
Detektoren 138—177
—, lithiumgedriftete 151
Deuteron 109
Deuteronendurchmesser 109
Diffusion 207
Diffusionsgleichung 135, 207
Diffusionszeit 213
Diffusionsnebelkammer 173
Diracsche Theorie 123
Donator 53

Dosisleistung 233
Drehimpuls 115
Drehimpulsquantenzahl 31, 39, 99
Dreierstoßrekombination 33
Dublettstruktur der Spektrallinien 39
Duoplasmatron 181
Dynode 149

Edelgase 37
Eigenfunktion 21
Eigenwert 21
Eingangskanal 95
elektrische Ladung 13, 115
elektrische Leitfähigkeit 53
Elektrolyse 13
elektromagnetische Strahlung 15, 131, 133
Elektron 111
—, freies 13
Elektronenbeugung 17
Elektroneneinfang 81
Elektronenlinearbeschleuniger 185
Elektronenquellen 181
Elektronenspin 39
Elektronenspinresonanz 65
Elektronensprung 49
Elektronenvolt 15
Elektronenzahl 115
Elektronenzustände in Kristallen 53
Elektrostriktion 51
Element, alphabetische Liste 35
—, chemisches 11
Elementarladung, elektrische 13, 250
Elementarteilchen 110—123
—, Entdeckung 177
Elementarzellen 51
Emission 33
—, induzierte 55
—, spontane 55
Emissionsspektren 59
Emissionswahrscheinlichkeit 89
Entartung der Energieniveaus 23
Entropie 107
Erhaltung der elektrischen Ladung 115
— der Energie 115
— des Impulses 115
Erhaltungsgrößen 115
Erhaltungssätze 115, 117, 119
Erholungszeit 145
Excitonen 147
Expansionsnebelkammer 173

Fabry-Perot-Interferometer 61
Fehlstellen 51
Feinstruktur 43
Fermi-Alter 211
Fermi-Diagramm 80, 83
Fermi-Grenze 27
Fermi-Statistik 27
Fermi-Verteilung 27
Fermi-Wechselwirkung 83
Fermion 25

Feynman-Diagramm 29, 117
FFAG-Beschleuniger 201
Flugzeitmethode 167
Flüssigkeitsszintillator 149
Flußverteilung 215
Fokalkreis 63
Fokussierung 171, 189, 191
—, AG- 199
—, elektrische 191
—, Geschwindigkeits- 171
—, longitudinale 169
—, magnetische 191
—, Richtungs- 171
—, transversale 169
Fokussierungsgrad 169
Fokussierungsschwingung 195
Forschungsreaktoren 221
Fortrat-Diagramm 49
Fourier-Analyse 19
Fourier-Transformation 61
Franck-Condon-Prinzip 49
Fremdatome 51
Frequenzmodulation 195
Funkenkammer 155
Funkenzähler 155
Fusionsbombe 231
Fusionsreaktion 227

Gammadetektoren 159
Gammaspektrometer 159
Gammastrahlung 15, 131
Gammazerfall 89, 91
Gamow-Teller-Wechselwirkung 83
Ganzkörperdosis 233
Gasmodell, statistisches 107
Gastheorie, kinetische 11
Gasverstärkungsfaktor 143
Geiger-Nuttalsches Gesetz 79
Geschwindigkeitselektoren 167
Gitter, reziprokes 67
Gitterkammer 141
Gitterkonstante 51
Gitterspektrographen 58
Gitterversetzungen 51
Gitterzelle 215
Gleichspannungsbeschleuniger 183
Goldhaber, Experiment von 87
Gravitationswechselwirkung 113

Hadronen 110, 113
Halbkreisspektrometer 169
Halbleiter 53
Halbleiter-Neutronen-Spektrometer 165
Halbleiterzähler 63, 151
Halbwertszeit 77
Halogenide 37
Hamilton-Operator 21
Hamiltonsche Funktion 19, 21, 29
Hamiltonsche Mechanik 19
Hauptquantenzahl 31, 39, 99
Heisenbergsche Vertauschungsregeln 19
Hochdruckbrenner 67
Hochfrequenzionenquelle 181
Hochfrequenzspektroskopie 65
Hochfrequenzwellen 65
Hodoskop 155
Hohlraumstrahler 15

Hohlraumresonator 185
Hyperfeinstruktur 71
Hyperfeinstrukturaufspaltung, magnetische 161
Hyperonen 111, 113

Identitätsprinzip 25
Impulsform 143
independent particle models 99
inhour-Gleichung 217
Injektion 199
Interferenz, destruktive 61
—, konstruktive 61
Interferogramm 61
Interferometer 61
Invarianzen 117, 119
Ionen 13
Ionenbindung 47
Ionenerzeugung in Gasen 181
Ionenkristalle 147
Ionenlinearbeschleuniger 187
Ionenquellen 181
Ionisationsausbeute 141
Ionisationskammer 63, 141
Ionisierung 33
—, Photo- 33
Ionisierungsenergie 34, 57
Isobare 69
Isochronzyklotron 193
Isolator 53
Isomerieverschiebung 161
Isospin 117
Isotone 69

J-J-Kopplung 101

Kanalstrahlen 13
Kaon 111
Kaskadengenerator 183
Kathode 13
Kathodenstrahlen 12
Kation 13
K-Auswahlregel 103
Kern, Bausteine des 69
—, isomerer 89
Kernemulsionen 173
Kernemulsionsmessungen 175
Kernenergieniveau 89
Kernfluoreszenz 91
Kerngröße 69
Kernkräfte 75
—, Reichweite der 75, 101
Kernladung 69
Kernmagnetresonanz 71
Kernmasse 69
Kernmodell, optisches 105
Kernmodelle 98—109
Kernphysik 68—97
Kernreaktionen 93, 95
Kernresonanzversuch 70
Kernspaltung 97
—, angeregte 97
—, spontane 97
Kernspaltungsbombe 231
Kerntabelle 238—249
Kernwechselwirkungen 125
Kettenreaktion 203
Klystron 65, 185
Knickinstabilität 229

Koinzidenzschaltung 139
Koinzidenztechnik 157
Kollektivmodell 103
Konstanten 250
Konversion, innere 91
Konversionskoeffizient 91
Korndichtemessungen 175
Kreisbeschleuniger, allgemein 189
Kristall 51
Kristallgitter 51
Kristallstrukturuntersuchung mit Röntgenstrahlen 67
kritische Bedingung 205, 213
kritisches Volumen 213
Kühlkreislauf 203

Ladung 13, 115
Ladungssymmetrie 75
Ladungsunabhängigkeit 75
Lanthaniden 37
Larmorfrequenz 45
Laser 55
Lawson-Kriterium 229
Lebensdauer 89
— von Pi-Mesonen 157
Leistungsreaktoren 223
Leiter, metallischer 53
Leitfähigkeit, elektrische 53
Leitungsband 53
Leptonen 111
Lethargie 209
Leuchtelektron 39, 41
Licht 15
Lichtquant 15, 111
Linearbeschleuniger 185, 187
Löcher 122, 151
Loschmidt-Zahl (Avogadro-Z.) 11, 250
L-S-Kopplung 101
Lyman-Serie 31

magische Zahlen 99
magnetische Eigenschaften des Atoms 45
magnetisches Moment 45, 71, 101
magnetomechanische Anomalie 45
Magnetquantenzahl 31
Makrozustand 26
Maser 55
Massenbremsvermögen 125
Massendefekt 73
Massenspektrometer 171
Massenzunahme, relativistische 193
Material-Buckling 213
Maxwellsches Gesetz 13
Mehrelektronenatome 41
Mehrgruppen-Diffusionsmethode 211
Mesonen 111
Meßmethoden 56—67
Messungen, elektrolytische 11
— von Anregungsenergien 57
Michelson-Interferometer 61
Mikrotron 193
Mikrowellen 65
Mikrowellenspektroskopie 65

Mikrozustand 26
Millersche Indizes 51
Millikan, Öltröpfchenversuch 13
Moderator 203
Mol 11
Molekül 11, 30—55
Molekularmasse 11
Molekülphysik 47
Moment, magnetisches 45, 71, 101
Moseley-Gesetz 43
Mössbauer-Effekt 161
Mott-Streuung 87
multiple Proportionen, Gesetz der 11
Multiplikationsfaktor, unendlicher 205
Multipolstrahlung 89
Müonenzahl 115

Nachentladungen 145
Nebelkammer 173, 177
—, Diffusions- 173
—, Expansions- 173
Netzebenenabstand 51
Neutrino 81, 111
Neutron 111
Neutronen, Bremsung und Diffusion 207, 209, 211
—, epithermische 135
—, langsame 135
—, mittelschnelle 135
—, Resonanz- 135
—, schnelle 135
—, subthermische 135
—, thermische 135
—, verzögerte 97
Neutronendetektoren 163, 165
Neutronendichte 207
Neutroneneinfang 95
Neutronenfluß, skalarer 207
Neutronengleichgewicht 203
Neutronenkreislauf 225
Neutronenspektrometer 163
Neutronenspektroskopie 167
Neutronenstreuung, kohärente 137
Neutronenzähler 163
Niederdruckbrenner 67
Niveau, gebundenes 95
—, virtuelles 95
Niveauabstand 95
Niveaubreite 95
Niveauenergie 103
Niveauschema 89
Nukleonen 111
Nukleonenverdampfung 107
Nuklidkarte 68, 234—237
Nuklidtabelle 238—249
Nutzung, thermische 205

Oberflächensperrschicht 151
Öltröpfchenversuch von Millikan 13
Operator 19
Ordnungszahl (Elemente) 35
— (Spektren) 59
Organdosis 233
Orthowasserstoff 71
Oszillator, harmonischer 23

Paarbildung 123, 133
Paarspektrometer 159
Paarvernichtung 123
Packungsanteil 73
Parabelmethode 171
Parawasserstoff 71
Parität 85, 119
—, gerade 85
—, ungerade 85
Paschen-Back-Effekt 45
Paschen-Serie 31
Pauli-Prinzip 25, 41
Pauli-Verbot 25, 27, 37
PC-Invarianz 119
Penningionenquelle 181
Periodensystem der Elemente 35
—, Aufbauprinzip 37
Pfund-Serie 31
Phasenlage 185
Phasenraum 27
Phasenstabilität 185
Photoeffekt 15, 131
Photoionisierung 33
Photokathode 149
Photomultiplier 147, 149
Photon 15, 111
Piezoelektrizität 51
Pinch 229
P-Invarianz 119
Pion 111
Plancksches Strahlungsgesetz 15, 27
Plancksches Wirkungsquantum 15, 17, 250
Plasma 227, 229
Plasmainstabilität 229
Plasmatronionenquelle 181
Plastikszintillator 149
Plateau 145
Polarisation 129
—, longitudinale 87
—, zirkulare 87
— der Elektronen 85
— der Neutrinos 87
Populationsumkehr 55
Positron 123
Positronium 123
Potential, imaginäres, imaginäres spinabhängiges, reelles 105
Potentialansätze 99, 109
Primärstoßionenquelle 181
Prismenspektrograph 59
Proportionalitätsbereich 143
—, beschränkter 143
Proportionalzähler 143
Proton 111
Pulsionisationskammer 141
Pumpen, optisches 55

Quadrupolaufspaltung, elektrische 161
Quadrupollinse, magnetische 187
Quadrupolmoment 103
Quantenelektrodynamik 29
Quantenfeldtheorie 29
Quantenmechanik 18, 20
Quantentheorie 16—29
Quantenzahl 23, 31
—, Drehimpuls- 31, 39, 99

—, Haupt- 31, 39, 99
—, Magnet- 31
—, Spin- 31
Quarktheorie 121
Quellen 178—201
Querschnitt, totaler 133
Q-Wert 93

Radioaktivität, natürliche 77
Radioökologie 233
Radiotoxizität 233
Radiowellen 15
Raman-Effekt 67
RBE 233
Reaktion, endotherme 93
—, exotherme 93
—, thermonukleare 227, 229
Reaktionsneutronen, prompte 97
—, verzögerte 97
Reaktivität 205, 217
Reaktordynamik 217
Reaktoren 202—225
—, Brennmaterialien 203
—, Druckwasser- 223
—, Graphit- 223
—, heterogene 215
—, Komponenten 203
—, kritischer 217
—, Moderation 203
—, Natururan-Graphit- 221
—, Schwerwassertank- 221
—, Schwimmbad- 221
—, Siedewasser- 223
—, unterkritischer 217
Reaktorkern 203
Reaktorperiode 217
Reaktorsteuerung 219
Reaktortechniken 167
Reflektor 203
Reflektorersparnis 215
Regelstab 203
Regenerationsfaktor 205
Reichweite 125, 127, 175
Reihe, radioaktive 77
Resonanz, paramagnetische 65
Resonanzbedingung 197
Resonanzen 121, 135
Resonanzentkommwahrscheinlichkeit 205
Resonanzquerschnitt 95
Richardson-Einstein-de Haas-Effekt 45
Richtungsquantelung 45
Röntgenspektroskopie 63
Röntgenspektrum 15, 43
Röntgenstrahlen 15, 43
—, Kristallstrukturuntersuchung mit 67
Rotation des inneren Kerns 103
Rotationsänderung 49
Rotationsspektrum 103
Rotator, freier 23
—, starrer 23
Rowland-Gitter 59
Rückstoßteleskop 165
Ruhenergie 107, 250
Ruhmasse 250
Runzelröhre 185
Russell-Saunders-Kopplung 41
Rydberg-Konstante 31, 250

Sandwich-Halbleiter-Spektro-
    meter 165
Sättigung 75
Schalen 37
Schalenmodell 99, 101
Schauer 129
Schnellspaltfaktor 205
Schrödinger-Gleichung 21, 23,
    29, 31
Schwächungskoeffizient für
    Gammastrahlung 133
Schwellenenergie 93
Schwellenzähler 153
Schwellwertdetektor 165
Schwingung, akustische 51
—, optische 51
Schwingungsquantensprung 49
Sektorfeldspektrometer 169
Spaltprodukte, Massenvertei-
    lung der 97
Spaltungsschwelle 97
Speicherring 201
Spektrallinien, Dublettstruktur
    der 39
Spektrometer 139
—, magnetische 169
—, optische 59
— mit Kristallen 63
Spektrum, Absorptions- 59
— der Alkali-Atome 39
—, Bremsstrahlen- 43
—, Emissions- 59
—, Röntgen- 15, 43
— des Wasserstoffatoms 31
Spiegelkerne 75
Spin 25, 71, 113
Spinquantenzahl 31
Stabilität, radiale 187
Statistik 27
Stellarator 229
Stern 107
Stern-Gerlach-Versuch 45
Steuerelement 219
Steuerstäbe 219
Stoß, elastischer 209
— 2. Art 33
Straggling 127
Strahlenabschirmung 203
Strahlenquellen, natürliche 179
Strahlenschutz 233
Strahlung, Brems- 33, 43, 127
—, Cherenkov- 129
—, elektromagnetische 15
—, Gamma- 15, 131
—, Multipol- 89
—, Röntgen- 15, 43, 131

Strahlungsabsorption 33, 55
Strahlungsdosis 233
Strahlungsemission 33, 55
Strahlungsrekombination 33
Strangeness 115
Streamer-Kammer 155
Streuexperimente 75
—, Rutherfordsche 79
Streuung, diffuse 137
—, elastische, schneller Neu-
    tronen 135
—, inelastische, an Atomelek-
    tronen 127
—, Thomson- 133
Streuwinkel 13
Stromkammer 141
strong interaction models 99
Superheterodynspektrometer 65
Suszeptibilität 45
Synchrotron 197, 199
Synchrotronstrahlung 197
Synchrozyklotron 195
Szintillation, Theorie der 147
Szintillationszähler 147, 149
Szintillator, Flüssigkeits- 149
—, organischer 147
—, Plastik- 149

Taschendosimeter 141
Teilchen 17
—, freies 23
—, instabiles 111
—, stabiles 111
—, virtuelles 119
— im Potentialtopf mit harten
    Wänden 23
Teilchenspurdetektoren   173 ff.
Teleskopzähler 157, 165
Temperatur des Kerns 107
Temperaturkoeffizient 219
Tensorkraft 75
Thomson-Streuung 133
T-Invarianz 117
Toleranzdosis 233
Totzeit 145
Triftröhre 187
Tschernobyl 223
Tunneleffekt 23

Übergang, erlaubter 83
—, übererlaubter 83
—, verbotener 83
Unbestimmtheitsbeziehung 19

Valenzband 53
Valenzelektron 39, 41

Van-de-Graaff-Generator 183
Van-der-Waals-Kristall 51
Variable, kanonisch konjugierte
    19
Vektorfluß 207
Verbleibwahrscheinlichkeit 205
Vergiftung 219
Vermehrungsfaktor 215
Verschmelzung 227
Vertex 117
Vibration des inneren Kerns 103
Vielfachstreuung 175
Vier-Faktor-Formel 205
Volumen, kritisches 213

Wärmekapazität 107
Wasserstoffatom 31
Wasserstoffbombe 231
Wechselwirkung 124—137
—, elektromagnetische 113
—, schwache 113
—, starke 113
— mit Strahlung 55
Wechselwirkungsmöglichkeiten
    eines Nukleons mit einem
    Kern 104
Wellen 17
Wellenbild 93
Wertigkeit 13, 37
Wirkungsquerschnitt 93, 131, 133
—, differentieller 93
—, makroskopischer 207
—, partieller 93
—, totaler 93
Woods-Saxon-Potential 105
Würstcheninstabilität 229

Zähler, nichtselbstlöschender
    145
—, selbstlöschender 145
Zählrohrcharakteristik 145
Zeeman-Aufspaltung 71
Zeeman-Effekt 45
Zeitumkehr 117
Zentralkraft 75
Zerfallsgesetz 77
Zerfallsneutronen, prompte 97
Zerfallsreihen 77
Zeta-Maschine 229
Zusammenstöße, elastische 125
—, inelastische 125
Zustand, metastabiler 33
Zweikristallspektrometer 63
Zwischenkern 95
Zyklotron 191, 193